BIBLIOTHÈQUE DU VOYAGEUR

BRÉSIL

BRÉSIL

ÉDITION FRANÇAISE

Traduction de l'anglais
Bruno Krebs, Jean-Noël Mouret, Sophie Paris, Florence Vuarnesson

Bibliothèque du voyageur
Gallimard Loisirs
5, rue Sébastien-Bottin, 75007 Paris
Tél. 01 49 54 42 00, fax 01 45 44 39 45
biblio-voyage@guides.gallimard.tm.fr

Aucun guide de voyage n'est parfait. Des erreurs, des coquilles se sont certainement glissées dans celui-ci, malgré toutes nos vérifications. Les informations pratiques, adresses, heures d'ouverture, peuvent avoir été modifiées ; certains établissements cités peuvent avoir disparu. Nous vous serions très reconnaissants de nous faire part de vos commentaires, de nous suggérer des corrections ou des compléments qui pourront être intégrés dans la prochaine édition.

Dépôt légal : septembre 2008
Numéro d'édition : 160407
ISBN 978-2-74-242368-2
Photogravure couverture : Mirascan, Paris
Imprimé et relié à Singapour par Insight Print Services (Pte) Ltd.

www.guides.gallimard.fr
biblio-voyage@guides.gallimard.tm.fr

À PROPOS DE CE GUIDE

Cette nouvelle édition du guide *Brésil* est une traduction-adaptation de l'Insight Guide : *Brazil*, paru en 2007 dans sa sixième édition.

Comment utiliser ce guide

Ce guide de voyage est conçu pour répondre à 3 principaux objectifs : informer, guider et illustrer. Dans cette optique, il est divisé en trois grandes sections, identifiables grâce au bandeau de couleur placé en haut de page. Chacune d'elles vous permettra d'appréhender le pays, son histoire et sa population, et vous guidera dans le choix de vos visites, de votre hébergement et de vos activités culturelles et sportives :

◆ La section **Histoire** et **Société**, signalée par un bandeau orange, relate sous forme d'articles fouillés l'histoire et la culture du pays.

◆ La section **Itinéraires**, indiquée par un bandeau bleu, présente sous forme de circuits une sélection de sites et de lieux incontournables à découvrir. Chaque site est localisé sur une carte à l'aide d'une pastille numérotée.

◆ La section **Carnet pratique**, située en fin d'ouvrage et marquée par un bandeau jaune, fournit toutes les informations nécessaires pour connaître les différents aspects du pays (climat, économie, situation géopolitique...), pour préparer le

voyage (formalités, comme s'y rendre, précautions sanitaires, à mettre dans sa valise, etc.), se déplacer dans le pays, se loger et se restaurer, faire du shopping et bien plus encore pour vivre au rythme de la samba...

Les contributeurs

Le Brésil ayant beaucoup changé et dans beaucoup de domaines ces dernières années, il n'était plus question de se contenter de vérifier les informations contenues dans le présent ouvrage : il fallait en réécrire les chapitres, en partie ou en totalité, et renouveler les photographies. Cette nouvelle édition a donc nécessité la réunion d'une équipe d'experts capable de couvrir tout le pays pour en dresser le portrait le plus fidèle et le plus actuel.

Hugh O'Shaughnessy a revisité les chapitres d'histoire et d'économie ainsi que *L'Amazonie*. **Bruna Rocha** signe *Des saints et des idoles*. **Tom Murphy** a mis à jour ses propres textes : *Le peuple brésilien*, *Sa majesté Carnaval* et *Le goût de la fête*. **Steve Yolen**, qui réside à Rio, est l'auteur d'*Au pays du futebol* et a réactualisé l'itinéraire *État de Rio de Janeiro*. Pour *Danse et musique*, la compositrice **Sue Steward** a planté le nouveau décor de la scène musicale brésilienne. *Cinéma sans frontières* et *TV Globo* sont signés **Christopher Pickard**, à qui l'on doit également la mise à jour *Rio de Janeiro*. **Jorge Mendez**, Brésilien installé à Londres, a rajeuni les chapitres *Bahia*, *Salvador* ainsi que *Recife et le Pernambuco*.

La mise à jour des pages *São Paulo : ville et État* ainsi que *Les États du Sud* est due à **Karinna Damo**, celle de *Brasília* à **Ricardo Mendonça** et celle de *Sergipe et Alagoas* ainsi que *La côte nord* à **Michael Clifford**. **Joby Williams** a écrit les itinéraires *Le Pantanal* et *Cataratas do Iguaçu*. L'actualisation du Carnet pratique a été faite par **Brian Nicholson**.

Cet important travail s'est basé sur les textes écrits antérieurement par **Edwin Taylor**, **Richard House**, **Elizabeth Herrington**, **Moyra Ashford**, **Sol Biderman**, **Michael Small**, **Patrick Cunningham**, **Daniela Hart**, **Ricardo Buckup**, **Sue Branford** et **Richard Ladle**.

Hilary Genin et **Jenny Krautz** se sont chargées de réunir et de sélectionner toute l'iconographie.

Légendes des cartes

- Frontière internationale
- Frontière régionale
- Parc national, réserve
- Route maritime
- Métro
- Aéroport international, aéroport national
- Gare routière
- Parking
- Office de tourisme
- Bureau de poste
- Église, ruine
- Monastère
- Mosquée
- Synagogue
- Château, ruine
- Site archéologique
- Grotte
- Statue, monument
- Curiosité, autre site

Les sites des itinéraires sont signalés dans les cartes par des puces noires (ex ❶ ou Ⓐ). Un rappel en haut de chaque page de droite ou de gauche indique l'emplacement de la carte correspondant au chapitre.

Sommaire

Introduction

Histoire

Société

Itinéraires

Zoom sur...

Carnet pratique

Connaître le Brésil

Préparatifs

Tour operators

Sur place

Se déplacer

Se loger

Shopping

Sports & loisirs

Culture

Sortir

Langue

À lire

À voir

Cartes

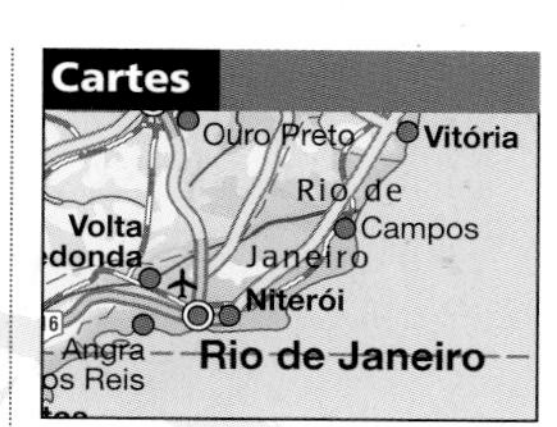

Le quartier ancien de São Luís, ville du nord-est du Brésil.

Rêvez le Brésil

Imaginez-vous plongé dans l'explosion de joie et de couleurs du carnaval de Rio, descendant l'Amazone entre piranhas et caïmans, arpentant les rues d'Ouro Preto la baroque, farnientant sur la plage un lait de coco frais à la main, isolé tel Robinson dans un lodge de la forêt amazonienne… Vous êtes au Brésil, pays de la samba et du *frevo*, de la *feijoada* et de la *caipirinha*, terre vibrant de tous ses possibles.

Ses panoramas à couper le souffle

- **Corcovado**
Rio de Janeiro
Il est impossible que vous vous rendiez à Rio sans prendre le train qui vous conduira au sommet du Corcovado, où la statue géante du Christ embrasse la ville dans ses bras étendus, et d'où la vue est inoubliable. *Voir p. 155*
- **Pão Açúcar**
Rio de Janeiro
Du haut du Pain de Sucre, le spectacle sur sur Rio et sa baie est sublime… Est-il plus beau encore que celui du Corcovado ? Les avis sont partagés : à vous de juger ! *Voir p. 149*
- **Pai Inácio**
Deux bonnes raisons de gravir ce mont : il offre le meilleur point de vue sur la Chapada Diamantina, la plus belle région de l'État de Bahia, et il est recouvert d'une éclatante flore exotique. *Voir p. 227*
- **Paranapiacaba**
En tupiguarani, cela veut dire "Vue sur la mer", mais le superbe tableau dépeint aussi la plaine de Santos. *Voir p. 197*
- **De Curitiba à Morretes**
Embarquez, dans le Paraná, à bord d'un train d'un autre temps et enfoncez-vous 3 heures durant dans la section de forêt humide atlantique la mieux conservée. *Voir p. 326*

Son histoire, sa culture

- **Largo do Pelhourino, Salvador**
Il s'agit, pour l'Unesco, de l'ensemble le plus important d'achitecture coloniale des XVIIe et XVIIIe siècles des Amériques. *Voir p. 234*
- **Belém**
Découvrez le riche patrimoine préservé de cette ville née d'un port portugais bâti au XVIe siècle et enrichie au XIXe grâce au commerce du caoutchouc. *Voir p. 280*
- **Parati**
Cette coquette cité coloniale sert d'écrin à l'un des plus récents – quoique des plus importants – festival de littérature au monde. *Voir p. 177*
- **Petrópolis**
Visitez cette ville bâtie dans les années 1840 par l'empereur Pedro II pour échapper à la touffeur estivale de Rio. *Voir p. 167*
- **Ouro Preto**
Enrichie par l'or et le diamant, Ouro Preto s'est offert un ensemble architectural et sculptural baroque incomparable, couché à présent sur la liste du Patrimoine mondial de l'Unesco. *Voir p. 208*
- **Congonhas do Campo**
Congonhas conserve 2 chefs-d'œuvre d'Aleijadinho, le plus grand sculpteur brésilien baroque. *Voir p. 212*

À gauche : Salvador coloniale. **Ci-dessus :** Rio et sa baie.

Sa faune et flore exceptionnelles

• Le Pantanal
Soyez le témoin ébloui de la faune dont foisonne cette zone marécageuse infinie : les délicats échassiers – l'ibis, le *jabiru*, le *tuiuiú* ou la spatule rosée –, sans oublier le *capivara* – le plus grand rongeur au monde –, le caïman, la loutre ou encore le boa constrictor. *Voir p. 311*

Ci-dessus : le *capivara*.

• Amazonie
Le bassin amazonien, le plus grand au monde, abrite 30 % des espèces animales et végétales de la planète : 2 500 de poissons, 50 000 d'essences et des millions d'insectes. *Voir p. 277*

• Reserva Biológica Sooretama
Vous serez étonné par la diversité faunique – plus de 370 espèces aviaires – et florale que protège cette réserve. *Voir p. 215*

• Fernando de Noronha
Plongeurs, surfeurs et amoureux de la nature, bénissent cette île aux eaux peuplées de dauphins, de coraux et de poissons bariolés. *Voir p. 260*

Ci-dessus : l'une des plages de rêve du Brésil.

Son meilleur shopping

• Barra Shopping, Rio
Dans le plus grand centre commercial d'Amérique latine – climatisé, de surcroît –, vous ne manquerez pas de trouver votre bonheur. *Voir p. 164*

• Bijoux, Rio
Rendez-vous chez Pepe Torras (Ataúlfo de Paiva 135) pour découvrir les bijoux de cet artisan très inspiré et innovant. *Voir p. 365*

• Artisanat indien moa Konoya Arte Indígena, São Paulo
Konaya Arte Indígena (Rua João Moura 1002) présente une fabuleuse collection d'artisanat indien. CD de musique indienne en vente aussi. *Voir p. 366*

• Marché, São Paulo
Chinez tableaux, pierres précieuses sur le marché de la Praça de Republica. *Voir p. 366*

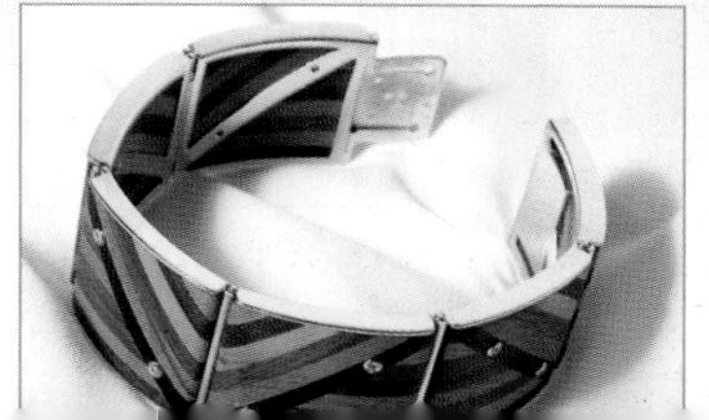

À droite : bijoux d'artisan.

Ses plages les plus radieuses

• Búzios
"Sous le soleil évidemment..." : plages de sable blond, eaux cristallines, cocotiers... LE rêve ! *Voir p. 172*

• Lopes Mendes, Ilha Grande, État de Rio
Sentez le sable blond et fin de cette ravissante et longue plage crisser sous vos pieds. *Voir p. 176*

• État de São Paulo
Suivez l'autoute Rio-Santos : elle dessert plus de 400 plages plus coquettes les unes que les autres. L'une d'entre elle vous retiendra ! *Voir p. 199*

• Taipús de Fora, État de Bahia
C'est l'une des plus belles plages du pays, sur la péninsule isolée de Maraú. *Voir p. 223*

• Praia do Forte
Des cocotiers ourlent les 12 km de sable doré de cette plage protégée par une fondation privée. *Voir p. 223*

• Praia Pajuçara, Maceió, État d'Alagoas
Les plages de Maceió sont célèbres pour la pureté de leurs eaux émeraude. Joyau parmi ces perles, la Praia Pajuçara, qui devient un immense bassin peu profond à marée basse. *Voir p. 248*

• Jericoacoara, État de Ceará
Parmi les innombrables plages du Ceará, la plus délicieuse demeure celle isolée de Jericoacoara. Déclarée parc national en 2002, elle est décrite comme "l'une des 10 plus belles plages de la planète". *Voir p. 270*

Ses fêtes les plus éclatantes

- **Carnaval de Rio**
Ces 2 mots sont indissociables puisque Rio a créé le carnaval le plus grand et le plus fou au monde. *Voir p. 84*
- **Carnaval de Salvador**
Trio Elétrico, le festival de musique ambulant, fait danser la ville au son de la samba, du *frevo* et du *deboche*. *Voir p. 87*
- **Boi-Bumbá**
À Parintins, les 3 derniers jours de juin sont consacrés à un immense festival de rue centré sur la légende de Boi-Bumbá, superbe synthèse des cultures amérindienne, africaine et européenne. *Voir p. 93*
- **Saints de juin**
Lachés de ballons de toutes les couleurs, feux de joie et d'artifice crevant la nuit, repas de fête, musique à volonté : la Saint-Jean (23-24) et la Saint-Pierre (28-29) rivalisent d'euphorie. *Voir p. 90*
- **Bom Jesus dos Navegantes**
Salvador au nouvel an, s'anime d'une procession de petites embarcations ornées de banderoles et de fanions transportant la statue de Notre-Seigneur des marins du port à l'église de Boa Viagem. *Voir p. 87*
- **Círio de Nazaré**
À Belém, le 2e dimanche d'octobre, des milliers de pénitents et de curieux s'agrègent à la procession captivée par le char portant la statue de Notre-Dame de Nazareth. *Voir p. 92*
- **Saint-Sylvestre**
Sa manifestation la plus éblouissante prend place à Rio, qui donne un sublime feu d'artifice. Sur la plage de Copacabana, des prêtresses vêtues de blanc honorent Iemanjá, la reine des mers. *Voir p. 89*

Ci-dessus : le canaval de Rio, une explosion de joie.

Ses beautés naturelles

- **Fernando de Noronha**
Ici la plongée est reine. Vous aurez la chance de visiter des épaves d'antiques vaisseaux et de croiser des requins lors d'une descente nocturne… *Voir p. 260*
- **Cataratas do Iguaçu**
Calé dans un bateau pneumatique de 20 places, approchez de ces immenses chutes pour sentir la force titanesque de leurs eaux. *Voir p. 320*
- **Amazonie**
Enfoncez-vous dans la forêt à bord d'une pirogue, pêchez des piranhas ou chassez les caïmans armé de votre seule lampe-torche… *Voir p. 290*
- **Ilha do Mel, Paranaguá**
Sa nature intacte, ses piscines naturelles, ses grottes, ses plages désertes et l'absence de tout véhicule font de cette île un paradis perdu. *Voir p. 327*
- **Parque Nacional de Brasília**
Suivez les sentiers de randonnées de ce parc de savanne et de taillis où vivent oiseaux, loups, singes et tatous. *Voir p. 308*

À gauche : au cœur de l'Amazonie, l'"enfer vert".

SES HAUTS-LIEUX GASTRONOMIQUES

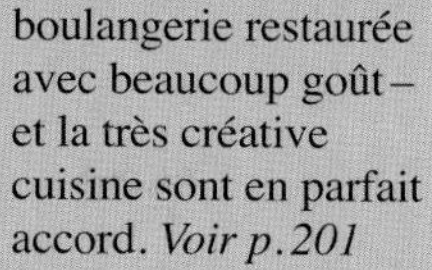

• Gero, Rio
Cet italien est très vite devenu l'un des phares de la carte gourmande carioca. *Voir p.165*

• Locanda della Mimosa, Petrópolis
Dans ce temple de l'art culinaire officie Danio Braga, unanimement reconnu pour ses savoureuses créations. *Voir p.179*

• Banana da Terra, Parati
La cohabitation des poissons et fruits de mer avec les produits locaux confectionnent de mémorables assiettes. *Voir p.179*

• Cantaloup, São Paulo
Le cadre – une ancienne boulangerie restaurée avec beaucoup goût – et la très créative cuisine sont en parfait accord. *Voir p.201*

• Sorriso da Dadá, Salvador
Le meilleur de la gastronomie bahianaise servie dans un cadre époustoufflant. *Voir p.241*

• Famiglia Giuliano, Recife
Ne ratez pas sa *feijoada* ! elle vous ferait presque oublier le décor – la réplique d'un château médiéval. *Voir p.259*

• Alice, Brasília
Ce bistro français est la meilleure de la ville. *Voir p.309*

CI-DESSUS : la *caipirinha*, boisson nationale.

CI-DESSUS : le Museu de Arte Contemporânea, à Rio.

SES MUSÉES INCONTOURNABLES

• Museu Nacional das Belas Artes, Rio
Ne manquez pas l'une des plus belles collections d'art d'Amérique latine, en particulier l'œuvre du grand Cândido Portinari. *Voir p.145*

• Museu de Arte Contemporânea, Rio
Les courbes sensuelles de l'édifice signé par Oscar Niemeyer m"rite à lui seul le détour. *Voir p.149*

• Museu Afro-Brasileiro, Salvador
Cette fascinante foison d'objets vous éclairera sur la prégnance de l'Afrique dans la culture bahianaise. *Voir p.234*

• Museu do Homem do Nordeste, Recife
Fondé par le grand anthropologue Gilberto Freyre, ce musée est un modèle d'histoire culturelle. *Voir p.253*

• Museu de Arte de São Paulo (MASP)
Rembrandt, Goya, Monet... quelques noms donnant le *la* à un riche ensemble réunissant la Grèce antique et le Brésil moderne. *Voir p.192*

SES PLAISIRS À PETITS PRIX

Airpass Un bon plan si vous souhaitez franchir les immensité brésiliennes sans vous ruiner. Vous ne pourrez acheter votre airpass qu'en dehors du pays – renseignez-vous auprès de votre agence de voyages. Son coût varie en fonction du nombre de vols, de la saison et des régions desservies. Un airpass est valable 21 jours et vous permet de visiter 4 ou 5 villes excepté votre point de départ au Brésil. Il ne peut être utilisé que dans les avions de la compagnie aérienne qui l'a vendu.

Restaurante por quilo Vous avez le droit d'avoir les yeux plus gros que le ventre, mais n'allez pas défier la loi universelle de la gravitation en remplissant votre assiette dans l'un des nombreux restaurants "au kilo" ou self-services, dont la note n'est jamais salée. Vous vous y régalerez, car la cuisine y est excellente, et, comme l'appellation de l'endroit l'indique, vous ne paierez que le poids de votre assiétée.

Suppléments culturels gratuits Organisez toutes vos sorties grâce au supplément accompagnant l'édition du vendredi de grands médias : celui du quotidien *O Globo*, riche d'informations et d'adresses à Rio, celui de la *Folha de São Paulo*, qui couvre toute la semaine suivante, et la *Vejinha*, brochure culturelle régionale jointe au magazine national hebdomadaire *Veja*.

Églises L'entrée de pratiquement toutes les églises brésiliennes est libre. Vous y pourrez souvent admirer sans aucune contrepartie des pièces d'art et d'architecture sacrés de toute beauté.

4-005230-1 G.2.M

Un pays sans limites

Terre mythique, contrée sans borne, le Brésil tire sa force de richesses infinies et d'une population à l'éternel optimisme.

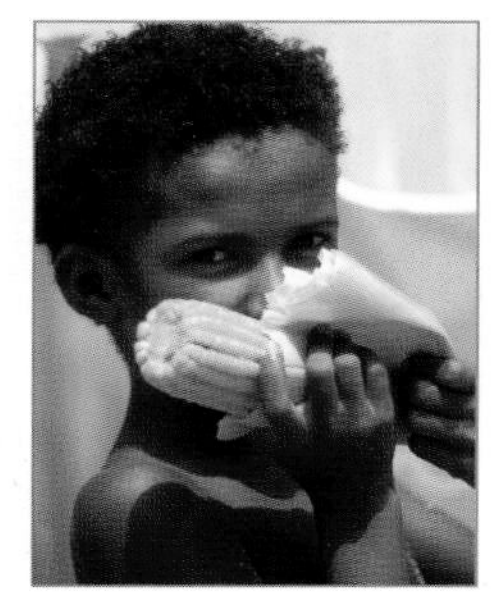

Depuis sa colonisation par les Portugais au XVIe siècle, le Brésil a toujours exercé une fascination sur les étrangers : chercheurs d'or, exploitants de caoutchouc, de café, et, plus récemment, amateurs de musique et de paysages exotiques. Amoureux de leur pays, les Brésiliens eux-mêmes, impressionnés par son gigantisme, sont convaincus qu'un fabuleux trésor les attend quelque part.

Dans cette quête d'un Eldorado, ils investissent depuis 4 siècles les immensités de ce pays vaste comme un continent, comptant aujourd'hui 192 millions d'habitants – l'une des populations les plus hétérogènes du monde. Les Brésiliens sont noirs, blancs, rouges ou jaunes, en passant par toute la palette des métissages. Ils habitent des villes tentaculaires ou vivent au milieu de nulle part dans le plus total dénuement ; travaillent dans les industries du XXIe siècle ou poussent des charrues derrière leurs bêtes de trait. À l'intérieur des mêmes frontières cohabitent des Indiens proches de l'âge de pierre, des paysans et des seigneurs du Moyen Âge, des pionniers décimant la forêt amazonienne, des "golden boys" des métropoles. Ce pays en perpétuel mouvement, incroyablement dynamique, au processus de développement unique, persévère toujours, même en période de ralentissement, dans la voie de sa construction. Dernière grande muraille dissimulant un Brésil inconnu, la forêt amazonienne, autrefois impénétrable, livre aujourd'hui ses secrets – beaucoup trop vite selon certains.

Une langue commune, le portugais, une religion commune (90 % des Brésiliens sont catholiques), un rêve commun – devenir un jour une grande nation – sont là pour résoudre les paradoxes. Face à des difficultés sociales et économiques souvent énormes, les Brésiliens partagent aussi la même frustration devant la lenteur de leur progression. Ils restent pourtant un peuple plein de vitalité pour qui l'espoir est une vocation nationale. Spontanés, enthousiastes, ils vivent dans le présent – une mentalité impulsive qui déroute les prudents et les calculateurs. Au pays du carnaval, il faut savoir saisir l'instant. Un trésor est si vite arrivé. ❑

Pages précédentes : l'Amazonie grandeur nature ; embrassez Rio du regard ; embarquement immédiat sur la Praia de Copocabana

À gauche et ci-dessus : 3 portraits, 3 aspects d'un pays divers.

DES PLAGES DE SABLE FIN À LA FORÊT AMAZONIENNE

Géographie, économie, société : si vaste et diversifié, le Brésil est difficile à considérer comme une entité unique.

D'une superficie (8 509 711 km²) équivalente à 16 fois celle de la France et plus de 2 fois celle de l'Inde, le Brésil se situe au cinquième rang des plus grands pays de la planète. Cependant, les Brésiliens n'occupent qu'une infime partie de leur territoire. Un habitant sur 4 vit dans l'une des 5 grandes villes du sud du pays. Les États du Sud et du Sud-Est abritent ainsi plus de 60 % de la population alors qu'ils ne représentent que 16 % du territoire. Plus de 100 millions d'habitants se concentrent en effet sur une superficie un peu moindre que celle de l'Alaska, tandis que 72 millions vivent sur un territoire équivalent à celui des États-Unis moins le Texas et l'Alaska, soit quelque 7 150 000 km². Le Brésil reste le pays des grands espaces vierges. Il réunit une variété insoupçonnée de paysages, loin des cartes postales trop convenues, de la forêt équatoriale amazonienne au littoral atlantique…

Une structure régionale

Les 26 États et le district fédéral du Brésil sont regroupés en 5 régions : Nord, Nordeste, Centre-Ouest, Sud-Est et Sud, les deux plus vastes étant aussi les moins peuplées. Le Nord, berceau de la forêt amazonienne, occupe 42 % du pays, un territoire qui pourrait accueillir toute la population d'Europe occidentale alors que la sienne ne dépasse pas celle de l'État de New York. Au sud de l'Amazone, la région Centre-Ouest, dominée par un immense haut plateau, couvre 22 % du territoire. Depuis les années 1970, sa population a doublé au point de représenter aujourd'hui 15 % de celle du pays. Ces 2 régions, dont la superficie totale dépasse celle de la plupart des pays du monde, représentent à la fois une promesse et un défi pour le Brésil de demain.

Le Nord

La légendaire Amazonie, le plus vaste bassin fluvial de la planète, recèle non seulement un cinquième de toute notre eau potable mais aussi la plus grande forêt humide du monde. Cette grouillante réserve biologique au potentiel à ce jour encore ignoré et inexploité reste l'un des mystères du globe. Malgré l'entreprise de dévastation qui progresse le long de ses frontières, on peut encore survoler la forêt pendant des heures sans découvrir la moindre brèche dans son tapis de verdure, hormis la courbe des fleuves. En bateau, la végétation défile sans fin le long des rives, lais-

À GAUCHE : plage de rêve à Salvador, Bahia.
À DROITE : la luxuriance du Pantanal.

sant, de temps à autre, apparaître une cabane. Car, ce qu'omettent souvent de prendre en compte les démographes, les urbanistes et les écologistes militant pour la préservation de ce poumon du monde, c'est que la forêt amazonienne n'est ni sauvage ni inhabitée. En plus des descendants des Amérindiens qui régnaient autrefois sur la forêt, on estime à 3 millions le nombre d'habitants disséminés sur cet immense territoire, subsistant comme leurs ancêtres depuis des générations. Ces vrais Amazoniens, les *caboclos*, vivent de l'exploitation du caoutchouc, de la cueillette des fruits, de la pêche et de l'agriculture. Depuis peu, les incitations du gouvernement, la promesse de terres gratuites et l'espoir de profits rapides poussent éleveurs, spéculateurs et petits fermiers à investir la région. Magnats du bétail, souvent aidés d'hommes de main armés, opérateurs fonciers sans scrupules ont ainsi démembré des pans entiers de forêt vierge. Celle-ci décline de manière alarmante, et ce malgré l'héritage de Chico Mendes (*voir encadré ci-dessous*). Les principales victimes de cette invasion dévastatrice pour la faune et la flore sont les *caboclos* et les Amérindiens, chassés en nombre vers les favelas (bidonvilles) des cités. Malgré tout, l'espoir subsiste : des subventions sont accordées pour la formation des nouveaux colons, afin de leur inculquer les méthodes d'agriculture appropriées, les techniques d'extraction viables, et de leur démontrer que la forêt revêt davantage de valeur si elle reste intacte. Ainsi, ces derniers sont-ils encouragés à demeurer sur leur terre au lieu de l'abandonner au bout de quelques années d'exploitation outrancière. La richesse de l'Amazonie ne se résume pas seulement à l'immensité de ses terres arables, son sous-sol recèle aussi d'incroyables ressources. À 879 km de Belém, la Serra dos Carajás abrite ainsi un gisement de fer capable de couvrir les besoins mondiaux pendant les 500 prochaines années. Ailleurs, de l'or, de l'étain, des métaux rares et du pétrole ont été découverts. S'ils étaient correctement exploités, ils permettraient le développement de la région sans que l'on ait besoin de détruire la forêt.

PREMIER MARTYR DE L'ÉCOLOGIE

Chico Mendes, récolteur de caoutchouc originaire de l'État d'Acre, monte la première organisation de défense des ouvriers de la forêt amazonienne. Pour empêcher le déboisement, il mène avec ses partisans des actions pacifiques, ou *empates*. De grands propriétaires terriens commanditent son assassinat en 1988 – année du centenaire de l'abolition de l'esclavage au Brésil.

Sous la pression des médias internationaux, le gouvernement brésilien est contraint de réagir. Il crée les "réserves extractives" où les habitants de la forêt peuvent continuer à vivre selon leurs traditions. Aujourd'hui, la forêt continue de disparaître à un rythme effrayant.

Le Centre-Ouest

Dans cet autre vaste territoire sous exploité du Brésil, le développement s'est ralenti après avoir connu un rapide mais éphémère envol dans les années 1970. Brasília, édifiée sur le Planalto Central (plateau central) en 1960 et conçue par Oscar Niemeyer (*voir p. 124*), avait pour objectif d'attirer de nouveaux colons et de permettre l'intégration de la région à celles du littoral côtier. Si Brasília s'est développée en capitale abritant aujourd'hui plus de 2,1 millions d'habitants, elle n'a en revanche pas généré la croissance économique escomptée. Sur le plan géographique, le Centre-Ouest ne présente aucune des barrières naturelles de l'Amazonie. S'élevant à 1 000 m audessus du niveau de la mer, le Planalto Central se compose de forêts et d'une savane boisée, le *cerrado*. Malgré sa végétation rase, le *cerrado*, une fois débroussaillé, s'avère très fertile. Des fermiers venus du sud du pays y ont installé des exploitations agricoles et des ranches florissants. On y trouve notamment la plus grande plantation de soja du monde. Tout ce mouvement a entraîné la construction de routes et de ponts, l'accroissement de la production de maïs et de coton, et l'arrivée massive de personnel qualifié dans la région.

À GAUCHE : ferries au mouillage dans le port de Manaus, Amazonie. **CI-DESSUS :** les eaux écumantes et rouges des chutes d'Iguaçu.

Les savanes du Sud ont pu être transformées en pâturages où paissent aujourd'hui les plus grands troupeaux du Brésil.

Le Nordeste

Troisième plus grande région du Brésil, le Nordeste occupe 18 % du territoire mais reste la plus défavorisée de toutes. Si, durant la période coloniale, ses plantations de canne à sucre en font le premier centre économique et politique du pays, il ne parviendra pas à se développer au même rythme que ses voisins du Sud et du Sud-Est. Le Nordeste se divise en 4 secteurs : le Maranhão, tout au nord, qui présente les mêmes caractéristiques que le Nordeste et l'Amazonie ; la *zona da mata*, une étroite bande (100 à 200 km) de terre fertile qui longe la côte, du Rio Grande do Norte jusqu'à Bahia ; à l'ouest de cette bande, l'agreste, une zone transitoire semi-fertile ; à l'intérieur, enfin, les étendues arides du *sertão*.

Le Nordeste n'est ni isolé ni sous-peuplé ; sa malédiction tient à son climat : chaud et semiaride. La sécheresse du sertão, avec sa terre parcheminée où ne pousse que la *caatinga* (une végétation épineuse capable de survivre sans eau pendant des années), puis les inondations à la saison des pluies sont responsables de la misère la plus extrême au Brésil.

La sécheresse frappe régulièrement le *sertão*. Celle qui s'achève en 1984 aura duré 5 ans. Une

La forêt amazonienne

Concert de grenouilles et de cigales, cri étrange des singes hurleurs dans le calme du soir : sentir vivre la forêt tropicale au crépuscule relève quasiment de l'expérience spirituelle. Une expérience que les générations à venir n'auront peut-être jamais la chance de connaître, car la plus extraordinaire des manifestations de l'évolution touchera probablement à sa fin pour des raisons de profit. Incendiée, tailladée de toutes parts, la forêt humide se meurt.

Lorsque les premiers Européens arrivent au Brésil, le pays disparaît sous la forêt tropicale qui, bien au-delà de l'Amazonie, s'étend tout le long de la côte atlantique, de Recife jusqu'au sud de Florianópolis. Sur 1 million de kilomètres carrés, elle abrite la faune et la flore les plus diversifiées de la planète.

La forêt diminue du fait de l'expansion constante de la population brésilienne, en particulier sur les bords de l'Atlantique, plus densément peuplés en raison de la fertilité des sols. S'ajoutent à cela les feux allumés par les *péones* et les fermiers pour débroussailler et "nettoyer" les sols. Impossibles à maîtriser, ils détruisent des pans entiers de forêt vierge : l'incendie de 1998, le plus ravageur jamais répertorié, a été qualifié par les Nations unies de "catastrophe écologique sans précédent sur la planète".

Autrefois, 200 espèces de mammifères évoluaient dans les clairières de la forêt brésilienne. 1 000 espèces de papillons voletaient sous la voûte des arbres – on en dénombrait 800 variétés (plus que dans toute l'Amérique du Nord), de l'embouchure de l'Amazone jusqu'aux plus hautes montagnes.

Bizarrement, au regard de la destruction qu'elle subit, l'Amazonie retient obstinément sa faune et sa flore et conserve ses secrets. De nombreuses espèces, par exemple, ne se trouvent toujours que dans cette région. De 10 à 30 millions d'espèces d'insectes, pour ne citer que cette catégorie, seraient à ce jour encore ignorées de la science. Un scientifique en découvrirait une nouvelle au bout de quelques jours ou même de quelques heures seulement passés dans la forêt amazonienne.

En revanche, la déforestation semble être la cause principale de l'importante réduction de la diversité biologique. Aucun animal, aucune plante ne peut y survivre. Si ces ravages, déjà stupéfiants, continuent au même rythme, 90 % de la forêt tropicale aura disparu en 2020. Le plus dramatique reste sans doute la déforestation de 51 millions d'hectares, principalement dans les années 1980, période surnommée la "décennie de la destruction". Au milieu des années 1990, une superficie supérieure à 11 % de celle de la forêt originelle a disparu de la carte. Entre 1995 et 2000, 2 millions d'hectares ont été abattus chaque année, soit l'équivalent de 7 terrains de football à la minute. Actuellement, bien que des programmes de reforestation aient été mis en place, financés notamment par la Banque mondiale, le taux de destruction excède encore largement celui de la croissance. Cela met en péril une faune remarquable : la loutre géante, déjà chassée à outrance dans les années 1950 et 1960, et qui tente de survivre dans un habitat toujours plus réduit ; l'ara bleu, qui a déjà presque totalement disparu avec le commerce des animaux domestiques ; et, entre autres espèces menacées, le jaguar et le caïman noir. Essayez d'en apercevoir quelques-uns pendant votre voyage, avant qu'il ne soit trop tard…

Bien que la déforestation continue d'avancer à grands pas, tout espoir n'est pas perdu. Un rapport datant d'octobre 2006 montre que le recul de la forêt pour les 12 mois précédents était de 13 100 km², ce qui bien sûr est énorme, mais inférieur de plus de 40 % à celui de 2004, correspondant au plus petit niveau de déforestation enregistré depuis 1991. Il y a plusieurs raisons à cela, notamment la chute du prix des matières premières, mais également l'action du gouvernement, lequel multiplie les mesures en faveur de la conservation. Ce que résume João Paulo Capobianco, ministre de la Biodiversité et des Forêts: "Nous renforçons la coercition des lois environnementales… et ça marche." ❑

À GAUCHE : l'*igapó*, forêt inondée par le Rio Negro.

autre, survenue en 1998 après le passage d'El Niño, provoque des dégâts considérables ; en 2000, l'une des plus terribles sécheresses depuis 70 ans chasse des millions d'habitants du *sertão* vers les grands centres urbains du Sud-Est, São Paulo et Rio de Janeiro notamment. Cette région défavorisée reste pourtant une terre de mystères. La difficulté de sa conquête a inscrit au plus profond des êtres un imaginaire de contes et de légendes : les indigènes y sont intrépides et les richesses – or et argent – y abondent…

Mais il existe dans le Nordeste un paradoxe : celui de posséder les plus belles plages du continent. À quelques heures seulement de la misère du *sertão*, de magnifiques plages de sable blanc scintillent sous le soleil tropical. De l'État de Maranhão jusqu'au Rio Grande do Sul, se déploie sur 7 700 km la côte brésilienne, la plus longue du monde. Bénéficiant de pluies généreuses, le littoral du Nordeste concentre le gros de la production agricole de la région, canne à sucre et cacao notamment, et accueille une population de plus en plus importante. Faute d'investissements, l'économie du Nordeste reste dominée par l'agriculture, avec quelques poches industrielles isolées. Le tourisme pourrait jouer un rôle important dans l'économie de la région. Au sud du Nordeste coule le São Francisco, second réseau fluvial du Brésil. Ce fleuve de 3 000 km prend sa source dans le Planalto Central, à l'est de Brasília, s'écoule vers le nord à travers le Minas Gerais, puis bifurque vers l'est aux frontières nord de l'État de Bahia avant de se jeter dans l'océan Atlantique à la hauteur de Penedo dans l'État de Sergipe. Tout du long, le São Francisco irrigue une bande fertile d'une valeur inestimable pour cette région qui n'a jamais pu se nourrir elle-même.

CI-DESSUS : convoi exceptionnel dans le Centre-Ouest.

Le Sud-Est

Les 3 plus grandes villes du pays : São Paulo, Rio de Janeiro et Belo Horizonte, rassemblent à elles seules 45 % de la population totale du Brésil. Avec son haut plateau et son littoral étroit bordé de montagnes, de Bahia jusqu'au Rio Grande do Sul, le Sud-Est ne représente pourtant que 11 % du territoire brésilien.

La *mata atlântica*, végétation tropicale dense qui enveloppe les montagnes d'un superbe manteau vert, est tragiquement menacée par ce qui fait la prospérité de la région. L'État de São Paulo, qui possède le plus grand parc industriel d'Amérique latine, voit en effet sa forêt peu à peu détruite par les polluants. Le Paraná, plus au sud, a en revanche réussi à préserver la sienne.

À l'exception de Rio de Janeiro et de Santos (les deux plus grands ports brésiliens), la population se concentre majoritairement sur le plateau à une altitude moyenne de 700 m. Le climat y est tempéré, avec un été et un hiver. C'est le centre de la croissance économique du Brésil depuis le XIXe siècle.

Le Minas Gerais, seul État sans littoral de la région, doit son développement précoce à la richesse de son sous-sol. En effet, sa terre rouge témoigne de la présence de gisements de fer. Appartenant au gigantesque bouclier précambrien, le Minas Gerais devint le premier producteur mondial d'or au XVIIIe siècle. Grâce à lui, le Brésil se place aujourd'hui au rang de premier producteur du monde de minerai de fer et de pierres précieuses. C'est là que se concentrent les trésors baroques des villes coloniales.

La ville de São Paulo s'étend sur une superficie 3 fois plus grande que Paris et compte 18 millions d'habitants. C'est une destination rêvée pour les amateurs de fêtes nocturnes... Rio de Janeiro, qui n'est plus depuis 1960 la capitale fédérale, demeure par son environnement géographique l'une des plus belles villes du monde. Les Brésiliens ont coutume de raconter qu'après 6 jours de labeur, au septième jour Dieu créa Rio ! Belo Horizonte enfin, la troisième ville du pays, capitale du Minas Gerais, connaît un développement économique rapide et possède l'un des meilleurs niveaux de vie du Brésil.

Le Sud

La plus petite région du Brésil – 7 % du territoire – va se développer rapidement durant la seconde moitié du XXe siècle. Elle abrite actuellement 15 % de la population du pays. Située sous le tropique du Capricorne, c'est la seule région du Brésil à posséder un climat subtropical avec 4 saisons bien marquées – des périodes de gel et même parfois des chutes de neige en hiver. Dès le début du XXe siècle, les 3 États du Sud ont ainsi attiré un grand nombre d'immigrés – Italiens, Allemands, Polonais et Russes. La culture du blé, du maïs, du soja et du riz a fait des États du Paraná et du Rio Grande do Sul, avec São Paulo, le garde-manger du Brésil.

Traditionnellement, le Sud est aussi une région d'élevage, même s'il perd du terrain au profit du Centre-Ouest. Dans la moitié ouest du Rio Grande, la pampa et la plaine accueillent nombre des plus grands ranches et exploitations agricoles du Brésil. Dans la partie est, un terrain montagneux et de profondes vallées ont incité les migrants italiens et allemands à y établir une industrie viticole.

L'État de Paraná tire également profit de vastes pinèdes, matière première de l'industrie de la construction au Brésil, mais celles-ci s'épuisent rapidement. À la limite ouest de l'État coule le Rio Paraná qui, avec le Paraguay, forme le troisième plus grand réseau fluvial du pays. Ces fleuves alimentent les industries du Sud et du Sud-Est. Sur le Paraná notamment, est construite la plus grande centrale hydro-électrique du monde, le barrage d'Itaipu. ❑

PÂTURAGE ET CORROYAGE

Les prairies du Rio Grande do Sul nourrissent 14 millions de têtes de gros bétail et 10 millions de moutons, ce qui se traduit par une production de viande prodigieuse. L'excellence de sa viande de bœuf est un fait acquis dans tout le Brésil comme à l'étranger – et ce à raison, comme vous le dira le premier client d'un *rodizio* brésilien (voir p. 94). D'où également l'importante de l'industrie du cuir, en particulier celle de la chaussure. Le cheptel ovin comprend un certain nombre de caraculs, espèce originaire du Turkestan et importée au Brésil dans les années 1980. Ces moutons ont une toison abondante, noire, brune ou grise, avec parfois des nuances rouges. Leur large queue stocke de la graisse, jouant ainsi le rôle de garde-manger.

À GAUCHE : la récolte du café, vitale pour l'économie.
À DROITE : Ouro Preto, ville coloniale du Minas Gerais.

Chronologie

Période coloniale (1500-1822)

1494

Le traité de Tordesillas, par l'entremise du pape Alexandre VI, répartit le monde non européen entre l'Espagne et le Portugal ; celui-ci finira par obtenir le Brésil actuel.

1500

L'explorateur portugais Pedro Álvares Cabral, dévié de son cap vers les Indes et la route des épices, accoste près de Porto Seguro.

Premier Européen à poser le pied au Brésil, il nomme ce continent Terra de Santa Cruz, la Terre de la Vraie Croix, mais celui-ci prendra le nom de Brésil, d'après le *pau-brasil*, bois dont les Européens extraient de la teinture rouge.

1501-1502

Amerigo Vespucci fait voile jusqu'au Brésil. En longeant sa côte, il baptise les endroits qu'il découvre en leur donnant le nom du saint du jour.

1522

Le Brésil est reconnu comme une mouvance du Portugal à la conférence de Badajoz.

1532

Arrivée de colons dans le Pernambuco, qui, sous la direction de Martim Afonso de Sousa, se mettent à cultiver la canne à sucre. La réussite de cette activité, favorisée par le climat tropical, ainsi que l'importation d'une main-d'œuvre d'esclaves noirs africains, feront de cette région jusqu'à la fin du XIXe siècle le foyer de peuplement le plus important du Brésil.

1533

La colonie est divisée en 15 *capitanias* (capitaineries), chacune gouvernée par un noble portugais.

1549

Mise en place à Salvador d'une administration centrale des *capitanias*. Par décret royal, les jésuites obtiennent le contrôle sur les Indiens chrétiens, et les colonisateurs l'autorisation de réduire en esclavage ceux capturés lors de combats. Pour grossir leur main-d'œuvre, les colons organisent la traite d'esclaves africains.

1555

Les Français établissent une garnison à l'emplacement de l'actuelle Rio de Janeiro, mais sont chassés en 1565 par le gouverneur général, Mem de Sá, qui y fonde une ville en 1567.

1550-1800

La canne à sucre, cultivée dans d'immenses plantations par les esclaves africains, est la principale

production de la colonie. Viennent ensuite le tabac et l'élevage puis, au XVIIIe siècle, le coton et le café.

1580-1640

Union du Portugal et de l'Espagne.

Années 1600

D'importantes expéditions (*bandeiras*) de colons partent vers l'intérieur du pays à la recherche d'or et d'esclaves indiens. Les

---

Pages précédentes : l'art naïf de Calixto Sales.

conflits entre les Indiens et les jésuites sont fréquents ; les massacres, les maladies apportées par les Européens, le joug de l'esclavage déciment la population indienne.

1624-1654

La Dutch West India Company conquiert une grande partie du nord-est du pays. Maurice Nassau, un prince hollandais, dirige le Brésil hollandais de 1637 à 1644.

1695

Découverte dans le Minas Gerais d'or puis de diamants et croissance de villes minières à l'intérieur du pays.

1759

Au bout de plusieurs années de conflits avec les colons et le gouvernement portugais, les Jésuites sont expulsés du Brésil.

1763

Rio de Janeiro devient la capitale du pays.

1789

Une conjuration indépendantiste, l'Inconfidência Mineira, éclôt à Ouro Preto à la suite de l'augmentation des impôts sur l'or. En 1792, Joaquim José da Silva Xavier, plus connu sous le nom de Tiradentes, est pendu ; le mouvement s'éteint.

1807

Fuyant les armées napoléoniennes, le roi João VI du Portugal établit sa cour à Rio, instaurant de nombreuses réformes. Le Brésil, qui ne pouvait traiter qu'avec le Portugal, est autorisé à commercer librement.

1821

De retour au Portugal, João VI nomme son fils Pedro prince régent et gouverneur du Brésil.

L'Empire (1822-1889)

1822

Pour empêcher le Parlement de revenir sur les réformes de son père, dom Pedro proclame l'indépendance et instaure l'Empire brésilien, devenant Pedro Ier (ci-dessus). Le nouvel État est reconnu par les États-Unis, puis par le Portugal en 1825.

1831

Abdication de Pedro Ier au profit de son fils Pedro, âgé de 5 ans. Des dirigeants politiques conduisent le pays, faisant face à divers soulèvements, dont ceux de l'armée.

1840-1889

Sous le règne de Pedro II, la population passe de 4 à 14 millions. Les guerres avec les pays voisins renforcent le statut de l'armée, tandis que l'opposition de l'empereur à l'esclavage lui vaut de nombreuses inimitiés au sein de la classe des propriétaires fonciers.

1853

La traite des esclaves prend fin.

Années 1860

Début de la culture intensive du café.

1865-1870

Guerre contre le Paraguay.

1870-1914

Manaus connaît la prospérité grâce au commerce du caoutchouc, mais décline lorsque l'Asie s'accapare le marché après avoir reçu des graines de l'arbre frauduleusement exportées par le botaniste anglais Henry Wickham.

1871

Tout enfant d'esclave né à partir de cette date est affranchi.

1888

Abolition de l'esclavage au Brésil par la loi Áurea, signée par la princesse Isabel.

La République (1889-1963)

1889

Pedro II, renversé par les militaires, s'exile à Paris. La République est proclamée.

Années 1890
Grâce à la production de café, São Paulo devient le centre économique du pays.

1894
Prudente de Morais devient le premier président civil élu.

1898-1902
Le président Manuel Ferraz de Campos Salles renégocie avec succès la dette étrangère du Brésil.

1930-1945
À la suite d'émeutes (photo p. 29), l'armée installe Getúlio Vargas à la

présidence. Celui-ci s'octroie le pouvoir absolu et met en place un système d'assurance sociale et un salaire minimum.

1942
Le Brésil déclare la guerre à l'Allemagne nazie. Ce sera le seul pays d'Amérique latine à prendre une part active dans la Seconde Guerre mondiale.

1950-1954
Vargas s'installe de nouveau à la présidence, cette fois à l'issue d'élections démocratiques. En 1954, après une violente campagne de presse et un ultimatum de l'armée, il se suicide.

1953
Création de la compagnie pétrolière nationale Petrobras.

1956
Le président Juscelino Kubitschek annonce un programme d'industrialisation rapide du pays sur 5 ans.

1958
L'équipe brésilienne, qui compte Pelé (à gauche), gagne la Coupe du Monde de football à Stockholm.

1960
Inauguration de la nouvelle capitale, Brasília.

1961
Le président Jânio Quadros démissionne au bout de 6 mois de mandat.

La dictature (1964-1984)

1964-1967
Le général Humberto de Alencar Castelo Branco prend la tête du pays après un coup d'État militaire.

1968
Le général Arthur da Costa e Silava dissout le Congrès et instaure la répression.

1969-1974
Sous le régime du général Emílio Garrastazu Medici, la terreur est monnaie courante, tandis que l'économie remonte en flèche. Un programme de construction de routes en Amazonie favorise l'installation des nouveaux arrivants.

1974-1979
Le général Ernesto Geisel assouplit le régime militaire.

1977
Première Conférence nationale des Indiens du Brésil.

1979-1985
Le général João Baptista Figueiredo devient président, décrète l'amnistie et poursuit la démocratisation.

1982
Crise de la dette latino-américaine. Le Brésil est le plus endetté des pays du tiers-monde.

De 1985 à nos jours

1985
Tancredo Neves est élu président,

il meurt avant d'assumer ses fonctions. Le vice-président José Sarney (à gauche) lui succède.

1986

Sarney tente avec son plan Cruzado de résorber l'inflation. Sans succès.

1988

Élaboration d'une nouvelle Constitution mais sans la réforme foncière attendue. Les Amérindiens obtiennent des droits civiques. Chico Mendes, défenseur de la forêt amazonienne, est assassiné.

1989

Fernando Collor de Mello, candidat du mouvement démocratique brésilien (PMDB), est élu au suffrage universel direct à la présidence de la République.

1992

Sommet de la Terre tenu par les Nations unies. C'est le plus grand rassemblement de chefs d'État et de gouvernement jamais organisé. Collor démissionne dans un climat de scandales liés à la corruption.

1994

Mort du pilote automobile et héros national Ayrton Senna au Grand Prix d'Imola. Le Brésil vainqueur de la Coupe du Monde de football (ci-dessus). Fernando Henrique Cardoso est élu président. Son plan Real jugule l'inflation.

1995-1996

Début du Mercosul (1995). Redistribution de terres aux plus pauvres.

2000

500e anniversaire de la découverte du Brésil.

2002

Luiz Inácio Lula da Silva devient le premier président de gauche du pays depuis 40 ans. Le Brésil remporte la Coupe du Monde de football pour la cinquième fois – un record !

2003

À son investiture au mois de janvier à Brasília, Lula annonce son engagement en faveur d'un "Zero Fome" : l'éradication de la faim. Vingt et une personnes sont tuées dans l'explosion d'une fusée de lancement pour un satellite brésilien au centre spatial d'Alcântara.

2004

Le Brésil, associé à l'Allemagne, au Japon et à l'Inde, demande officiellement à devenir membre permanent du Conseil de Sécurité. Lancement réussi de la première fusée spatiale brésilienne.

2005

L'assassinat de Dorothy Stang (73 ans), religieuse d'origine américaine et leader du mouvement des droits des paysans, met en relief aux yeux de tous le difficile combat contre l'empiètement des bûcherons et des semeurs de soja en Amazonie.

2006

Tension des relations avec la Bolivie à la suite de l'annonce par cette dernière de la nationalisation de sa production pétrolière et gazière, laquelle comprend des intérêts brésiliens. Lula (ci-dessous) est réélu à la présidence.

2007

Bahia, crash d'un avion de tourisme contenant 2,6 millions de *reais* tout neufs. Ses 4 occupants décèdent et des pillards s'emparent de l'argent. Le crash d'un Airbus A320 à São Paulo fait 199 morts. C'est la catastrophe aérienne la plus meurtrière qu'ait connue le pays.

La naissance du Brésil

Le Brésil, le seul pays d'Amérique latine de langue portugaise, se constitua en empire au XIXe siècle. Mais si, au fil des siècles, il n'a joué qu'un rôle mineur sur l'échiquier international, son évolution actuelle s'accélère.

Le Brésil, fort heureusement, n'a pas subi les violents soulèvements qui ont marqué d'autres pays d'Amérique latine. Sans que le calme ait toujours régné, les changements successifs s'y sont pourtant déroulés dans une paix relative. En dépit de sa taille, le Brésil ne joue qu'un rôle secondaire dans la formation du monde moderne. Sa culture n'est pas millénaire, comme celles du Mexique ou du Pérou, et il ne plonge pas ses racines dans un lointain passé amérindien. Il vit en spectateur le déroulement de l'histoire moderne.

Cette absence de passé héroïque ne diminue en rien l'envie de grandeur des Brésiliens. Fermement ancré dans le présent, le Brésil a le regard tourné vers l'avenir, sans regarder vers le passé. On dit parfois qu'il n'a pas de mémoire.

Il occupe pourtant une place à part en Amérique du Sud. De par sa taille imposante ; de par sa langue, le portugais ; de par son histoire – il fut le siège du pouvoir colonial ; de par son indépendance, obtenue pratiquement sans verser de sang ; enfin, de par les relations pacifiques qu'il entretient avec ses voisins.

Découverte et colonisation

Au XVe et au XVIe siècle, les grands navigateurs portugais entreprennent une longue série d'expéditions. C'est dans ce cadre que l'explorateur Pedro Álvares Cabral, dévié de sa course vers les Indes via le cap de Bonne-Espérance, découvre le Brésil en 1500. Il pense avoir découvert une île, qu'il nomme Ilha de Vera Cruz. L'île se révélant être un continent, on le baptise Terra de Santa Cruz. Le nom de Brésil viendra plus tard du pau-brasil (bois de braise), principale production de la colonie, très recherché en Europe pour la teinture rouge qui en est extraite.

En 1533, la Couronne portugaise entreprend la véritable colonisation du Brésil. La côte, seule région connue à l'époque, est divisée en 15 capitaineries héréditaires attribuées à des nobles portugais, qui sont chargés de les administrer et de les développer. Les 2 principales sont São Vincente au sud-est (l'actuel État de São Paulo) et Pernambuco au nord-est, que l'introduction de la canne à sucre transforme rapidement en centre économique de la colonie.

À gauche : le cortège funèbre de Pedro II, en 1891.

À droite : *La fondation de São Paulo en 1554* d'Oscar Pereira da Silva.

Or ces capitaineries s'avèrent incapables de subvenir aux besoins des coloniaux et aux exigences du Portugal. Livrées aux caprices des administrateurs, certaines sont vite abandonnées. De plus, n'étant pas coordonnées entre elles, elles laissent les pirates français s'emparer de la côte brésilienne.

En 1549, le roi João III du Portugal renonce au système des capitaineries et impose un gouvernement colonial centralisé pour calmer les divisions. Salvador, au nord-est, devient la première capitale du Brésil et le restera pendant 214 ans. L'aristocrate portugais Tomé de Sousa est nommé premier gouverneur général de la

colonie. Après cette réforme administrative, la colonisation reprend. De 1549 jusqu'à la fin du siècle, toutes sortes de colons arrivent : aristocrates, aventuriers, missionnaires jésuites chargés de convertir les Amérindiens au christianisme.

Parmi ces derniers, certaines figures dominantes comme le père José de Anchieta, de São Paulo, heurtent de front les intérêts des colons en prenant position contre l'esclavage des Indiens. Pour protéger ceux-ci, les Jésuites font construire des écoles et des missions, autour desquelles les villages se développent. Pour se procurer de la main-d'œuvre, le Brésil se tourne alors vers la côte ouest de l'Afrique, d'où les négriers ramènent bientôt des esclaves noirs.

L'occupation française et hollandaise

En 1555, les Français occupent l'actuel Rio de Janeiro, premier pas vers l'établissement d'une importante colonie en Amérique du Sud. N'ayant pas réussi à attirer d'autres colons européens dans la région, ils sont chassés par les Portugais en 1565 ; ces derniers, 2 ans plus tard, fonderont la ville de Rio.

À la suite de l'alliance du Portugal avec les Espagnols, qui durera de 1580 à 1640, le Brésil se retrouve sous le feu des ennemis de l'Espagne, dont la Hollande. La Couronne portugaise conserve la mainmise jusqu'en 1630, date à laquelle la Dutch West India Company envoie une flotte pour s'approprier la région sucrière de Pernambuco, dans le nord-est du pays. La colonie qui s'y établit se maintient solidement jusqu'en 1654. À cette date, les Hollandais sont chassés par une rébellion menée par les colons eux-mêmes, indépendamment des Portugais.

Les aventuriers

Pendant ce temps, au sud du Brésil, des groupes d'aventuriers, les *bandeirantes* (porteurs d'étendards), quittent leur base de São Paulo à la recherche d'esclaves indiens et d'or. Ces *bandeiras* (expéditions), qui durent parfois des années, les conduisent dans l'Ouest, le Sud et le Nord et jusque dans l'arrière-pays. Par ce biais, les colons tentent pour la première fois de délimiter leurs frontières. Les *bandeirantes* se heurtent aux Jésuites, impuissants cependant à protéger les Indiens face aux expéditions de grande envergure. Les *bandeirantes* atteignent le Sud et pénètrent en Uruguay et en Argentine, au Pérou et en Bolivie à l'ouest, en Colombie au nord-ouest. Ils franchissent ainsi la limite imaginaire définie par le traité de Tordesillas, qui divisait l'Amérique du Sud en deux empires. À l'époque, le fait n'a que peu d'importance car le Portugal et l'Espagne sont alliés, mais, après 1640, lorsque le Portugal redevient indépendant, les conquêtes des *bandeirantes* sont incorporées au Brésil en dépit des protestations de l'Espagne.

Pendant cette période où la nation prend forme, les missionnaires jésuites investissent l'Amazonie, tandis que les puissants propriétaires terriens du Nord-Est accroissent leur mainmise sur les zones arides de l'arrière-pays. L'immense colonie brésilienne reste unie par une langue, le portugais, et une culture communes, qui la distinguent du reste de l'Amérique du Sud. En 1750, le traité de Madrid avec l'Espagne et d'autres par la suite légitimeront les incursions des *bandeirantes* en intégrant les régions concernées à la colonie brésilienne.

Le Brésil du XVIIIe siècle, en majeure partie agricole, se résume géographiquement à la côte. Les richesses se concentrent dans les mains de quelques grands propriétaires fonciers qui se consacrent à l'élevage, à la production de sucre et de tabac mais aussi au café et au coton, en plein essor. L'esclavage, maintenu par les *bandeirantes* malgré l'opposition des jésuites, conjugué aux maladies et aux massacres, a décimé la population indienne. En revanche, celle des esclaves noirs a considérablement augmenté. Pour le commerce, la colonie traite essentiellement avec le Portugal et, en dehors des expéditions des *bandeirantes*, n'a que peu de contacts avec ses voisins. La situation est pourtant sur le point de changer avec la découverte d'or à la fin du XVIIe siècle.

Cet événement va déplacer le centre économique des régions sucrières du nord-est au sud-est de la colonie. En 1763, la capitale passera ainsi de Salvador à Rio de Janeiro. À la même époque, le Portugal reprend le contrôle des capitaineries, et les Jésuites sont expulsés du Brésil.

La montée du libéralisme

Isolé, le Brésil n'est pas pour autant coupé du reste du monde, et, dans la seconde moitié du XVIIIe siècle, les idées libérales en vogue en Europe commencent à gagner les sympathies brésiliennes.

En 1789, la décision du Portugal d'augmenter l'impôt sur l'or met le feu aux poudres : le pays connaît sa première conjuration indépen-

À gauche : ouvriers et contremaître dans une plantation de café, vers 1870.

Ci-dessus : *L'Indépendance ou la mort* de Pedro Americo (1880).

Naissance des villes minières

Dans les montagnes du plateau central, les *bandeirantes* ont trouvé l'or qu'ils cherchaient. Dès 1695, des milliers de colons investissent l'actuel État du Minas Gerais : c'est la première vague de peuplement des vastes espaces intérieurs du Brésil. Dans les montagnes, les villes se développent, et, en 1750, Ouro Preto compte déjà 80 000 habitants.

Le Minas Gerais fait du Brésil le premier producteur mondial d'or au XVIIIe siècle. Un bénéfice qui revient au Portugal, au grand dam des colons qui se sentent déjà plus brésiliens que portugais. Aujourd'hui, cet État produit 95 % des pierres précieuses brésiliennes.

Pedro II et l'âge d'or

Sous le règne de Pedro II, de 1831 à 1889, le Brésil connaît la plus longue période de stabilité de toute son histoire. Dans les premières années, l'empereur, mineur, gouverne sous la tutelle de Bonifácio de Andrada e Silva. Majeur en 1840, il commence par observer strictement la Constitution. Et, pendant 49 ans, l'empereur mettra d'extraordinaires talents au service de son pays.

Le fils de Pedro Ier et de Marie Léopoldine d'Autriche né à Rio de Janeiro reçoit une éducation classique avant d'épouser Teresa Cristina Maria, fille de Francis Ier de Sicile. Ils auront 4 enfants. Prince cultivé, il n'en est pas moins un personnage humble, mal à l'aise avec l'apparat du pouvoir mais néanmoins pourvu d'une immense autorité. Durant la guerre civile américaine, le président Lincoln comprend vite qu'il est le seul arbitre possible du conflit Nord-Sud. Témoin de la personnalité et de l'érudition de l'empereur, le modeste mais élégant palais d'été qu'il fit construire à Petrópolis (*voir p. 167*).

Érudit, mais aussi fin politique, Pedro II parvient à contenir les rivalités régionales et, grâce à sa popularité, à étendre le contrôle du gouvernement central. Dans ces conditions, le Brésil connaît alors la richesse et la stabilité économique tout en se développant sur le plan technologique. Toutefois, s'il parvient à rétablir la paix à l'intérieur de ses frontières, Pedro II mène à l'extérieur une politique risquée et controversée qui conduit le pays à entrer en conflit avec ses voisins du Sud.

Décidé à maintenir l'égalité régionale en Amérique du Sud, l'empereur s'ingère dans les bouleversements politiques qui agitent l'Uruguay, l'Argentine et le Paraguay. À ce titre, le Brésil s'engage dans 3 guerres entre 1851 et 1870. Pour la première fois, et dans le but d'obtenir la libre navigation sur le Río de la Plata et ses affluents, Pedro II envoie des troupes en Uruguay. Il remporte rapidement la victoire et s'acquiert un allié, le dirigeant paraguayen, qu'il s'adjoindra ensuite pour renverser le dictateur argentin Juan Manuel Rosas. Cette première guerre a donc aussi une conséquence heureuse.

En revanche, une seconde incursion en Uruguay en 1864 provoque la guerre avec le Paraguay. Allié aux perdants uruguayens, le dirigeant du Paraguay, Francisco Solano Lopez, contre-attaque à la fois en direction du Brésil et de l'Argentine. En 1865, une triple alliance est constituée, censée regrouper les forces invincibles du Brésil, de l'Argentine et de l'Uruguay contre le Paraguay. Après quelques succès initiaux, l'alliance subit une série de revers et la guerre s'étire jusqu'en 1870, devenant le plus long conflit du XIXe siècle en Amérique du Sud.

Les militaires étant passés sur le devant de la scène, Pedro II a besoin d'eux pour se maintenir au pouvoir. Or la question de l'esclavage va mener l'empereur à sa perte. Sans le soutien des militaires, il tombera définitivement en disgrâce ; jusqu'à cette seconde moitié du XIXe siècle en effet, l'économie brésilienne, encore majoritairement agricole, ne peut se passer des esclaves, en particulier dans le Nordeste. Dès les années 1860, le mouvement abolitionniste gagne du terrain et, en 1888, l'abolition est proclamée. Paradoxalement, cette abolition, l'une des plus grandes réussites de Pedro II, va signer sa perte. Car si l'esclavage est de toute façon condamné – le nombre des esclaves a diminué depuis la cessation de la traite et le Brésil reste l'un des rares à maintenir cette pratique –, son abolition dans les textes monte les grands propriétaires terriens contre l'empereur.

Les militaires, s'estimant eux aussi sous-représentés au sein du gouvernement, déclenchent en novembre 1889 la révolte qui conduira au coup d'État, sans bain de sang. Pedro II est alors destitué et envoyé en exil. Il meurt à Paris à l'âge de 66 ans. La France lui offre des funérailles royales. ❑

À GAUCHE : Dom Pedro II, philosophe influencé par le positivisme ainsi que la franc-maçonnerie et homme politique avisé.

dantiste, l'Inconfidência Mineira, basée dans la ville minière d'Ouro Preto. L'arrestation de ses chefs, dont Joaquim José da Silva Xavier, surnommé Tiradentes ("l'arracheur de dents"), pendu et écartelé sur la place publique en 1892, mettra un terme tragique à cet épisode. D'autres révoltes auraient sans doute suivi sans les événements qui se déroulent en Europe. En 1807, Napoléon conquiert le Portugal, contraignant la famille royale à l'exil. Le roi João VI se réfugie au Brésil. La colonie devient alors le nouveau siège du gouvernement portugais, fait unique dans l'histoire du colonialisme. Ce nouveau statut du Brésil incite la Couronne à ouvrir le pays au commerce avec d'autres nations, l'Angleterre en particulier, alliée du Portugal contre Napoléon. Lorsque le roi João VI rentre enfin au Portugal en 1821, il nomme son fils, Dom Pedro, régent, et le place à la tête du gouvernement. Cependant, le Parlement portugais refuse de reconnaître le nouveau statut du Brésil et tente d'imposer le retour à la dépendance coloniale. Comprenant que les Brésiliens n'accepteront jamais un tel retour en arrière, Pedro Ier proclame l'indépendance du Brésil le 7 septembre 1822. Ainsi l'Empire brésilien voit-il le jour, première monarchie des Amériques.

De son côté, le Portugal – qui se remet lentement des guerres napoléoniennes – n'y oppose que peu de résistance. En effet, les forces brésiliennes chassent rapidement les dernières garnisons portugaises avec l'aide d'un soldat britannique de fortune, Lord Alexander Thomas Cochrane. Fin 1823, l'indépendance de la nouvelle nation est scellée. L'année suivante, les États-Unis reconnaissent officiellement le Brésil et, en 1825, les relations sont rétablies avec le Portugal.

Les divisions internes

La facilité avec laquelle le Brésil acquiert son indépendance ne laisse rien présager de la suite. Dans les 18 premières années en effet, l'Empire est confronté à des divisions internes allant parfois jusqu'à la révolte. Premier à décevoir, l'empereur lui-même, qui veut conserver les privilèges et les pouvoirs d'un monarque absolu. Il finit par consentir à la création d'un Parlement, auquel il ne cessera de s'opposer par la suite. Personnage détesté, il entraîne de surcroît le Brésil dans une guerre sans merci contre l'Argentine à propos de la Cisplatina, l'État le plus méridional du pays. Ce conflit se solde par la défaite du Brésil et, par conséquent, la perte de la Cisplatina, l'actuel Uruguay.

Pedro Ier abdique en 1831 en faveur de son fils, alors âgé de 5 ans, et, jusqu'en 1840, une triple régence de politiciens gouverne au nom du roi. Les 9 années qui suivent seront les plus violentes de l'histoire du Brésil : révoltes et tentatives de coup d'État se succèdent dans le Nordeste, en Amazonie, dans le Minas Gerais et le Sud. Un peu partout au Brésil, les groupes régionaux revendiquent leur autonomie ; le pays frôle la guerre civile. Dans le Sud, la guerre des *farrapos* durera 10 ans, aboutissant presque à la perte de l'actuel Rio Grande do Sul.

À droite : esclaves en train de construire une nouvelle rue à Rio, tableau de Jean-Baptiste Debret.

En désespoir de cause, le pouvoir politique se résout en 1840 à déclarer Pedro II (*voir p. 32*) majeur à 15 ans et à lui confier les rênes du pays : une bonne initiative. L'ironie voudra que ce dernier empereur du Brésil soit aussi le plus grand de son histoire.

L'endettement des militaires

La fin de la monarchie en 1889 marque l'entrée en scène d'une institution qui va devenir toute-puissante au Brésil : l'armée. De 1889 jusqu'à aujourd'hui, les militaires seront au centre de tout événement politique. Les deux premiers gouvernements de la République sont dirigés par des militaires, mais ils sont plus enclins à dépenser l'argent public qu'à gouverner. Lorsque le pouvoir retourne enfin à un civil, Prudente de Morais (1894-1898), le pays est lourdement endetté. Le deuxième président civil, Manuel Ferraz de Campos Salles (1898-1902), s'attelle véritablement au problème et est le premier à négocier le rééchelonnement de la dette extérieure. Le pays lui doit d'avoir évité la banqueroute. Campos Salles et son successeur, Francisco de Paula Rodrigues Alves (1902-1906), remettent le Brésil sur pied mais sont un exemple trop peu suivi par leurs successeurs.

nouveau le pays. Les dirigeants successifs vident les coffres et les rumeurs de corruption généralisée sèment l'agitation sociale. Les militaires réapparaissent : tentative de coup d'État en 1922 et révolte à São Paulo en 1924, violemment réprimée par les troupes gouvernementales qui bombardent la ville à satiété. Dans les casernes, la rébellion est menée par un groupe de jeunes officiers, les *tenentes* (lieutenants). Ils sont issus de la nouvelle classe moyenne citadine, qui cherche ses chefs pour s'opposer aux riches propriétaires fonciers de São Paulo et du Minas Gerais.

La crise politique atteint son apogée en 1930, à la suite de l'élection à la présidence du can-

Alternant les bons et les mauvais présidents, le Brésil traverse une période de mutations sociales spectaculaires entre 1900 et 1930. Les immigrants européens arrivent alors massivement. Le pouvoir économique passe au Sud-Est, et le pouvoir politique ne tarde pas à en faire autant. Tandis que les États de São Paulo et du Minas Gerais accroissent leur influence, le gouvernement fédéral s'affaiblit et devient l'otage des intérêts économiques et régionaux.

Économie sinistrée et coup d'État

Après la Première Guerre mondiale, durant laquelle le Brésil a déclaré la guerre à l'Allemagne, mais sans prendre une part active au conflit, les difficultés économiques assaillent de

didat conservateur, Julio Prestes ; dans les villes, l'effort de mobilisation en faveur du candidat de l'opposition, Getúlio Vargas, gouverneur de l'État du Rio Grande do Sul, était pourtant notable. L'opposition refuse le résultat du vote. Soutenue par les partisans du mouvement des lieutenants de 1920, la révolte éclate dans le Minas Gerais et le Rio Grande do Sul ainsi que dans le Nordeste. En deux semaines, l'armée prend le contrôle du pays, renverse Julio Prestes et installe Getúlio Vargas à la présidence.

L'ère Vargas

L'ascension rapide du président Vargas marque le début d'une ère nouvelle pour la politique brésilienne. Lié aux classes moyennes et défavorisées, il impose la rupture avec un système dominé par les grands propriétaires fonciers. Les barons du café de São Paulo et les riches propriétaires du pays – actionnaires du pouvoir dans l'ancienne République – sont alors écartés du pouvoir. Fini la politique de l'ombre menée par une élite toute-puissante, place à l'homme du peuple dans les grands centres urbains en expansion ! Ces changements n'aboutissent pas pour autant à davantage de démocratie. Résolu à garder le monopole du pouvoir, Vargas instaure une politique populiste et nationaliste qui le maintiendra au centre de la vie politique brésilienne pendant 25 ans. En même temps, il détermine le modèle politique qui sera suivi tout au long du XXe siècle au Brésil : l'alternance entre les gouvernements populistes et les interventions militaires.

Concentrer le pouvoir entre ses mains et gagner le soutien populaire, telle est la stratégie de Vargas. Profitant des progrès de l'industrialisation, il utilise la législation du travail comme fer de lance de sa politique. Seront votés sous son mandat : l'institution d'un salaire minimum et d'un système de sécurité sociale, les congés payés, les congés maternité, l'aide médicale. Des réformes légalisent les syndicats tout en les rendant dépendants du gouvernement fédéral. Vargas devient ainsi rapidement le plus populaire des dirigeants brésiliens depuis Pedro II. La nouvelle Constitution, ratifiée en 1934 seulement, après le soulèvement anti-Vargas de São Paulo, accroît les pouvoirs du gouvernement central.

La même année, la présidence "par intérim" de Vargas prend fin et celui-ci est élu à la tête du pays par le Congrès. La Constitution limite son mandat à 4 ans programmant des élections en 1938, mais il refusera de lâcher le pouvoir. En 1937, il prétexte l'imminence d'un coup d'État communiste et, avec l'aide des militaires, dissout le Congrès et annule la Constitution de 1934, qu'il remplace par un texte qui lui confère les pleins pouvoirs. La seconde partie de son "règne", qu'il intitule l'Estudo novo (l'"État nouveau") sera bien plus tumultueuse que ses 7 premières années.

Le Brésil en guerre

Face aux méthodes répressives de Vargas, l'opposition grandit et menace de le renverser, mais le président sauve la situation en 1942 en déclarant la guerre à l'Allemagne et en rejoignant les Alliés. Il envoie un corps expéditionnaire de 25 000 hommes renforce la Cinquième Armée en Italie. Le Brésil sera le seul pays latino-américain à participer activement à la guerre : les pertes seront légères (environ 450 morts), et l'effort de guerre détourne l'opinion et réduit la pression qui pèse sur le président.

À la fin de la guerre, Vargas se retrouve la cible des mêmes militaires qui l'avaient porté au pouvoir. Il est alors contraint d'approuver la légalisation des partis d'opposition et d'appeler aux élections présidentielles pour la fin 1945. Alors qu'il négocie avec l'opposition pour éviter

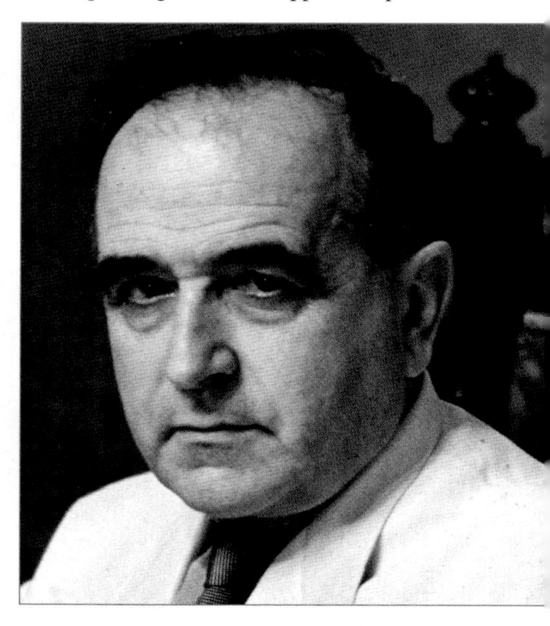

À GAUCHE : inauguration de l'Avenida Paulista, à São Paulo. **À DROITE :** Getúlio Vargas.

La fin d'un dictateur

Déposé par un *pronunciamento* en 1945, et réélu triomphalement en 1950, Getúlio Vargas tente de sauver les dernières années de son mandat en prenant des mesures nationalistes (création d'un monopole d'État pour le pétrole), mais sa popularité chute rapidement. Riche éleveur du Rio Grande do Sul, il a favorisé son État, renforçant autoritairement ses pouvoirs.

La tentative d'assassinat de l'un de ses adversaires politiques, imputée à un collaborateur du président, met fin à l'ère Vargas. Confronté à l'ultimatum de l'armée – démissionner ou être destitué –, Vargas opte pour une troisième solution : le 24 août 1954, il met fin à ses jours dans son palais présidentiel.

un coup d'État, il pousse ses partisans à s'unir aux communistes dans un grand mouvement populaire visant à le maintenir au pouvoir. Craignant qu'il ne réussisse, les militaires le renversent lors du coup d'État du 29 octobre 1945, mettant ainsi fin à 15 années de pouvoir absolu. Le départ de Vargas ne sera que temporaire. En effet, lors des élections présidentielles de 1945, son ancien Premier ministre, le général Eurico Gaspar Dutra est élu, mais il ne reste que 5 ans au gouvernement durant lesquels une nouvelle Constitution, plus libérale, est ratifiée. Vargas revient au pouvoir en 1950, cette fois-ci de façon légitime, puisqu'il est élu par le peuple.

Deux hommes du Sud-Est

Le suicide de Vargas en 1954 laisse le champ libre à de nouvelles personnalités politiques. Deux hommes se détachent, originaires cette fois encore des deux pôles politiques du Brésil moderne : Juscelino Kubitschek, du Minas Gerais et Jânio Quadros, de São Paulo. Tous deux suivront la même voie pour accéder à la présidence : ils sont d'abord maires de la capitale de leur État puis gouverneurs. Populisme, nationalisme et ingérence militaire, les 3 faces de la politique brésilienne moderne joueront leur rôle dans la carrière de Kubitschek et de Quadros. Ainsi que deux nouveaux facteurs : le lien toujours plus étroit entre la politique et l'économie à l'intérieur des frontières et les relations économiques et politiques du Brésil avec le reste du monde.

Les vues de Kubitschek

Dynamique et ouvert, Kubitschek voit grand pour son pays. Élu en 1955, il promet d'apporter au Brésil “50 ans de progrès en 5 ans”. Pour la première fois, le pays est mené par un politicien préoccupé avant tout de croissance économique. L'industrialisation décolle. Les constructeurs automobiles étrangers, incités à venir s'installer au Brésil, fournissent l'élan initial : la ville et l'État de São Paulo connaissent une formidable explosion de croissance. Le gouvernement subventionne la construction de routes, d'aciéries, de centrales hydroélectriques. C'est la première fois qu'il intervient ainsi dans les grands travaux d'infrastructure. Mais le grand projet de Kubitschek, c'est Brasília. Cette idée d'une nouvelle capitale fédérale au cœur du pays devient pour lui une obsession. À peine arrivé à la présidence, il ordonne la réalisation de plans et promet au pays une nouvelle capitale avant la fin de son mandat. Kubitschek veut développer la plaine désertique du centre du Brésil en y déplaçant des milliers de fonctionnaires venus de Rio. Le site de la future capitale étant totalement vierge, il se heurte à l'opposition des bureaucrates, qui refusent de quitter le confort et les plaisirs de Rio. De 1957 à 1960, les travaux progressent à grande vitesse et, le 21 avril 1960, Kubitschek inaugure fièrement sa nouvelle capitale. Cependant, si Brasília devient le symbole du dynamisme à la Kubitschek, c'est aussi un gouffre financier pour l'État, sans compter les autres grands chantiers publics menés parallèlement. L'administration Kubitschek quittera ainsi le pouvoir avec, à son actif, une croissance rapide mais aussi un fort endettement, une inflation galopante et une corruption généralisée.

Le tableau paraît idéal pour Jânio Quadros : avec des ambitions de réformateur et un balai pour symbole lors de sa campagne électorale, il promet de débarrasser le gouvernement de toute la corruption qui le mine. Impatient, autoritaire et imprévisible, il impose partout sa volonté – il ira même jusqu'à interdire les *tangas* (bikinis) sur les plages –, tente d'ignorer le Congrès, s'engageant dans une lutte ouverte avec le pouvoir législatif. Il surprend aussi ses partisans en rapprochant le Brésil du bloc des pays non-alignés. Finalement, il démissionne, à la surprise générale, le 25 août 1961, 7 mois après son élection, invoquant des " forces occultes" liguées contre lui.

La démission de Quadros provoque une crise qui ramène les militaires au centre de la scène politique. Ainsi prend fin l'expérience démocratique au Brésil. Les officiers supérieurs de l'armée menacent d'empêcher João Goulart, dit Jango, vice-président de Quadros et homme de gauche, de prendre ses fonctions. Or, celui-ci bénéficie du soutien de l'armée dans son État natal du Rio Grande do Sul. Dans la crainte d'une guerre civile, l'armée accepte de négocier. Elle laisse Goulart assumer la présidence, mais obtient la mise en place d'un système parlementaire qui accorde peu de pouvoir au président.

Un programme populiste

Ce compromis échouera dans la pratique et, en 1963, à la suite d'un plébiscite, le pays revient à un régime présidentiel. Ses pouvoirs accrus, Goulart engage une politique nationaliste et populiste qui fait très nettement basculer le pays à gauche. Il annonce des réformes agraires de grande envergure, promet des réformes

Fan de communisme

Jânio Quadros choque les militaires en remettant une médaille à Che Guevara, le héros révolutionnaire.

sociales et menace de nationaliser les compagnies étrangères.

Quoi qu'il en soit, sa politique économique ne parvient pas à juguler l'inflation. La hausse du coût de la vie provoque une série de grèves, soutenues à gauche par ses partisans. L'opposition grandit, s'appuyant désormais sur les classes moyennes de São Paulo et du Minas Gerais, où les chefs politiques en appellent à l'inter-

vention de l'armée. Finalement, le 31 mars 1964, prétextant une menace communiste, l'armée renverse Jango Goulart : c'est un coup d'État "pacifique".

Depuis 1945, c'est la quatrième fois que les militaires interviennent dans le gouvernement, mais c'est la première fois qu'ils gardent le pouvoir. Pendant les 21 années suivantes, le Brésil restera aux mains de l'armée, qui, tout en menant campagne contre la corruption, réprime l'influence de la gauche.

Durant cette période, 5 généraux se succéderont à la présidence. Le premier, Humberto de Alencar Castelo Branco, veut résoudre la difficile situation économique du pays. Il instaure des mesures d'austérité visant à réduire l'inflation

À gauche : le président Juscelino Kubitschek à la cérémonie d'inauguration de Brasília.

À droite : le général Emilio Medici, président de 1969 à 1974.

LE MIRACLE BRÉSILIEN

La spectaculaire reprise économique des années 1970 place le Brésil sur le devant de la scène internationale et l'encourage dans son rêve de grandeur.

et diminue sensiblement les dépenses de l'État. La stabilité ainsi revenue permet au pays de connaître des années de forte croissance. Parallèlement, le régime de Castelo Branco adopte des mesures limitant les libertés politiques : les partis existants sont interdits, remplacés par un système bipartite avec d'un côté l'Arena, qui soutient le gouvernement, et de l'autre le Parti démocratique libéral du Brésil (PMDB), représentant l'opposition. Maires et gouverneurs sont nommés par les militaires et l'élection présidentielle a lieu au scrutin indirect – tous les présidents du régime militaire seront choisis en secret par l'armée.

La répression militaire

Sous la présidence du général Arthur da Costa e Silva, successeur de Castelo Branco, les militaires imposent une nouvelle Constitution qui soumet le Congrès au pouvoir exécutif. En 1968, une vague de contestation, et même de résistance armée, conduit Costa e Silva à durcir le ton : dissolution du Congrès et restriction des droits individuels marquent le début des années les plus répressives de la dictature. Sécurité nationale, lutte contre la subversion, le régime arrête et emprisonne au mépris des libertés individuelles. La guérilla est étouffée, la presse censurée, les opposants sont arrêtés et torturés. Avec le général Emílio Garrastazu Medici, qui prend le pouvoir après le décès de Costa e Silva, la répression atteint son paroxysme. C'est une période paradoxale : à la fois terrible pour les droits de l'homme et spectaculaire en matière de croissance économique. Cette prospérité sans précédent fera encore un bond sous le général Ernesto Geisel (1974-1979) ; en apportant le plein emploi aux populations urbaines, de hauts salaires à la classe moyenne, elle pousse les Brésiliens à accepter le régime militaire et à supporter l'absence de libertés. Avec l'influence économique croissante du Brésil, les militaires, quant à eux, adopteront une politique étrangère plus indépendante et se démarqueront de la traditionnelle allégeance du Brésil aux États-Unis.

Le début de la fin

Avec les années 1980, le régime militaire commence à souffrir. La croissance ralentit puis s'arrête totalement. À la suite d'un moratoire accordé au Mexique en 1982 pour le paiement de sa dette, la crise de la dette latino-américaine éclate au Brésil. Les capitaux étrangers se tarissent, le montant des intérêts sur les précédents prêts dépasse les ressources de l'État. Le général João Baptista Figueiredo, dernier président militaire, arrive aux commandes en 1979, en promettant de restaurer la démocratie. Il décrète l'amnistie pour tous les prisonniers et exilés politiques. Par la suite, le gouvernement prend d'autres mesures de libéralisation : levée de la censure, autorisation de nouveaux partis politiques, organisation de scrutins pour l'élection des gouverneurs et des représentants du Congrès. Mais cette liberté politique croissante ne parvient pas à masquer la morosité de cette période de récession qui va de 1981 à 1983.

En janvier 1985, un collège électoral constitué des membres du Congrès et de délégués gouvernementaux nomme Tancredo Neves – premier civil en 22 ans – à la présidence. Ce modéré qui s'est toujours opposé au régime militaire convient à la fois aux conservateurs et aux libéraux, mais le passage du Brésil à la démocratie sera marqué d'une pierre noire. En effet, Neves tombe malade la veille de son investiture et meurt un mois plus tard. De nouveau, le pays est plongé dans la crise politique. Le vice-président, José Sarney, assume immédiatement la présidence. Conservateur et ancien soutien des militaires, il n'est pas du tout suivi par les libéraux réengagés sur le chemin du pouvoir.

Sarney lance une série de mesures populistes, dont une réforme agraire visant à lui assurer le soutien des libéraux qui tiennent le Congrès. Cela n'empêche pas les difficultés économiques de s'accentuer. Écrasé par la dette extérieure, à court de capitaux d'investissement, le gouvernement se révèle incapable de redresser la situation.

Le plan Cruzado

Début 1986, avec une inflation annuelle de 330 %, Sarney voit sa popularité chuter. De son côté, la gauche fait pression pour obtenir la tenue d'élections présidentielles au suffrage direct. Sarney réplique avec son plan Cruzado, qui impose, bizarrement, le gel des prix tout en laissant augmenter les salaires. Avec un pouvoir d'achat depuis si longtemps miné par l'inflation, la consommation des Brésiliens fait un bond, et la cote du président remonte en flèche. Les politiciens du PMDB, qui soutiennent à présent Sarney, revendiquent la paternité partagée de ce plan et remportent ainsi une victoire écrasante aux élections législatives et nationales de novembre 1986.

Le succès à long terme du plan Cruzado repose pourtant sur de nécessaires réductions des dépenses publiques ; mais Sarney, tout à sa nouvelle popularité, rechigne à les mettre en œuvre. Le retour de bâton ne se fait pas attendre : l'inflation non seulement redémarre mais résiste à toute la série de mesures que Sarney prendra pendant les dernières années de la présidence.

À GAUCHE : le pétrole, élément capital de l'économie brésilienne.

À DROITE : le Président Fernando Collor de Mello, élu en 1990 mais destitué en 1992 pour corruption.

La nouvelle Constitution

Le retour d'une inflation élevée en 1987 coïncide avec les débuts de l'Assemblée nationale constituante, chargée d'élaborer une nouvelle Constitution démocratique. Celle-ci, annoncée en 1988, contient des avancées significatives : fin de la censure, reconnaissance des droits fonciers des Amérindiens, augmentation des prestations des travailleurs. En revanche, de puissants lobbies et la formation d'une majorité conservatrice non officielle à l'Assemblée stoppent les avancées sur des sujets aussi houleux que la réforme agraire. Dans un sursaut nationaliste, le Brésil a en outre adopté un moratoire sur sa dette auprès des banques étrangères, ce qui entraîne l'inclusion, dans la Constitution, de mesures dirigées contre les capitaux étrangers. En distribuant à tout-va les faveurs et les concessions, le président Sarney obtient l'aval du Congrès pour prolonger son mandat jusqu'en mars 1990. Cependant, avec l'accélération de l'inflation, ses soutiens diminuent et le mécontentement grandit.

Des élections au suffrage direct

Lors des élections municipales de novembre 1988, le Parti des travailleurs (PT), nouvelle force politique de gauche s'appuyant sur les syndicats et indépendante des politiciens traditionnels, gagne de nombreuses capitales

d'État (dont la plus grande métropole du pays, São Paulo). Lorsque les élections présidentielles au suffrage direct, longtemps attendues, ont enfin lieu en novembre 1989, c'est le candidat du Parti des travailleurs, également leader syndical, Luiz Inácio da Silva, dit Lula, qui émerge comme candidat d'envergure. De leur côté, les partis traditionnels souffrent du rejet massif de leurs candidats, tandis que deux "outsiders" parviennent jusqu'au dernier tour de l'élection présidentielle un mois plus tard. Parmi eux, Lula. Face à lui, Fernando Collor de Mello, 40 ans, ancien gouverneur de l'Alagoas, État insignifiant du Nordeste. Il court pour des écuries quasiment inconnues, le Parti de la reconstruction nationale.

Alliant les thèmes de la jeunesse et de la modernité à un discours moralisateur rappelant beaucoup Jânio Quadros, prêchant abondamment contre le "communisme" de Lula, Collor remporte finalement les élections, mais de très peu. Il prend ses fonctions en mars 1990, fort d'être le premier président brésilien démocratiquement élu depuis 30 ans. Immédiatement, il s'attaque à l'inflation : dans le cadre d'un plan de restriction, il lance un "emprunt obligatoire" de 18 mois sur 80 % de l'épargne de la nation.

Chaises musicales

Bien que ces mesures empêchent l'hyperinflation à court terme, elles n'agissent pas en profondeur, et l'inflation ne tarde pas à revenir. Lorsqu'on découvre que des proches collaborateurs de Collor ont escroqué des millions de dollars à l'État, la classe moyenne s'insurge. Les manifestants descendent par milliers dans les rues pour réclamer sa mise en accusation. Collor est remplacé par son ministre Itamar Franco. Bien qu'assez terne, Franco saura vite gagner le respect grâce à son intégrité. Pourtant, à la fin de son mandat en 1994, c'est Fernando Henrique Cardoso qui est élu président au premier tour. Ce dernier doit sa popularité au succès de son plan Real, qu'il avait présenté en tant que ministre des Finances du gouvernement Franco. En instaurant une parité entre la nouvelle devise brésilienne, le real, et le dollar américain, ce programme permet au real de s'ajuster aux chocs financiers internationaux tout en bénéficiant d'une stabilité face aux remontées de l'inflation. Cardoso poursuit d'arrache-pied la voie des privatisations entreprises par Collor. Il ouvre l'économie brésilienne à de nouveaux marchés, attirant d'importants investisseurs étrangers. En octobre 1998, il est réélu pour 4 ans. Cependant, il subit un échec début 1999, lorsque le real perd la moitié de sa valeur face au dollar ; ses alliances avec les sociaux-démocrates fragilisent sa position au Congrès.

Dans la première moitié de 2003, l'économie accuse une diminution du produit intérieur brut (PIB) et un ralentissement de la production industrielle de 3,7 %, indices d'une possible récession.

Des origines modestes

Luiz Inácio da Silva, dit Lula, ancien cireur de chaussures et ouvrier métallurgiste, va totaliser 60 % des votes en 2002. Après trois tentatives pour accéder à la présidence, une image plus élégante et des orientations plus structurées qui vaudront le soutien de tous les secteurs de la société. Il lance un programme national d'éradication de l'illettrisme d'ici à 2006. Au Brésil, 20 millions de personnes ne savent ni lire ni écrire. Lula symbolise l'espoir non seulement pour une nation mais pour toute l'Amérique du Sud. Force vive au sein du Mercosul – le Marché commun latino-américain –, le Brésil joue un rôle majeur dans les négociations commerciales avec les autres pays d'Amérique latine, la Communauté européenne et les États-Unis.

Le nouveau président brésilien s'est engagé à développer l'influence du Mercosul dans les domaines politique et culturel, et non plus seulement économique. Selon lui, les pays riches ne peuvent continuer à prêcher le libre-échange tout en restant eux-mêmes protectionnistes. Pour reprendre ses propres mots à son arrivée à la présidence : "Aujourd'hui, le Brésil repart à la rencontre de lui-même." À la moitié de son mandat, le bilan s'avère plutôt positif pour Lula. En effet, sa politique de développement commence à récolter ses fruits : en 2004, les principaux indicateurs économiques sont favorables et, pour la première fois depuis plus de 20 ans, une croissance durable semble s'installer au Brésil. Fort des derniers sondages qui donnent sa popularité en hausse – regain de popularité qui s'explique par cette accélération économique et par la baisse connexe du taux de chômage –, Lula briguera un second mandat en 2006.

Alors que l'inflation atteint les 12,5 % au cours de la dernière année du gouvernement Cardoso, en 2002, elle baisse progressivement de moitié vers la fin de l'année 2006, au terme du premier mandat de Lula. La bourse prospère allègrement, les entreprises étrangères se laissant tenter et investissant au Brésil dans le but de faire monter le cours des actions. Fin novembre 2006, l'indice boursier de São Paulo plafonne à 42 000 – en 2002, il se maintenait à 11 268. Malgré l'implication en 2005 de certains leaders du Parti des Travailleurs dans des scandales financiers, Lula remporte, en octobre 2006, les élections haut la main avec 60 % des votes. Pour beaucoup il représente l'espoir non pas d'une nation mais du continent latino-américain tout entier. Il est le patriarche d'une toute nouvelle génération de chefs d'État qui ont fleuri dans cette région du monde comme en témoignent l'Argentin Néstor Kirchner, l'Uruguayen Tabaré Vásquez, la Chilienne Michelle Bachelet, le Vénézuélien Hugo Chávez, l'Équatorien Rafael Correa et le Nicaraguayen Daniel Ortega. ❑

À GAUCHE : la Banco Mercantile de São Paulo, centre financier et commercial du pays.
CI-DESSUS : Hugo Chávez et Lula.

LE PAYS DE L'AVENIR

Au Brésil, l'alternance de périodes de prospérité et de débâcle a cédé la place à une croissance économique stable.

Le Brésil est le pays de tous les possibles. Cinquième plus grand pays du monde, il est aussi, depuis la conquête de ses grands espaces vierges, le cinquième pays le plus peuplé (environ 175 millions d'habitants) et représente l'un des plus importants marchés de consommation. De plus, le Brésil recèle de nombreuses richesses naturelles, en grande partie encore inexploitées.

Le plus étonnant reste la rapidité avec laquelle le pays a parcouru un si long chemin. Sa situation géographique, éloignée des autres capitales du monde, sa tendance à l'isolement et à la sous-estimation de ses propres réussites ont entraîné une méconnaissance générale de son histoire.

Grâce à sa performance dans de nombreux secteurs, le Brésil bénéficie aujourd'hui d'une économie moderne et diversifiée qui lui permet de briguer sa place parmi les leaders mondiaux. Une industrie étendue, un marché intérieur et étranger en pleine expansion, d'immenses ressources naturelles soutiennent son ascension régulière vers les premiers rangs.

Cette progression ne s'est pas effectuée cependant pas sans heurts. Depuis l'époque coloniale, le pays a traversé tour à tour des périodes de prospérité et de récession. Il connut une industrialisation tardive. Jusqu'aux années 1950, l'économie de cette société essentiellement rurale ne reposera que sur un seul produit : le bois, puis le sucre, au XVIIIe siècle, l'or, enfin, après l'expansion liée à l'exploitation du caoutchouc, le café. Dans les années 1950, celui-ci représente encore la moitié des revenus d'exportations du Brésil, et 65 % de la population active travaille dans les exploitations agricoles. La fonction principale des banques n'est encore que de prêter aux fermiers.

À GAUCHE : plate-forme pétrolière de la compagnie nationale Petróleo Brasileiro (Petrobras).

À DROITE : pause cigarette pour ouvrier du secondaire.

La modernisation

Pendant la Seconde Guerre mondiale, la pénurie de produits manufacturés entraîne le développement d'une production locale : une première stimulation pour l'industrie brésilienne, qui aura cependant besoin d'un coup de pouce pour s'accroître. Celui-ci viendra du gouvernement, en l'occurrence de Juscelino Kubitschek, qui prend ses fonctions en 1955.

Pendant tout son mandat, Kubitschek fera du développement économique sa priorité. Sa politique, ainsi que le modèle de développement qu'il instaure, seront repris à peu de choses près par ses successeurs. Ce modèle se base sur l'ingérence du gouvernement dans la gestion économique du pays et sur les capitaux d'investissement étrangers.

Kubitschek injecte de l'argent dans les grands projets d'infrastructure (autoroutes, centrales électriques) et invite les constructeurs automobiles étrangers à s'installer à São Paulo. L'État finance aussi le secteur privé, avec comme résultat, pour la période 1948-1961, un taux de croissance annuel de 7 %.

Le retour des 2 grands fléaux du XXe siècle au Brésil, l'inflation et l'instabilité politique, mettent malheureusement fin à cette première

poussée de croissance économique. Après le coup d'État de 1964, les militaires imposent des mesures d'austérité pour juguler l'inflation. En 1968, celle-ci est maîtrisée et l'économie s'apprête alors à prendre un essor historique. À partir de 1970, le Brésil connaît 4 années d'une croissance économique sans précédent, couronnées par une expansion de 14 % en 1973. Même ralentie, celle-ci ne tombe jamais au-dessous de 4,6 % et, entre 1968 et 1980, avoisine les 8,9 % annuels. Ces années dites du "miracle brésilien" changent à jamais la physionomie du pays. São Paulo en tête, les grandes villes brésiliennes connaissent une rapide industrialisation qui attire plusieurs vagues de migrants fuyant une existence précaire dans les zones rurales. Entre 1960 et 1980, de nation agricole (avec 55 % de la population vivant dans les régions rurales), le Brésil acquiert le statut de nation urbaine, avec 67 % de sa population concentrée dans les villes. En 2001, ce chiffre atteint 81 %. Le phénomène est particulièrement flagrant dans l'État de São Paulo. La ville du même nom recevant la plupart des investissements destinés au secteur privé, le parc industriel de l'État explose littéralement. Devenu l'un des plus modernes du monde, il est aussi le plus vaste d'Amérique latine. Et le miracle de São Paulo se poursuit jusqu'aujourd'hui : le produit intérieur brut de l'État dépasse celui de l'ensemble des pays latino-américains, hormis le Mexique.

Des prêts pour des ambitions débridées

Les "années miracles" s'accompagnent de changements économiques et sociaux spectaculaires. Habitués à minimiser la valeur et le potentiel de leur pays, les Brésiliens voient subitement dans les années 1970 le géant endormi se réveiller et se redresser. Dans l'euphorie qui suit le succès de leurs programmes économiques, les généraux abandonnent leur objectif initial – poser les bases de la croissance – pour un autre, plus ambitieux : faire du Brésil une puissance mondiale. Sans plus aucune retenue, ils mettent ainsi sur pied de grands projets de développement que le pays ne sait comment financer. Ni le gouvernement, ni le secteur privé, ni les compagnies étrangères ne disposent des capitaux nécessaires. Il faut donc trouver d'autres partenariats. En 1974, après le choc pétrolier de l'année précédente, les pétrodollars affluent dans les grandes banques internationales, qui recherchent de nouveaux investissements dans les pays en voie de développement. À l'époque, aucun n'est capable de rivaliser avec le taux de croissance du Brésil, encore moins avec son potentiel : c'est l'union rêvée.

Les banquiers de Londres et de New York, suivis de près par ceux de Francfort, Tokyo, Paris, Toronto, Genève, Chicago et Los Angeles, débarquent bientôt à Rio. Les règles du jeu sont simples : les généraux présentent leurs projets, censés faire accéder le Brésil au rang de superpuissance, et les banquiers financent, sans aucune garantie en retour.

Durant la seule année 1974, le Brésil va emprunter davantage que dans les 150 années précédentes. Lorsque la décennie s'achève, 40 milliards de dollars auront ainsi été transférés et injectés dans les transports (construction d'autoroutes, de ponts et de lignes de chemin de fer, du métro de Rio et de São Paulo), l'industrie (aciéries, complexe pétrochimique, usines de production de biens de consommation), le secteur énergétique (centrales électriques, réacteurs nucléaires, programme utilisant des sources d'énergie alternatives, exploration pétrolière), la communication (télévision, services postaux, télécommunications). Occasionnellement, cet argent atterrit aussi dans les poches des généraux et des technocrates.

À gauche : assemblage de pièces dans un atelier appartenant à la société néerlandaise Koninklijke Philips Electronics. **Ci-dessus :** production automatisée dans une usine Volkswagen.

En 1979, la soupape de sécurité saute : la seconde crise pétrolière entraîne le doublement du prix des importations de pétrole au Brésil. Les taux d'intérêt flambent, les matières premières s'effondrent sur les marchés internationaux. Cette année-là, la balance commerciale enregistre un déficit pratiquement équivalent à trois fois celui de 1978. Cependant, ni les militaires ni les banquiers ne sont prêts à reconnaître que la partie est terminée. Les emprunts continuent, mais les dollars servent à présent à payer les importations de pétrole et à rembourser les prêts.

Une longue récession

À partir de 1981, la situation empire : la récession touchant les États-Unis se ressent immédiatement au Brésil, qui plonge dans 3 années de dépression économique. Petites et moyennes entreprises font faillite, réduisant des milliers d'employés au chômage. Les grandes entreprises licencient, laissant les plus démunis dans une situation désespérée, avec une aide sociale insuffisante et inadaptée.

En 1982, le Mexique impose un moratoire sur le paiement de sa dette, une décision qui met le feu aux poudres : c'est le début de la crise de la dette latino-américaine. Les grands investisseurs étrangers rétorquent en supprimant tous les prêts au développement. L'avenir s'annonce sinistre. Après 20 années de pouvoir militaire, le pays, gangrené par une quantité d'industries improductives (nées de largesses dispensées par les généraux à leurs poulains), connaît les ravages de l'inflation. Pendant ces années, la fonction publique, prise de folie, a aussi créé nombre de postes inutiles, dotés de salaires en or, pour des employés indéboulonnables. En 1987, 60 % de l'économie est ainsi détenue par le gouvernement. Les industries manufacturières s'appuient sur la production locale, une politique reprise depuis la Seconde Guerre mondiale par tous les gouvernements. Souvent dirigées par des proches du pouvoir totalement incompétents, ces industries vont à vau-l'eau. Contre toute attente, le Brésil va relever le défi. Avant la crise de l'endettement, il exportait surtout des matières premières et des produits agricoles dont le revenu servait à payer les importations de pétrole et de biens d'équipement. Dans les années 1980, les gigantesques industries qui se sont développées dans le cadre protégé des programmes de substitution

Le biocarburant, la panacée ?

Le Brésil est le seul pays du monde à avoir adopté une source d'énergie renouvelable, la canne à sucre, pour la fabrication de son carburant automobile. Sponsorisé par le gouvernement, le programme de développement de l'alcool de canne à sucre (produit sur place) en remplacement du pétrole (importé) s'affirme comme une grande réussite technique et porte le Brésil au faîte de la technologie dans le domaine des éthanols carburants. Mis en route en 1975 pour réduire les dépenses liées aux importations de pétrole, ce programme s'accélère durant la crise pétrolière de cette décennie. Il en résulte la création de ce carburant peu polluant, fiable et facilement renouvelable. Cependant, la transformation de milliers d'hectares réservés à l'agriculture mixte en monoculture de la canne à sucre prive de très nombreux travailleurs ruraux de leur terre et les contraint à se recycler dans les travaux saisonniers, mal payés, de l'industrie sucrière. En 1990, le programme pour le développement des biocarburants s'effondre pour cause de pénurie de carburant et de mauvais résultats. Début 2003, une augmentation spectaculaire de la production pousse le gouvernement à remettre le programme sur pied. Sa production revenant cher, le biocarburant, fortement subventionné, ne s'est jamais avéré économiquement viable. Mais, en 2005, Petrobras a signé une joint-venture avec une société nippone pour importer au Japon de l'éthanol brésilien. Il semblerait que la question du réchauffement climatique ait réinscrit l'éthanol au programme.

commencent à perdre de l'envergure et de la rentabilité. La nécessité d'exporter ouvre de nouveaux et vastes marchés, entraînant l'augmentation de la capacité de production bien au-delà de ce que peut assurer le marché intérieur. C'est pourquoi les Brésiliens parlent souvent de ces années comme de la "décennie perdue", même si d'importantes bases ont été posées durant cette période. Le Brésil est alors miné par l'inflation qui entrave l'expansion de l'industrie. Il tente de s'y adapter en indexant l'ensemble de l'économie : tous les contrats monétaires, des salaires aux emprunts en passant par les comptes d'épargne et les dépôts à terme, sont ainsi indexés sur l'inflation et réajustés tous les mois. Le marché se retrouve pris en otage par la politique gouvernementale.

La manipulation financière

C'est l'époque où la classe moyenne brésilienne devient experte en manipulations financières, planifie toute opération à son avantage et use de mécanismes variés pour maintenir son pouvoir d'achat. Dans les quartiers d'affaires, on entend alors souvent parler le matin de la performance "de la nuit", référence à un procédé bien connu dans le monde de la finance mais n'ayant pas cours jusque-là au sein de la classe moyenne.

Pendant cette période, le gouvernement régule tout. Les prix sont indexés, contrôlés, puis gelés, puis de nouveau vérifiés dans un va-et-vient étourdissant. Les salaires sont parfois aussi gelés, quand ils ne sont pas indexés, entraînant la baisse régulière du pouvoir d'achat des salariés. Les taux de change fluctuent quotidiennement et la plupart des transactions, de la plus anodine à la plus importante, sont réalisées en dollars.

Dans le domaine des entreprises, la situation est similaire. L'activité principale d'une société passe désormais après son projet financier et ses profits dépendent avant tout de son aptitude à la manipulation financière. Planifier à moyen terme devient aléatoire et les objectifs à long terme font figure de vœux pieux. Pour relancer l'industrie, le Brésil aurait besoin de nouveaux investisseurs, mais le climat d'incertitude financière des années 1980 annihile toute velléité de la part des grandes multinationales. Curieusement, pourtant, celles qui sont déjà fortement implantées, telle Volkswagen, réalisent de très bons profits. Pour le reste, il faut avant tout maîtriser l'inflation.

À GAUCHE : distillerie d'éthanol pour les voitures "flex-fuel".
À DROITE : sarclage dans un champ de canne à sucre.

Premier président du Brésil élu au suffrage direct, destitué en 1992 au bout de 3 ans seulement, Fernando Collor de Mello lance avec succès les réformes qui vont pousser le pays sur le devant de la scène commerciale internationale : programme de privatisation avec vente des entreprises d'État viables et fermeture des entreprises déficitaires ; baisse des tarifs protectionnistes et des restrictions sur les importations ; "dressage" d'une fonction publique pléthorique et réduction des postes en surnombre. Collor échoue en revanche lorsqu'il tente d'en faire autant dans le domaine économique. Son plan financier connaît le même sort que les 4 précédents, échelonnés de

1986 à 1995. Annoncés à chaque fois en fanfare, conjointement à la mise en circulation d'une nouvelle devise, ces plans sont à chaque fois anéantis par le retour de l'inflation, qui atteint des sommets en 1993 avec un taux incroyable de 2 100 %.

Le plan Real

Itamar Franco, vice-président de Collor, prend sa suite ; dès lors commencent 2 années de mauvaise gestion économique. En juillet 1994, le plan Real est introduit par le ministre des Finances, Fernando Henrique Cardoso, alors peu connu. Ce dernier parvient à lier la nouvelle monnaie, le real, au dollar, avec suffisamment de flexibilité pour lui faire supporter les fluctuations locales sans pour autant que l'inflation redémarre.

Cardoso devra son élection à la présidence, la même année, au succès de son plan Real. Durant son premier mandat et avec l'aide de son ministre des Finances Pedro Malan, il exerce un puissant contrôle sur les finances du pays et parvient à réduire l'inflation à des chiffres raisonnables. Cette nouvelle stabilité économique provoque le soulagement à la fois chez les industriels et dans la population. Les critiques à l'encontre de Cradoso, portant sur l'accroissement des intérêts privés et l'enrichissement des institutions financières aux dépens du bien public, citent en exemple la Companhia Vale do Rio Doce (CVRD), première compagnie mondiale d'extraction du minerai de fer. En 1997, le gouvernement vend 43 % de la compagnie pour 3,3 milliards de dollars. Fin de 2005, alors que le monde entier se dispute le fer, la valeur du titre en bourse est multipliée par 15. Et, pour les 9 premiers mois de 2006, les profits nets de la CVRD s'élèvent à 5 milliards de dollars.

Pendant toute la seconde moitié des années 1990, l'industrie de transformation connaît une croissance régulière qui entraîne la ruée des investisseurs étrangers au Brésil. L'élection en octobre 2002 du travailliste Luiz Inácio da Silva, dit Lula, provoquera une certaine agitation sur les places financières, mais le nouveau président s'est fermement engagé à maintenir une poli-

Mercosul, le marché commun d'Amérique du Sud

La constitution d'unions commerciales entre les pays à la fin du XXe siècle est une tendance qui n'épargne pas le Brésil. L'Amérique du Nord possède déjà l'Alena, l'Europe, l'UE ; l'Amérique du Sud a aujourd'hui le Mercosul (Mercosur pour les pays partenaires hispanophones). Le Mercosul naît d'une longue histoire commencée dans les années 1930, marquée par une série de négociations commerciales et de traités infructueux. Des facteurs économiques et politiques entravent longtemps les progrès de l'entreprise, tels la position très protectionniste des juntes dans les années 1960 et 1970. En 1991, le traité d'Asunción instaure le fonctionnement et la structure institutionnelle du Mercosul, accord de libre-échange entre l'Argentine, le Brésil, le Paraguay et l'Uruguay. Il impose la disparition des frontières, établit des barêmes de tarifs extérieurs et exclut toute restriction commerciale : c'en est fini du protectionnisme et de la production de substitution des dictatures d'après-guerre.

En 2006, si l'adhésion du Venezuela, producteur de pétrole, a considérablement renforcé le bloc, celle du Chili lui a été refusée aux vues de ses relations commerciales spéciales avec les États-Unis. En janvier 2007, lors d'une réunion à Rio visant l'étude de l'adhésion de la Bolivie, le président Evo Morales a sollicité le Mercosul pour que des concessions soient accordées à la Bolivie étant donné l'économie peu florissante de son pays. Des progrès ont été faits sur la voie d'une création d'une nouvelle Banque du Sud, laquelle soutiendrait de grands projets, tel le gazoduc reliant l'Argentine et le Venezuela.

tique de rigueur budgétaire. Le Brésil du XXIe siècle a ainsi acquis une nouvelle assurance. Son industrie a survécu à l'ouverture des marchés intérieurs à la compétition étrangère pour devenir l'une des plus performantes de la planète. Par le biais du Mercosul et d'autres accords d'union commerciale, le Brésil est devenu un leader économique et politique dans cette partie du monde, évitant le déclin subi par d'autres pays proches. Au chapitre des dysfonctionnements, la disparité entre les riches et les pauvres engendre d'importants problèmes économiques et sociaux. Le système d'éducation est lui aussi gravement déficient. La jeunesse de la population – plus de 60 % des Brésiliens ont moins de 29 ans – constitue un atout pour le pays, mais qui pourrait vite devenir un fardeau. En effet, aujourd'hui, la majorité des jeunes Brésiliens ne possède aucun des acquis nécessaires pour évoluer dans leur siècle. L'industrie risque alors de se trouver privée d'une main-d'œuvre essentielle à sa croissance. Développer l'éducation et l'emploi permettrait d'éviter que cette jeunesse ne devienne un poids social et financier en faisant d'elle, au contraire, la force vive d'un Brésil prospère.

À GAUCHE : les mines Carajás in Pará comptent parmi les plus importantes au monde.

CI-DESSUS : l'usine de production de gaz naturel et de pétrole Petrobras d'Urucu.

Soigner l'environnement

L'industrialisation ne s'effectue pas sans dégâts et le Brésil en subit aujourd'hui les conséquences, comme l'Europe et les États-Unis il y a des dizaines d'années. Le pays a conscience des innombrables critiques suscitées à l'étranger par la destruction de la forêt amazonienne – liée aux activités de l'industrie de prospection, des usines de pâte à papier, des aciéries, et à celle des chercheurs d'or et des ranchers. Il s'éveille, peu à peu, à ses responsabilités et à ses devoirs de protecteur vis-à-vis de ce domaine, propriété de la planète. Cependant, même si la télévision brésilienne retransmet autant qu'ailleurs les images de la dévastation, le point de vue brésilien diffère de celui de certains pays riches. Soucieux d'améliorer l'image du Brésil sur le plan international, le gouvernement et les groupements militants ont d'ores et déjà engagé des mesures pour combattre la pollution et réduire les conséquences les plus fâcheuses liées à l'exploitation de la forêt. Afin de poursuivre cette progression, le pays aura besoin d'aide, car ce sont les secteurs du logement, de la santé et de l'éducation qui requièrent en premier lieu le financement de l'État.

La question de l'environnement enseigne aussi à ce pays que, bon gré mal gré, il ne peut régler seul ses problèmes. Étant donné les nouvelles priorités définies dans ce domaine au niveau mondial, il est appelé à occuper une place grandissante.

La croissance future

Bien qu'auréolé de succès, le gouvernement Cardoso connaît des difficultés pour imposer des réformes destinées à serrer la bride à la fonction publique et à contrôler un vaste et inefficace système de sécurité sociale. Cet échec se solde par une note de dépenses publiques élevée et par un déficit permanent du budget.

Parallèlement, à la suite de la levée des barrières douanières, les importations brésiliennes atteignent un niveau record. À l'origine du phénomène, la libre expression de la demande en matière de consommation – mais ces importations consistent surtout en biens d'équipement destinés à moderniser et à accroître la productivité de l'industrie brésilienne. La production manufacturière est renforcée, ce qui permet aux exportations de continuer à augmenter rapidement. En 2002, l'élection du président Lula (avec 53 millions des suffrages) marque l'avènement d'une ère nouvelle pour le Brésil sur le marché international. Le pays s'engage davantage encore au sein du Mercosul et va plus loin dans les négociations avec les États-Unis et les autres pays d'Amérique latine, en vue de nouveaux accords commerciaux.

La richesse de son sous-sol, qui a déjà placé le Brésil au rang des grandes puissances minières, continue de jouer un rôle clé. Le pays est le plus grand producteur mondial d'or et de minerai de fer ainsi que de métaux destinés à la technologie de pointe comme le titane, le vanadium, le zirconium, le béryllium, le niobium et le quartz, très demandés sur le marché.

L'annonce officielle, début 2008, de la découverte d'un très important gisement de pétrole au large des côtes brésiliennes est synonyme de répercussions considérables, non seulement sur le plan national – le Brésil pourrait acquérir l'autosuffisance, ce dont il rêvait depuis des années –, mais également international.

Durant toutes les années où a régné l'inflation, les banques ont rempli leurs coffres et étendu leurs compétences et leurs services. Le système bancaire brésilien est aujourd'hui bien développé et tire un

Un palmarès impressionnant

Avec un PIB supérieur à 620 milliards de dollars, le Brésil possède la 8e économie mondiale, presque 2 fois plus importante que celle de la Corée du Sud, sa principale rivale au titre d'économie émergente la plus avancée. Il est:

- Le 1er exportateur de café, le 1er producteur de sucre et de jus d'orange, le 2e de soja.
- L'un des premiers producteurs mondiaux d'acier.
- Le 1er producteur de minerai de fer, le 6e producteur d'aluminium, le 4e d'étain.
- Le 8e constructeur automobile, le 5e pour l'aéronautique et le 5e exportateur en armement.
- L'un des pays les plus riches en potentiel hydroélectrique.

immense bénéfice de ses liens financiers et commerciaux avec les autres pays d'Amérique du Sud.

Seule addition encore lourde pour le Brésil : celle de ses importations de pétrole. Le pays doit donc absolument développer l'exploitation de ses réserves naturelles. La construction d'une importante plateforme pétrolière lui permettrait, alors qu'il était l'un des plus grands importateurs de pétrole dans les années 1970, de produire environ 60 % de sa consommation. L'exploitation d'énormes réserves en mer et des vastes gisements d'Amazonie, accompagnée d'une déréglementation de l'industrie pétrochimique, qui s'ouvre aux investissements et aux compétences internationales, permettrait bientôt au Brésil de devenir autosuffisant. Le pays fait aussi partie des premiers producteurs mondiaux d'énergie hydroélectrique.

Après des décennies de protectionnisme et d'isolationnisme, le Brésil ne se réduit encore pour beaucoup qu'à son carnaval (certes spectaculaire), son football et au problème de la forêt amazonienne. Des milliers de kilomètres de plages et de palmiers, une infinité de sites splendides et un bon réseau aérien intérieur n'attirent pas le tourisme que ce pays mérite : un potentiel

DU FER À LA PELLE

Le Brésil est le premier producteur mondial de minerai de fer avec, dans la seule région de Carajás, assez de réserves pour la planète durant les 500 années à venir.

à considérer, en particulier dans les États magnifiques mais si pauvres du Nordeste.

Surnommé le "Tony Blair brésilien" en raison de certaines similarités socialo-capitalistes, le président Lula indiquait au terme de ses 100 premiers jours au pouvoir, qu'il allait mener une politique économique intelligente, sans faillir à ses engagements dans le domaine de la dette publique (250 milliards de dollars). Deux jours seulement après sa prise de fonction, il redirige 760 millions de dollars destinés à l'achat de nouveaux avions de chasse vers des programmes d'aide aux défavorisés (pour lesquels il a aujourd'hui réuni 505 millions de dollars en emprunts à la Banque mondiale).

En votant pour Lula, les Brésiliens ont voté pour le changement. Au programme : la lutte contre la faim et la pauvreté, la maîtrise de l'inflation, l'amélioration des performances industrielles... Réélu en 2006, Lula s'est engagé à resserrer les liens avec les autres membres du Mercosul et à entamer des négociations étroites avec les pays sud-américains ainsi que les États-Unis pour une harmonisation des relations commerciales. ❑

À GAUCHE : Le rapide accroissement de la population brésilienne peut se mesurer dans l'afflux de voyageurs dans le métro de São Paulo.

CI-DESSUS : la bourse en pleine ébullition.

LES COULEURS DU BRÉSIL

Souvent comparé à un *melting pot*, le peuple brésilien résulte d'un heureux mélange composé de plusieurs cultures bien distinctes. Si chacune d'entre elles est orgueilleusement différente, elles sont toutes fières d'être brésiliennes.

Le Brésil est le pays de la diversité. Ses habitants, qui ont en commun une langue – le portugais – et l'idée assez vague d'une même culture, vénèrent des dizaines de divinités et leurs ancêtres viennent de tous les coins du globe. À l'époque coloniale, les grands d'Espagne détestent le Nouveau Monde et les puritains n'ont pas d'autre choix que d'y rester, seuls les Portugais aiment le Brésil. Les colons, en épousant les belles indigènes, donnent naissance à un peuple nouveau: les premiers vrais Brésiliens, ou *mamelucos*. Par la suite, d'autres groupes apparaissent: les *cafusos*, de sang indien et africain, et les *mulatos*, métis afro-européen.

L'immigration européenne

La présence de nombreux groupes ethniques au Brésil remonte aux années 1850, lorsque le gouvernement impérial encourage l'immigration européenne pour renflouer la main-d'œuvre après le déclin de la traite des esclaves. Les premiers immigrants sont des fermiers allemands et suisses qui s'installent principalement dans les trois grands États du Rio Grande do Sul, de Santa Catarina et du Paraná, où sol et climat ressemblent à ce qu'ils ont quitté. C'est ainsi que, durant des décennies, des villes comme Novo Hamburgo dans le Rio Grande do Sul et Blumenau dans l'État de Santa Catarina restent bien plus allemandes que brésiliennes. Les services religieux protestants y sont alors aussi courants que les messes catholiques, et la première langue est l'allemand. Ces villes portent encore les traces de leur héritage teuton: architecture alpestre qui domine le paysage, *knackwurst* et *eisbein* plutôt que *feijoada* au menu des restaurants... Au XIXe siècle, c'est l'immigration italienne qui prédomine, surtout dans l'État de São Paulo (*voir encadré p. 62*). À la différence des premiers immigrants, les Italiens sont souvent des ouvriers qualifiés, avec un petit nombre d'employés de bureau. Au début du XXe siècle, le Brésil accueille des migrants de toute la planète. Selon les chiffres du ministère des Affaires étrangères, 5 millions de personnes accostent entre 1884 et 1973, année de l'adoption d'une législation restrictive dans ce domaine. Les Italiens arrivent largement en tête, avec 1,4 million de migrants; viennent ensuite le Portugal (1,2 million), l'Espagne (580000), l'Allemagne (200000) et la Russie (110000, dont de nombreux Juifs qui s'établissent à São Paulo et Rio).

À GAUCHE : jeune et rayonnante Afro-Brésilienne.
À DROITE : l'empreinte européenne est forte dans le Sud.

Les classes blanches dominantes font preuve de vues racistes profondément enracinées mais laissent leurs héritiers mâles épouser des métisses afro-brésiliennes prétendument inférieures. L'idéologie officieuse du pays est la "brésilianisation", qui équivaut au blanchiment de la population. Selon les résultats de recensements officiels, la population noire est passée de 14,6 % en 1940 à 6,2 % en 2000. Les Caucasiens sont également en baisse. La proportion de métis afro-brésiliens a en revanche beaucoup augmenté, passant de 21,2 % à 38,5 %. En 1940, le Brésil était un pays de Noirs et de Blancs, aujourd'hui, il tend à devenir métis.

L'immigration asiatique

Cet appel à l'immigration dépasse les frontières européennes. En 1908, le Kasato Maru accoste à Santos Harbor, avec à son bord 250 000 Japonais fuyant les disettes et les tremblements de terre. Leurs descendants vivent toujours à São Paulo, notamment dans le quartier de Liberdade. Du Moyen Orient arrivent également au début du XXe siècle 700 000 immigrés, majoritairement du Liban et de la Syrie actuels. Deux importants quartiers commerciaux, vers la Rua do Ouvido à Rio et la Rua 25 de Março à São Paulo, abritent des centaines de magasins tenus par des immigrés venus du Moyen Orient.

Langues indigènes

Des quelque 180 langues parlées au Brésil, 130 ne le sont plus que par des groupes indigènes de moins de 600 personnes. Nombreuses seraient en voie d'extinction, car pratiquées seulement par une poignée d'individus – et pour la plupart âgés, laissant entrevoir qu'elles mourraient avec cette génération. Si une forte majorité de ceux qui parlent aujourd'hui une langue indigène est bilingue (portugais plus langue maternelle), il existe des zones dans l'Amazonas et le Pará où les femmes et les enfants ne parlent que le *mundurukú* – quoique les hommes pratiquent aussi le portugais. Par ailleurs, le *kayapó*, autre langue indigène, qui semble se développer oralement, n'est actuellement couramment usité que par quelque 4 000 âmes.

Les diversités régionales

Malgré l'impact de la communication de masse et une tendance à la centralisation politique, le processus qui aboutirait à fondre tant de peuples divers en un seul est loin d'être accompli. Le régionalisme conserve toute sa force au Brésil. La carte, complexe, de l'héritage ethnique du Brésil comporte des différences si marquées qu'Euclides da Cunha, auteur d'Os Sertões (saga sur les soldats du Sud participant à la campagne Canudos en 1897 à Bahia), note : "Ils étaient dans un étrange pays à présent, avec d'autres paysages, d'autres coutumes, d'autres gens, une autre langue même, parlée d'une voix traînante et pittoresque." Bizarrement, quand le régionalisme se manifeste, toutes les différences semblent se fondre sur la carte des peuples. Le *gaúcho* blanc, catholique et macho endurci arpente toujours les plaines du Sud. Le Paulista (originaire du São Paulo) agressif, pratique des religions diverses, de l'islam au shinto, affiche des origines ethniques variées, travaille dans les banques, l'industrie et la bureaucratie. Le Carioca (de Rio de Janeiro) semble pratiquer toutes les religions, mais est en réalité agnostique. Le Mineiro (du Minas Gerais), stoïque et dur à la tâche, qu'il soit blanc, métis ou noir, reste puritain et d'une virilité austère. Il est patient et plein de sens pratique en politique. Le nordestino (du Nordeste) est métis ou noir, d'un caractère gai et haut en couleur ; il pratique un mélange extravagant de catholicisme et de cultes africains. Enfin, le *sertanejo*, homme de l'arrière-pays sauvage dont les croyances religieuses vont parfois jusqu'à respecter l'œuvre du Diable, a des racines indiennes, caucasiennes et africaines.

Amers Indiens...

En 1961, dans son livre *Brésil*, le diplomate William Schurz note que de nombreux noms amérindiens ont été conservés, comme Ypiranga, Araripe, Peryassu et bien d'autres, qui sont parfois ceux de grandes familles des États du Pernambuco et de Bahia. L'influence de la langue indienne est également importante. Schurz établit une liste de mots issus de la langue tupi-guarani, qui a beaucoup influencé le portugais et l'anglais modernes : *abacaxi*, *urubu* et *caatinga* figurent ainsi parmi les 20000 mots indigènes absorbés par le portugais, tout comme tabac, hamac, tapioca, manioc et jaguar, qui appartiennent désormais au vocabulaire anglais et français. Cependant, dans le Brésil actuel, aurait pu remarquer Schurz, le peuple amérindien n'est plus que l'ombre de lui-même. Selon les historiens, quelque 5 millions d'Amérindiens vivaient au Brésil du temps de sa découverte par les Européens en 1500, et, pour Ailton Krenak, chef indien, environ 700 tribus ont disparu depuis de la surface du Brésil, décimées par les maladies, les massacres ou progressivement absorbées par les autres peuples. D'après l'estimation de Krenak, 180 tribus auraient survécu. Elles vivent pour la plupart dans les réserves du Mato Grosso et du Goiás, ou dans des villages reculés d'Amazonie (*voir p. 64*).

À GAUCHE : jeunes vendeurs de rues.
À DROITE : commerçant du marché de Rio.

Chez les *mestiços*, la tendance a été de se fondre dans la population blanche et, aujourd'hui, seulement 2 à 3 % des Brésiliens, surtout en Amazonie ou dans sa périphérie, se considèrent comme *mestiços*. Toutefois, dans le nord et le nord-est du pays, de nombreux Caucasiens (les Blancs) sont en réalité des Indiens *mestiços*.

La culture africaine

L'histoire des Africains et celle du Brésil multiethnique est complexe. Même s'il possède la plus importante population noire en dehors de l'Afrique, le Brésil reste partagé à propos de son héritage africain : autrefois, le racisme existait,

mais il était tout simplement nié. Depuis, le pays a pris conscience de ce racisme latent et de la formidable richesse que constitue son héritage noir.

Depuis l'époque de la colonisation, des pans entiers de la culture africaine sont incorporés tels quels dans la vie brésilienne. Aujourd'hui, on les retrouve dans les rythmes de la samba, la cuisine variée et épicée de l'État de Bahia, l'émergence des religions spiritistes. Mais la "marque de cette influence" s'étend bien au-delà de la cuisine et de la religion. Jadis, beaucoup de Brésiliens auraient nié cet état de fait. Un tableau du début du XXe siècle, La Rédemption de Ham, de Modesto Brocos, est à ce titre éloquent. Il montre une vieille femme noire assise sur un canapé à côté de sa fille métisse et de son gendre blanc.

La jeune femme tient fièrement un bébé tout rose sur ses genoux tandis que la mère lève les yeux au ciel comme pour remercier Dieu.

Le bastion des Afro-Brésiliens au Brésil reste Bahia. Pour eux, Salvador, l'une des plus anciennes villes du pays, l'une des plus fascinantes aussi, fait figure de capitale. Les métis afro-brésiliens sont plus nombreux dans les régions côtières au nord et au sud de l'État de Bahia et dans l'immense État du Minas Gerais, à l'ouest de Rio, où l'esclavage fut introduit durant la ruée vers l'or au XVIIe siècle.

Ces dernières années, le Brésil a redécouvert et cherché à redéfinir son passé africain, en révisant notamment les représentations racistes qui avaient cours jusque-là ; dans les livres d'histoire par exemple, qui contenaient des passages racistes, comme cette description des premiers esclaves africains arrivés au Brésil, "adeptes de grotesques fétiches", ou encore ceci, "Les nègres du bas de l'échelle, en général ceux du Congo, étaient envoyés dans les plantations et dans les mines". Le préambule d'une loi sur l'immigration au début du XXe siècle annonçait : "Il est nécessaire de préserver et de développer la composition ethnique de notre population en donnant la préférence à ses éléments européens."

Les sociologues contemporains, à commencer par Freyre, ont répertorié les accomplissements réels des premiers habitants noirs du Brésil et ont découvert que les Africains avaient apporté bien plus au Nouveau Monde que leur force de travail. Ils possédaient des compétences très poussées en charpenterie, menuiserie et maçonnerie ainsi que dans les mines. Les plus beaux bas-reliefs baroques qui ornent les églises de Bahia, sont l'œuvre d'ouvriers africains.

Dans le Minas Gerais, le fils illégitime d'un entrepreneur portugais et d'une esclave noire mènera l'architecture et la sculpture brésiliennes aux sommets du baroque. Antônio Francisco Lisboa, surnommé "O Aleijadinho" (le petit handicapé) en raison de son arthrite déformante, débute à la fin du XVIIIe siècle avec la très élégante église de São Francisco à Ouro Preto et celle de São Francisco de São João del Rei, plus grande et plus élaborée. Il est également l'auteur des 78 bas-reliefs en cèdre et stéatite de la Basílica do Senhor Bom Jesus de Matosinhos, à Congonhas do Campo.

La magie de l'Aleijadinho est d'avoir su créer un nouveau langage artistique, informel et pourtant novateur, à la limite de la civilisation occidentale. Il vécut 80 ans, n'étudia jamais l'art et ne vit jamais l'océan. Ses statues de Congonhas constituent l'une des plus belles collections d'art baroque au monde (voir p. 214).

En plus de leurs qualités artistiques et de leur participation à l'économie, beaucoup d'Africains – en particulier les Yoruba d'Afrique de l'Ouest, majoritaires à Bahia – introduisent des pratiques politiques et religieuses sophistiquées au Brésil. Les historiens contemporains les décrivent comme des adeptes de l'islam, parlant couramment l'arabe : une culture foisonnant de musique, de danse et d'art en général, servie par une superbe littérature orale. "À Bahia, écrit Freyre, nombreux sont les esclaves qui, hormis le statut politique et social, sont les égaux voire les supérieurs de leurs maîtres."

La révolte contre l'esclavage

Les fiers Africains n'acceptent pas facilement leur esclavage. Le point de vue brésilien, qui considère l'esclavage au Brésil comme "moins dur que celui pratiqué par les Français, les Anglais ou les Américains du Nord", est revu et corrigé par les historiens de l'époque, qui font état de 9 violentes révoltes d'esclaves dans la seule province de Bahia, entre 1807 et 1835.

Le prince Adalbert de Prusse, en visite dans une plantation de Bahia au XIXe siècle, note : "Les pistolets et les fusils chargés suspendus dans la chambre du propriétaire prouvent qu'il n'a aucune confiance dans ses esclaves et a plus d'une fois été contraint de les affronter les armes à la main."

L'histoire de l'esclavage au Brésil est évidemment déchirante. Selon les historiens, entre 1549 et 1853, année de l'abolition de la traite des esclaves, 12 millions d'Africains seront capturés et envoyés par bateau au Brésil. Environ 20 %, soit 2 millions d'entre eux, périront sur ces négriers avant d'atteindre les côtes brésiliennes.

Au Brésil, les maîtres considèrent leurs esclaves comme un investissement peu cher. Dans une plantation ou une mine d'or, l'espérance de vie d'un jeune esclave africain est de 8 ans. Pour un propriétaire, il revient moins cher d'acheter de nouveaux esclaves que de préserver la santé de ceux qu'il possède.

En 1835, année où une sanglante révolte d'esclaves éclate à Bahia, les Noirs sont sans doute plus nombreux que les Blancs au Brésil. La prise de conscience des Noirs et la montée de la violence à l'encontre des classes dirigeantes poussent 4 provinces à adopter des lois de ségrégation raciale contre les esclaves affranchis.

Lorsqu'ils ne se révoltent pas, les esclaves africains sont souvent en fuite. Au moins 10 grands quilombos, refuges d'esclaves, se constituent durant la période coloniale dans l'intérieur du Nordeste. Le plus important d'entre eux, Palmares, accueille jusqu'à 30 000 fugitifs et prospère 67 ans avant d'être écrasé par la milice coloniale en 1694. Comme d'autres grands quilombos du XVIIe et du XVIIIe siècle, Palmares est dirigé selon les principes d'une monarchie tribale, avec un roi, un conseil royal, des propriétés communes et privées, une armée tribale et un prêtre.

D'un certain point de vue, l'esclavage au Brésil est plus libéral que dans d'autres colonies du Nouveau Monde. Les propriétaires ont l'interdiction de séparer les familles et sont tenus de rendre la liberté à un esclave si celui-ci est en mesure de payer le prix auquel il est évalué.

À GAUCHE : famille des *favelas*.
À DROITE : le téléphone portable… indispensable !

Nombreux sont les esclaves qui parviennent ainsi à acheter leur liberté, et ce dès le début de la colonisation. Une fois affranchis, ils forment des confréries religieuses, avec le soutien de l'Église catholique, en particulier des missionnaires jésuites. Ces confréries réunissent de l'argent pour racheter la liberté d'autres esclaves et certaines deviennent même très prospères.

À Ouro Preto, c'est l'une d'elles qui fera construire l'Igreja da Nossa Senhora do Rosário dos Pretos, perle baroque, l'une des plus belles églises coloniales du Brésil. En réaction à l'esclavage et au racisme, Rosário dos Pretos n'accueillait pas les Blancs.

Le 13 mai 1888, enfin, la princesse régente Isabel de Orleans e Bragança signe l'abolition de l'esclavage au Brésil. Immédiatement, 800000 esclaves sont libérés.

Développement socio-économique

Les statistiques concernant la condition socio-économique des Afro-Brésiliens sont largement détaillées dans un rapport publié en 2004 par l'IBGE, le Bureau de recensement brésilien. Il y est démontré que si les Noirs ou métis constituent 48 % de la population brésilienne (51,4 % de Blancs), ils ne représentent que 15,8 % de la classe la plus aisée – 1 % de la population –, tandis que dans celle des plus pauvres – plus de 10 % de la population –, deux tiers sont noirs ou métis. Des étudiants dans la tranche d'âge des 18-24 ans, près de la moitié (46,6 %) des Blancs sont inscrits à l'université contre seulement 16,5 % des Afro-Brésiliens.

Ce rapport stipule par ailleurs que le salaire moyen d'un Brésilien blanc adulte s'élève à 380 $US par mois contre 200 $US pour un Afro-Brésilien ; que 10 % des entreprises brésiliennes les plus riches contrôlent 45 % des richesses du pays alors que 50 % des plus pauvres se partagent un maigre 14 % ; et que 25 % de la population globale vivent sous le seuil de la pauvreté, barème fixé à un revenu inférieur à 50 $US par mois.

Ces inégalités auraient aujourd'hui disparu au Brésil. Dans son étude comparative, *Bandeirantes e Pioneiros*, mettant en regard les développements nord-américain et brésilien, l'auteur Vianna Moograppelle que "dès le début, il y eut une différence fondamentale entre la colonisation de l'Amérique du Nord et celle du Brésil. En ce qui concerne la première, la disposition initiale était spirituelle, métaphysique et constructive, tandis que dans la seconde, elle relevait du domaine de la prédation et de l'avidité, les influences religieuses ne jouant qu'un rôle secondaire". Ce sont ces principes qui instaurèrent à long terme ce système d'inégalités sociales.

La femme brésilienne

Historiquement, les droits des femmes brésiliennes ne sont pas plus grands que ceux accordés aux Noirs ou aux pauvres. Lors de sa visite

LES ITALIENS DE L'ÉTAT DE SÃO PAULO

Dès les années 1870, les immigrants italiens investissent l'État de São Paulo. Nombre d'entre eux travaillent dans les plantations de café de l'intérieur de l'État, d'autres rejoignent une main-d'œuvre de plus en plus importante à São Paulo et dans les villes voisines. En une génération, ils s'établissent dans le commerce. Au bout de 2 générations, ils forment une élite de nouveaux riches, avec des familles millionnaires, comme les Martinelli et les Matarrazzo. L'un des premiers gratte-ciel, le Martinelli Building, est construit à São Paulo en 1929. Puis, quelques décennies plus tard, suit l'Itália Building (1965), à l'époque le plus haut gratte-ciel d'Amérique du Sud – 46 étages –, sur l'Avenue Ipiranga.

Vers la fin du XIXe siècle, ce sont plus de 500 000 Italiens qui débarquent au Brésil. Habitués à travailler la terre, ils n'ont que peu de goût pour la vie urbaine et, au lieu de rester à São Paulo, ils partent s'installer dans la région vallonnée du sud de l'État du Rio Grande do Sul. Ils introduisent dans cette région où la production viticole est négligeable le savoir-faire de la viticulture. Aujourd'hui, la modeste production est en constante croissance et les meilleurs crus du pays sont élaborés dans les chais autour de Caxias do Sul (*voir p. 330*). En 1931, Caxias organise le Festival de la Grappe – qui se déroule depuis tous les ans de février à mars –, une fête comme savent si bien ritualiser et célébrer les Italiens.

au Brésil en 1865, Elizabeth Cabot Agassiz, épouse du célèbre naturaliste suisse Louis Agassiz, remarque qu'il lui faut une autorisation spéciale de l'empereur Dom Pedro II pour assister à la conférence de son mari. "En règle générale, les femmes étaient interdites", écrira-t-elle plus tard. "De m'accorder ce privilège risquait évidemment de chambouler les habitudes nationales"

Mais plus d'un siècle après, dans les années 1990, la une d'un grand quotidien brésilien affiche la photo du ministre des Finances en présence des maires de São Paulo et de Santos, le plus grand port du pays. Les 3 représentants officiels photographiés sont des femmes. En 2002, Rosângela Matheus est élue gouverneur de l'État de Rio, première femme à tenir ce rôle.

Cependant, si les femmes arrivent à figurer dans les sphères politiques, il n'en demeure pas moins qu'elles restent socialement en arrière-plan, selon les indicateurs économiques. Dans le rapport de 2004 de l'IBGE, le nombre de femmes participant aux forces vives constitue le plus fort taux des bas salaires : 71 % d'entre elles gagnent moins de 200 $US par mois contre seulement 55 % des hommes. Plus frappant encore, parmi la quantité de Brésiliens ayant fait plus de 11 ans d'études, le salaire d'une femme correspond en moyenne à 57 % de celui d'un homme. En 2006, une étude de la BNDES, la banque brésilienne du développement, révèle que le salaire des femmes cadres ayant les mêmes qualifications et le même niveau d'expérience que les hommes est inférieur de 9 % par rapport à celui de leurs collègues masculins. Tout en stipulant que le statut des femmes s'est nettement amélioré au cours des 10 dernières années, l'étude conclut néanmoins que, "au rythme actuel des choses, il faudrait plus de 75 ans pour que les femmes arrivent à une vraie parité". ❑

À GAUCHE : Rosângela Matheus, première femme élue gouverneur de Rio, en 2002. **CI-DESSUS :** perché sur son cheval ce *gaúcho* peut est relié au monde entier.

ISSUES SOCIALES

En matière de divorce et d'avortement, le Brésil n'a guère avancé. Jusqu'en 1977, le divorce était illégal, mais il existait toutefois une disposition permettant une séparation officielle, appelée *desquite*. Elle garantissait à la femme le droit de réclamer une pension, mais cela n'impliquait nullement une rupture légale du mariage, signifiant qu'aucun des partis ne pouvait se remarier. Les nouvelles lois ont quelque peu rationalisé la situation : il est à présent possible de transformer une *desquite* en divorce après 3 ans de séparation. L'avortement demeure toutefois plus problématique. En septembre 2005, le projet de loi présenté au congrès fut rejeté suite aux pressions de l'Église catholique et des associations anti-avortement.

LES AMÉRINDIENS

La survie des Indiens du Brésil est en jeu : tous les espoirs reposent à présent sur la restitution de leurs terres, abondamment pillées. Ces dernières années, une partie leur a été rétrocédée, mais le chemin est encore long.

Les premiers contacts des Amérindiens avec la civilisation "blanche" ont lieu en 1500, quand l'explorateur portugais Pedro Álvares Cabral accoste sur les rives du Brésil. Selon les historiens brésiliens, ils sont environ 5 millions à cette époque, mais certains anthropologues avancent depuis peu le chiffre de 30 millions. En effet, avec le déboisement de la forêt amazonienne, de nouveaux sites datant de cette époque ont été découverts. On a longtemps estimé que les ancêtres des Amérindiens avaient migré d'Asie centrale en passant par le détroit de Béring, pour arriver aux Amériques il y a 10000 ans. La diversité des cultures amérindiennes et la mise à jour d'antiques poteries en Amazonie conduisent à d'autres hypothèses. L'implantation des Indiens au Brésil, probablement après leur traversée du Pacifique, serait bien antérieure. Les Indiens, avec leur style de vie changeant dans une forêt tropicale qui leur fournit surtout du bois, ne laisseront que peu de monuments. Mais l'hypothèse selon laquelle l'âge de pierre amérindien était une culture primitive a fait long feu, des découvertes archéologiques ayant prouvé l'existence d'importantes cités, permanentes et organisées, dans l'Amazonie précolombienne.

Le mythe du bon sauvage

Les premiers explorateurs portugais seront très impressionnés par l'innocence et la générosité des Indiens. Et, les considérant comme de "bons sauvages", ils en envoient quelques-uns en Europe pour les faire défiler devant la royauté. Juste après la conquête, les Indiens sont relativement bien traités ; mais l'avidité des colons et le manque de main-d'œuvre dans les plantations de canne à sucre vont leur faire oublier tout scrupule. Des aventuriers, les *bandeirantes*, arrivent de São Paulo pour capturer des Indiens. D'une brutalité légendaire, ils horrifient les missionnaires jésuites qui prennent fait et cause contre eux et contre l'esclavage des Indiens. À cette période arrivent aussi les "maladies blanches" – la rougeole et la grippe –, maladies contre lesquelles les Indiens ne possèdent aucune immunité. Des centaines de milliers d'entre eux y laisseront leur vie. Les Jésuites tentent de protéger et de convertir les tribus de la forêt en les contraignant à vivre dans des *aldeias* (villages), où la culture indienne est supplantée par le christianisme et les contraintes d'un dur labeur. Les Indiens y sont aussi encouragés à résister à l'esclavage. Aujourd'hui encore, la question de savoir si ces missions ont réellement défendu les Indiens ou cherché à les asservir n'est pas tranchée.

Esclavage et violence

En 1755, le Portugal libère les Indiens de l'esclavage – décision qui n'aura que peu d'effet. Peu après, les Jésuites sont chassés du Brésil ; les missions du Sud et celles du Paraguay passent alors sous le contrôle de laïques qui vont exploiter sans scrupule la main-d'œuvre indienne. En 1821, sur les 30 000 Indiens guarani répartis dans 7 missions du temps des Jésuites, il n'en reste que 3 000. La disparition de cette main-d'œuvre sera à l'origine de la traite des esclaves africains. Travail dans les plantations, expéditions sur les fleuves, construction de routes ou de bateaux pour la royauté... Les Amérindiens, habitués à la vie de la forêt et à une agriculture changeante, fuient une existence pénible en empruntant les affluents de la Xingú et du Madeira pour se réfugier dans d'impénétrables sanctuaires, où certains subsistent encore aujourd'hui.

Dans les plaines du Nordeste et dans le Sud, la progression des éleveurs et des chercheurs d'or engendre des conflits sanglants. Quand la famille royale portugaise s'installe au Brésil en 1807, les Blancs sont déjà plus nombreux que les Indiens. Un décret autorisant l'asservissement des Indiens réfractaires est voté dans le Sud. En 1845, sur ordre du gouvernement, les Indiens sont finalement rendus aux missions, juste à temps pour participer aux récoltes de caoutchouc. Par la suite, les besoins en main-d'œuvre ayant diminué, des "solutions" extrêmes sont envisagées. En 1908, Hermann von Ihering, directeur du musée de São Paulo, prend ouvertement parti pour l'extermination de tous les Amérindiens des États de Santa Catarina et Paraná, lesquels menacent les immigrants allemands et italiens. Dans les années 1900, les *bugreiros*, chasseurs à la solde des colons, s'enorgueillissent de violer, d'empoisonner ou d'abattre des Kaingang qui s'opposent à la construction d'une ligne de chemin de fer.

À GAUCHE : fillette au corps enduit d'une teinture végétale. **CI-DESSUS :** chef cayapó, vers 1870. **À DROITE :** tourné vers un avenir incertain.

LE MÉPRIS DES COLONS

Au XIXe siècle, les Indiens survivants ne s'acclimatent pas à la vie dans les *aldeias* (villages), malsains et surpeuplés. Ils travaillent souvent comme esclaves, livrés aux maladies, grippe espagnole et variole, contre lesquelles ils ne possèdent aucune immunité.

Épidémies, esclavage et alcool finissent par corrompre la culture amérindienne et les Blancs considèrent les Indiens comme des êtres paresseux et incapables de s'intégrer, attitude alimentant l'idée qu'ils sont une race inférieure. "L'immigration d'une race vigoureuse, en provoquant la lutte pour leur survie dont parle Darwin, les anéantira totalement [les Indiens] par assimilation", écrit un intellectuel brésilien.

Moins d'1 million d'Indiens survivront à ces traitements. Pourtant, l'opinion commence à changer. En 1910, Cândido Mariano da Silva Rondon, militaire, explorateur et humaniste, enjoint ainsi ses troupes de "mourir s'il le faut, mais sans tirer", et crée le Service de protection des Indiens. Cependant, pour sauver les cultures amérindiennes d'une destruction à grande échelle, il est trop tard : en 1960, l'anthropologue Darcy Ribeiro révèle qu'un tiers des 230 tribus répertoriées en 1900 a disparu. Pendant les 400 ans qui ont suivi la colonisation portugaise, les nouveaux Brésiliens ont progressivement occupé un vaste territoire et la population indienne a énormément pâti du

déplacement des frontières agricoles vers l'ouest, puis vers le nord. L'une après l'autre, les tribus se sont éteintes et le nombre des Indiens est tombé à 200 000.

Les Panará et le retour en force

Entre 1960 et 1970, le gouvernement lance la construction d'un gigantesque réseau routier pour désenclaver l'Amazonie, encourageant les colons blancs à s'y installer. Les Panará (Kreen-acaróre, à l'époque), avec leur image de géants insaisissables, sont alors considérés comme des obstacles au développement économique de l'intérieur brésilien. Il semble donc acquis que les derniers Amérindiens vont être exterminés. Ils ne seront prévenus que quelques jours avant, par des anthropologues, de l'arrivée des ouvriers de la Cuiabá, l'autoroute de Santarém. À la suite de cette série de contacts, décimés par les maladies, les Panará en sont réduits à la mendicité au bord de l'autoroute en construction, qui scinde leur territoire en deux. En février 1975, 79 survivants désespérés sont transportés par avion jusqu'à la réserve indienne xingú, située à plus de 1 000 km. Cela provoque l'indignation au Brésil et à l'étranger. Les Panará et les autres tribus indiennes, victimes de traitements similaires à la suite de la mise en place du Programme d'intégration nationale pour la colonisation de l'Amazonie, sont surnommés les "victimes du miracle". Tous ces groupes traditionnels, culturellement, voire physiquement menacés d'extinction le sont à cause de l'obsession d'un régime axé sur la croissance économique à tout prix.

Aidés par un groupe d'anthropologues, les Panará vont effectuer un formidable retour en force. Dans un climat politique national et international propice à leurs revendications, ils partent en campagne pour la restitution de leurs terres. 20 ans après leur expulsion, la boucle est bouclée : en octobre 1995, un avion ramène un petit groupe de Panará sur leurs terres ancestrales, au nord du Mato Grosso et au sud du Pará, dans le bassin amazonien. Ils les retrouvent en grande partie dévastées par les chercheurs d'or, les éleveurs et les exploitants forestiers mais, même ainsi, ils vont lentement reconstruire leur passé : rituels, mythes, rythmes de travail, chants et danses. Parallèlement, ils définissent les limites d'un vaste territoire (plus de 490 000 ha de forêt inhabitée), qu'ils parviennent à faire connaître en 1996 par les tribunaux brésiliens comme réserve attitrée. L'attitude du pouvoir a donc bien évolué depuis la création de la réserve xingú, "refuge" naturel où cohabitent différentes tribus. Loin d'être parfaite, cette réserve est une réussite dans le sens où l'absence de contact avec la "civilisation" a permis aux Xingú de conserver leur organisation tribale. Beaucoup d'entre eux ont développé des activités professionnelles et, depuis 1982, année de l'élection de l'un de leurs chefs au Congrès national, d'autres élections à des postes gouvernementaux ont suivi.

Les affaires indiennes relèvent aujourd'hui de la juridiction de la Funai (Fundação Nacional do Índio), agence gouvernementale corrompue et la

À GAUCHE : jeune famille yanomami. **À DROITE :** Indien cayapó auréolé d'une superbe coiffe en plumes.

plupart du temps inefficace. Il lui incombe de fixer la limite des territoires indiens contre l'invasion des ranchers, des mineurs et des exploitants forestiers. Les revendications indiennes sont cependant étouffées depuis la signature en 1996, par le président de l'époque, du décret 1775 autorisant ces groupes à remettre en cause ces limites et à investir le territoire indien.

Les étapes de la convalescence

Le retour des Panará sur leur terre ancestrale est symbolique de la renaissance des groupes amérindiens. Après une situation désespérée dans les années 1970, les Indiens se relèvent peu à peu. Une des surprises révélées par le recensement de 2000 est l'accroissement de leur population de 138 % par rapport à 1990. Ils sont aujourd'hui 700 000. Une fois achevé le processus de délimitation, leurs territoires couvriront 10 % de l'étendue du Brésil. La réduction des subventions gouvernementales a entraîné le blocage du processus, censé clos en 1993. Quand il le sera, rien n'assure que les frontières de la réserve seront respectées, compte tenu notamment du décret de 1996 en faveur des intérêts des non-indigènes. Les chercheurs d'or envahissent souvent la vaste réserve dévolue aux 27 000 Yanomami vivant aux frontières du Venezuela. Cette prospection illégale, menée par les *garimpeiros* – que le gouvernement ne veut pas ou ne peut pas maîtriser – apporte avec elle violence, pollution, épidémies.

Pour d'autres, la difficulté consiste à s'adapter aux contraintes de la vie moderne. Chez les 25 000 Guarani-Kaiowa, répartis en 22 villages sur les terres déboisées du Mato Grosso do Sul, au centre du pays, l'absence de réserves de nourriture oblige un grand nombre d'entre eux à travailler comme ouvriers agricoles. Beaucoup ne parviennent pas à surmonter ce traumatisme ; un taux de suicides élevé, y compris chez les enfants, en témoigne.

Ces dernières années, les Guarani-Kaiowa ont eux aussi commencé à relever la tête. Ils mènent une série de *retomadas* – tentatives de récupération de leurs terres – souvent difficiles et violentes, car les nouveaux occupants se battent pour garder ces terres. En 2000, des groupes d'Indiens ont organisé à grand renfort de publicité une manifestation pour les célébrations du 500e "anniversaire" de la naissance du pays. ❑

LA LUTTE POUR LEUR SURVIE

Le triste épisode historique de la rencontre des Amérindiens avec les Blancs permet de comprendre pourquoi le visiteur d'aujourd'hui ne soit pas le bienvenu dans les réserves. Même les chercheurs accrédités doivent faire une demande officielle et attendre la réponse pendant des mois.

Les relations avec les Amérindiens demeurent tendues. Il leur arrive même d'adopter des mesures extrêmes comme en mars 2003, lorsque les Cauruaia du sud du Pará ont pris des otages pour protester contre les chercheurs d'or qui prospectaient sur leur réserve, empoisonnant les rivières avec le mercure utilisé pour extraire le précieux métal.

Si les tribus indigènes approuvent dans un premier temps l'élection de Lula da Silva en 2002, ce n'est que de très courte durée. L'année suivante tout le pays voit en effet une montée de meurtres et de violence. En avril 2005, Lula ratifie la rétrocession de la Raposa Serra do Sol – territoire de 16 800 km² dans le nord du Romaina –, la terre natale des 15 000 Macuxi, Wapichana, Ingarikã, Patamona et Taurepang. Après une lutte de 30 ans pour que leurs droits soient reconnus, les Amérindiens conçoivent cette restitution comme une véritable victoire. Mais la transition progresse à petits pas : malgré l'injonction, de nombreux colons refusent de partir, créant de nouveaux conflits. Amnesty International rapporte que plus de 20 Amérindiens seraient morts lors de différends et plusieurs centaines auraient perdu foyer et bétail. Mais ils ne désespèrent pas d'arriver à un heureux dénouement.

DES SAINTS ET DES IDOLES

Les croyances religieuses dérivent d'un singulier mélange de traditions indienne,africaine et européenne qui nourrissent les tendances mystiques des Brésiliens.

En décembre, janvier et février, les visiteurs découvrent fréquemment sur les plages des fleurs, des savonnettes neuves ou des flacons de parfum mêlés à des bougies consumées. Il s'agit d'offrandes faites par les adeptes de ce qui est sans doute la plus importante "religion" au Brésil après le catholicisme : l'*umbanda*, qui vénère la déesse africaine de la mer, Iemanjá.

Dans le Vale do Amanhecer (vallée de l'Aube, d'après le mouvement du même nom), près de Brasília, des milliers de ces fidèles qui croient à l'imminence de la fin du monde ont formé une communauté placée sous la protection des esprits d'Aluxá et de Jaruá, avec des autels dédiés à Jésus-Christ, à la Flèche blanche et à la médium Tia Neiva (*voir p. 75*).

Dans la ville de Juazeiro, au nord-est du pays, tous les vendredis, les femmes s'habillent en noir et, le 20 de chaque mois, elles portent le deuil de Padre Cícero qui, selon la légende, ne serait pas vraiment mort mais aurait été transporté au ciel (comme Enoch, Elija et Santa Catarina). On dit que ses rognures d'ongles posséderaient encore des propriétés thérapeutiques (*voir p. 73*).

Toujours dans cette région, les fermiers tracent des cercles magiques autour des vaches malades et invoquent Santa Barbara (ou Iansã, son équivalent dans le culte africain) pour que les animaux ne meurent pas. Le 12 décembre, nuit de Santa Lúcia, ces mêmes fermiers placent 6 pains de sel devant leur maison. Si la rosée fait fondre le premier, la pluie est attendue en décembre ; si elle dissout le second, il pleut en janvier, et ainsi de suite. Si les blocs ne fondent pas, la sécheresse s'abat sur le *sertão*, l'arrière-pays et l'ensemble du Nordeste.

À GAUCHE : procession de fidèles en adoration dans le Vale do Amanhecer, près de Brasilia. **À DROITE :** père franciscain dans le chœur d'une église.

Religion et politique

Au Brésil, l'État et les Églises sont officiellement séparés, mais dans la pratique, les instances religieuses ont toujours tenté d'influer sur la vie sociale. Jusqu'à la fin du XXe siècle, la très grande majorité des Brésiliens étant baptisés dans la foi catholique, des relations étroites entre le gouvernement et le Vatican allaient de soi. Depuis l'explosion des Églises évangéliques – notamment les sectes pentecôtistes, les plus radicales (*voir p. 71*) – qui acquièrent stations de radio et chaînes télévisées et qui remportent des succès électoraux, les croisements entre les sphères politique et religieuse n'ont pas cessé.

Énergie spirituelle et diversité

Si vous passez un certain temps au Brésil, vous vous apercevrez que les Brésiliens témoignent d'une énergie spirituelle qui, bien souvent, ne correspond pas aux modèles de religions connus.

Le Brésil compte la plus grande population catholique au monde et 11 millions d'évangélistes – 2 fois plus qu'il y a 10 ans. Cependant, des millions de fidèles allument des cierges à différents autels sans pour autant ressentir de contradiction particulière. C'est l'un des rares pays où l'on peut choisir l'époque où l'on veut vivre. São Paulo, Rio de Janeiro et d'autres grandes villes offrent un style de vie mouvementé typique du

siècle actuel tandis que, dans les zones rurales et les petites villes, la vie n'a pas beaucoup changé depuis 100 ans. Il subsiste même quelques poches moyenâgeuses où des communautés pratiquent leurs cultes en attendant avec plus ou moins d'anxiété la fin du monde. Certains Indiens d'Amazonie, enfin, vivent encore comme à l'âge de pierre et ignorent l'usage des outils en métal.

Le Brésil est aussi l'un des rares pays où l'on peut choisir parmi plusieurs religions ou mouvements religieux et s'immerger dans toutes leurs expressions intimes ou extérieures, qu'il s'agisse des doctrines philosophiques du protestantisme existentiel, du mouvement évangélique, de la théologie de la libération des prêtres catholiques engagés, ou du judaïsme moderne ou traditionnel.

L'influence indienne

L'héritage indien du Brésil explique en partie certaines croyances mystiques profondément ancrées. Aujourd'hui encore, quelques tribus indiennes continuent de fabriquer des objets religieux, même si ceux-ci ont perdu leur signification originelle : les sculptures en argile des Carajá représentent la naissance et la mort ; les flûtes rituelles du Nambikwara évoquent le mythe de l'origine des plantes médicinales ; les personnages sur les paniers des Apalaí illustrent les mythes de cette tribu ; chez les Bororo, Urubu, et dans de nombreuses autres tribus, les diadèmes, bracelets, ou colliers sont faits en plumes d'oiseaux symbolisant la magie, la santé, la maladie ou la mort ; pour invoquer leurs ancêtres disparus s'élevant de troncs d'arbres-totems, les Indiens d'Amazonie se peignent le corps de couleurs symboliques, luttent, dansent au son des flûtes géantes, et chantent jour et nuit… Même la configuration des villages évoque les mythes indiens. Chez les Bororo, les huttes situées au nord et au sud suivent la trajectoire du soleil tandis qu'à l'ouest se situe une zone circulaire baptisée "chemin des âmes".

Cultes africains

La pratique de nombreux cultes africains au Brésil a favorisé la préservation de l'histoire africaine. Il est ainsi bien plus facile aux Noirs du Brésil qu'aux Africains des États-Unis de retrouver la trace de leurs ancêtres en Afrique. La culture religieuse puise en second lieu son influence dans les rites africains, notamment dans le plus connu d'entre eux, le candomblé, surtout observé dans l'état de Bahia. Pour l'ordination des prêtresses, le cérémonial veut que l'on rase la tête de la jeune fille avant de lui appliquer des plumes de poulet et du sang de poule ou de chèvre sur le front. Des tambours *atabaque*, des chants dans différentes langues africaines et des danses frénétiques accompagnent la cérémonie jusqu'à ce que l'initiée entre en transe.

Les cultes vaudous, proches de ceux toujours pratiqués à Haïti et dans les Caraïbes, ne sont

implantés que dans quelques parties du Brésil. Au nord-est, dans le Maranhão et à la frontière nord du pays avec la Guyane, les descendants des esclaves ayant réussi à s'enfuir respectaient des modèles et des cultes tribaux africains très éloignés de la domination blanche. Ces pratiques se poursuivront jusqu'au début du XXe siècle.

L'Évangélisme au zénith

La surprise est générale lorsque le recensement de 2000 révèle que les membres des Églises évangéliques ont doublé en 9 ans, passant à 26 millions de personnes. Dans le même temps, le clergé et le nombre de laïques catholiques n'ont pas bougé. Les Brésiliens ont tendance à considérer les Évangélistes – souvent appelés *crentes* – avec un mélange de respect et de méfiance. C'est ainsi que des images scandaleuses montrant des prêtres pentecôtistes bien connus en train de profiter des plaisirs de la vie ont été largement diffusées sur les chaînes télévisées nationales. Les Églises évangéliques, en particulier pentecôtistes, sont implantées surtout dans la périphérie des grandes villes et les zones rurales limitrophes. Ces territoires ont en commun d'être peuplés de migrants en quête d'une vie meilleure là où la présence de l'État est moins forte. Et c'est assez naturellement que ces personnes déracinées cherchent un soutien et un sens à leur vie auprès des réseaux religieux.

À GAUCHE : Bahianaises dans leur tenue chamarrée prêtes à faire leurs dévotions à Iemanjá.
CI-DESSUS : danseuse macumba du Carnaval.

L'islam

Ce sont les esclaves importés d'Afrique occidentale qui ont apporté la religion islamique au Brésil. En 1830, une tentative de soulèvement par des hommes libres et des esclaves musulmans (*malês*) fut déjouée juste avant que n'éclate la rébellion, et la répression de l'État fut sans merci. Au XXe siècle, le Brésil connaît une immigration musulmane en provenance du Moyen-Orient, ce qui se traduit par la construction d'impressionnantes mosquées dans tout le pays, en particulier à São Paulo et dans ses environs.

Le syncrétisme religieux

Le mélange des cultes indiens, africains et européens engendre une forme de syncrétisme religieux unique en son genre : la sainte catholique Santa Barbara devient par exemple Iansã dans le

TRANSMISSION DES ORIGINES

Les grandes prêtresses du *candomblé*, comme Olga Olekatu et Mãe Menininha de Gantuá, pouvaient réciter les noms de tous leurs ancêtres africains et ceux des membres de leur communauté en remontant jusqu'à des générations vivant toujours sur leur terre d'Afrique. Elles décrivaient en détail comment ces ancêtres avaient été capturés et amenés au Brésil comme esclaves. Les prêtresses transmettaient ainsi ce savoir aux nouveaux chefs spirituels de la communauté, qui mémorisaient à leur tour cette imposante généalogie. Ce système ressemble à celui qui a cours dans certaines régions d'Afrique où, aujourd'hui encore, les chefs religieux font office de scribes et de notaires et connaissent par cœur la généalogie des membres de leur tribu.

culte afro-brésilien, où par ailleurs Iemanjá, déesse de la mer, revêt souvent l'apparence de la Vierge Marie et où Xango, le dieu du Tonnerre, se retrouve transposé en saint Georges terrassant le dragon. Les cultes syncrétiques comme l'*umbanda* possèdent parfois un dieu de la guerre, Ogun, des personnalités divines, les *orixás*, et des forces démoniaques, symbolisées par Exu, qui appartiennent habituellement au *candomblé* et à d'autres rites africains.

L'*umbanda* relève d'un mouvement mystique, le spiritisme, mêlant des personnages d'inspiration africaine à des demi-dieux ou aux médiums brésiliens tels que Pai João, Caboclo et Pomba Gira. S'y greffent les concepts théologiques mystiques de l'Européen Allan Kardec. Parmi les représentations les plus courantes sur les autels de l'*umbanda* ou du spiritisme figurent saint Côme et saint Damien, saint Georges terrassant le dragon, Iemanjá en robe blanche et Pai João avec son cigare.

Iemanjá est tantôt représentée comme la Vierge Marie, tantôt comme une déesse de la mer ou une sirène. Ainsi, tous les 13 décembre à Praia Grande dans l'État de São Paulo, tous les 31 décembre à Rio de Janeiro et tous les 2 février à Bahia, les fidèles d'Iemanjá viennent déposer sur le rivage des fleurs, du parfum et de la poudre de riz pour la déesse – vaniteuse, Iemanjá ne s'apaise qu'avec des fleurs et des produits de beauté. Si les offrandes coulent ou sont emportées au large, cela signifie que Iemanjá les accepte. Si elles reviennent sur la plage, c'est que la déesse les a rejetées.

L'imagerie religieuse européenne arrive avec les premiers colons portugais, qui amènent avec eux les saints les plus vénérés par les catholiques et plus particulièrement la représentation de la Nativité. À partir de là, les familles brésiliennes doivent à chaque Noël, et pendant 7 années consécutives, installer des crèches sous peine d'encourir les foudres divines. Chaque année, un nouveau personnage fait son apparition et des vêtements neufs recouvrent les vieux. Dans certaines crèches, apparaissent même des animaux brésiliens, comme le tatou, et des papillons d'Amazonie.

La sainte patronne

Il y a 300 ans, une figurine brisée en terre cuite se prend dans le filet d'un pêcheur sur le Paraíba, entre Rio et São Paulo : elle représente Nossa Senhora de Aparecida, la Vierge de la Conception, qui va devenir la sainte patronne du Brésil.

Aujourd'hui, la basilique de l'Aparecida, qui se dresse au bord de l'autoroute entre Rio de Janeiro et São Paulo et abrite la figurine, reçoit plus de 5 millions de pèlerins par an, chiffre dépassé seulement par la basilique de la Vierge de Guadalupe au Mexique et le lieu saint de Czestochowa en Pologne. Tout un ensemble de légendes, d'histoires et de superstitions s'est depuis formé autour de la figurine et, en 1999, un parc à thème religieux axé sur la basilique a même été construit pour 70 millions de dollars. Vers la fin des années 1970, la figurine fut cassée par un fanatique et restaurée par des spécialistes du musée d'art de São Paulo. Chaque année, le 12 octobre, jour de la fête de la sainte, des centaines de milliers de fidèles affluent dans le sanctuaire, certains même, à genoux.

Autre représentation courante de la Vierge Marie : Notre-Dame de l'O, euphémisme désignant la Vierge enceinte, que le haut clergé tentera de supprimer en faveur de Notre-Dame de la Conception (sans ventre proéminent). Certains Brésiliens appellent Notre-Dame de l'O Notre-Dame du 25 mars, en référence à la conception du Christ, 9 mois avant Noël. En raison des risques liés à l'accouchement, Notre- Dame de l'O est particulièrement vénérée par les femmes enceintes.

Les pouvoirs thérapeutiques des saints

Les saints posséderaient aussi des pouvoirs. Santa Lúcia, par exemple, est censée guérir les malvoyants et les aveugles. Santa Barbara protège de la foudre. Les jeunes filles célibataires prient Santo António afin qu'il leur trouve un mari. Ce saint est souvent représenté portant l'enfant Jésus dans ses bras : si une jeune fille à marier le lui retire, la croyance veut que le saint soit si bouleversé qu'il fera tout son possible pour trouver un mari à la jeune fille et récupérer l'enfant Jésus. C'est seulement après son mariage que la jeune fille lui rend l'enfant.

Quant à São Bras, l'évêque, il protège des angines et des risques d'étouffement liés aux arêtes de poisson. Autre saint très connu, saint Jude, le saint aux grandes bottes, est sculpté dans le bois ou moulé dans le plâtre. Comme en Europe, il est le patron des cas désespérés.

D'autres représentations religieuses perdurent, mais sans l'aura mystique des origines. Les *carrancas*, par exemple. Entre 1850 et 1950, le São Francisco est associé à de nombreuses légendes sur les esprits de l'eau, comme la "louve des eaux", le "monstre des eaux" et le Caboclo da Agua (l'"ermite des eaux"), qui envoient les bateaux par le fond. Les carrancas, figurines en bois en forme de monstres, fixées à la proue des bateaux à vapeur et d'autres embarcations naviguant sur le São Francisco, étaient destinées à effrayer les esprits de l'eau. Leur regard était tourné vers le bas, de sorte que l'équipage n'apercevait qu'une crinière élaborée sans être effrayé par leur horrible tête. Aujourd'hui, sur la plage de Nazaré au Portugal, les pêcheurs peignent des yeux sur la proue des bateaux afin de voir les dangers sous l'eau. On trouve le même genre de figures de proue en Guinée et dans d'autres parties d'Afrique.

Art sacré

La puissance spirituelle de la sculpture sur bois reste vivante aujourd'hui dans la vallée du São Francisco et sur le plateau central, où l'artiste brésilien Geraldo Teles de Oliveira sculpte des formes ailées montées comme des rayons sur une roue, semblables aux représentations médiévales

À GAUCHE : procession à Salvador ; respect des cultes chrétien et païen. **À DROITE :** statue du Padre Cícero.

LA GUERRE DE CANUDOS

Le "miracle du Sacré Cœur" (ou de l'"hostie") a lieu en 1895, peu avant que ne débute la guerre de Canudos. Antônio Conselheiro, un fanatique qui prophétise l'arrivée d'une pluie d'étoiles et l'imminence de la fin du monde, voit dans les chefs de la nouvelle République brésilienne l'incarnation de l'Antéchrist, car ils refusent de reconnaître la validité des mariages religieux. Quant au gouvernement brésilien, il pense que Conselheiro et ses adeptes représentent l'empereur déchu et envoie ses troupes afin d'écraser l'insurrection. Expéditions sur expéditions finiront par démembrer la communauté de Conselheiro à Canudos, dans l'État de Bahia. Les insurgés repoussent 4 assauts, mais l'armée en vient à bout en 1897, massacrant des milliers d'adeptes.

de la hiérarchie des anges. Les anges d'Oliveira, toutefois, se ressemblent tous ; il ne fait pas la distinction entre les chérubins, les séraphins, les archanges, entre les trônes, les puissances, les gloires, les dominations, etc.

Très couramment portraituré par les artistes brésiliens au long des siècles, l'ange handicapé. Ainsi, certains anges en bois doré de l'église de São Francisco et d'autres églises de Bahia arborent divers handicaps, strabisme divergent ou convergent, presbytie (avec port de lunettes).

Dans une tradition apparentée, Maurino Araújo, sculpteur contemporain originaire du Minas, crée des anges, des prêtres, des moines et des centu-

rions pour la crèche avec des yeux exorbités, l'un tourné dans une direction, l'autre à l'opposé.

Autant que d'anges, les foires artisanales brésiliennes regorgent littéralement de sculptures de saints. Parmi les plus originales, signalons les représentations de Santa Ana sans cou, réalisées par des artistes de l'état de Ceará. Des centaines de sculpteurs sur bois ont également conçu des statues du plus célèbre personnage religieux du Nordeste Padre Cícero, et des millions d'autres en plâtre ont été vendues dans tout le pays.

Le culte de Padre Cícero

Statues en bois, chansons, poèmes publiés sous forme de livres de colportage propagent la légende de Padre Cícero partout dans le pays. Dans les années 1960, on lui construit une statue à Horto et son église devient un sanctuaire qui attire tous les ans des milliers de visiteurs.

Depuis la mort de Padre Cícero, de nombreux cultes messianiques sont apparus ; le plus connu, dans le Nordeste, est centré sur la personnalité de Frei Damião, prêtre d'origine calabraise arrivé jeune au Brésil, qui utilise dans ses sermons les mêmes images de feu et de soufre que les autres personnages prophétiques des 3 siècles passés.

Padre Cícero était considéré comme un messie capable de transformer les régions arides en Éden d'où la faim et la pauvreté seraient exclues. Une vallée verdoyante du Nordeste est d'ailleurs surnommée Horto ou Jardin de Gethsémani, et la ville de Juazeiro, "Nouvelle Jérusalem". Des adeptes de Padre Cícero conservaient ses rognures d'ongles, censées être dotées de pouvoirs magiques, et certains aujourd'hui encore portent le deuil le jour anniversaire de sa mort (20 juin).

Padre Cícero acquiert sa notoriété le jour où une vieille femme, Maria Araújo, après avoir reçu l'hostie de ses mains, s'effondre en proie à des convulsions. Une tache de sang en forme de Sacré Cœur apparaît alors sur l'hostie. Des chanteurs ambulants parcourent depuis le *sertão* en chantant les louanges du prêtre et du "miracle du Sacré Cœur".

Certains observateurs plus sceptiques suggèrent que Maria Araújo, peut-être atteinte de tuberculose, aurait craché du sang ou saigné des gencives. L'un d'eux, Pedro Gomes, originaire de la ville proche de Crato, avance l'idée que l'hostie étant faite de papier tournesol, le "miracle" de Padre Cícero n'est sans doute rien d'autre qu'un test à l'acide, bien connu de tous les étudiants en chimie. Cette incrédulité n'empêchera pas la répu-

Ex-voto

L'église de Juazeiro est remplie d'ex-voto sculptés dans le bois, représentant des membres ou des parties du corps atteints de maladies. Lorsque quelqu'un est guéri, il sculpte la partie du corps qui le faisait souffrir et, après avoir fait un pèlerinage à Juazeiro, accroche la sculpture dans la salle des ex-voto, en témoignage de sa gratitude.

Les églises de Caninde et de Salvador sont tapissées d'ex-voto, les plus récents réalisés en cire à la demande des prêtres qui les refondent ensuite pour les vendre comme cierges. Fémurs, tibias, mains, coudes, visages criblés de marques, yeux, abdomens perforés sont ainsi délicatement sculptés.

tation de Padre Cícero de se répandre dans le pays au point que l'on y chante même qu'il était l'une des trois personnes de la Sainte Trinité.

La secte du millenium à Brasília

Considérée par les adeptes comme le centre d'un champ magnétique, source d'énergie cosmique, Brasília attire divers cultes religieux modernes, dont celui de la Vallée de l'Aube, implanté dans la vallée du même nom.

La communauté y a élevé un gigantesque temple empli de figures religieuses et de nouvelles divinités, notamment Aluxá, Jaruá, Flèche Blanche –divinité indienne– et la médium Tia Neiva. Située à une soixantaine de kilomètres de Brasília, la Vallée est la plus importante communauté de ce genre au Brésil.

Tia Neiva fonde le mouvement en 1959 et s'installe dans la ville de Planaltina en 1969. Le Vale do Amanhecer se compose aujourd'hui de 27 000 habitants et compte des écoles, des restaurants, ainsi qu'un hôtel modeste. Deux officiers de police y ont même été affectés par les services de police de Brasília.

En arrivant dans le Vale do Amanhecer, les visiteurs peuvent apercevoir des dizaines de femmes en robe longue ornée de sequins d'argent en forme d'étoiles et de quartiers de lune ainsi que des hommes en pantalon marron et chemise noire avec un ruban en travers de la poitrine et un bouclier en cuir. Ce sont les médiums qui guident les milliers d'adeptes de la secte du millenium. Selon Tia Neiva, 100 000 Brésiliens possèdent des pouvoirs de médium, et elle-même en répertorie 80 000. Ces chiffres sont appuyés par Mario Sassi, l'assistant de Tia Neiva. "Les deux tiers de l'humanité sont appelés à disparaître à la fin du millénaire mais nous, dans la Vallée de l'Aube, nous serons sauvés", comme le prêchait Tia Neiva. Le millénaire est passé et les adeptes du millenium sont toujours là. Ils sont persuadés que le troisième millénaire a débuté il y a bien des années et que nous traversons en ce moment une période de progrès et de transition.

La Vallée de l'Aube est le plus récent des mouvements messianiques du Brésil. Le pays a toujours été synonyme d'énergie mystique et d'espérance religieuse. ❑

L'ÉGLISE DES PARIAS

L'Igreja do Rosário dos Pretos (XVIIIe siècle) à Salvador fut bâtie par des esclaves et des hommes libres interdits d'entrée dans les églises "blanches". La messe y est toujours dite dans la langue yoruba, importée du Nigeria.

À GAUCHE : autel doré de l'Igreja da Ordem Terceira de São Francisco, Salvador.

CI-DESSUS : adoration à Bom Jesus da Lapa, Bahia.

LE CULTE DU CORPS

Du foot au carnaval, le culte de la beauté revêt différentes formes et franchit la barrière des classes.

Bien avant l'arrivée du top model Gisele Bundchen sur les podiums internationaux, le Brésil était déjà le pays de la beauté : des images de femmes à demi nues, affublées de strass et de plumes, tournoyant sur des rythmes de samba, hantent depuis longtemps l'imaginaire collectif. Le fameux bikini brésilien, le *tanga*, dont le slip est formé de 2 minuscules triangles retenus par une ficelle y est sûrement aussi pour quelque chose.

Travailler son corps

Concept enraciné dans la vie de tous les jours, le culte du corps est particulièrement développé à Rio, la ville "merveilleuse", où les habitants semblent aspirer à une perfection physique à l'image de la perfection géographique. Tous les matins à l'aube, la plage d'Ipanema, summum du chic, voit ainsi défiler des créatures soucieuses de leur apparence. Des octogénaires soignés et bronzés en mini-slips de bain y saluent le soleil par une série d'étirements de yoga. Des adolescents plantureux s'installent aux équipements de gym, les yeux rivés sur la mer. Du muscle pour tous, annonce l'enseigne d'une salle de gym. Au Brésil en effet, l'obsession du corps n'est pas l'apanage d'une élite ; ni l'âge, ni la pauvreté ne constituent des barrières pour s'approprier ce principe : un beau corps, ça se travaille.

En termes d'obsession dans le domaine du corps et de la santé, les villes du sud du Brésil rivalisent littéralement avec les États-Unis. On trouve partout des magasins diététiques, des restaurants bio dernier cri et on a découvert un nouvel élixir de santé, le chiendent officinal (*clorofila*). Censé nettoyer le corps de ses toxines, il agrémente couramment les jus de fruits frais.

À GAUCHE : Vénus callipyge.
À DROITE : la beauté s'entretient.

Garota de Ipanema

Classique du genre, cette bossa nova, sortie en 1963, conserve des résonances très actuelles. Ses auteurs, Antônio Carlos Jobim et Vinicius de Moraes (*voir p. 106 et 111*), s'inspirent à l'époque d'une jeune fille, une *garota*, qui passe tous les matins devant leur bar pour se rendre à la plage d'Ipanema. Son corps brun et souple fera naître des paroles désormais légendaires :

Moça do corpo dourado, do sol de Ipanema
O seu balançado é mais que um poema

(Jeune fille au corps doré par le soleil d'Ipanema/Son balancement est plus qu'un poème)

Aujourd'hui, touristes comme Brésiliens continuent de se presser dans ce bar, A Garota de Ipanema – le berceau de la chanson. Quant à la "jeune fille", elle n'avait, à 58 ans, rien perdu de son sex-appeal lorsqu'elle posa, en 2003, pour la couverture de *Playboy* en compagnie de sa fille Ticiane. Ipanema reste le point de ralliement des gens beaux, et sa plage, celle où il faut être vu. Dans ses rues, s'alignent boutiques élégantes, restaurants, bars et clubs les plus branchés du pays. Le Brésil a longtemps été le centre de la mode en Amérique du Sud, statut confirmé par l'énorme coup de pouce donné par Gisele Bundchen à cette industrie, laquelle accusait une progression de 24 % en 2000.

Chirurgie plastique

L'autre aspect de ce culte du corps au Brésil consiste en une tyrannie de la beauté qui pousse chacun, non sans un certain tragique, à atteindre son idéal. Il est ainsi théoriquement impossible d'être mannequin ou acteur sans avoir recours à la chirurgie plastique. Le Brésil, où les hommes se font faire des manucures et les adolescents des liposuccions, représente le plus grand centre mondial de chirurgie esthétique. Vinicius, 20 ans, beau garçon, soulève son T-shirt pour montrer une petite cicatrice à l'endroit où il a subi une liposuccion. En dépit de son faible salaire et de sa minceur, il économise pour s'offrir à nouveau, plus tard, cette petite intervention. De la même façon, le Botox s'achète couramment et se garde au frigo pour être administré à la demande. Il existe même une émission télévisée sur la chirurgie plastique : Avant et après, diffusée quotidiennement sur le réseau national.

Assez curieusement, le recours au bistouri n'est perçu ni comme un acte narcissique ni comme une trahison de soi, et encore moins comme un sacrifice, mais plutôt comme un droit universel. Les hôpitaux vont même jusqu'à proposer une chirurgie réparatrice à ceux qui souhaitent faire disparaître une cicatrice et, à Rio, le grand spécialiste qui a opéré Nicki Lauda offre ses services une fois par semaine aux plus démunis. Les domestiques et les petits salaires en général se

Cure de soi

Bien que le concept de station thermale soit encore assez récent au Brésil, l'extrême attention portée à la beauté et à la santé du corps a rendu les spas indispensables, lesquels se sont répandus au point de former d'étonnants chapelets le long des côtes, devenant ainsi le cadre naturel des vacances thérapeutiques. Vous pourrez voir de luxueux spas offrant tous les soins possibles à Ilha Grande, sur la Costa Verde, et à Guarujá, à 70 km de São Paulo. Au programme : massage, soins thermaux, yoga, randonnée en forêt et kayak de mer, tout cela dans un environnement de rêve et avec nutrithérapie visant à éliminer toutes vos toxines. Certains spas se veulent radicaux, d'autres, moins stricts, vous permettent quelques écarts.

payent de la chirurgie esthétique à crédit de la même façon qu'en Europe on s'achète une nouvelle voiture.

En 2003, le Brésil a manqué de silicone, comme chaque année, avant le carnaval. À l'occasion de cette extravagante fête du corps, unique au monde, des milliers de gens veulent ainsi modifier le leur. Le pays entier fait la queue aux consultations de chirurgie esthétique et la demande en implants mammaires et fessiers atteint des niveaux records.

Le Brésil compte aussi quelque 10 000 transsexuels, passant régulièrement sur la table d'opération. Beaucoup d'entre eux travaillent dans l'industrie du sexe, où ils ne se distinguent généralement pas des femmes. À Rio, le quartier où ils se rassemblent la nuit est surnommé le Silicone Valley brésilien. Entre autres célébrités, Roberta Close, la plus belle femme du pays, est en réalité un homme, aujourd'hui installée en Suisse où elle est reconnue comme femme à part entière. Julianna Borges, quant à elle, a participé à l'élection de miss Monde 2002, et n'a jamais caché qu'elle avait subi 19 interventions esthétiques.

Sexe et santé

La fascination pour le corps revêt un aspect plus trouble. Sûrs d'eux, les Brésiliens apparaissent également sûrs de leur sexualité, qui ne constitue pas ici un tabou, comme dans d'autres parties du monde. Cette attitude libérale attire le tourisme sexuel, et la récente dévaluation du real n'a fait qu'aggraver la situation. Le Brésil représente malheureusement la seconde plaque tournante dans ce domaine, après la Thaïlande. Selon l'Unicef, le chiffre de la prostitution enfantine y est l'un des pires au monde : on évoque une fourchette de 500 000 à 2 millions d'enfants livrés à cette activité dans le pays. Avec l'un des taux de sida les plus élevés de la planète, le Brésil est contraint de considérer le problème du point de vue de la santé publique. Ainsi a-t-il lancé un énergique programme de lutte contre le sida, qui est devenu un modèle pour le reste du monde : distribution gratuite de seringues assortie d'une campagne d'éducation musclée. Dans les grandes villes, on trouve des préservatifs jusque dans les minibars des chambres d'hôtel.

De plus, le Brésil est le seul de tous les pays dits “émergents” à fournir gratuitement un traitement aux malades du sida. Après avoir doublé les grands laboratoires pharmaceutiques, il produit lui-même et à moindre coût ses médicaments génériques ; avec pour résultat, dans les 10 dernières années, la baisse de moitié du nombre de cas. ❑

À GAUCHE : offerte aux rayons du soleil, lequel peut dorer… comme brûler.

CI-DESSUS : le mannequin Gisèle Bundchen, symbole de la belle femme blonde.

SA MAJESTÉ CARNAVAL

Au Brésil, le carnaval a une longue et fascinante histoire. Si Rio a la vedette internationale, d'autres villes – notamment Salvador – rivalisent de bruit, de débordement, de couleur et de magnificence.

Les Brésiliens sont connus pour leur joie de vivre et leur amour de la musique, image qui n'a de cesse d'attirer les touristes, depuis qu'en 1933 Fred Astaire et Ginger Rogers ont dansé The Carioca dans la comédie musicale hollywoodienne Flying Down to Rio. Les innombrables festivités brésiliennes, dont le carnaval, "la plus grande fête de la terre", restent profondément enracinées dans le passé ethnique du pays. Les origines du carnaval sont indiscutablement européennes, même si les spécialistes ne s'accordent pas sur l'étymologie du mot : pour les uns, le mot "carnaval" viendrait du latin *carrum novalis*, désignant un char de fête romain ; pour d'autres, il dériverait de *carnem levare*, signifiant "ôter la viande", puisque le carnaval marque les derniers jours avant le jeûne du carême, les "jours gras" de l'Épiphanie au mercredi des Cendres. Parmi la centaine de fêtes répertoriées au calendrier romain, la plus attendue de toutes, les Saturnales de décembre, voyait les distinctions de classes disparaître temporairement. Maîtres et esclaves dînaient à la même table, buvaient le même vin et couchaient avec les mêmes femmes. Plus tard, certains de ces éléments seront incorporés dans les fêtes de Noël et celles du carnaval. Ce dernier disparaîtra au Moyen Âge pour revenir plus fastueux que jamais, mais toujours caractérisé par la licence sexuelle et l'inversion des rôles.

Le festival des pitres

Au Brésil, les festivités rituelles précédant le carême existent depuis l'époque coloniale, mais, jusqu'au XIXe siècle, il s'agissait plus de pitreries que de célébrations religieuses. Cet aspect du carnaval porte le nom d'*entrudo*, et consiste à jeter des boules puantes et des bombes à eau dans une ambiance survoltée. L'*entrudo* atteignit de tels sommets que les honnêtes gens préférèrent rester enfermés chez eux pendant toute la période du carnaval. L'architecte Grandjean de Montigny n'hésite pas à braver les foules en liesse : il mourra en 1850 d'une pneumonie contractée sans doute à la suite d'un bombardement d'eau, après avoir été copieusement arrosé pendant le carnaval. Ce n'est qu'au début du XXe siècle que l'on met un terme à l'*entrudo*. Seuls les inoffensifs confettis et les serpentins témoignent de cette période.

PAGES PRÉCÉDENTES : la danse donne des ailes.
À GAUCHE : au carnaval, l'extravagance est la norme.
À DROITE : donnez libre cours à vos fantasmes.

Dès le XVIIIe siècle, le bal costumé fait son apparition dans le carnaval européen, Paris et Venise étant les organisateurs des plus beaux bals masqués. La mode n'atteindra Rio de Janeiro qu'en 1840, à l'occasion d'une élégante soirée donnée à l'Hotel Itália, Praça Tiradentes. Malheureusement, les organisateurs ne rentrent pas dans leurs frais et cette manifestation ne sera réitérée qu'en 1846, cette fois-ci dans le quartier huppé de São Cristóvão.

Le premier carnaval moderne, la Grande Vie, est organisé dans un hôtel de Copacabana en 1908 ; on y danse la polka et les valses viennoises. La Salle de bal sera inaugurée en 1932 au Teatro Municipal. À cette époque, une centaine de bals masqués ont lieu à Rio pendant la période du carnaval.

Pour la classe ouvrière, la musique, la danse et l'alcool constituent les principaux attraits de la fête. C'est un immigré portugais, José Nogueira Paredes – surnommé Zé Pereira –, qui sera à l'origine du premier club de carnaval. L'une de ses idées consiste à regrouper les membres pour leur faire jouer le même air sur les mêmes tambours afin d'obtenir un seul son très puissant. Cette technique deviendra la base de la *bateria* (percussions) des actuelles écoles de samba.

Les *blocos*, *ranchos* ou *cordões*, noms donnés aux clubs des classes ouvrière et moyenne, interprètent des ballades d'origine européenne appelées *choros*. Au XIXe siècle, ces clubs jouant souvent un rôle politique ou caritatif fonctionnent toute l'année. La plupart d'entre eux – essentiellement fréquentés par des Blancs – existent toujours, comme le célèbre Clube dos Democráticos qui ouvre chaque année le carnaval par un grand défilé au centre-ville.

La grande parade

La principale contribution des clubs au carnaval moderne reste le défilé avec ses chars élaborés, ses costumes fastueux, sa musique, illustrant des thèmes tirés de la Bible, de la mythologie ou de la littérature. En 1855, un club, répondant au nom pompeux de O Congresso das Sumidades Carnavalescas, présente le tout premier défilé à un public trié sur le volet, au premier rang duquel se trouve l'empereur Pedro II. Le spectacle met en scène des cosaques en costumes grotesques évoluant dans des décors illustrant l'histoire de France et la vie de Don Quichotte. Dès 1900, le défilé annuel devient une institution pour ces groupes désormais appelés *grandes sociedades*. Les Noirs n'intégreront le carnaval qu'à la fin du XIXe siècle. Poussés par la grande sécheresse de 1877 qui frappe le Nordeste, les esclaves affranchis arrivent à Rio dans les années 1890 avec leur musique et leurs danses africaines.

Aujourd'hui, le carnaval de Rio comporte trois grandes parties : les folles fêtes de rue, les traditionnels bals des clubs et la grande parade des écoles de samba, qui passera en 1984 de la rue au Sambódromo conçu par Oscar Niemeyer.

Le carnaval de rue attire des milliers de fêtards déguisés en clowns, en personnalités de la télévision ou en animaux ; mais le plus courant, ce sont les hommes déguisés en femmes : le Bloco das Piranhas est un groupe d'hommes travestis en prostituées. Il y a quelques années, le prix du meilleur costume de carnaval a été attribué aux Jeunes Veuves, groupe d'hommes superbement habillés en femmes de la classe moyenne.

Les nuits du carnaval appartiennent aux clubs – le Sírio-Libanês, le Flamengo, le Fluminense, la Scala et le Monte-Líbano notamment –, dont les bals attirent aussi bien les touristes que les Cariocas. Ces bals donnent lieu à des concours du meilleur costume où se côtoient d'extravagants accoutrements, du troubadour médiéval à l'archevêque.

En piste les *sambistas* !

Chaque année, l'ambiance culmine avec le défilé des écoles de samba, la plus africaine de ces manifestations, en raison de l'extrême popularité de cette danse, mélange d'influences folkloriques européennes et de techniques africaines. Les sons primitifs des anciens esclaves noirs associés à ceux, plus stylisés, des musiques européennes de Rio donnent naissance, au XVIIIe siècle, à la samba. Le mot "samba" viendrait de l'angolais *semba* désignant une cérémonie au cours de laquelle les hommes choisissent leurs femmes au sein d'un cercle. À l'époque coloniale, les rythmes du *semba* et les danses qui l'accompagnent sont interdits par les Jésuites, car considérés comme trop érotiques. Aujourd'hui, les principales écoles qui défilent sur le

À GAUCHE : le drapeau brésilien flotte sur une marée humaine.

CI-DESSUS : sur le Sambódromo, l'habit fait le *sambista*.

LES ÉCOLES DE SAMBA

La première école de samba, Deixa Falar (Laissez-les parler), créée par les Noirs du quartier de l'Estácio à Rio en 1928, présente son premier défilé en 1929. Mal organisés, les participants ne suivent pas d'itinéraire préétabli, mais ils se distinguent par leur nombre et la qualité de leurs chorégraphies. Ils ne tardent pas à être imités par d'autres groupes issus d'autres quartiers. En 1930, il existe 5 troupes (contre 58 aujourd'hui) et le public est si nombreux que la police doit couper la circulation autour de la Praça Onze. Ces troupes s'entraînent dans les cours de récréation des écoles, d'où leur nom d'"écoles" de samba. Pour commémorer les pionniers de cet art, la ville, en 1984, commande à Nemeyer d'édifier le sambódromo (*voir p. 147*) dans le quartier d'Estácio.

Sambódromo sont jugées par un jury nommé par le gouvernement. Chaque école doit présenter un thème principal – autour d'un événement historique, d'une personnalité, d'une légende indienne – dont elle développe différents aspects. Les costumes doivent refléter l'époque et le lieu ; les chansons raconter et développer les thèmes, illustrés dans le détail par les énormes chars qui remontent l'avenue, transportant des mannequins en papier mâché et des peintures. En 2000, pour célébrer le 500e anniversaire du pays, toutes les écoles de samba avaient pour thème unique la découverte du pays par les Européens.

Extravagance visuelle

Enfin, arrivent les chars géants du carnaval, les *carros alegóricos*, en papier mâché et en polystyrène, représentant les principaux éléments du thème. L'impact de ces chars est avant tout visuel, ce que déplorent certains, pour qui la musique devrait occuper le premier plan.

Celui qui a, pour ainsi dire, déterminé l'allure du défilé actuel, Joãozinho Trinta, s'en prend à cette vision trop "folklorique" dans un commentaire resté célèbre : "Les intellectuels veulent de la pauvreté mais le public non. Il veut du luxe." Selon lui, il faut de puissants éléments visuels dans ce défilé pour séduire les touristes, et plus particulièrement les téléspectateurs. C'est aussi à Joãozinho Trinta que l'on doit la présence de jolies filles dansant les seins nus sur les chars du carnaval.

L'annonce de l'école gagnante a lieu le mercredi suivant le carnaval et constitue l'un des événements de l'année à Rio. Les perdants s'avèrent rarement satisfaits des résultats et crient souvent à la fraude. Les gagnants, eux, fêtent leur victoire jusqu'au samedi suivant, jour où les écoles arrivées en tête de classement défilent à nouveau.

Ci-dessus : Filhos de Gandhi, groupe *afoxé*, au carnaval de Salvador. **À droite :** la *banderia* porte les danseurs de samba sur ses rythmes.

L'autre carnaval

Dans le Nordeste, les disciples de cultes africains ancestraux apportent une autre dimension au carnaval : le mystère. À Salvador, les interprètes d'*afoxé* forment des processions toutes de dignité et de retenue. *Afoxé* désigne à la fois une entité carnavalesque, le genre et l'instrument musicaux qui accompagnent le rituel magico-religieux *candomblé* (*voir p. 71*). Ses fidèles revêtent de gracieuses robes de satin et portent bannières et dais. À Recife également, les Afro-Brésiliens cultivent une tradition comparable. La *macaratu*, comme l'*afoxé*, est une procession mêlant des éléments musicaux et théâtraux. Le personnage central en est une reine, qu'entourent des princes chamarrés.

Le carnaval dans le Nordeste

Rio n'est pas la seule ville de carnaval au Brésil et beaucoup préfèrent ceux des villes côtières du Nordeste – Salvador et Recife –, où sont privilégiées les animations de rue.

À Salvador, capitale de l'État de Bahia, le clou du carnaval est un festival de musique ambulant du nom de Trio Elétrico. Il voit le jour en 1950 avec un duo nommé Dodô et Osmar, qui traverse à l'époque la ville dans une vieille camionnette en jouant des airs à la mode pour tous ceux qui veulent bien écouter. Le concept sera repris dans les carnavals suivants, à cette différence près que les musiciens ne circulent plus en camionnette mais en camions-remorques sonorisés, décorés de banderoles et de spots, et que les duos se sont transformés en trios. Aujourd'hui, des dizaines de Trio Elétrico parcourent les rues suivant des itinéraires minutieusement établis. Du cœur traditionnel de la Praça Castro Alves, le carnaval s'est recentré sur le secteur de Barra-Ondina. Dans le répertoire du Trio Elétrico, c'est la samba qui domine, mais le *frevo*, une musique sautillante du Nordeste et le *deboche*, nouveau cocktail de musique de carnaval et de rock 'n roll, prennent de plus en plus d'importance.

Plus récent que la samba, le *frevo* (d'un mot portugais signifiant "bouillonnement") domine au carnaval de Recife, capitale du Pernambuco (1,4 million d'habitants). Comme son nom l'indique, il a le don d'enflammer les passions. Alors que le carnaval de Bahia se déplace horizontalement, les fans suivant leurs musiciens favoris à travers la ville, dans le Pernambuco le mouvement serait plutôt vertical, tant les danseurs bondissent de tous les côtés comme des ballerines. Devenu l'accompagnement musical de la *capoeira*, danse complexe du Nordeste et art martial, le *frevo* s'est simplifié au fil du temps et les danseurs improvisent à présent à leur guise. Au carnaval de Recife se côtoient ainsi des tas de styles différents et souvent alambiqués, dont certains sont devenus célèbres sous les noms de "Crabe" ou "Tournevis". Les danseurs professionnels de *frevo*, les *passistas*, portent des pantalons de golf, des bas, une chemise large et un parapluie bariolé, attirail qui rappelle l'époque coloniale, quand les divers éléments de la culture africaine se combinaient pour créer la *capoeira*. Les parapluies font sans doute référence aux auvents décorés sous lesquels s'abritaient les rois africains.❑

Le défilé des écoles de samba

Chaque présentation s'ouvre avec l'*abre-alas*: des *sambistas* en costumes bariolés défilent aux côtés d'un char où le thème de l'école figure sur un grand livre ou sur un parchemin. Suit une rangée d'hommes en tenue officielle, le *comissão de frente* ou comité directeur, choisis pour leur prestance. Le signal de la fête n'est véritablement donné qu'avec l'apparition du *porta-bandeira* (porte-drapeau) et du *mestre-sala* (maître de danse), vêtus de magnifiques costumes du XVIIIe siècle. Le *porta-bandeira* est une danseuse qui brandit le drapeau de l'école tout en exécutant une chorégraphie très sophistiquée avec son partenaire. Puis vient le gros de la troupe, au sein duquel se mêle une section de percussionnistes enjoués, la *bateria*. Son rôle consiste à maintenir le rythme. Suivent les *alas* des principales écoles. Ces groupes de *sambistas* illustrent, au travers de leurs costumes, les différents aspects du thème choisi par l'école. Mais l'*ala das Baianas*, élément obligatoire et commun à toutes les écoles, est constitué de 12 vieilles femmes en costume traditionnel de Bahia, évoquant les débuts de la samba.

Entre les principales *alas* défilent des danseurs aux costumes somptueux: les *figuras de destaque* (personnages principaux du thème), souvent incarnés par des célébrités locales, de préférence des actrices aux formes voluptueuses, puis les *passistas*, groupes d'agiles danseurs et danseuses qui s'arrêtent régulièrement pour exécuter des danses élaborées.

LE GOÛT DE LA FÊTE

L'année brésilienne est une ronde de fêtes suscitées par une foultitude de célébrations se déclinant en musique, danse et souvent feux d'artifice. Beaucoup d'entre-elles suivent le calendrier chrétien, mais, même pour les fidèles les plus pieux, à l'observance du culte s'y mêle une bonne dose de divertissement.

Même si le carnaval est la plus éreintante des fêtes, les Brésiliens ne manquent pas d'énergie pour célébrer toutes les autres fêtes inscrites au calendrier, dont Noël qui, dans le plus grand pays catholique du monde, demeure avant tout une grande fête religieuse et familiale.

Comme tous les enfants d'aujourd'hui, les petits Brésiliens croient fermement que le *papai Noel* (père Noël) distribue à la terre entière des cadeaux dans la nuit du 25 décembre. Dans son costume rouge, attelé à son traîneau tiré par des rennes, il entre dans les maisons par une fenêtre entrouverte à cet effet et dépose un présent dans chaque paire de chaussures placée au pied du sapin. Avant cette vision moderne et européenne, le Noël brésilien était au XIXe siècle beaucoup plus religieux et familial. La coutume voulait que l'on serve un opulent dîner de réveillon avant d'assister à la messe de minuit, puis à la procession. À la place de l'arbre de Noël, les familles installaient une crèche, appelée *presépio*.

Sous l'influence des immigrants allemands, la fête de Noël évolue au début du XXe siècle : le sapin de Noël remplace rapidement la crèche, et le père Noël et ses cadeaux par milliers font leur entrée sur scène. La récupération commerciale qui va de pair, notamment avec le grand magasin du père Noël, accélère le mouvement. Une coutume persiste toutefois, celle du repas de réveillon avec sa dinde, son *rabanada* (sorte de pain perdu), son jambon et ses mendiants, riches de toutes sortes de noix, de noisettes, d'amandes, de figues, de châtaignes, de dattes et autres fruits secs.

À GAUCHE : danseurs Boi-Bumba au Festival Folclórico de Parintins. **À DROITE :** célébration de São Sebastião, saint patron de Rio.

Le plus grand réveillon du nouvel an a lieu à Rio, où, dans les discothèques bondées, on répète pour le carnaval. À minuit, un superbe feu d'artifice accueille la nouvelle année.

Les vœux de la nouvelle année

Pour assister aux festivités du nouvel an, rendez-vous sur les plages de Rio, en particulier à Copacabana, où des centaines de *filhas-de-santo*, prêtresses afro-brésiliennes en robe blanche, mettent de petits bateaux de bois à la mer. Ces frêles embarcations emplies de fleurs et de cadeaux sont destinées à la déesse Iemanjá, la reine des mers. Si les flots emportent un bateau avec sa cargaison, cela signifie que Iemanjá exaucera le vœu de son propriétaire. Si les bateaux reviennent, le vœu ne sera pas exaucé. Autre fête catholique pittoresque, la Festa do Divino, la veille du dimanche de Pentecôte. C'est dans deux des plus belles villes coloniales du pays – Alcântara, dans l'état du Maranhão (Nordeste) et Paraty, sur la côte à 250 km au sud de Rio – qu'ont lieu les célébrations les plus traditionnelles. Les habitants défilent en costumes de l'époque coloniale ou déguisés en personnages historiques. Le point culminant est la visite de l'"empereur", venu participer à la procession et à la messe se tenant sur le parvis de l'église. Pour prouver sa magnanimité, il fait libérer des prisonniers. Pendant que, nuit et jour, des musiciens, les Folias do Divino, jouent en ville.

Les fêtes de juin

Durant ce cycle de célébration très intéressant, qui débute peu après la Pentecôte, on fête tour à tour saint Antoine, saint Jean et saint Pierre. Tout le mois de juin se passe ainsi en festivités.

Saint Antoine, patron des objets perdus et des femmes à la recherche d'un mari, est fêté le 12 juin. La journée est ponctuée exclusivement de cérémonies religieuses ; mais, pour la Saint-Jean et la Saint-Pierre, l'ambiance devient plus festive. En effet, les 23 et 24 juin, lors de la Saint-Jean, de beaux ballons illuminés emplissent le ciel et les feux de joie crépitent dans la nuit. Pour la Saint-Pierre, les 28 et 29 juin, on boit et on mange

Fêtes à Salvador

Au nouvel an, alors que le reste du pays honore Iemanjá, se déroule à Salvador (ancienne capitale du Brésil) la fête colorée de Bom Jesus dos Navegantes. Une procession de petites embarcations décorées de banderoles et de drapeaux transporte la statue de Notre-Seigneur des Marins du port jusqu'à l'église de Boa Viagem, devant des milliers de spectateurs. La légende veut que les participants à cette manifestation ne meurent jamais par noyade. Une procession semblable a lieu le même jour à Angra dos Reis, à 150 km au sud de Rio.

Mi-janvier, se prépare un spectacle unique en son genre dans cette ville très portée sur l'apparat – la Festa do Bonfim. Point d'orgue de cette manifestation qui se déroule en banlieue : la cérémonie du lavage du parvis de l'église par des Bahianaises en costumes traditionnels, jusqu'à ce que les marches retrouvent un blanc éclatant. La foule se presse pour assister à l'événement.

Les visiteurs peuvent participer à une fête bahianaise en achetant des rubans colorés de Bonfim sur la place. Attachez le ruban à votre poignet en faisant un vœu pour chaque nœud. Quand le ruban se détachera, vos vœux seront exaucés – mais seulement si le ruban était un cadeau. L'astuce consiste donc à acheter un ruban puis à l'échanger.

La fête de Iemanjá, la reine des mers, a lieu à Salvador le 2 février.

à satiété sous l'éclat des feux d'artifice ou bien encore au son de la musique folklorique. Saint Pierre est plus particulièrement honoré par les veuves : ces dernières placent des bougies sur le pas de leur porte le temps que durent les festivités. Toutes ces manifestations du mois de juin se déroulent en plein air. Les participants s'habillent en paysans ou *caipiras*. Musique, quadrilles et fausses cérémonies de mariage (auxquelles la mariée apparaît parfois enceinte) font partie du programme des réjouissances.

La dernière semaine de juin, à Osasco dans la banlieue de São Paulo, les habitants allument le plus grand feu de joie de tout le pays, atteignant quelque 20 m de hauteur. Ce feu géant est uniquement alimenté par des bûches d'eucalyptus, qui mettront une semaine entière à se consumer.

Les fêtes d'octobre

Durant ce mois s'enchaîne une autre série de fêtes d'inspiration religieuse, parmi lesquelles 3 des plus typiques du pays. L'une d'elles, la fête de Nossa Senhora de Aparecida, a lieu le 12 octobre. Elle commémore la sainte patronne du Brésil. En octobre 1717, à Guaratingueta, petite ville située entre Rio et São Paulo, a lieu "le miracle d'Aparecida". Le gouverneur colonial de São Paulo, traversant le village à l'heure du déjeuner, demande à un pêcheur de quoi se restaurer. Celui-ci se hâte alors, avec deux de ses amis, d'aller pêcher dans le Paraíba. Ne parvenant à attraper aucun poisson, ils se mettent à prier. Lorsqu'ils remontent leurs filets, une petite statue de la Vierge est prise dans les mailles. Dès ce moment, leur pêche devient des plus miraculeuses. L'histoire se répand dans la région et, en 1745, une petite chapelle est élevée pour abriter la statue. En raison de la localisation du sanctuaire (à proximité de l'autoroute Rio-São-Paulo), le culte de Notre-Dame d'Aparecida s'étend très rapidement. Au milieu du XIXe siècle, une autre église, plus grande et plus belle, est construite.

L'idée d'une troisième église naît dès 1900, lorsque l'année sainte décrétée par le Vatican amène 150 000 pèlerins à Aparecida. En 1931, le Vatican fait de Notre-Dame d'Aparecida la patronne du Brésil, et de son église le principal lieu saint du pays. Le désir de bâtir une autre église, plus grande encore, s'en trouve conforté et, en 1978, la nouvelle cathédrale est quasiment terminée.

C'est une construction massive, disproportionnée par rapport à son environnement, qui contiendrait facilement la petite église du XIXe siècle. Huit millions de pèlerins visitent chaque année son immense nef et son réseau de

À gauche : le rituel du lavage du sol à la Festa do Bonfim de Salvador. **Ci-dessus :** fervents pèlerins aux fêtes de Círio de Nazaré, à Belém.

chapelles et de galeries. Rien qu'en octobre, Aparecida accueille un million de visiteurs.

Moins imposante, la jolie Igreja de Nossa Senhora da Penha, à Rio, naît d'une histoire tout aussi originale. Posée au sommet d'un petit pain de sucre haut de 92 m, elle témoigne de l'une des plus anciennes organisations laïques du Brésil.

L'ordre de Penha fut fondé au XVIIe siècle par un Portugais, Baltazar Cardoso, persuadé d'avoir été sauvé d'un accident de chasse par une intervention divine. L'accident a lieu au Portugal, près d'une montagne du nom de Penha. L'ordre fondé par Cardoso est ensuite transféré au Brésil pour s'établir sur cette colline de Rio, réplique quasiment parfaite, en plus petite, de la montagne portugaise. La première église sera construite en 1635 et deux autres lui succéderont au même endroit. La dernière, élevée en 1871, accueille chaque année les célébrations de Penha ; uniques à Rio, celles-ci mêlent des cérémonies, tous les dimanches d'octobre, à des fêtes laïques se déroulant au pied de la colline, réputées pour leurs banquets, leur bière et leur musique.

Les fêtes en Amazonie

Octobre marque aussi l'arrivée des fêtes religieuses en Amazonie, notamment celle de Círio de Nazaré à Belém, sur l'embouchure de l'Amazone. Chaque deuxième dimanche d'octobre, Belém attire des dizaines de milliers de pénitents et de touristes pour une superbe procession qui dure 4 heures et parcourt 5 km dans les rues du centre-ville. Une très longue et grosse corde sert à tracter un char aux couleurs bariolées sur lequel est exposée la statue de Notre-Dame de Nazareth. Les pèlerins qui parviennent à toucher la corde verront leurs vœux exaucés. Lorsque la statue atteint la basilique, c'est le début des festivités, assez semblables à celles de Penha à Rio. Elles vont alors durer 15 jours.

Selon l'histoire de Círio de Nazaré, un chasseur du nom de José de Sousa trouve la statue par terre dans la forêt et découvre qu'elle lui porte bonheur. Plus tard, elle sera placée dans une chapelle où elle doit miraculeusement guérir les habitants de la région. La première procession avec la statue a lieu en 1763. La corde ne sera ajoutée que plus tard, au XIXe siècle.

Les fêtes de Círio de Nazaré, Bom Jesus dos Navegantes, et même le carnaval, présentent un certain nombre de points en commun. Elles se déroulent toutes à des dates importantes du calendrier religieux et s'articulent autour de thèmes traditionnels ou folkloriques ; et surtout ce qui les caractérise, c'est que tout le monde s'y amuse énormément. ❑

À gauche : le ciel de Copacabana s'embrase au nouvel an au-dessus d'une foule en liesse.

Ci-dessus : offrande à Iemanjá.

Le Boi-Bumbá

Ville amazonienne située 400 km à l'est de Manaus, Parintins ressuscite un conte très ancien en une étourdissante et tonitruante valse de musiques, de couleurs et de spectacles qui rivalise avec le carnaval de Rio. Depuis 1913, le Festival Folclórico de Parintins, ou Festa do Boi (Fête du Bœuf) s'étale sur les 3 derniers jours de juin. Deux groupes rivaux envahissent la ville de leurs bannières et ballons – bleu et blanc pour les Caprichosos, rouge et blanc pour les Garantidos. Chaque groupe peut compter jusqu'à 3 000 participants et quelque 500 musiciens qui paradent dans les rues et mettent en scène leur propre interprétation de la légende du *boi-bumbá*. Musiques et costumes, mais aussi l'authenticité du spectacle en termes de folklore amazonien, détermineront le vainqueur de cette folle compétition.

Forme populaire de théâtre musical, le Boi-Bumbá raconte l'histoire d'un ouvrier de ranch, Francisco, à qui sa femme enceinte, Catrina, demande un plat particulièrement délicieux : une langue de taureau. Le mari amoureux obtempère, et sacrifie le taureau préféré de son patron. Après quoi il ne leur reste plus qu'à prendre la fuite dans la jungle. Francisco y rencontre un shaman qui invoque les esprits de l'Amazone, et ramène le précieux taureau à la vie. Ainsi le couple fugitif peut-il rentrer au ranch, et c'est le propriétaire ravi qui sacrifie un taureau en l'honneur du couple prodigue.

La légende de Boi-Bumbá ouvre un vaste champ à la description d'animaux amazoniens et de personnages pittoresques tirés du folklore local. À chaque nouvelle mise en scène, les costumes se font plus élaborés, notamment la coiffe représentant le taureau. L'histoire se scande sur les rythmes hypnotiques et complexes de la *toada*, danse non pas fondée sur des traditions africaines, mais sur la musique indigène d'Amazonie. Chaque spectacle peut durer jusqu'à 3 heures.

Tout comme le carnaval, la Festa do Boi connaît une commercialisation croissante. Feux d'artifices et shows laser investissent la nuit, de grandes marques de bières sponsorisent l'événement, et plusieurs grands chanteurs de *toada* ont sorti des albums, passant professionnels dans la foulée. Par avion ou par bateau – aucune route ne relie Parintins au monde extérieur – quelque 50 000 spectateurs débarquent chaque année pour assister aux 3 jours de spectacles et parades, et goûter la cuisine régionale. En 2006, Parintins est devenue la première ville brésilienne dotée d'un accès Internet wi-max : pour ce lointain îlot, une façon de rester connecté en permanence.

Sous l'appellation authentique de Bumbá-Meu-Boi, l'histoire comme la danse populaire s'inspirent de modèles européens du XVIIIe siècle, modifiés par les esclaves noirs de l'État côtier de Maranhão. D'autres versions transforment le cow-boy Francisco en Père Francisco, ou bien en Chico, un esclave. L'influence des Jésuites portugais se manifeste dans les thèmes de mort et de résurrection, de fuite et de rédemption. Comme dans la Bible, le prodigue est accueilli avec force réjouissances, prétexte tout trouvé pour déchaîner danses et musiques.

À DROITE : animal de parade.

Les groupes folkloriques de Maranhão donnent encore des spectacles de Bumbá-Meu-Boi au mois de juin. La tradition se perpétue également à Manaus et dans d'autres villes amazoniennes, ainsi que dans d'autres États brésiliens, mais question spectacle et enthousiasme, aucune n'arrive à la cheville de Parintins. Dans les États du sud, on l'appelle Boi-de-Mamao, ou Boizinho ; dans certaines parties du Nordeste, on parle de Boi-de-Reis.

La grande sécheresse de 1877 poussa des milliers d'ouvriers agricoles de Maranhão vers l'Amazonie où ils se reconvertirent comme *seringueiros*. Leur Bumba-Meu-Boi traditionnel s'est peu à peu enrichi de folklore amazonien, produisant ce brassage unique d'éléments culturels amérindiens, africains et européens. ❑

CUISINE PLURIELLE

Produits de la mer ou des rivières sortent tout frais des ondes, le bœuf fond dans votre bouche, les fruits tropicaux évoquent un paradis perdu. Étanchez votre soif avec une bière glacée, détendez-vous devant une *caipirinha*, ou requinquez-vous avec un bon café

Poissons géants de l'Amazone ou steaks gargantuesques, montagnes de fruits et de légumes, la cuisine brésilienne est à l'image du pays : généreuse et multiple. Les plats les plus traditionnels s'inspirent de recettes portugaises ou africaines, mais l'éventail est bien plus large encore, fruits de mer, sushi, brochettes de viande, plats italiens ou salades du jour reflétant maintes vagues d'immigrations successives. Cela étant, l'immense majorité des Brésiliens se contente d'un régime beaucoup plus simple, à base de riz, de haricots et de *farinha* (farine de manioc).

Grand classique brésilien, le *churrasco* a été répandu par les *gauchos* du sud qui faisaient griller leur viande sur un feu de bois. La plupart des *churrascarias* proposent l'option *rodizio* : un menu à prix fixe qui vous permet de savourer à volonté toute la gamme des viandes cuites sur le grill.

Les Brésiliens adorent les *pimenta* (piments) et autres *chilis malaguetas*, mais la sauce pimentée se sert à part, pour vous laisser le choix. Les restaurants préparent souvent leur propre sauce, et ils gardent jalousement le secret de leur recette.

Les assiettes sont généralement très copieuses, et personne ne vous en voudra si vous commandez un plat pour deux – sauf dans les endroits les plus chics. Quant aux restaurants *comida a kilo* (littéralement "nourriture au poids") ils vous offrent un vaste choix de plats très bon marché et de qualité le plus souvent très honnête. Dans ces self-services, vous pouvez tester des mets peu familiers, sans être gêné par la pauvreté de votre vocabulaire.

Cuisine bahianaise

Les plats les plus épicés, vous les trouverez surtout à Bahia, très influencée par l'Afrique avec

son huile de palme *dendé* et son lait de coco (*pour plus de détails sur la cuisine bahianaise, voir p. 229*). Star de la cuisine brésilienne, la *feijoada* est originaire de Bahia. Ces haricots noirs se préparent rissolés avec toutes sortes de viandes séchées, salées ou fumées (queue, oreilles et pieds de cochon, notamment). Jadis nourriture des esclaves, leurs maîtres se réservant les meilleurs morceaux, la *feijoada* est devenue le plat national brésilien (mais vous ne la trouverez pas partout). À Rio, la *feijoada* du samedi midi est une institution. Les hôtels luttent à qui préparera la meilleure *feijoada* du coin. Les viandes se servent dans des bols séparés, accompagnés de riz blanc, de *kale* (choux frisé) finement haché, de *farofa* (racine de manioc grillée) et de rondelles d'oranges – dont la légère amertume équilibre à merveille la richesse du plat.

Cuisine portugaise

Très apprécié au Brésil, le *bacalhau* (morue séchée et salée) est d'origine portugaise. Omniprésentes dans les magasins et sur les marchés, ces espèces de grands lambeaux de carton gris ne paient pas de mine, et il faut les faire mariner avant de les cuisiner sous leur forme la plus courante, les *bolinhos de balcahau*. Autre plat importé du Portugal, le *cozido* présente viandes et légumes (en général un mélange de tubercules, de courge, de choux et/ou de *kale*) accompagnés d'un bouillon.

L'Amazonie vous réserve quelques plats exotiques, notamment à base de *tupuci* (feuilles de manioc, qui vous engourdissent la langue). Fleuves et rivières fournissent quantités de poissons, dont les piranhas et l'énorme *piracuru*. Dans certaines régions du sud, l'influence allemande se fait nettement sentir, tandis que les immigrants japonais et italiens ont importé leur savoir-faire culinaire à São Paulo.

Petites faims

Accompagnés d'une bière, les *salgadinhos* feront un délicieux apéritif, ou un déjeuner sur le pouce dans une *lanchonete* – alternative brésilienne

Spécialités régionales

Dans le Nordeste et sur la côte en général, essayez le *peixe a Brasileiro*, délicieux pot-au-feu de poisson accompagné de *pirão* (racine de manioc cuite dans le jus de la marmite). Dans l'intérieur du Nordeste, la *carne seca* ou *carne de sol* (bœuf séché et salé, souvent accompagné de courge) et les rognons rivalisent de saveurs. La cuisine du Minas Gerais s'appuie sur une solide base de porc aux haricots – notamment la *liguiça*, saucisse particulièrement goûteuse – et un sympathique fromage, le *quijo minas*.

À GAUCHE : l'*acarajé*, plat bahianais. **CI-DESSUS :** collection alléchante de spécialités régionales servies dans une vaisselle traditionnelle en terre cuite.

GUARANÁ

Vous ne la verrez sans doute pas, mais vous la goûterez sûrement. Ce fruit rougeâtre rempli de graines pousse en pleine forêt amazonienne sur de grosses lianes qui escaladent les arbres dans leur quête de lumière. La population indigène consomme ses très précieuses graines depuis des siècles. Redécouverte au XXe siècle, la *guaraná* est proposée sous forme de pâte, de poudre ou de gélules. Sa composition chimique s'apparente à celle du ginseng, haute en caféine et autres substances réputées aphrodisiaques. Pour en savourer le goût très particulier, achetez une cannette de la marque Guaraná, boisson pétillante et rafraîchissante qui se permet de rivaliser avec les grands fabricants de cola.

au fast-food nord-américain également très présent à travers tout le pays. Les *salgadinhos*, ce sont de microscopiques pâtés au fromage, au poulet, aux cœurs de palmier, et bien d'autres encore. Mais vous pouvez aussi opter pour le *pão de queijo* (pain au fromage) ou le pastel (sorte de feuilleté) ; et au lieu de vous jeter sur les frites, essayez l'*aipim frito* (racine de manioc frite).

Desserts et *docinhos*

Fruits, lait, noix de coco et jaune d'œuf entrent dans la composition de desserts généralement très sucrés, à commencer par le *quindim*, crème à la noix de coco et au jaune d'œuf. Sorte de flanc souvent fourré aux prunes, les *olhos de sogra* (les yeux de la belle-mère) devraient vous réconcilier avec votre belle-famille. Autre éternel favori, le *doce de leite* concentré s'obtient à partir de lait concentré. Variations miniaturisées de ces douceurs, les *docinhos* se consomment sans modération, à toute heure du jour.

Fruits nature

Pastèques, papayes, ananas ou bananes, la liste est encore longue et compte certains fruits beaucoup moins connus comme l'*acérola*. Cette curieuse boule rose est surtout utilisée pour son jus, plus riche en vitamine C que tout autre fruit de la planète. La goyave surprend par sa peau jaune et sa chair rose ; très périssable, elle se prépare souvent en confiture. La *gobaiada*, pâte gluante de goyave, tranche agréablement sur l'acidité du fromage blanc dans un dessert typiquement brésilien, le *Romeu e Julieta*.

Les bars à jus de fruits de Rio vous réservent un rafraîchissant éventail de fruits locaux – *açai*, *acerola*, *graviola* et d'autres qui vous seront plus familiers. À moins que vous ne leur préfériez la *vitamina*, épais milk-shake où la banane se mêle à un ou deux autres fruits, voire à des flocons d'avoine ou encore du germe de blé – produit assez similaire au *smoothie* aujourd'hui très répandu à l'étranger. Vous faites attention à votre régime ? Alors n'oubliez pas de préciser à la commande "*sem açúcar*", sans sucre. ❑

À DROITE : partout sur les marchés, les fruits et les légumes frais témoignent de l'abondante production agricole du Brésil.

CI-DESSUS : courant dans tout le pays – une pincée suffit, juste pour le piquant –, le piment de Cayenne est très utilisé à Bahia où la cuisine est véritablement épicée.

À GAUCHE : si, tout le long de la côte, les fruits de mer abondent, le Nordeste est particulièrement réputé pour son poisson, notamment le badejo, genre de bar à chair blanche et ferme.

CI-DESSOUS : typique du Brésil, ce merveilleux choix de fruits, dont la goyave. Il y en a en toute saison.

À GAUCHE : la *feijoada*, le plat national brésilien, se compose de viandes séchées et salées ainsi que de haricots noirs. À l'origine, le terme désignait les restes destinés aux esclaves.

CI-DESSUS : les noix de cajou, abondantes au Brésil, s'utilisent beaucoup dans la cuisine de Bahia.

À GAUCHE : dans le Sud, on sirote du thé vert (*chimarrão*) avec une paille en argent fixée à une passoire, selon la tradition *gaúcho*.

À DROITE : morceaux de canne à sucre (cana) vendus sur des bâtons, très appréciés des enfants.

LE BREUVAGE FAVORI DES BRÉSILIENS

Indissociable du Brésil, le café (*café*), dont les ventes ont largement contribué à améliorer l'économie au début du XXe siècle, constitue toujours l'un des principaux produits d'exportation. Fortement torréfié, moulu fin, le café brésilien se boit très fort avec beaucoup de sucre. Mélangé à du lait chaud (*café com leite*), c'est la boisson traditionnelle du petit-déjeuner. Le café noir se sert dans de petites tasses à demi pleines et toujours en dehors des repas. On offre ces *cafezinhos* (petits cafés) aux visiteurs, à la maison ou au bureau. Ils sont aussi servis brûlants dans tous les *botequins* – bars où les hommes se retrouvent pour discuter. Certains de ces *botequins* ne proposent d'ailleurs que du *cafezinho*. Quels que soient vos goûts (mais le décaféiné est rare dans les restaurants), un bon café brésilien termine toujours bien un repas.

AU PAYS DU FUTEBOL

Toute la planète s'y adonne avec passion, mais seul le Brésil a réussi ce miracle – remporter la Coupe du Monde à 5 reprises. Le "beau jeu" est aussi un fabuleux ascenseur social, un conte de fées potentiel pour les gamins des favelas.

Les Brésiliens n'ont pas inventé le football – ils lui ont donné des ailes. De nos jours, le Brésil est au moins aussi connu dans le monde pour son style footballistique que pour son Carnaval.

C'est un jeune Anglais né au Brésil, Charles Miller, qui importe le football à São Paulo au tout début du XXe siècle. De retour dans son pays natal, il enseigne ce jeu étrange à ses amis membres du São Paulo Athletic Club (SPAC), un cercle d'expatriés britanniques. En 1901, divers clubs de la ville organisent un championnat, remporté par le SPAC en 1902, 1903 et 1904.

Ce sera la dernière coupe remportée au Brésil par des joueurs d'origine britannique. Excellents acrobates et fins tacticiens, les Brésiliens n'ont guère tardé à supplanter leurs professeurs.

Ballon de feu

De nos jours, la fièvre du ballon rond enflamme des millions de supporters brésiliens. Elle atteint sa phase éruptive tous les 4 ans, lors de la Coupe du Monde. Lorsque l'équipe du Brésil joue un match, directeurs d'usines et de magasins installent des téléviseurs sur le lieu de travail dans l'espoir futile de réduire l'absentéisme à un niveau décent. En fait, presque tous les bureaux et commerces baissent le rideau à l'heure dite pour laisser les employés regarder le match – puis rejoindre la liesse générale si l'équipe est victorieuse (éventualité plus que probable).

À GAUCHE : Ronaldo fêté par ses coéquipiers lors de la Coupe du Monde 2002. C'est lui qui fit entrer le ballon dans la cage allemande et son pays une nouvelle fois dans la légende. **À DROITE :** charmante et enthousiaste supporter brésilienne.

Ici, on appelle *futebol* ce sport si populaire qu'il a fait construire quelques-uns des plus grands stades de la planète. En 1950, le nouveau stade de Maracanã pouvait pratiquement compacter 200 000 spectateurs (record officiel de 183 341 spectateurs le 8 août 1969 lors d'un match de qualification pour la Coupe du Monde contre le Paraguay). Depuis sa rénovation, l'ovale géant a réduit sa capacité à 103 000 spectateurs pour améliorer les conditions de sécurité et de confort ; les tribunes ont été divisées en 5 secteurs, le nombre de sièges individuels et de loges a été augmenté. À São Paulo, le Murumbi peut accueillir 70 000 supporters, et d'autres stades brésiliens vendent leurs tickets à 80 000, voire 100 000 spectateurs.

La popularité du football au Brésil peut s'expliquer : c'est un sport accessible à tous, qui ne coûte pratiquement rien, un terrain pouvant s'improviser n'importe où. Bien des grands joueurs sont sortis des favelas, attirés par ce billet gratuit pour un ailleurs doré – contes de fées bien réels, qui font rêver tous les enfants des rues.

Grands joueurs

Le plus célèbre, le plus riche d'entre tous a pour nom Edson Arantes do Nascimento, mais on connaît mieux son surnom : Pelé. Selon la légende, ce frêle gamin, originaire d'une petite favela du Minas Gerais, n'a jamais possédé ne serait-ce qu'une paire de chaussures quand il est engagé à l'âge de 15 ans par le club de Santos. Un an après, il aide l'équipe nationale à remporter sa première Coupe du Monde. Et 4 ans plus tard, accompagné d'une autre légende du football, l'improbable et génial dribbleur Garrincha – Manoel Francisco dos Santos, pour ses admirateurs encore plus doué que Pelé –, il va puissamment contribuer à la deuxième victoire consécutive de son pays en Coupe du Monde. Durant la finale de 1966, organisée en Angleterre, Pelé est blessé sur faute adverse ; mais l'artiste fait son come-back en 1970, et le Brésil remporte la Coupe une troisième fois, un record. Lorsqu'il prend sa retraite en 1977, Pelé aura marqué 1 300 buts. À ce jour, aucun joueur au monde n'a jamais atteint les 1 000 buts.

Pour de nombreux – et avisés – commentateurs, la formation brésilienne de 1970 fut la meilleure de tous les temps. Signe distinctif du football brésilien, le *gingado* – combinant tactique subtile et fluidité du ballon – enthousiasma les fans du monde entier. Pelé, Tostão, Gerson, Jairzinho, Carlos Alberto et les autres membres de cette équipe ont laissé un souvenir immortel et nostalgique.

Des millions de jeunes Brésiliens rêvent de suivre les pas de Pelé et de Garrincha pour jouer dans les grands clubs ; et les meilleurs ne poursuivent qu'un but, ultime – faire partie de la sélection nationale.

Spectacle total

Que vous soyez amateur ou non, vous n'aurez pas complètement saisi l'âme du Brésil sans assister à un match de championnat, comme le

Coupes du Monde

Le Brésil a remporté la Coupe du Monde de football à 5 reprises. Aucun autre pays n'a réussi un tel exploit plus de 2 fois.

Suède 1958 Le Brésil bat le pays organisateur lors de la finale (5-2) et la planète peut avoir un aperçu de celui qui sera considéré comme le plus grand footballeur de tous les temps : Edson Arantes do Nascimento, surnommé Pelé, a tout juste 17 ans.

Chili 1962 L'équipe brésilienne empoche son second titre mondial en battant la Tchécoslovaquie 3-1 lors de la finale. Garrincha se hisse au firmament d'un championnat marqué par la violence durant sa première phase.

Mexique 1970 Forte d'une pléiade de très grands joueurs, la formation brésilienne monte irrésistiblement en finale et bat l'Italie 4-1. Le Brésil devra pourtant patienter 24 ans avant de conquérir une nouvelle Coupe du Monde.

Italie 1994 Menés par leur imparable buteur Romário, les Brésiliens battent l'Italie lors d'une finale à suspense. L'entraîneur Alberto Parreira a adopté avec succès une tactique plus défensive : le match nul oblige à recourir aux tirs aux buts, une première dans l'histoire de la Coupe du Monde.

France 1998 les Bleus écrasent des Brésiliens diminués, en proie au doute.

Japon/Corée du Sud 2002 Le Brésil bat l'Allemagne grâce à 2 buts de Ronaldo. Pris de folie, les Brésiliens chantent "Penta Campeão" dans toutes les villes du pays.

derby classique opposant Flamengo à Vasco da Gama, ou Fluminense (le “Fla-Flu”), dans le stade géant de Maracanã. Même si le jeu n’est pas à la hauteur de vos espérances, les supporters se chargeront de faire le spectacle : lors d’un grand match, ils s’engagent au moins autant que les joueurs.

Championnats nationaux

Deux grands championnats se disputent chaque saison. Entre mars et novembre, le Brasileirão (Championnat du Brésil) oppose 20 clubs. Les trois finalistes iront combattre d’autres équipes sud-américaines dans le cadre de la Copa Libertadores ; et le vainqueur se retrouvera confronté au champion d’Europe lors d’une finale organisée chaque année à Tokyo. Quant aux sept finalistes, ils participent au grand championnat continental de la Coupe d’Amérique du Sud.

Le jour de la finale n’est pas officiellement férié, mais vous pourriez bien vous y méprendre si vous passez la nuit dans la ville du champion national, alors qu’il vient de ravir le titre : des centaines de milliers de supporters envahissent les rues et se livrent à des festivités dignes du Carnaval.

Autre tournoi majeur, la Copa do Brazil oppose durant le premier semestre les grands clubs traditionnels à des clubs moins cotés, sélectionnés par chaque État.

Jackpot

Le Brésil a remporté la Coupe du Monde à 5 reprises (*voir encadré p. 100*), un record et une illustration de l’efficacité d’un style unique et d’une stratégie longuement mûrie, sans parler d’une pépinière quasi inépuisable de joueurs surdoués. Depuis la création de la Coupe du Monde, le Brésil est la seule nation à s’être systématiquement qualifiée.

Durant la Coupe du Monde, le succès ou l’échec de l’équipe nationale peut affecter le moral du pays tout entier. En 1970, la troisième victoire, remportée à Mexico, a donné un coup de fouet inattendu au régime pourtant impopulaire et dictatorial de la junte dirigée par le général Emílio Garrastazu Medici

Avenir souriant

La Coupe du Monde 2014 devrait se tenir en Amérique du Sud, et le Brésil brûle d’accueillir l’événement. La CSF (Fédération de Football d’Amérique du Sud) a déjà voté en sa faveur, un pas important vers la consécration. ❑

À GAUCHE : il n’est pas nécessaire d’investir dans un équipement coûteux pour jouer au football : seul le ballon et la passion sont indispensables.
CI-DESSUS : le football a le pouvoir de déchaîner les foules.

TRANSES MUSICALES

Samba, forró, choro, bossa nova, frevo, blocos afros, afoxé, pagode, reggae, funk, rock, hip-hop, drum & beat, Tropicalia, mangue-beat et autres fusées multicolores enflamment la nuit musicale brésilienne.

Préférez-vous battre la mesure d'une samba pagode à coups de fourchette, dans un bar au sol carrelé, ou danser hanche contre hanche au rythme simple du *forró* ? Admirer la virtuosité des amateurs de *gafieiras* (salles de bal), ou bavarder au son tourbillonnant d'un *choro* de mandolines et de violes ? Rêvasser dans la torpeur des bossas novas, au fil de bars hantés par "La Fille d'Ipanema" ? Vous exploser les tympans devant les *boomers* d'un groupe techno-rock, entrer en transes au son du hip-hop drum & bass ou rejoindre les gourous de l'électro-beat dans les petits bars urbains, ou dans les hangars des favelas dont le *baile-funk* se diffuse jusqu'aux boites les plus hip d'Europe ? Même les singes hurleurs et autres perroquets d'Amazonie se taisent lorsque les raves organisées par Internet attirent des milliers de danseurs en pleine jungle, tandis que le Web, encore lui, abreuve quotidiennement les indigènes de bandes-son planétaires.

La relève est assurée !

Dans les night-clubs, la mélancolie du fado portugais s'insinue, entre les *torch-singers* brésiliens, les légendes de la MPB (Musica Popular Brasileira) Roberto Carlos ou Rita Lee, et des étoiles montantes comme Marisa Monte ou Daniela Mercury. Les stars du mouvement Tropicalia des années 1970 continuent à captiver les jeunes : Gilberto Gil et son compère Caetano Veloso susurrent toujours avec autant de bonheur leur musique mélodieuse et sensuelle ; Veloso rejoint parfois les explorations Novo Tropicalismo de son fils Moreno, mais les vieilles divas Tropicalia Gal Costa et Maria Bethania n'ont pas chanté leur dernier couplet. Quant à l'indestructible Jorge Ben Jor, avatar brésilien de James Brown, toute une nouvelle génération de producteurs internationaux cannibalise sans complexe son énorme catalogue funk-samba.

Kaléidoscope musical

Quels que soient vos goûts, la musique brésilienne vous réserve toujours un grand moment de bonheur. Cette variété, elle la doit bien sûr à la taille du pays, avec des États à l'échelle de véritables nations, chacun possédant ses traditions et coutumes, ses superstars, ses danses et styles musicaux. Car si la musique change de forme avec la géographie, et suit le chemin des migrations, elle demeure tout aussi fermement ancrée dans sa région. Les chanteurs *gauchos* du Rio Grande do Sul s'accompagnent à l'accordéon comme leurs ancêtres allemands du XIXe siècle ; les *boleros* du Mato Grosso do Sul ont emprunté l'âme espagnole du Paraguay voisin ; et les rythmes du Nordeste – *baião* et *maracatu* dans l'intérieur, *frevo* frénétique sur la côte – dominent partout où les Nordestinos se déplacent. Quant au forró, ce symbole nordestino par excellence a conquis la planète entière.

Première capitale du Brésil et ancien grand port d'esclaves, Salvador de Bahia ne renie rien de ses racines africaines – cuisine, idiomes, religion ou musique. Moins commercial que celui de Rio, son carnaval aux lancinants accents africains a inspiré bien des tendances nationales.

La diversité des genres musicaux reflète le visage kaléidoscopique du Brésil. Maintes vagues migratoires y ont laissé leur empreinte : colons portugais et missionnaires jésuites, esclaves africains, réfugiés politiques et économiques asiatiques et européens des XIXe-XXe siècles. Entre brassage culturel et hiérarchie sociale, le Brésil pratique le grand écart, un pied dans l'ère informatique, l'autre dans le XVIIe siècle. Urbaine à plus de 80%, sa population demeure très largement conditionnée par les traditions du *sertão*. La culture orale prédomine, mais exposée au reste du monde à travers la radio, la télévision et Internet, les derniers tubes planétaires touchant les coins les plus reculés du pays, où la musique populaire fait pourtant mieux que résister.

À GAUCHE : qu'est-ce qui pourrait empêcher les Brésiliens de danser ?! **CI-DESSUS :** dans les favelas, les musiciens de samba se regroupent parfois pour gagner de l'argent.

Bouger

Si le terme de fusion n'existait pas, le Brésil l'aurait inventé. La liturgie imposée par les premiers missionnaires, esclaves et indigènes l'ont adaptée à leurs propres danses et chants rituels. Au nord-ouest de l'Amazonas, les Amérindiens Tucano chantent encore le gloria et le credo grégorien. Mais, dans l'ensemble, la musique indigène donne la préférence au rythme, utilisant maracas et crécelles, flûtes simples ou flûtes de Pan.

Quatre siècles durant, les colonisateurs portugais ont dominé la musique brésilienne, définissant ses structures harmoniques, imposant le rythme à quatre temps et la syncope qui plus tard se fondra si parfaitement avec le beat africain. L'influence portugaise concerne notamment les "danses théâtralisées" liées au calendrier catholique. Version africaine très rythmée, ironique et fort peu religieuse des *tourinhos* (corridas portugaises), la Bumba-Meu-Boi s'est largement répandue dans les États de Pernambuco, Maranhão et Bahia.

Les Portugais ont introduit le *cavaquinho* (similaire à l'ukulele, mais le plus souvent doté de cordes en acier), le *bandolim* (mandoline), le *violão* – sorte de grosse mandoline, de sitar indien ou de bazouki grec, avec 5 paires de cordes –, la cornemuse, le piano, la viole et la harpe ; mais c'est bien la guitare espagnole qui s'est imposée presque partout au Brésil (avec l'accordéon, d'origine allemande, joué à l'occasion des fêtes dans de nombreuses régions).

Les Portugais ont fourni le cadre lyrique et poétique, les thèmes et les émotions qui structurent la musique populaire d'aujourd'hui, mais l'*axé* (terme yoruba signifiant joie et force) est bel et bien africain. Contrairement aux Nord-américains, la majorité des planteurs brésiliens tolérèrent les danses et les rites de transes pratiqués par leurs esclaves venus d'Angola, du Congo et du Soudan. Une fois affranchis, impatients de pratiquer leurs propres religions, les Afro-brésiliens connurent la répression, et finirent par déguiser leurs divinités animistes en saints catholiques ; ce processus, appelé syncrétisme, s'est répandu dans toutes les anciennes colonies espagnoles et portugaises.

La samba : sources

Lors de cérémonies religieuses comme le *candomblé*, dans les fêtes, les clubs et les concerts, les Afro-brésiliens utilisent des instruments rythmiques – tambours *atabaque*, *ganzas* (crécelles métalliques), tambours *cuíca* dont la peau reproduit le son d'une voix rauque, et cloches coniques agogo, frappées avec un bâton ou une baguette en métal. Ajoutez-y le *violão* ou le *cavaquinho*, et vous obtenez la base de la musique nationale brésilienne : la samba. Le mot samba dérive de l'angolais *semba*, lui-même synonyme d'*umbigada* – littéralement, mouvement du ventre en avant. À l'origine, on la dansait en cercle ; au centre, le soliste dansait en tapant dans ses mains, puis s'arrêtait devant la personne choisie et, avec un malicieux coup d'*umbigada*, lui cédait sa place. *Samba de roda*, *jongo*, *tambor-de-crioulo*, *batuque* ou *caxambu*, ces variantes de l'*umbigada* ont survécu pratiquement inchangées à travers tout le pays.

À la fin du XVIIIe siècle, les rythmes afro-brésiliens font leur première et timide apparition

DE LA GUITARE ET DES LARMES

Dans le *choro* (terme signifiant "en larmes"), la guitare et le chant s'accompagnent de rythmes afro-brésiliens, mais on est loin de l'explosive samba. Au début du XXe siècle, Heitor Villa-Lobos passa beaucoup de temps dans les bars et les cafés de Rio à jouer du *choro*, alors qu'il composait par ailleurs ses superbes *Bahianas Brasileiras*, subtil entrelacs de Bach et de musique populaire.

Le *choro* imprègne bien des villes brésiliennes, leurs bars et clubs délicieusement surannés, animé par son indéfectible porte-parole, Paulinho da Viola – guitariste, compositeur et légende de la samba. À Salvador, un jeune ensemble néo-*choro*, Os Ingenuos, perpétue le genre avec succès.

dans les salons de la bonne société blanche sous la forme du *lundu*, danse compassée, accompagnée à la viole et à la guitare. À partir de la seconde moitié du XIXe siècle, les groupes d'esclaves qui se produisent dans les plantations et les salles de bal doivent singer les rythmes européens, polka ou mazurka. Mais lorsqu'ils jouent en petit comité, ils retrouvent toute l'énergie d'un swing sensuel d'où émergera le maxixe, exubérant avatar du tango. En 1933, dans "Flying down to Rio", Fred Astaire en donne une version qui coïncide avec le déclin du *maxixe* à Rio, détrôné par la popularité croissante de la samba adoptée lors des parades du carnaval. Dans les *gafieiras* d'aujourd'hui, les couples s'adonnent encore aux *maxixes*, *habaneras*, *choros* (précurseur de la samba, voir encadré ci-contre) et autres sambas avec une époustouflante maestria.

Samba : l'apothéose

L'histoire officielle de la samba débute en 1916 avec *Pelo Telefone*, premier enregistrement gravé et succès immédiat au carnaval de la même année. La première école de samba naît dans les années 1930 et, à ce jour, chaque ville brésilienne possède sa propre école. La plus ancienne, Mangueira, a légué des centaines de tubes ; son inusable chanteuse Elza Soares, dont la voix demeure tout aussi torride qu'à son apogée dans les années 1960, mêle aujourd'hui les sambas et autres standards de la Mangueira à des fusions hip-hop.

Forme archétypique du genre, la *samba enredo* (samba histoire) se chante amplifiée et accompagnée à la guitare et au *cavaquinho*, ponctuée par le chœur des quelque milliers de voix du desfile (parade) qui dialoguent avec les percussionnistes revêtus de leurs plus magnifiques atours. La *samba do morro* se joue uniquement sur percussions, tandis que la *samba do breque* (*break*) s'arrête brusquement pour laisser fuser un mot d'humour à froid, puis repart ; quant à l'impérissable *samba-canção*, ou "Frank Sinatra des sambas", elle enivre les nuits des bars et des clubs.

La musique, les modes et les fusions de sambas ne connaissent aujourd'hui plus de frontières ni de limites. Mais samba-rock, samba-funk, samba-reggae ou samba-rap doivent s'incliner devant la toute-puissante samba-pagode : depuis les années 1980, le son des favelas de Rio rythme les fêtes de quartier, réunissant toutes les générations. Cavaquinhos et banjos se chargent de la mélodie, *pandeiro* (tambour) et tambourim rythmant la danse. À la fin des années 1980, David Byrne (ex-Talking Heads) sortit un superbe *O Samba*, présentant un panel de chanteurs de samba traditionnelle, dont Zeca Pagodinha, actuelle idole du *pagode*.

Pagodinha (Petit Chanteur de Pagode) a sans doute été plongé dans une potion magique de samba dès sa naissance. Ses irrésistibles chansons truffées d'argot, il les délivre aussi naturellement qu'un conteur dans un bar. Quant à Seu Jorge (*voir p. 108*), superstar issue d'une génération nourrie au hip-hop, il rend hommage à Pagodhina tout en défrichant le terrain de la *samba partido-alto* (hyper-fête), percussions hypnotiques frappées à la main sur un *pandeiro*.

La samba s'ouvre à toutes les adaptations, et bien des interprètes intègrent la bossa nova dans leur répertoire. Portée par la popularité de Tania Maria, la samba-jazz a imposé son style fusion à travers la planète,. Les inoxydables Os Ipanemas, groupe de samba-jazz des années 1960, ont connu un come-back digne de Buena Vista avec leur album *Samba is a Gift*, propulsant trombone et saxophone au-devant de la scène. En 2006, la *pagode*-pop hygiénique de Só Para Contrariar a battu tous les records avec 3 millions d'albums

---

À GAUCHE : la samba est basée sur un rythme diabolique qui attire irrésistiblement le public sur la piste.

À DROITE : Bebel Gilberto marche avec brio sur les pas de son célèbre père.

vendus. Question records, le carnaval de Rio conserve la palme en matière de spectateurs, d'écoles de samba et de danseurs emplumés ; mais Salvador de Bahia offre une expérience nettement plus interactive dans ses rues coloniales envahies par le vacarme des *blocos* (ensembles de percussions) ; et les sambas de Rio pâlissent devant l'hystérique *frevo* d'Olinda, ville coloniale proche de Recife.

Bossa nova

Voix traditionnelle des Brésiliens, la samba reste indissociable du carnaval. Mais la bossa nova (nouvelle vague) n'est pas moins représentative

du Brésil et de son lieu de naissance, Rio. La bossa nova va s'imposer du jour au lendemain en 1964, lorsque le pianiste et compositeur Antonio Carlos "Tom" Jobim, sa femme Astrud (immortelle voix sulfureuse) et son timide guitariste João Gilberto médusent le public de Carnegie Hall avec "A Garota de Ipanema" ("La Fille d'Ipanema", *voir encadré p. 111*), "Desafinado" ("Désaccordé"), et "Samba de uma nota só" ("Samba sur une note"). La bossa nova a pris forme à Rio quelques années plus tôt, issue d'une quête menée par Jobim et d'autres jeunes intellectuels cariocas vers une samba plus tranquille, inspirée par le jazz-cool de la West Coast et leur idole Stan Getz (qui leur renverra l'ascenseur avec génie). Véritable tsunami musical, la bossa nova envahit bientôt toute la planète.

L'ossature de la bossa nova repose essentiellement sur João Gilberto, dont la guitare mêle les harmonies du jazz à des rythmes syncopés, quasi obsessionnels. Ce nouveau style exige une maîtrise exceptionnelle. Un musicien l'évoque comme le fait de "parler en une longue phrase, mais en changeant de langue tous les deux mots". Son plus illustre auteur, le poète et diplomate Vinicius de Moraes, nous a légué des chansons immortelles comme "Eu sei que vou te amar" ("Je sais que je t'aimerai"). Jobim était un pianiste de premier ordre et un leader charismatique. Œuvrant dans leurs appartements et dans les bars locaux de Zona Sul, quartier chic de Rio, les 3 surdoués et leurs collaborateurs ont parachevé des chansons encore inscrites au répertoire international un demi-siècle plus tard.

Dans les favelas qui dominent Zona Sul, on ne s'intéressait guère à ce style bourgeois, mais en

CAPOEIRA

Sur une plage de Rio, deux jeunes hommes se livrent à d'aériennes acrobaties, sauts périlleux, toupies, saltos arrière, et autres coups de pied en vol – un spectacle hypnotique, intense, et souvent amusant, chaque lutteur cherchant à tromper l'autre avec force feintes et mimiques théâtrales :

Vous découvrez la *capoeira*, art et sport national brésilien importé par les esclaves angolais voici plus de 5 siècles. Seule forme de lutte autorisée sur les plantations, la *capoeira* s'est rapidement répandue parmi tous les Africains. Après l'abolition de l'esclavage en 1888, la *capoeira* est interdite, mais demeure très en vogue chez les gangs d'affranchis, qui la pratiquent en secret. En 1937, la première Academia s'ouvre à Salvador, fondée par Mestre (Maître) Bimba, connu pour son style rapide et moderne. La légalisation survient presque aussitôt. Cinq ans plus tard, l'Academia de Mestra Pastrinha lance une variante plus lente et plus authentique, la *capoeira angola*, qui conserve de nombreux adeptes. Sport et art martial, la *capoeira* a souvent été fusionnée dans la danse moderne, notamment le *break*. Voix indissociable de la *capoeira*, le *berimbau* est un instrument africain à corde en acier unique frappée avec un bâton, accompagné par le *pandeiro* (tambourin), les cloches en métal *agogo*, et l'*atabaque*, proche de la *conga*. Dans les favelas, les écoles de *capoeira* offrent aux jeunes déshérités un mode d'expression, leur enseignent discipline et respect, et les reconnectent avec leurs racines africaines.

ces temps actuels de fusion, les grands classiques s'intègrent à une mosaïque de styles phagocytés par tout musicien ou DJ brésilien. Bebel, la fille de João Gilberto, s'est bâtie une solide réputation européenne sur ce répertoire.

Tropicalia

En réaction au mouvement cool de la bossa nova, la fin des années 1960 donne naissance à une révolution bien différente, issue de la tourmente politique, du séisme Beatles et du rock West Coast. Le Tropicalia plonge ses racines à Salvador, animé par un groupe d'étudiants fondu de Beatles et de musique folk locale. Parmi eux, les guitaristes auteurs-compositeurs Gilberto Gil et Caetano Veloso, l'avant-gardiste Tom Zé, et l'ex-chanteur de bossa nova Gal Costa. Le clan va émigrer à São Paulo, centre alors incontournable d'une scène artistique explosive. Les collaborations de Gil avec le brillantissime trio Os Mutantes conduisent au psychédélique *Domingo no Parque* (Dimanche au Parc). Avec Veloso et son Alegria, Alegria (Joie, joie), ils amorcent une ère de chansons irrévérencieuses et de spectacles télévisés dadaïstes sur TV Globo, choquant les conservateurs et ravissant leurs fans hippies par une poésie concrète aux images issues de la culture pop. Mais ils ridiculisent aussi l'establishment : en 1969, la junte militaire fait emprisonner Veloso et Gil, puis les oblige à prendre le chemin de l'exil – destination Londres. À leur retour en 1972, la nouvelle génération s'est reconnue dans un Tropicalia sauce électro.

Plus de 30 ans plus tard, les pionniers du Tropicalia se portent bien : Caetano Veloso, avec ses mélodies serpentines et sa verve poétique ; Gil, sacré ministre de la Culture, toujours aussi fascinant quand il reprend le flambeau de Bob Marley. Autre musicien marquant de cette génération, mais en marge du Tropicalia, Chico Buarque aura été un poète, un auteur et un chanteur engagé. Encore vénéré, il s'est reconverti dans l'écriture de romans bien saignants. Quant à Milton Nascimento, fabuleux auteur-compositeur, il a beaucoup puisé dans la musique d'église et ses origines afo-brésiliennes.

Ancienne star du Tropicalia et chanteuse d'Os Mutantes, Rita Lee trône encore au pinacle du rock brésilien. Plus de 30 ans après l'apogée du Tropicalia, bien des artistes continuent à produire une œuvre conséquente, sans parler de leurs multiples collaborations avec les nouveaux venus de l'électronique *novo tropicalismo*.

Évolutions

Les styles évoluent mais les différences régionales demeurent et, à l'âge de l'Internet, São Paulo revient au centre de la révolution musicale, à travers la prolifération du hip-hop et de l'électro. Ce rôle moteur, d'autres villes le revendiquent également, à commencer par l'État de Pernambuco et sa capitale Recife, où les Nação Zumbi

de Chico Science, le chanteur Otto et la DJ Dolores ont planté leurs micros.

En marge de la scène électro-dance et de la mouvance *novo tropicalismo*, les rockers brésiliens ont toujours pratiqué une certaine subtilité : teenagers en mini-jupes des années 1960, groupes créatifs des années 1980 aux thèmes urbains, directs, souvent moqueurs ou humoristiques, à cent lieues du romantisme traditionnel, rappeurs de années 1990 poursuivant dans la même veine, avec leurs diatribes teintées d'ironie. Le succès du groupe essentiellement féminin Cansei de Ser Sexy (Fatiguée d'être Sexy), marque un retour nostalgique aux années 1970 et aux groupes post-punk de L.A., rejetant les clichés sexistes habituels tout en fouettant

À GAUCHE : le compositeur et interprète Caetano Veloso, dont la popularité dépasse amplement le Brésil, enchante les générations depuis les années 1960.
À DROITE : Milton Nascimento connaît toujours un énorme succès.

Seu Jorge

En 2002, le cinéma brésilien frappe très fort avec un film particulièrement âpre et réaliste, *Cidade de Deus* (La Cité de Dieu), qui a choisi pour décor l'une des plus violentes favelas de Rio, à quelques pas des plus belles plages du monde. Quatre nominations aux Oscars propulsent la carrière d'un jeune et talentueux chanteur compositeur-interprète, aujourd'hui célèbre, Seu (Monsieur) Jorge : le co-réalisateur Fernando Meirelles lui a taillé un rôle sur mesure, Manu Galinha (Manu le Tombeur).

Comme son personnage, Jorge a grandi dans une favela, mais après avoir passé son adolescence dans les rues, vivant d'expédients, louvoyant entre les gangs, il échappe à la misère et à une mort programmée grâce à la musique et au théâtre.

Lorsqu'il obtient son premier rôle, Seu Jorge s'est déjà taillé une belle réputation sur l'explosive scène musicale de Rio. Meirelles connaît son premier groupe, Farofa Carioca et ses versions électro des contagieuses funk-sambas créées à la fin des années 1960 par Jorge Ben Jor, tout aussi furieusement *carioca* que son jeune admirateur.

Jorge poursuit en solo avec l'album *Samba esporte fino* (paru à l'étranger sous le titre *Carolina*), en collaboration avec le producteur des Beastie Boys, Mario Caldato. La chanson titre remporte un énorme succès à travers tous les night-clubs de la planète et apparaît dans plusieurs compilations européennes, contribuant à la reconnaissance de cette nouvelle vague brésilienne et du phénomène Jorge en particulier.

Par l'intermédiaire de Meirelles, Jorge participe en 2004 au film de Wes Anderson *La Vie aquatique*, avec Steve Zissou, Bill Murray, Anjelica Houston et Willem Dafoe. Tous les critiques sont fascinés par ce type noir coiffé d'un béret rouge qui chante d'étrange versions en portugais des standards de Bowie, "Rebel, Rebel", "Rock'n'Roll Suicide", "Life on Mars" et "Starman".

Pendant le tournage, Jorge enregistre à Paris son deuxième album solo, *Cru*, produit par Gringo de Parada, du club Favela Chic. Cet éblouissant bouquet de chansons sur fond de cordes sèches débute au son d'un frêle *cavaquinho*, scandé par le rythme syncopé de samba qui traverse tout l'album. Le frottement criard des *cuícas* (percussions) réplique à la voix, et le battement caverneux d'un *surdo* (grand tambour de carnaval) entretient une atmosphère de transe. Entre une version bossa nova érotique et lente du "Don't" d'Elvis, un remake nerveux de "Chatterton", mélopée suicidaire de Serge Gainsbourg, et l'hyper-romantique "Fiore de la Città" écrite par Robertinho Brandt, Jorge signe un parcours sans-faute. Ramené au strict minimum, l'accompagnement met en valeur l'extraordinaire virtuosité du chanteur, qui virevolte de la voix de tête aux basses les plus enrouées.

Jorge penche plutôt vers la musique acoustique, se passionne pour les guitares live de João Gilberto, Gilberto Gil, et Jorge Ben Jor, grand adaptateur de l'instrument à l'esthétique musicale brésilienne, et pour Zeca Pagozhino, "le plus grand chanteur de samba et un chroniqueur des gens".

Même s'il appartient à la génération électro et reconnaît son importance, il se démarque nettement des expérimentateurs et manipulateurs d'ordinateurs, des DJ producteurs et amateurs de collages sonores comme Bid, DJ Dolores, MarceloD2, Instituto Collective, Tejo, Black Alien & Speed (dont la campagne publicitaire 2001 pour le 4x4 Nissan fit grand bruit en Europe) ou l'électro-acousticienne Fernanda Porto.

Jorge est un compositeur-interprète à l'ancienne, tourné vers la mélodie et la recherche des mots. Ce qui ne l'empêche pas de symboliser la nouvelle vague. Devenue une star à Rio, il s'est engagé dans la transformation des favelas. *Cru* s'achève sur la chanson "Eu Sou Favela" (Je suis Favela), une profession de foi sans équivoque, sobre, digne et coupante comme une lame. ❑

À GAUCHE : Seu Jorge, une guitare et une voix au service des favelas.

une chantilly kitsch à faire pâmer d'envie Carmen Miranda.

Back to Africa

Dans les années 1970, Bahia devient le théâtre d'un retour aux racines africaines qui va déplacer la scène musicale brésilienne de Rio et São Paulo à Salvador et Recife. Durant le carnaval, des groupes de danseuses superbement élégantes font leur apparition, auréolées par les crinolines blanches et les turbans de la religion afro-brésilienne candomblé. Elles paradent dans les rues, mais dédaignent le frénétique trio eléctrico ou la samba de Rio au profit des *afoxés*, rythmes typiquement africains scandés sur des cloches agogo. Ces majestueuses descendantes d'esclaves esquissent les premiers pas d'une prise conscience chez les Noirs. Vers la même époque, les disques de Bob Marley déferlent au Brésil, et les Baianos s'identifient aussitôt au reggae. Gilberto Gil endosse les couleurs nationales rasta, enregistre en Jamaïque et inspire toute une génération. Un concert électrisant donné en duo avec Jimmy Cliff signe l'adoption du reggae par le Brésil noir. Le reggae s'implante tout particulièrement dans les grands ports, historiquement marqués par la traite des esclaves. En août, au festival reggae de São Luis, des milliers de fans aux coiffures rasta se bousculent pour écouter Gil et d'autres musiciens brésiliens, en compagnie des idoles jamaïcaines du moment.

Tambours de Salvador

Le carnaval post-reggae de Salvador va engendrer de nouvelles danses et de nouvelles stars – Margareth Menezes, Daniela Mercury, la diva du gospel candomblé Virginia Rodrigues ou l'auteur-compositeur et producteur Carlinhos Brown. Leur succès à l'étranger propulse Salvador au zénith de la world music. Le début des années 1980 marque la formation des premiers grands ensembles de percussionnistes noirs (blocos afros) : un hallucinant vacarme accompagne les parades d'Olodum, qui balaye les paillettes du carnaval. Dans les années 1990, Paul Simon les utilise sur son album *The Rhythm of the Saints*. On retrouvera également Olodum dans un album et une vidéo de Michael Jackson.

Les quelques 300 membres permanents d'Olodum sont pour la plupart des enfants des rues qui découvrent leur identité à travers cette aventure. Le groupe crée un centre avec cours gratuits, en yoruba et en portugais, d'alphabétisation, d'informatique et de musique, des ateliers de ferronnerie et de charpenterie. “À Bahia, les percussions sont devenues synonymes d'emploi, d'éducation, d'ascension sociale et, bien sûr, de polémiques”, déclare le magazine d'informations Veja en 1998. En 2001, Carlinhos Brown décrit son troisième album solo, Bahia do Mundo, comme un tribut envers les traditions musicales noires du pays, décrétant dans la foulée : “Le drum & bass, la house, et même le funk n'existeraient pas sans les écoles de samba, et la trance doit tout au Carnaval brésilien.” Soutenu par des fonds de l'UNICEF, Carlinhos Brown fait construire une école de musique, d'alphabétisation et de maths, ainsi que des studios d'enregistrement pour favoriser les nouveaux talents. Pendant 10 ans, il mène son groupe de percussions Timbalada à travers le monde entier ; en 2002, 5 nominations aux Grammy Awards consacrent son album *Tribalistas*, enregistré avec la superstar *baiana* Marisa Monte et Arnaldo Antunes – un collage étonnamment sobre, presque entièrement acoustique, de chansons rock, soul et samba quadrillées par la voix lumineuse de Monte, le baryton râpeux d'Antunes, et leur invitée surprise, la torride vocaliste salvadorienne Margareth Menezes.

À DROITE : le groupe Olodum connut la gloire dans les années 1990 en s'associant au compositeur-interprète américain Paul Simon.

AfroReggae

À Rio, le phénomène Olodum trouve écho dans le mouvement communautaire qui donne naissance à AfroReggae, troupe de percussionnistes, puis ONG aujourd'hui mondialement reconnue. C'est un jeune leader politique, José Jr, qui est à l'origine du journal *AfroReggae News*, diffusé dans la plus violente favela de Rio, Vigário Legal. La fondation du Centro Cultural AfroReggae offre de nouvelles perspectives aux jeunes d'une communauté luttant pour sa survie en pleine guerre des gangs. Une chaîne d'entraide financière, morale et pratique se met en place avec des personnalités comme Caetano Veloso, et le Centro propose bientôt des classes de *capoeira*, d'alphabétisation et de conseil.

En 1992, le Funk Festival se rend célèbre par sa publicité anti-gangsta où figurent des enfants armés d'AK 47, et par ses *funk-bailes* (bals) bondés à craquer. Dans ce monde hermétiquement clos; jeunes musiciens et DJ's produisent des bandes-son en accord avec leurs vies violentes, reproduites dans le film culte *Cidade de Deus*. Les projets initiés par la communauté se multiplient : dans la plus grande favela de Rio, Rocinha, une casa offre des cours et des ateliers autres que ceux consacrés au carnaval – théâtre, photo, musique et production cinématographique.

À travers ses spectacles et concerts, AfroReggae prend le statut de superstar. José Jr et son équipe surfent sur cette vague de popularité, créant passerelles et fusions entre reggae, hip-hop, funk et samba. Plusieurs favelas brésiliennes ont aujourd'hui leur centre AfroReggae, et ses leaders ont dirigé des ateliers jusque dans les quartiers déshérités de Paris ou de Londres.

AfroReggae News occupe désormais un espace élargi avec AfroReggae Radio et ses sites Internet. En 2005, le documentaire *Favela Rising* retrace l'histoire de José Jr et de son partenaire l'ex-dealer Anderson Sa. *Culture is Our Weapon : AfroReggae in the Favelas of Rio* – de Patrick Neate et Damian Platt, Latin American Bureau – évoque sans fard la violence, la corruption policière, les drames, les victoires et l'engagement d'une ONG qui fonctionne sans grand soutien officiel.

Fusion sans frontières

De Rio – aujourd'hui reléguée au rang de ville du XXe siècle –, le courant ascendant de la musique brésilienne s'est déplacé vers Salvador, puis Recife. Le "son Pernambuco" investit une scène dynamique et variée qui concurrence rudement São Paulo en matière d'électro et de hip-hop international, participant à la métamorphose de l'espace musical brésilien.

Au début des années 1990, Nação Zumbi (Zumbi Nation, du nom d'un chef esclave légendaire) fait les premier pas vers une fusion du hip-hop, du reggae, du funk et du rock avec les rythmes locaux *maracatu* et *coco*, utilisant la guitare électrique, les samplers et un tapis de percussions torrentielles.

Mundo Livre (Monde Libre) plonge ses racines dans la samba et la punk music, emmené par Fred 04, inconditionnel des Clash, poète et joueur de *cavaquinho* dont le manifeste "Crabes avec cerveaux" se réfère aux hôtes des mangroves de Recife. Mundo Livre et Nação Zumbi, conduits par le charismatique Chico Science, fondent le mouvement Mangue Beat – l'un des sons les plus révolutionnaires de l'après-Tropicalia.

Autre figure de proue, DJ Dolores n'est ni un DJ, ni une femme, mais un groupe dirigé par Helder Aragão, grand spécialiste de l'anarchie organisée. Avec sa chanteuse rasta Isaar, ses rythmes hypnotiques, ses instables solos de trombone, ses cris d'insectes samplerisés et ses gui-

À gauche : la supestar Marisa Monte.
À droite : Carlinhos Brown dans son spectacle ; Gilberto Gil, musicien et homme politique

tares électriques destructrices, DJ Dolores a inspiré une foule d'imitateurs au Brésil et en Europe.

Traditions séculaires

Mestre Ambrosia et Siba explorent les vieilles traditions musicales du vaste intérieur brésilien – espaces arides et desséchés qui semblent gratter la gorge et la voix éraillée des chanteurs. On ne sait jamais où attendre Otto, le plus connu de cette nouvelle vague sans eau : ses éructations rocailleuses traversent des chants aux thèmes écologiques et sociaux, ponctués de digressions philosophiques. En 2003, son troisième album solo – le premier sorti à l'étranger –, *Sem Gravidade* (Sans Gravité), confirme sa place éminente sur la scène internationale et celle de sa ville, Recife.

Rio saúda Salvador…

En mars 2008, un mois après sa disparition, Henri Salvador a reçu un vibrant hommage à Rio de Janeiro. Une plaque commémorative a été apposée à l'entrée de l'Instituto Cultural Cravo Albin. En 1942, faisant partie de l'orchestre de Ray Ventura et ses Collégiens en tournée en Amérique du Sud, il avait su à titre personnel charmer les Brésiliens qui le retinrent quelques années dans leur pays, où il connut un succès retentissant. ❑

LA VÉRITÉ SUR LA FILLE D'IPANEMA

En 2005, une curieuse action en justice est intentée à l'encontre d'une femme d'Ipanema qui vient d'appeler son magasinThe Girl from Ipanema. Les plaignants sont les ayants droit de la plus célèbre chanson brésilienne – "A Garota de Ipanema" –, les fils d'Antonio Carlos Jobim et de Vinicius de Moraes. Et leur cible s'appelle Heloísa Pinheiro : elle serait la jolie jeune fille de 18 ans qui, en 1962, inspira les 2 compositeurs en passant devant leur bar préféré.

En 1963, la chanson connaît une gloire instantanée dans la version de Stan Getz et Astrud Gilberto, avant d'être reprise par des dizaines de chanteurs, d'Ella Fitzgerald à Frank Sinatra. De Moraes, poète et parolier inépuisable destinait en fait sa composition à une comédie musicale, *Dirigível*, et sa version, "Merina que Passa" (La Fille qui Passe), différait sensiblement des couplets anglais finaux, écrits par l'Américain Norman Gimbel. Jobim et De Moraes évoquent bel et bien le passage de la séduisante Heloísa devant le café Veloso – "une fille au bronzage doré, à la fois fleur et sirène, pleine de grâce et d'éclat, mais avec une note de tristesse", écrira De Moraes plus tard. Mais ne croyez pas qu'ils aient composé leur chef-d'œuvre tranquillement assis en terrasse, comme le prétend la légende – il faut bien plus que quelques *caipirinhas* pour écrire une chanson de ce calibre.

Aujourd'hui rebaptisé A Garota de Ipanema, le bar se trouve dans la rue Vinicius de Moraes.

CINÉMA SANS FRONTIÈRES

Le cinéma brésilien a conquis le monde par sa créativité, réalisateurs et acteurs imposant dans les festivals internationaux des films à la fois populaires et poétiques. En dépit des difficultés, l'industrie persiste à produire des images immortelles.

Terre de contrastes, terre d'extrêmes, le Brésil a tout naturellement prêté ses paysages au cinéma, brésilien et international, qui en a fait ses décors, et parfois son personnage central.

À ses débuts, l'industrie cinématographique brésilienne connaît des hauts et des bas avant d'atteindre son premier âge d'or dans les années 1940 avec la création du Studio Atlântida de Rio. Pendant 25 ans, sa production pléthorique attire un public populaire, qui bien souvent ne peut lire les sous-titres des films muets. Cet empire ne s'effondrera qu'avec l'irruption de la télévision dans des milliers de foyers (*voir p. 115*).

Reconnaissance internationale

Mais l'avènement du petit écran n'étouffe heureusement pas toutes les ambitions artistiques de son grand aîné. En 1962, Anselmo Duarte remporte la Palme d'Or du Festival de Cannes avec *O Pagador de Promessas* (*La Parole donnée*) ; 2 ans plus tard, toujours à Cannes, l'émergence du Cinema Novo brésilien captive tous les regards. *Deus e O Diabo na Terra do Sol* (*Le Dieu noir et le Diable blond*) de Glauber Rocha et *Vidas Secas* (*Sécheresse*) de Nelson Pereira sont tous 2 en compétition, tandis que *Ganga Zumba, Rei dos Palmares* (*Ganga Zumba, Le Grand souverain*) de Carlos "Cacá" Diegues clôture la Semaine de la Critique.

En 1985, *O Beijo da Mulher Aranha* (*Le Baiser de la Femme Araignée*) d'Hector Babenco frappe un nouveau coup : William Hurt remporte le Prix du meilleur acteur, puis rafle l'Oscar 1986 dans la foulée. *O Beijo* s'adjuge également trois nominations – film, réalisateur et scénario.

Si Cannes a bien accueilli le cinéma brésilien, Berlin aura montré encore plus d'enthousiasme, lui attribuant un chapelet de prix et d'éloges critiques des années 1970 aux années 1990. Walter Lima Jr, qui remporte un l'Ours d'Argent 1969 pour son *Brasil Ano 2000*, ne s'en plaindra pas : "De tous les festivals européens, Berlin a toujours été le plus curieux en matière de mise en scène".

Dans les années 1990, l'État retire ses subventions et l'industrie s'arrête presque du jour au lendemain. Mais certains refusent de jeter l'éponge, à commencer par le plus dynamique des producteurs, Luiz Carlos Barreto, figure incontournable à qui les cinéphiles doivent déjà *Dona Flor e Seus Dois Maridos* (*Dona Flor et ses deux maris*, 1976). Réalisé par le fils de Luiz, Bruno Barreto, ce film demeure le plus gros succès brésilien de tous les temps avec 12 millions d'entrées et une nomination aux Golden Globes.

Les années suivantes, plusieurs nominations aux Oscars renforcent la position du producteur, et relancent l'industrie brésilienne grâce à un succès commercial et critique retrouvé. En 1996 et 1997, des nominations au titre de meilleur film étranger saluent *O Quatrilho* de Fabio Barreto, romance sur l'histoire de pionniers italiens dans le sud du Brésil ; puis *O Que é Isso Companheiro ?* de Bruno Barreto, basé sur un fait réel, l'enlèvement d'un ambassadeur américain, en 1969, par un groupe d'extrême-gauche.

Moisson de prix

En 1998, Walter Salles Jr et son *Central do Brasil* font l'ouverture du Festival de Berlin. Ovationné, le film remporte l'Ours d'Or du meilleur film et Fernanda Montenegro repart avec l'Ours d'Argent de la meilleure actrice. Un an plus tard, *Central do Brasil* débarque à Hollywood avec une nomination pour le meilleur film étranger, troisième nomination brésilienne en 3 ans. Montenegro est nominée pour l'Oscar de la meilleure actrice, une première dans le cinéma brésilien. Devant le succès commercial et critique international du film sur la scène, les projecteurs se tournent vers le Brésil et son réalisateur phare.

Salles poursuit sur sa lancée avec *Diarios de Motocicleta* (*Carnets de Voyage*), récit des pérégrinations du jeune Che Guevara à travers l'Amérique du Sud ; un film d'horreur en anglais, *Dark Water* ; et une comédie dramatique en portugais, *Linha de Passe*, centrée sur le monde du football.

Mais Salles doit bientôt partager les feux internationaux de la rampe. En 2003, Fernando Meirelles stupéfie le public et les critiques avec *Cidade de Deus* (*La Cité de Dieu*) consacré à la vie dans les favelas de Rio. Pour une majorité de cinéphiles, c'est le plus créatif – et sans doute le meilleur – film de l'année. *Cidade de Deus* rafle plus de 50 prix internationaux, et s'attribue 4 nominations aux Oscars. Surfant sur la vague, Meirelles va ensuite produire et diriger partiellement pour TV Globo (*voir p. 115*) une série inspirée de son film, *Cidade dos Homens* : puis il fait son retour en 2005 sur le grand écran avec une adaptation du roman de John Le Carré, *The Constant Gardener*, qui s'octroie une gerbe d'éloges unanimes, des nominations pour la mise en scène, le montage et la musique, Rachel Weisz remportant l'Oscar du meilleur second rôle féminin.

Meirelles a signé un contrat de 3 ans avec Universal Pictures et Focus Features pour leur fournir des films brésiliens, en anglais ou en portugais. Son dernier film en date, *Blindness* (*L'Aveuglement*, 2008), repose sur un roman publié en 1995 par le Portugais José Saramago,

À GAUCHE : tiré du roman du Mexicain Manuel Puig, *Le Baiser de la Femme Araignée* (1985) rafla plusieurs prix dans les années 1980. L'histoire connaît dans les années 2000 une seconde vie grâce à son adaptation au théâtre. **À DROITE :** scène du film *Central do Brasil* (1998).

BOX-OFFICE

Sorti en octobre 2005, *2 Filhos de Francisco* (Les deux fils de San Francisco), retrace l'histoire de 2 idoles de la musique western et country brésilienne ; ce film de Breno Silveira devient aussitôt le plus gros succès du box-office brésilien depuis 1990 avec plus de 4,7 millions d'entrées, dépassant les 4,6 millions obtenus par *Carandiru* (2003) drame carcéral d'Hector Babenco. En 2005, les salles brésiliennes engrangent un total de 96 millions d'entrées, dont 10,5 millions pour des productions nationales. En 2006, sur 90 millions d'entrées, Daniel Filho frôle les 4 millions avec *Se Eu Fosse Você*, animé par Glória Pires et Tony Ramos, omniprésentes stars des séries de TV Globo.

Prix Nobel de Littérature – *Ensaio Sobre a Cegueira*.

Festivals brésiliens

Le président Lula a promis de soutenir la culture, mais les réalisateurs peinent à trouver les financements nécessaires, et rien ne se fait sans l'appui de TV Globo (*voir ci-contre*) ou des antennes locales des majors hollywoodiennes. L'industrie survit pourtant, vaille que vaille, particulièrement à Rio : indéfectiblement fidèle au plus beau des miroirs, la diva urbaine accueille en septembre-octobre le Festival do Rio, la plus grosse manifestation cinématographique d'Amérique Latine.

En 2005, le jury du festival consacre meilleur film brésilien *Cidade Baixa* (Ville Basse) de Sergio Machado, et sa star Alice Braga, également présente dans Cidade de Deus, meilleure actrice. En 2006, la palme revient à *O Ceu de Suely* (*Le Ciel de Suely*), de Karim Ainouz, qui remporte dans la foulée le prix du meilleur réalisateur et celui de la meilleure actrice, Hermilla Guedes. Produit par Walter Salles grâce à un panachage financier français, allemand, portugais et brésilien, le film est également présenté aux festivals de Venise et de Toronto.

Entre autres grands festivals de cinéma, la Mostra Internacional de Cinema em São Paulo a fêté son 30e anniversaire en octobre 2006 ; et le vénérable Festival de Gramado a célébré ses 35 ans en août 2007 ; ancienne référence en matière de productions brésiliennes, Gramado a élargi son domaine en récompensant également les meilleurs talents d'Amérique Latine.

Love Story

Après *2 Filhos de Francisco* (*voir encadré p. 113*) Breno Silveira tourne *Era Uma Vez no Rio* (Il était une fois à Rio), histoire d'amour entre 1 garçon et 1 fille de milieux sociaux différents.

Brésil, arrière-plan

Peut-on parler de cinéma au Brésil sans évoquer la myriade de films, de séries TV, de clips musicaux et de publicités étrangères qui ont utilisé Rio et le reste du pays comme arrière-plan ?

Pionnière en ce domaine, et film culte pour les cinéphiles, la comédie musicale *Flying Down to Rio* (1933) de Thornton Freeland associe pour la première fois Fred Astaire et Ginger Rogers. D'autres grands classiques vont prendre Rio pour toile de fond, à commencer par l'immortel *Notorious* (*Les Enchaînés*) film d'espionnage d'Alfred Hitchcock (1946), marqué par la prestation magique de Cary Grant et d'Ingrid Bergman. Les Français ne seront pas en reste avec l'envoûtant *Orfeu Negro* de Marcel Camus, tandis que l'abattage de notre Bébel national perpétue indéfiniment le succès de *L'Homme de Rio*, pétillante comédie de Philippe de Broca. Tourné en grande partie dans les favelas et durant le carnaval de Rio, *Orfeu Negro* fait l'ouverture du Festival de Cannes 1959. Le film remporte la Palme d'Or, puis l'Oscar et le Golden Globe du Meilleur film étranger – une razzia sans précédent.

Le Brésil aura ensuite accueilli pêle-mêle Roger Moore en James Bond dans *Moonraker* (1979), *C'est la faute à Rio* (1984), où Demi Moore joue l'un de ses premiers rôles, aux côtés de Michael Caine, *La forêt d'Émeraude* (1985), réflexion passionnée de John Boorman, la tragique *Mission* de Roland Joffé (1986), *Pleine Lune sur Parador* (1988), *Anaconda* (1997) avec Jon Voigt et Jennifer López, *Amour, piments et bossa nova* (1999), et Mike Bassett : *England Manager* (2001). Plus récemment, Michael Mann tourne son *Miami Vice* (2006) sur les plages brésiliennes, tandis que Bollywood découvre Rio dans *Dhoom 2*, film d'action de Sanjay Gadhavi. ❑

À gauche : image de *Cidade de Deus*, un film qui restitue avec brio la violence des favelas.

TV Globo

En août 2003, le président Lula décrète 3 jours de deuil national pour marquer la disparition de Roberto Marinho – ni grand homme politique, ni même un artiste, mais empereur des médias. Ce Citizen Kane brésilien, l'une des plus grosses fortunes d'Amérique Latine, meurt à 98 ans, au terme d'une carrière couvrant près de 8 décennies, durant laquelle sa chaîne touchera jusqu'à 99,9 % des foyers brésiliens. Marinho était à la tête de la chaîne Globo TV, dont les séries captivent une audience colossale et se revendent comme des petits pains à travers toute la planète. Globo TV, c'est le plus gros producteur de programmes TV au monde et le plus vaste réseau par la superficie. Son audiomat ? Environ 5% de la population télévisuelle mondiale. Une emprise colossale sur son marché intérieur, au point que la chaîne a souvent été perçue comme une menace pour la démocratie du pays et accusée de manquer d'objectivité.

La télévision brésilienne fait une entrée discrète en 1950 avec TV Tupi, première antenne à diffuser en Amérique du Sud. En 1960, les *novelas* quotidiennes de TV Excelsior commencent seulement à toucher la population. Dans les années 1920, le père de Marinho lui a remis les rênes d'*O Globo*, l'un des plus grands journaux de Rio. Vingt ans plus tard, Marinho lance Radio Globo, le premier réseau réellement radiodiffusé à l'échelle nationale. En avril 1965, Marinho renouvelle le défi avec TV Globo.

Marinho n'a ni anticipé, ni perdu de temps. Il accompagne l'avènement de la vidéo, de la transmission satellite et autres révolutions, dont l'introduction de la télévision en couleur, en 1972. Les ventes de téléviseurs explosent avec des événements comme les premiers pas sur la Lune, la Coupe du Monde de football ou les carnavals de Rio.

Marinho sait que la télévision et la radio permettent seules de communiquer avec l'ensemble des Brésiliens, et de capter l'audience espérée par les annonceurs. L'alphabétisation traîne, et la presse écrite restera l'apanage d'une élite. TV Globo sera donc toujours gratuite, et son discours, ses programmes quotidiennement accessibles à toute la population.

Aujourd'hui, plus de 90 % des familles disposent d'un téléviseur, source essentielle, voire unique, d'informations et de loisirs pour beaucoup. La plupart regardent TV Globo et ne s'intéressent guère aux autres chaînes – SBT, Bandeirantes, Record ou Cultura.

Le petit écran s'est taillé une gloire non négligeable à travers ses *novelas* – séries ou sit-coms à la brésilienne. Les plus notoires peuvent hypnotiser la nation tout entière, des avocats dorés sur tranche de São Paulo aux *favelados* déshérités de Manaus. Entre juin 1985 et février 1986, *Roque Santeiro*, parodie de l'establishment et des hommes politiques brésiliens inscrite dans une petite ville de l'intérieur, s'octroie un audimat officiel de 98 %.

Globo a diffusé sa première *novela* authentique, *Véu de Noiva*, en 1969. Aujourd'hui, Globo produit près de 4 500 heures de nouveaux programmes chaque année sur une seule chaîne, dont 3 *novelas* quotidiennes dans le créneau 18h-21h30, ainsi qu'un journal d'informations, le *Jornal Nacional*. Avec une audience dépassant les 40 millions, la publicité génère environ 60 % des recettes.

À DROITE : Marinho en compagnie du président Cardoso en 1999.

Marinho n'avait sans doute pas la formule magique, mais il savait rester en phase avec les goûts et les aspirations de son audience. Selon les critiques, ce serait plutôt TV Globo qui façonne les attentes et les opinions des Brésiliens ; force est pourtant de constater qu'aucune autre chaîne brésilienne – ni même internationale ou câblée – n'a jamais réussi à approcher l'audimat de Globo. Et pour tous ceux, de toutes origines et conditions sociales, qui assistèrent aux funérailles de Marinho en 2003, une époque prenait fin, mais pas son empire. ❑

ARTS ET ARTISTES

Représentés au commencement par des descendants d'immigrants pauvres, les arts brésiliens se sont véritablement épanouis dans les années 1920 et ont évolué vers l'abstraction, au milieu du XXe siècle, avant d'opérer l'heureux mariage de la tradition et des avant-gardes.

Il est difficile de faire entrer l'art contemporain brésilien dans une catégorie particulière. Art international en premier lieu, il ne se définit pas d'emblée comme brésilien. Très subtile, la touche brésilienne existe néanmoins. Pour Ivo Mesquita, critique éminent, une certaine légèreté la caractérise : "Notre capacité à nous auto-parodier nous distingue de la sensibilité dramatique de nos voisins" ; et d'ajouter : "notre capacité à jouer et à nous enthousiasmer pour la nouveauté".

Les artistes brésiliens participent activement aux grandes manifestations internationales. Si beaucoup vont travailler à l'étranger, le Brésil reste une terre d'accueil pour les artistes venus d'ailleurs. "C'est le Brésil qui produit l'art conceptuel le plus riche, le plus vivant et le plus varié", écrit l'historien d'art Edward Lucie Smith, comparant l'avant-garde brésilienne à celle du reste de l'Amérique du Sud. Lorsqu'on parle d'"art spécifique d'un lieu", on entend généralement de grandes sculptures ou installations comme les cascades de rideaux en plastique de Leda Catunda (né en 1962) ; les nattes géantes de Tunga (né en 1952) ; les inquiétantes silhouettes de Regina Silveira (née en 1937), peintes sur des murs et des plafonds ; ou encore les grandes mais minimalistes sculptures de José Resende (né en 1945), dont les formes élégantes prennent vie grâce aux stupéfiantes textures de surface, comme la rouille sur l'acier.

En peinture, citons l'expressionnisme abstrait, le style à la fois dense et émouvant de Jorge Guinle (1947-1987) et de José Roberto Aguillar (né en 1941), les rues chargées d'atmosphère de Gregorio Gruber et l'érotisme d'Ivald Granato. En 1996, Ana Maria Pacheco est la première artiste non européenne accueillie en résidence à la National Gallery de Londres pour développer un art en référence à des œuvres du patrimoine national.

À GAUCHE : tableau naïf d'Ivonaldo.

À DROITE : autre représentant de la peinture naïve, Dila et sa *Praia do Barbosa.*

Naissance du modernisme

Devant la vigueur et l'assurance de l'art brésilien contemporain, on a du mal à imaginer qu'avant le XXe siècle les beaux-arts aient été la proie d'un académisme européen suranné, tel que l'imposait pourtant l'Academia Imperial de Belas Artes de Rio, fondée en 1826. La rébellion naît à São Paulo, qui, au début du XXe siècle, connaît une expansion vertigineuse, alimentée par la fortune des barons du café. Libres par rapport à la tradition, ces "nouveaux riches" engloutissent leur argent dans l'industrie, les monuments et les belles demeures, plaçant São Paulo au faîte des nouvelles tendances culturelles.

La Semaine de l'art moderne, qui se tient à São Paulo en 1922, marquera à ce titre un tournant. Avec le recul, l'événement peut paraître modeste : une exposition au foyer du Théâtre municipal et 3 journées de lectures de poèmes et de conférences. Mais, à compter de ce jour, l'art au Brésil prendra un nouveau départ. L'exposition ouvre la porte à tous les courants en "isme" de l'époque : angles et réfractions du cubisme, stylisme Art déco, futurisme italien et métaphores du symbolisme et du surréalisme. Six ans plus tard, le poète Oswald de Andrade invente le terme *antropofagia* (cannibalisme) pour décrire la façon dont l'art brésilien a commencé à se relier aux tendances internationales. C'est aussi une allusion à la coutume de certaines tribus indiennes de manger leurs ennemis tués au combat, afin de récupérer la force et la bravoure des vaincus. Appliquée à l'art, cette idée a un effet libérateur. Les artistes brésiliens plon-

Les artistes brésiliens d'origine japonaise

La période de l'après-guerre voit l'émergence de l'école menée par Manabu Mabe (1924-1997). Venu au départ travailler dans les champs, Mabe se rend finalement à São Paulo où il ne tarde pas à se faire connaître, tandis que son œuvre devient plus abstraite. Ses formes et ses couleurs étonnantes mêlent l'harmonie de l'Orient à la lumière et aux couleurs du Brésil. Chaque tableau est un enchantement, où le blanc explose avec audace aux côtés de champs de rouges, de bleus et de verts vifs. Plus intellectuelle et géométrique, Tomie Ohtake (née en 1915) travaille avec 2 ou 3 couleurs seulement. Sa carrière commence tard, lorsque sa famille, également employée dans les fermes (comme celle de Mabe et de Portinari), déménage pour São Paulo. Ses décors pour *Madame Butterfly* au théâtre municipal de Rio marquent une étape importante dans la conception de la scénographie latino-américaine.

Son fils Hugo entame sa carrière en peignant des paysages pleins de vigueur expressionniste, réduits au fil du temps à des formes et à des couleurs plus abstraites. Taro Kaneko emprunte une voie similaire. Les montagnes et la baie de Rio, le pic Jaragua de São Paulo sont à peine reconnaissables dans ses huiles intenses et épaisses aux couleurs explosives et inattendues : mers dorées ou rouges, ciels verts ou orangés, montagnes jaunes ou noires.

gent ainsi sans complexe dans le monde des "ismes", la nouveauté est à portée de toile... Deux femmes joueront un rôle essentiel dans la modernisation de l'art brésilien : Anita Malfatti (1889-1964), qui étudie à l'Académie de Berlin auprès de Lovis Corinth, puis à New York, avant de rentrer au Brésil où elle présente en 1917 une exposition totalement révolutionnaire, avec des toiles éclatantes de couleurs et de hardiesses proches des espaces complexes d'un Cézanne. La jeune génération adore, mais Malfatti est éreintée dans la presse.

Tarsila do Amaral (1886-1973) écrit à ses parents en 1923 de Paris, où elle étudie dans l'atelier de Fernand Léger : "En art, je veux être la petite provinciale de São Bernardo, qui joue avec des poupées de paille." Elle atteindra son objectif grâce à un style unique, simple, qu'elle doit à son regard d'enfant resté intact. En 1998, après une rétrospective organisée à São Paulo, elle se classe parmi les plus grands peintres brésiliens du XXe siècle.

Emiliano Di Cavalcanti (1897-1976), peintre et dessinateur prolifique, travaille à Paris comme correspondant d'un journal brésilien. Il fréquente les cubistes : Picasso, Léger et Braque. De retour au Brésil, il passera les 50 années suivantes à réaliser des portraits de femmes *mulatas* (mulâtres) en travaillant toutes sortes de styles, notamment une forme particulière de cubisme décoratif.

En Europe, le mouvement Art déco influence directement 2 autres stylistes : le sculpteur d'origine italienne Vitor Brecheret (1891-1957) et Vicente do Rego Monteiro (1899-1970). L'impressionnant *Monument aux Bandeirantes* (pionniers) du premier, dans le parc Ibirapuera de São Paulo, impressionne par son gigantisme. Les tableaux de Monteiro illustrent souvent des scènes bibliques ou indigènes et font penser à des bas-reliefs égyptiens. José Pancetti (1904-1958), le plus aimé sans doute des impressionnistes brésiliens, est un ancien marin atteint de tuberculose, qui transmet ses états d'âme au travers de paysages et de marines mélancoliques, loin de la réalité colorée qui l'entoure.

Portinari

Cândido Portinari (1903-1962) est le Diego Rivera du Brésil. Sa fresque *Guerre et Paix* est exposée dans le bâtiment des Nations unies à New York et sa toile intitulée *Découverte et Colonisation* orne la bibliothèque du Congrès à Washington. Cependant, contrairement à Rivera, il ne deviendra jamais une figure tutélaire dans ce domaine. Atteint d'un cancer provoqué par

À GAUCHE : fresque de Portinari dans la Capela de São Francisco, Pampulha. **CI-DESSUS :** la vie rurale est souvent représentée dans l'œuvre de Portinari.

la toxicité des peintures qu'il utilise, il mourra relativement jeune. Né dans une famille pauvre d'immigrants italiens venus travailler dans les plantations de café de São Paulo, Portinari fait preuve d'une profonde empathie avec les travailleurs pauvres et sans éducation du Brésil, qu'il représente toujours avec des pieds et des mains démesurés. Dans sa jeunesse, il rejoint le Parti communiste brésilien. Plus tard, il peindra une série de *retirantes* – paysans chassés de leurs terres par les dettes et la sécheresse. L'influence de Portinari est telle que son style prend le nom de "portinarisme". Parmi ses adeptes, mentionnons Orlando Teruz (1902-1984), Thomaz Santa Rosa (1909-1956) et Proença Sigaud (1899-1979).

Carlos Scliar peint un certain temps à la manière de Portinari, illustrant les conditions de vie des paysans du Rio Grande do Sul. Peu à peu, l'aspect social cède la place à des études purement formelles. Son œuvre la plus célèbre représente une théière dans les tons pastel, avec une perspective écrasée et un usage minimaliste de l'ombre et de la lumière.

Par contraste, les paysages champêtres d'Orlando Terluz (1902-1984) arborent des bruns profonds de terreau et des personnages pleins de béatitude et d'innocence. Fulvio Pennacchi s'attache lui aussi à décrire les joies de la campagne, peignant les fêtes paroissiales et les kermesses. Ses immigrants ressemblent à de joyeuses familles en pèlerinage et ses villages reflètent parfois ceux de sa Toscane natale. Autre émigré toscan, Alfredo Volpi (1896- 1988) entame sa carrière en peignant des scènes de campagne, comme des fêtes religieuses ; dans les années 1950, son travail s'oriente sur un seul thème : les fanions colorés des fêtes paroissiales, si bien qu'il devient le "peintre des fanions". Volpi affirmait que la couleur était ce qui l'intéressait avant tout. Son œuvre sera abondamment reproduite en sérigraphies.

L'inspiration de Manet

Selon la légende, c'est dans la baie de Guanabara qu'est né l'impressionnisme. En 1849, en effet, Édouard Manet, alors âgé de 16 ans, a tout loisir de contempler l'exceptionnelle qualité de la lumière brésilienne lorsqu'il passe 3 mois à bord d'une frégate française amarrée dans le port de Rio de Janeiro. Ce père de l'impressionnisme et de l'art moderne, auteur de scènes pleines de vie et de couleurs, souvent inspiré par les Espagnols du Siècle d'or, écrira plus tard : "J'ai beaucoup appris au Brésil, où j'ai passé des nuits entières à observer le jeu de l'ombre et de la lumière dans le sillage du navire. La journée, sur le pont, je gardais les yeux fixés sur l'horizon. C'est là que j'ai appris à peindre les ciels."

Naissance de l'art abstrait

À la fin de la Seconde Guerre mondiale, le Brésil traverse une période de grande prospérité. Le musée d'Art moderne de São Paulo sera construit en 1948, celui de Rio ouvre ses portes en 1949 et, en 1951, le vaste pavillon de la Biennale, bâti sur des plans d'Oscar Niemeyer, en plein centre du parc Ibirapuera, à São Paulo, accueille la première Biennale. Dès lors, tous les 2 ans, de septembre à décembre, la Biennale proposera des centaines d'expositions. Au début, ce sont les œuvres étrangères qui attirent le plus l'attention : le *Guernica* de Picasso, les triptyques de Francis Bacon et les immenses toiles des peintres expressionnistes abstraits venus des États-Unis. Aujourd'hui, la proportion s'équilibre.

Avec la Biennale s'ouvre une période dévolue à l'art abstrait. La rivalité entre São Paulo et Rio bat son plein : la première favorise un courant artistique axé sur la couleur et la forme tandis qu'à Rio, le groupe qui se surnomme lui-même "les néo-concrets", s'autorise certaines associations symboliques avec la réalité.

Ligia Clarke (1920-1988) et Hélio Oiticica (1937-1980), des Cariocas, font partie des sculpteurs abstraits les plus influents. Clarke est l'auteur d'une série de motifs en caoutchouc manipulables par le spectateur. L'œuvre d'Oiticica fait penser aux accessoires de carnaval.

Le Bahianais Rubem Valentim (1922-1992) utilise des symboles du rituel *candomblé* afro-brésilien pour créer d'exubérantes toiles, aux motifs géométriques d'une intensité envoûtante.

Les régions

Alors que São Paulo et Rio monopolisent le commerce d'art et les grandes expositions internationales, de nombreux artistes restent enracinés dans leur région. Même si elle se rétrécit, il existe une classe de paysans artistes n'ayant bénéficié d'aucune formation, d'où émerge parfois un véritable génie.

Le Minas Gerais engendre des potiers et des graveurs sur bois très créatifs, comme Maurino Araújo, souvent comparé au plus grand sculpteur brésilien, l'Aleijadinho. Ses sujets de prédilection sont les anges, archanges et chérubins myopes, borgnes et tordus. Originaire de la même région, Geraldo Teles de Oliveira, ou GTO (1913-1990), réalise des sculptures sur bois qui font penser à des mandalas. À Goiás, près de Brasília, Siron Franco peint des animaux sauvages aux couleurs éclatantes, porteurs d'une énergie magique. Serpents et *capivara* – rongeur de la région au museau rond – font partie de ses sujets préférés. Ses visages humains et ses têtes d'animaux présentent tous des rides marquées, blanches ou fluorescentes, autour des yeux. Quand le père de Siron perdit sa terre, désespéré, il s'allongea sur le sol et fixa le soleil jusqu'à devenir aveugle.

Dans les années 1960 et 1970, Brasília attire des artistes venus achever la décoration de la somptueuse architecture de Niemeyer. Les météores de Bruno Giorgi ornent le lac du palais Itamarati. Les bronzes de Ceschiatti, représentant deux femmes assises se peignant, trônent dans le bassin du palais présidentiel, un mobile composé d'anges est suspendu à la voûte élancée de la cathédrale, encadré par les colonnes en forme de boomerang dessinées par Niemeyer.

Recife est bien représentée par João Camara, qui capte l'attention avec ses personnages aux membres torturés et distordus dans Une confession, œuvre de protestation contre la répression militaire au début des années 1970.

Dans la ville voisine d'Olinda, le dessinateur Gilvan Samico s'inspire des gravures sur bois de la *Literatura de cordel* (livres de colportage), illustrant les ballades sur Charlemagne et des

À GAUCHE : *Equador N° 2* (1973) de Manabu Mabe.
CI-DESSUS : *Tabõa na lagoa* d'Ana Maria Dias.

légendes locales comme celles du charismatique Padre Cícero ou des célèbres bandits Lampião et Maria Bonita. Les musées s'arrachent les œuvres de Samico, bien supérieures à celles, plus folkloriques, des graveurs sur bois du Nordeste.

Originaire du Ceará, Aldemir Martins peint la flore et la faune de son pays natal. Il affectionne particulièrement les fruits exotiques – *jenipapo* (jaque), *jabuticaba* (noix de cajou) et *maracujá* (fruits de la passion), tous ridés.

Au sommet de l'art bahianais, les sculptures de Mário Cravo Junior, expérimentant le bois et la résine de polyester pigmentée pour des créations comme *Germination I*, *II* et *III*. Son fils, Mário Cravo, crée des formes ridées à partir de résine de polyester et de fibre de verre.

Quant au Rio Grande do Sul, il est célèbre pour ses sculpteurs, notamment Vasco Prado, fasciné par les juments pleines. Les guerriers en bronze et autres métaux de Francisco Stockinger ont un air inquiétant, avec leurs visages et leurs membres à peine suggérés.

Carton et point brésilien

La Franco-américaine, Madeleine Colaço (1907-2001), née à Tanger, a inventé un point de broderie appelé "Point brésilien", déposé au Centre International de la Tapisserie ancienne et moderne de Lausanne. Si Madeleine – et sa fille Concessa – ont réalisé des ouvrages illustrant des motifs floraux et animaliers au point brésilien, le peintre français Jacques Douchez et le Paulistano Norberto Nicola ont, quant à eux, travaillé des dessins abstraits en en utilisant des matériaux non tissés dont des fibres de plantes endémiques. Cette nouvelle technique a fait évoluer la tapisserie brésilienne.

Dans le monde de la photographie, Sebastião Salgado, Brésilien vivant à Paris et travaillant pour l'agence Magnum, a une place à part. Il se fait connaître à la fin des années 1970 avec ses photographies de la Serra Pelada, gigantesque mine d'or amazonienne à ciel ouvert. Qu'il immortalise les mineurs dans les mines d'étain boliviennes, les ouvriers de la vallée de la Ruhr ou encore les foules aux matchs de football, Salgado pose sur le monde un regard plein de compassion.

Le naïf sophistiqué

Pendant des dizaines d'années, les critiques d'art brésiliens ont débattu sur la question de savoir si l'art primitif ou naïf pouvait être qualifié d'art. Tôt ou tard, il faudra bien admettre qu'il s'agit non seulement d'un art mais d'un art à son apogée. En effet, par la variété de ses thèmes, de ses styles et de ses techniques, l'art naïf brésilien est devenu au fil du temps extrêmement sophistiqué.

Rodolfo Tamanini (né en 1951), dont les tableaux sont exposés à la Bourse de São Paulo, associe une technique d'art naïf à la réalité contemporaine. Ses sujets englobent des paysages urbains, des immeubles où chaque balcon est le théâtre d'une scène, ou des panoramas de la forêt vierge avec le ciel et la mer. Très différent, Ernani Pavanelli (né en 1942), ancien analyste informatique, s'est spécialisé dans la représentation nostalgique d'une époque révolue, peuplée de couples et de familles solennellement vêtus, peints dans le style pointilliste de Seurat.

Ivonaldo (né en 1943) affiche des couleurs fortes et un humour désabusé, que ce soit pour ses paysans (et ses animaux) aux yeux vivants et expressifs, ses baigneuses en bikini, ses récoltants de canne à sucre à l'air las, ses amoureux timides. Dila (né en 1939), originaire de Maranhão, peint des scènes détaillées de la vie de l'arrière-pays, des marchés où les personnages marchandent au-dessus des piles de fruits.

Isabel de Jesus (née en 1938), ancienne religieuse, est reconnue pour ses gouaches délicates retraçant des fantaisies oniriques. Les turquoises, violets, jaunes et rouges foncés de sa palette se fondent dans de délicats dessins enfantins de chats, de chiens, de poissons, de chevaux, de loups, d'étoiles, etc.

De nombreux peintres naïfs se focalisent plus sur la végétation que sur les personnages. Francisco Severino reproduit les paysages de son Minas Gerais avec la précision d'un botaniste. Le pêcheur Ferreira et Edivaldo, artiste auparavant plus commercial, créent des marines et des paysages de rivières foisonnants dans lesquels les personnages apparaissent tout petits par rapport à leur environnement.

Un musée d'art naïf

La plus belle collection d'art naïf du Brésil – et peut-être du monde – se trouve dans les salles du Museu Internacional do Brasil à Rio de Janeiro, près de la gare du funiculaire de Corcovado. Avec ses quelque 8 000 œuvres, en provenance de tout le Brésil et de quelques autres pays, elle est aussi la plus grande au monde. Dès l'entrée, vous serez frappé par une très large toile (4 m x 7 m), réalisée par Lia Mittarakis. Son titre, *Rio de Janeiro, I Like You, I Like Your Happy People*, reprend une phrase de la valse favorite des Cariocas. Une autre citation attirera votre œil : "L'imagination est plus importante que le savoir". Cette déclaration d'Albert Einstein résume parfaitement bien le concept de l'art naïf.

Autre œuvre incontournable, le *Five Centuries of Brazil*, d'Aparecida Azedo. Les faits historiques et les temps forts du pays sont dépeints avec simplicité. Pour l'apprécier dans sa globalité – la toile mesure 1,40 m par 24 m –, rendez-vous sur la mezzanine où les cartouches explicatifs sont placés sur la rambarde. ❑

À GAUCHE : l'œuvre tourmentée d'Ana Maria Pacheco
CI-DESSUS : ce sont ses incroyables clichés de la Serra Pelada qui ont fait de Salgado un artiste international.

SEBASTIÃO SALGADO

Le photographe brésilien Sebastião Salgado est inclassable. Il commence sa carrière dans les années 1970 en photographiant les ouvriers de la Sierra Pelada, une mine d'or à ciel ouvert située à 270 km au sud de l'embouchure de l'Amazone. Ce reportage réalisé en 1986 le fait connaître du monde entier. Qu'il choisisse de photographier les mineurs de fer en Bolivie, les métallurgistes de la Ruhr ou la foule aux matches de foot, le regard de Salgado est toujours altruiste. Nommé Représentant spécial de l'Unicef en avril 2001, il consacre son temps à chroniquer les opprimés et les dépossédés. La superbe exposition *Migrations*, une série de photos qui relatent le sort de milliers de migrants et de réfugiés, fut publiée en 2000.

Architecture moderne

Une poignée d'architectes visionnaires a su propulser le Brésil dans une éblouissante modernité, reconnue dans le monde entier. Capitale créée de toutes pièces par un président ambitieux, Brasilia demeure leur plus belle réussite.

Un petit groupe d'architectes, tous nés dans les premières années du xxe siècle, crée une esthétique nouvelle, "tropicale", qui s'imposera comme une tendance majeure de la modernité : l'urbaniste Lúcio Costa, radical précurseur du modernisme au Brésil, le magicien du paysage lyrique Roberto Burle Marx, et le marmoréen Oscar Niemeyer vont transformer les grandes villes brésiliennes à travers des dizaines de réalisations audacieuses. Oscar Niemeyer déploiera son talent à l'étranger également – Siège du Parti Communiste à Paris (1980), Maison de la Culture du Havre (1982), Université de Constantine (1977), Siège de l'ONU à New York (1952, avec Le Corbusier) ou Serpentine Gallery Pavilion de Londres (2003). Quant à Burle Marx, il oxygène les capitales, du Venezuela au Japon, et à sa mort, lègue au Brésil sa résidence de Rio.

Ces 3 talents conjugués atteignent leur apothéose à Brasília, l'étincelante capitale fondée en 1960, mais les premières graines de l'architecture moderne brésilienne ont été semées dès 1931 par le légendaire architecte franco-suisse Le Corbusier, invité à Rio pour y donner une série de conférences sur le fonctionnalisme.

L'influence de Le Corbusier

Simplicité de la ligne, économie des matériaux, espaces dégagés – ces fondamentaux de Le Corbusier font leur apparition au Brésil avec le Palácio Capanema (Ministère de l'Éducation) de Rio de Janeiro construit en 1937-1945 par une équipe comprenant Costa, Niemeyer et Burle Marx, qui en conçoit l'immense esplanade. Le bâtiment présente un patio réalisé par l'élévation de la structure principale sur des pilotis en béton de 9 m de haut. À l'intérieur, rien ne vient obstruer les volumes, pour une flexibilité maximum. La taille des ouvertures a été presque doublée, renforçant la sensation d'espace et exploitant la vue sur la magnifique baie de Guanabara.

Dans les années 1940, Juscelino Kubitschek, alors maire de Belo Horizonte, rassemble la même équipe pour créer un parc dans sa ville. Burle Marx imagine un vaste espace de loisirs autour d'un lac artificiel, et dans ce paysage vont s'inscrire naturellement plusieurs bâtiments publics , notamment un musée d'art, un pavillon de la danse, et la Capela de São Francisco dont Cândido Portinari (*voir p. 117*) réalise les fresques éclatantes.

Fasciné par la plasticité du béton, Niemeyer inaugure à Pampulha une série de réalisations gracieuses, tout en courbes, vagues et rampes. Ses constructions basses, adaptées au climat subtropical, intègrent de vastes patios en rez-de-chaussée et des esplanades où l'air circule librement. Avec une imparable évidence, ces structures aériennes semblent flotter au-dessus des pelouses, des frondaisons et des eaux bleues du lac. Kubitschek est ravi, la critique applaudit.

Brasília

Devenu président du Brésil, Kubitschek réunit l'équipe de Pampulha pour un projet encore plus audacieux, sa vision personnelle : une nouvelle capitale pour le pays (*voir p. 301*). Un concours international doit sélectionner le meilleur plan d'urbanisme. Mais Burle Marx confiera plus tard : "Tout le monde savait à l'avance qui allait l'emporter."

Le projet de Costa se résume à quelques croquis griffonnés sur un carnet. Peu importe, les jeux sont déjà faits, et Kubitschek engage personnellement Niemeyer pour la conception des principaux bâtiments publics.

La capitale nouvelle marque la dernière étape de Niemeyer vers une ligne austère et une construction dépouillée. Les éblouissantes parois blanches des grands édifices de la Praça dos Tres Poderes reproduisent la texture des nuages qui flottent plus haut, également reflétés par de vastes étendues vitrées. La ville et le ciel ne font plus qu'un. "Je cherchais des formes qui caractérisent chaque bâtiment, en leur donnant de la légèreté, comme s'ils étaient à peine attachés au sol.", expliquera Niemeyer.

Burle Marx est mort en 1994, Costa en 1998, mais Niemeyer, aujourd'hui centenaire, continue à travailler. Parmi ses dernières réalisations, le gigantesque Sambódromo de Rio et le fabuleux Museo de Arte Contemporáneo Niterói.

En 1988, il reçoit le Pritzker Price, le plus prestigieux trophée d'architecture au monde, avec cet hommage du jury : "À certains moments de l'histoire d'une nation, un individu capte l'essence de sa culture et lui donne forme. Il peut s'agir de musique, de peinture, de sculpture ou de littérature. Au Brésil, Oscar Niemeyer a capté cette essence avec son architecture."

Communiste tout au long de sa vie, Niemeyer a souvent dû faire face aux pires difficultés, mais il est toujours resté fidèle à lui-même, écrivant dans ses mémoires, Les Courbes du Temps (1999) : "J'ai créé avec courage et idéalisme, mais sans oublier que ce qui importe, c'est la vie, les amis, et d'essayer de rendre plus accueillant ce monde injuste." ❑

À GAUCHE : Oscar Niemeyer, le plus grand nom de l'architecture brésilienne, n'étant pas homme de compromis, il ne s'est jamais écarté de ses rêves.
CI-DESSUS : son Congresso Nacional à Brasília.

CASA DE COUROS

RIO DE JANEIRO

Itinéraires

Ces pages vous proposent une visite détaillée du Brésil. Sur les cartes, des repères représentés par des chiffres ou des lettres vous permettent de localiser facilement les principaux sites.

Même un voyage d'un an ne suffirait pas à faire le tour des merveilles offertes par le Brésil, pays aux dimensions d'un continent. Si vous êtes en quête d'eaux tièdes, de sables blancs et de paysages tropicaux, la plus longue côte et l'une des plus belles du monde risque de vous retenir longtemps. Sur une étendue dont un dixième à peine pourrait contenir toutes les plages de France, les criques solitaires frangées de palmiers entrecoupent des kilomètres de dunes. Chaque Brésilien a sa plage préférée, qu'il la vante jusqu'à plus soif ou la tienne jalousement secrète.

Au nord et au nord-est, les capitales d'état déploient leur superbe architecture coloniale, souvent reflétée par les flots. Et rien de tel que Salvador ou Recife pour combiner plage et histoire. Une culture particulièrement riche et vivante s'est notamment développée à Salvador, entre influences portugaises et africaines.

Les plages continuent de s'enchaîner, toujours aussi belles, jusqu'à la reine des Amériques, Rio de Janeiro. Mais Rio ne se résume pas à la somme de ses plages. Elle brille tout autant par ses panoramas spectaculaires, entre mer et montagnes, sa samba, son carnaval, et son atmosphère insouciante. Sa grande rivale São Paulo, en revanche, excelle surtout par son dynamisme industriel et financier, tandis que son brassage de nationalités en fait la version brésilienne de New York. À mesure que vous descendez au sud, les cultures européennes gagnent du terrain, notamment dans les États du Paraná, de Santa Catarina et du Rio Grande do Sul, où les colons italiens, allemands et polonais ont laissé leur empreinte.

À ceux qui consentent à délaisser la douceur de ses plages, le Brésil propose quelques-unes des plus impressionnantes merveilles naturelles de la planète. La forêt tropicale d'Amazonie recouvre un tiers du territoire, tandis que les eaux du Pantanal offrent leur sanctuaire à une faune unique. Plus au sud, les colossales chutes de l'Iguaçu vous ramènent aux origines du monde. ❑

Pages précédentes : Salvador, capitale de l'État de Bahia ; couvrez-vous la tête sur la plage d'Ipanema ; Rio de Janeiro by night rayonne encore...

À gauche : la plage de Jabaquara, Ilhabela.

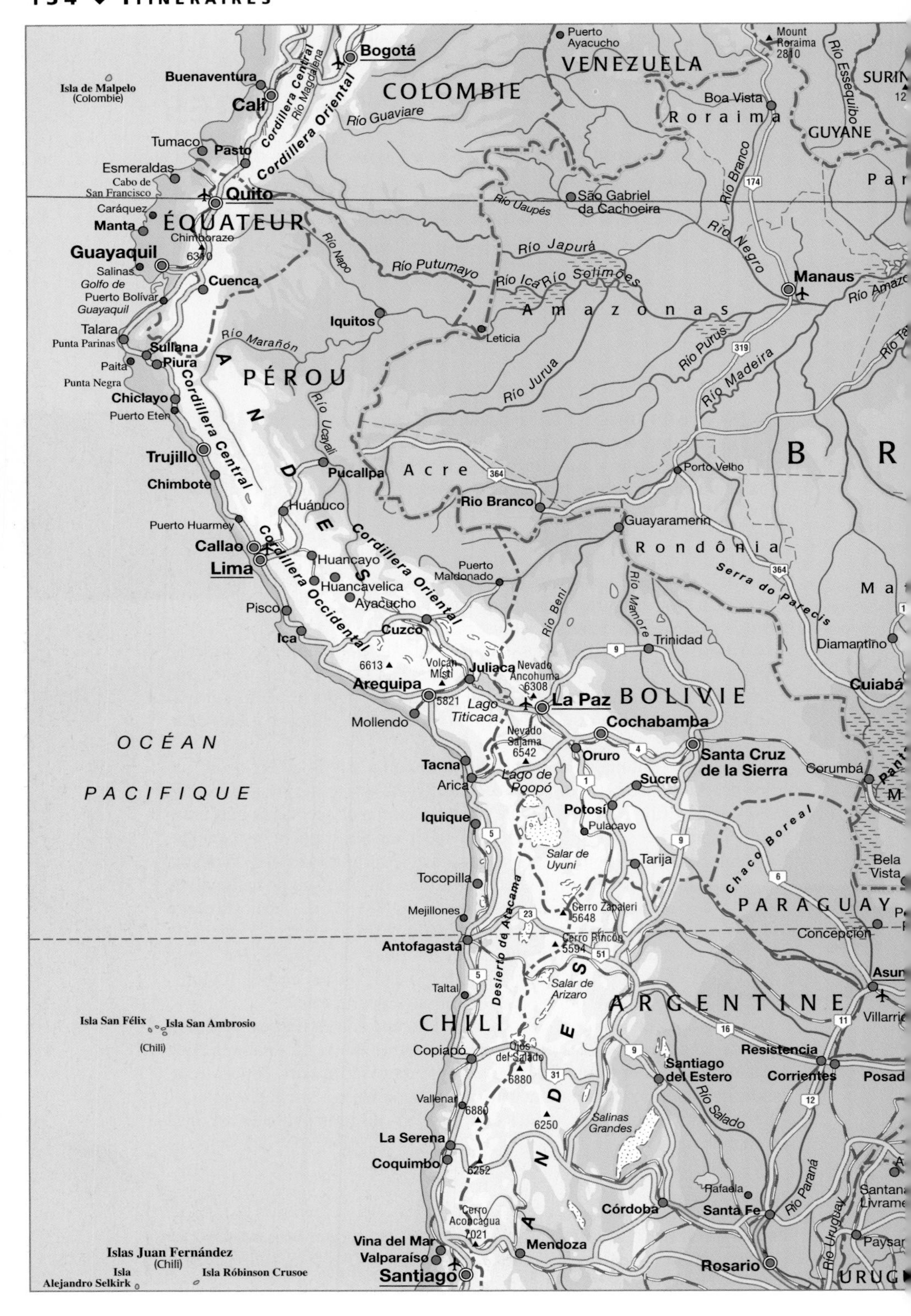
COLOMBIE
VENEZUELA
GUYANE
ÉQUATEUR
PÉROU
BOLIVIE
PARAGUAY
ARGENTINE
CHILI
OCÉAN
PACIFIQUE
A N D E S
Bogotá
Cali
Buenaventura
Isla de Malpelo
(Colombie)
Cordillera Central
Río Magdalena
Cordillera Oriental
Río Guaviare
Puerto
Ayacucho
Mount
Roraima
2810
Río Esequibo
Boa Vista
Roraima
Río Branco
Tumaco
Pasto
Esmeraldas
Cabo de
San Francisco
Quito
Caráquez
Manta
Chimborazo
6310
Guayaquil
Salinas
Golfo de
Puerto Bolívar
Guayaquil
Cuenca
Río Napo
Río Uaupés
São Gabriel
da Cachoeira
Río Negro
Río Japurá
Río Putumayo
Río Içá
Río Solimões
Manaus
Amazonas
Iquitos
Leticia
Talara
Punta Parinas
Sullana
Piura
Paita
Punta Negra
Río Marañón
Río Purus
Río Madeira
Río Jurua
Chiclayo
Puerto Eten
Cordillera Central
Río Ucayali
Trujillo
Chimbote
Pucallpa
Acre
Porto Velho
Rio Branco
Huánuco
Puerto Huarmey
Guayaramerin
Rondônia
Callao
Lima
Cordillera Occidental
Huancayo
Huancavelica
Ayacucho
Cordillera Oriental
Puerto
Maldonado
Serra do Parecis
Pisco
Ica
Cuzco
Río Beni
Río Mamoré
Trinidad
Diamantino
6613
Volcán
Misti
Juliaca
Nevado
Ancohuma
6308
Arequipa
5821
Lago
Titicaca
La Paz
Cuiabá
Mollendo
Cochabamba
Nevado
Sajama
6542
Oruro
Santa Cruz
de la Sierra
Corumbá
Tacna
Arica
Lago de
Poopó
Sucre
Potosí
Iquique
Pulacayo
Chaco Boreal
Salar de
Uyuni
Tarija
Bela
Vista
Tocopilla
Desierto de Atacama
Mejillones
Cerro Zapaleri
5648
Concepción
Antofagasta
Cerro Rincón
5594
Salar de
Arizaro
Taltal
Isla San Félix
Isla San Ambrosio
(Chili)
Copiapó
Ojos
del Salado
6880
Resistencia
Santiago
del Estero
Corrientes
Vallenar
6880
Río Salado
Salinas
Grandes
6250
La Serena
Coquimbo
6252
Rafaela
Río Paraná
Río Uruguay
Cerro
Aconcagua
7021
Córdoba
Santa Fe
Vina del Mar
Valparaíso
Mendoza
Islas Juan Fernández
(Chili)
Isla
Alejandro Selkirk
Isla Róbinson Crusoe
Santiago
Rosario

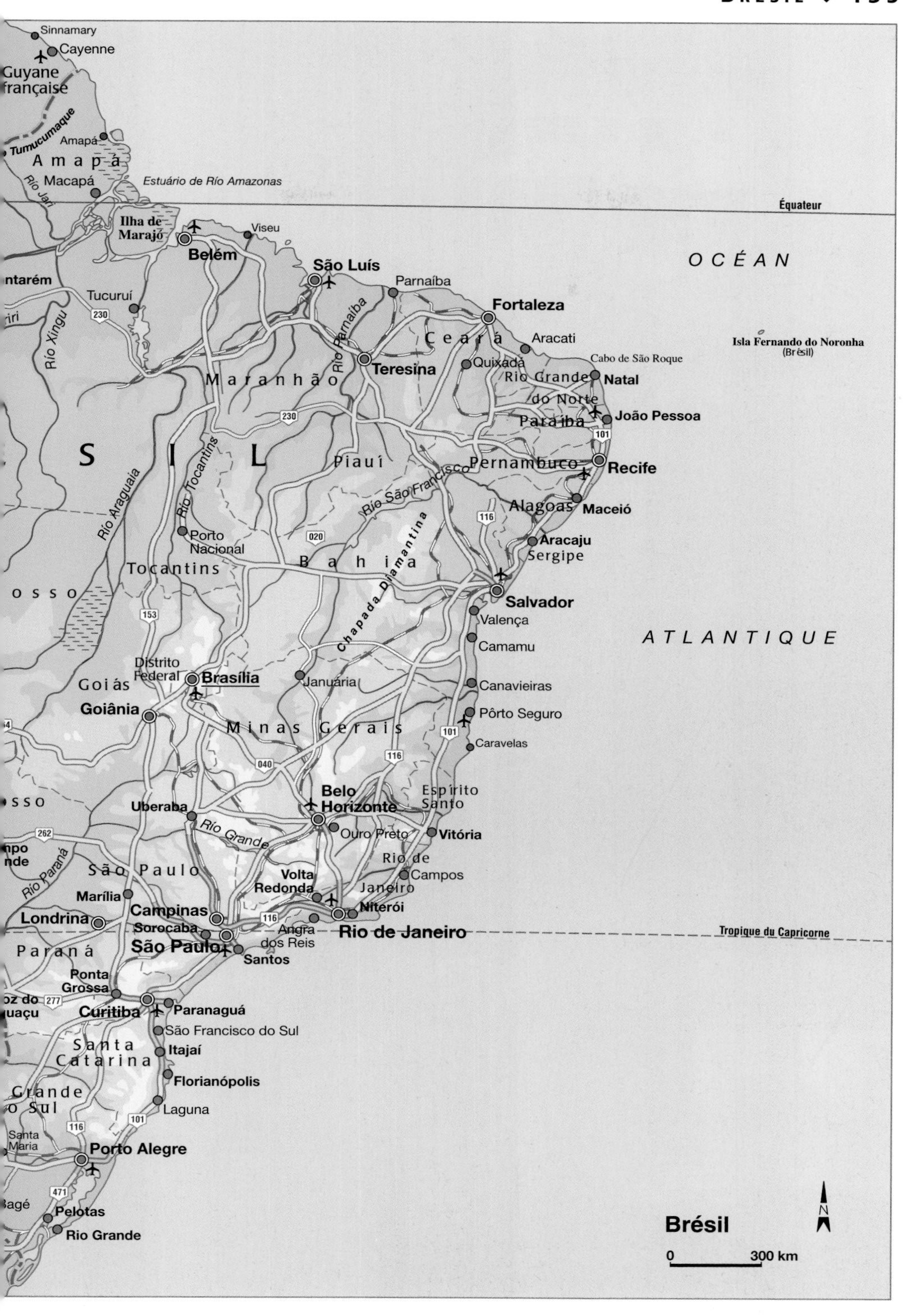
Sinnamary
Cayenne
Guyane française
Tumucumaque
Amapá
Amapá
Macapá
Río Jari
Estuário de Río Amazonas
Équateur
Ilha de Marajó
Viseu
Belém
São Luís
Parnaíba
Fortaleza
OCÉAN
Tucuruí
Río Xingu
Río Parnaíba
Ceará
Aracati
Isla Fernando do Noronha
(Brésil)
Quixadá
Cabo de São Roque
Teresina
Maranhão
Rio Grande do Norte
Natal
Paraíba
João Pessoa
S I L
Piauí
Pernambuco
Recife
Río Tocantins
Río Araguaia
Río São Francisco
Alagoas
Maceió
Chapada Diamantina
Porto Nacional
Aracaju
Sergipe
Tocantins
Bahia
Salvador
Valença
Camamu
ATLANTIQUE
Distrito Federal
Brasília
Goiás
Goiânia
Januária
Canavieiras
Pôrto Seguro
Minas Gerais
Caravelas
Belo Horizonte
Espírito Santo
Uberaba
Río Grande
Ouro Preto
Vitória
Río Paraná
São Paulo
Rio de Janeiro
Campos
Volta Redonda
Marília
Niterói
Campinas
Londrina
Sorocaba
Angra dos Reis
Rio de Janeiro
Tropique du Capricorne
Paraná
São Paulo
Santos
Ponta Grossa
Curitiba
Paranaguá
São Francisco do Sul
Santa Catarina
Itajaí
Florianópolis
Laguna
Santa Maria
Porto Alegre
Pelotas
Rio Grande
Brésil
0 300 km
N

LE SUD-EST

Bien des richesses comblent cette région, le sable de ses plages, les lumières de Rio, les banques de São Paulo et les perles baroques du Minas Gerais.

Relativement peu étendue à l'échelle du Brésil, cette région héberge les deux plus grandes métropoles du Brésil : infrastructures, services et tourisme ont ici des années-lumière d'avance sur le reste du pays. Ceci expliquant cela, et sans oublier l'attrait du soleil et de la mer, le Sud-Est est la première destination touristique du pays.

Générant des richesses et un niveau de vie à l'européenne pour une certaine frange de la population, l'industrie locale s'est implantée à l'intérieur d'un triangle formé par trois capitales, qui sont également les trois villes les plus peuplées du pays : Rio de Janeiro, São Paulo et Belo Horizonte.

Parallèlement à la réussite industrielle de São Paulo, l'agriculture (des plantations de café aux grands ranchs à bétail) continue de jouer un rôle prépondérant dans l'économie locale. La canne à sucre a enrichi la région dès le XVIe siècle, suivie par l'or et les diamants du Minas Gerais, le café de l'État de Rio (et la finance dans l'ancienne capitale du pays), puis plus récemment par le soja. De nos jours, les mines du Minas Gerais produisent principalement du fer, alimentant l'industrie locale de l'acier et garantissant au port de Vitória le premier rang mondial des exportateurs de ce minerai. La région détient également des records moins enviables en matière de pollution et d'inégalités sociales.

Le voyageur, lui, s'intéressera avant tout aux deux principaux atouts du Sud-Ouest : des centaines de plages superbes, que la ville de Rio combine avec une vie nocturne fascinante – tandis que de luxuriantes forêts couvrent les montagnes à l'arrière-plan. Ceux qui se passionnent pour l'histoire et l'aventure des pionniers se tourneront vers les richesses culturelles du Minas Gerais. Quant à ses villes coloniales, elles recèlent quelques-uns des plus fabuleux trésors architecturaux du baroque brésilien, héritage légué par les propriétaires de trésors plus matériels : les mines. ❑

À GAUCHE : enfilade de maisonnettes colorées mais délabrées à Santa Teresa, Rio de Janeiro.

Rio de Janeiro
Baía de Guanabara
Ilha de Paquetá, Niterói
São Cristóvão
Gamboa
Centro
Santa Teresa
Glória
Catete
Flamengo
Laranjeiras
Parque Nacional da Tijuca
Corcovado
Cristo Redentor (Christ le Rédempteur)
Botafogo
Pão de Açúcar (Pain de Sucre)
Leme
Copacabana
Lagoa Rodrigo de Freitas
Ipanema
Leblon
Arpoador
Gávea
Vidigal
Océan Atlantique
Aeroporto Santos Dumont
Estádio Maracanã
Museu Nacional
Jardim Zoológico
Jardim Botânico
Jóquei Clube
Praia de Copacabana
Praia de Ipanema
Praia de Leblon
Praia do Vidigal
page 153
Hospital Ipase
Praça Mauá
São Francisco da Prainha
Palácio Episcopal
Cidade do Samba
Palácio Itamaraty
Palácio Duque de Caixas
Praça Cristiano Otoni
Estação Dom Pedro II
Central
Presidente Vargas
Uruguaiana
Centro
Santa Efigênia
São Benedito
Museu Negro
Casa de Deodoro
Campo de Santana
Arquivo Nacional
Igreja da Ordem Terceira de São Francisco de Paula
Teatro Caetano
Praça Tiradentes
Igreja São Francisco da Penitência
Catedral Metropolitana
Praça Cruz Vermelha
Sambódromo
Nossa Senhora de Fatima
Túnel Martins da Sá
Arcos da Lapa
Igreja e Convento de Santa Teresa
Estação do Bonde
Fátima
Museu Chácara do Céu
Parque das Ruínas
Santa Teresa
Museu Casa de Benjamin Constant
Catumbi
Lg. do Catumbi
Museu do Bonde
Lg. do Guimarães
Santa Teresa de Jesus
Corcovado
Quinta da Boa Vista (Museu Nacional)
Avenida Presidente Vargas
Av. Marechal Floriano
Rua Camerino
Rua Senador Pompeu
Rua Sacadura Cabral
Av. Venezuela
Rua da Constituição
Rua Visconde do Rio Branco
Av. Mem de Sá
Rua Frei Caneca
Rua do Riachuelo
Av. Henrique Valdares
Rua Carlos Sampaio
Rua 20 de Abril
Avenida de Marco
Rua Marquês de Pombal
Rua de Santana
Rua Marquês de Sapucaí
Av. Salvador Sá
Rua Catumbi
Rua dos Coqueiros
Rua Itapiru
Rua Dr. Agra
Rua Navarro
Rua Tanimbu
Rua Miguel
Rua Padre Miguelino
R. do Oriente
R. Monte Alegre
Rua Almirante Alexandrino
Rua Áurea
Rua Francisca de Andrade
Av. N.S. de Fatima
R. Murtinho Nobre
Rua Dias de Barros
Rua Joaquim Murtinho
Av. República do Paraguai
Rua do Lavradio
Rua da Relação
Rua Buenos Aires
Praça da República
Passos

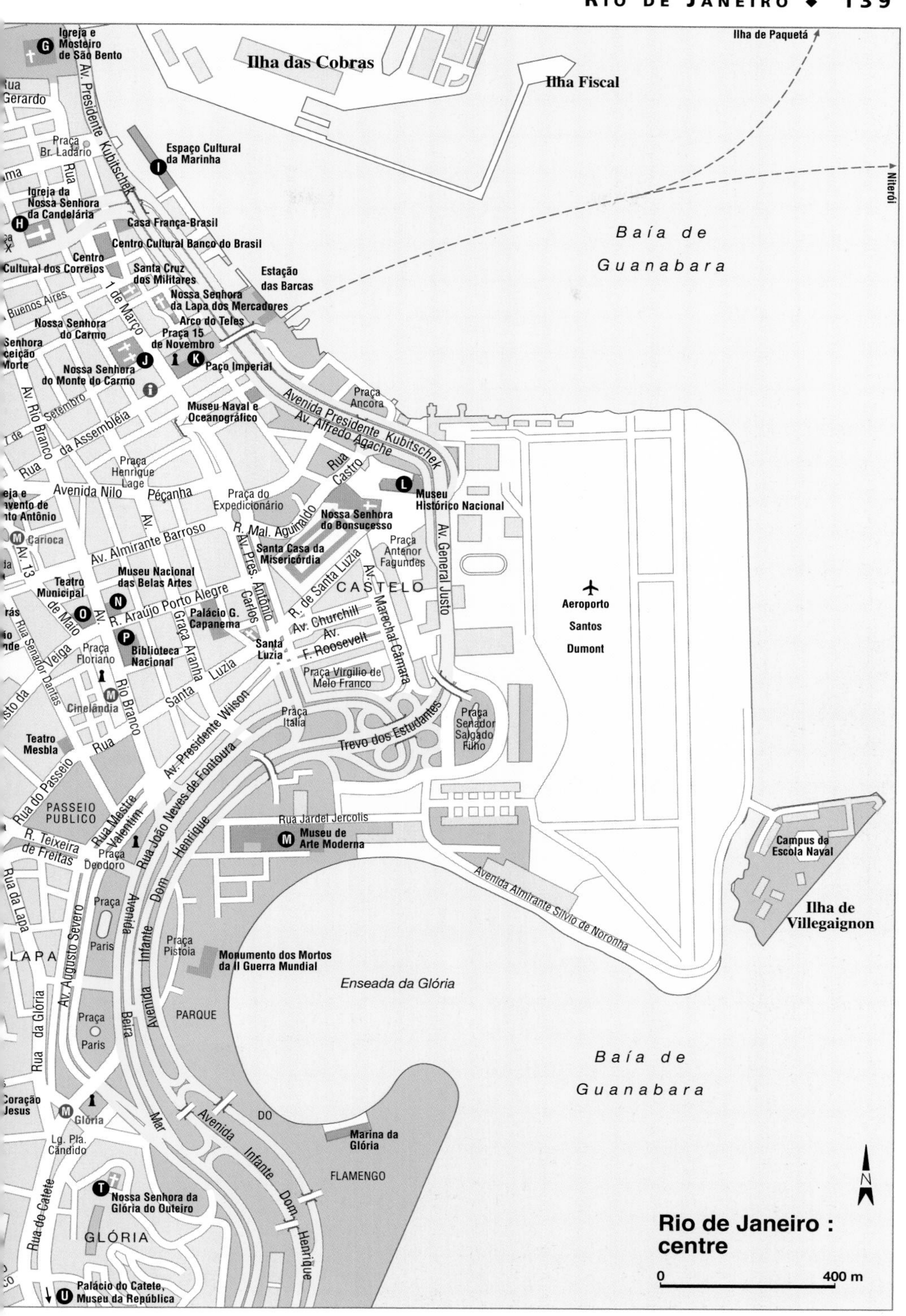
Rio de Janeiro : centre
0
400 m
N
Ilha das Cobras
Ilha Fiscal
Ilha de Paquetá
Niterói
Baía de Guanabara
Igreja e Mosteiro de São Bento
Av. Presidente Kubitschek
Praça Br. Ladário
Espaço Cultural da Marinha
Igreja da Nossa Senhora da Candelária
Casa França-Brasil
Centro Cultural Banco do Brasil
Centro Cultural dos Correios
Santa Cruz dos Militares
Nossa Senhora da Lapa dos Mercadores
Estação das Barcas
Arco do Teles
Nossa Senhora do Carmo
Praça 15 de Novembro
Paço Imperial
Nossa Senhora do Monte do Carmo
Museu Naval e Oceanográfico
Praça Ancora
Avenida Presidente Kubitschek
Av. Alfredo Agache
Rua Castro
Museu Histórico Nacional
Praça Henrique Lage
Avenida Nilo Péçanha
Praça do Expedicionário
R. Mal. Aguinaldo
Nossa Senhora do Bonsucesso
Av. General Justo
Carioca
Av. Almirante Barroso
Santa Casa da Misericórdia
Praça Antenor Fagundes
CASTELO
Aeroporto Santos Dumont
Teatro Municipal
Museu Nacional das Belas Artes
R. Araújo Porto Alegre
Palácio G. Capanema
R. de Santa Luzia
Av. Churchill
Av. F. Roosevelt
Av. Marechal Câmara
Biblioteca Nacional
Santa Luzia
Praça Floriano
Praça Virgilio de Melo Franco
Rua Senador Dantas
Cinelândia
Rio Branco
Av. Presidente Wilson
Praça Italia
Trevo dos Estudantes
Praça Senador Salgado Filho
Teatro Mesbla
Rua do Passeio
Av. Rio Branco
Av. 13 de Maio
Av. Graça Aranha
Av. Pres. Antônio Carlos
PASSEIO PUBLICO
Rua Mestre Valentim
Rua João Neves de Fontoura
Rua Jardel Jercolis
Museu de Arte Moderna
R. Teixeira de Freitas
Praça Deodoro
Campus da Escola Naval
Ilha de Villegaignon
Avenida Almirante Silvio de Noronha
Rua da Lapa
Av. Augusto Severo
Praça Paris
Avenida Infante Dom Henrique
Praça Pistoia
Monumento dos Mortos da II Guerra Mundial
Enseada da Glória
LAPA
PARQUE DO FLAMENGO
Avenida Beira Mar
Rua da Glória
Coração Jesus
Glória
Lg. Pla. Cândido
Marina da Glória
Nossa Senhora da Glória do Outeiro
GLÓRIA
Rua do Catete
Palácio do Catete, Museu da República

RIO DE JANEIRO

Si elle n'est plus la capitale, Rio n'en demeure pas moins la plus belle ville du Brésil, grâce à un décor particulièrement fastueux et à une culture de plage unique au monde.

Déployée en un désordre majestueux sur un ruban de terre coincé entre l'océan Atlantique et des arêtes de granite, Rio de Janeiro signe la victoire ultime du rêve sur la réalité. Chaque jour, dans ses rues et sur ses trottoirs, circulent 9 millions de personnes véhiculées par un million de voitures, de camions, de bus, de motos et de scooters, tous luttant pour se frayer un passage dans un espace conçu pour trois fois moins de monde. Ce chaos de folie ne dérange pourtant personne – et encore moins le Carioca, le natif insouciant de Rio : pour lui, toutes choses se valent, sauf une, la beauté sans égale de sa ville.

Rio proprement dit compte environ 6 millions de Cariocas, 6 autres millions vivant dans les banlieues. La pauvreté – selon nos critères occidentaux – touche au moins 70 % de cette population. Mais il y a la plage et le football, la samba et le carnaval – trésors inestimables que personne ne peut disputer même aux plus pauvres d'entre les pauvres. Rien ne prépare vraiment à Rio, pas plus les cartes postales que les films, et pas même d'y vivre. S'il existe d'autres villes serties entre la mer et les montagnes, aucune ne connaît ce jeu, ces variations d'ombres et de lumières, cette palette, ces pastels de teintes et de couleurs, chatoyantes et changeantes. Chaque jour qui passe à Rio diffère du précédent et renouvelle sa beauté.

Ne manquez pas !

- MUSEU NACIONAL DAS BELAS ARTES
- SANTA TERESA
- PAIN DE SUCRE
- COPACABANA
- IPANEMA
- CORCOVADO
- PARQUE NACIONAL DA TIJUCA
- LAGOA RODRIGO DA FREITAS

À GAUCHE : touristes au Corcovado.
CI-DESSOUS : bronzage et décontraction près de la plage.

Les origines

Les premiers touristes à découvrir le site y débarquent le 1er janvier 1502. Gonçalo Coelho dirige une expédition d'exploration commanditée par la couronne du Portugal. Il pénètre dans ce qu'il prend pour l'embouchure d'un fleuve, d'où le nom de Rio de Janeiro, "rivière de janvier" – laquelle n'est qu'une baie de 380 km² qui porte encore son nom indien de Guanabara, ou "Bras de la mer".

Les colons portugais se tournent d'abord vers le nord et le sud de Rio, laissant en paix la tribu indienne des Tamoio qui habite les alentours de la baie. Le climat changera du tout au tout avec les multiples razzias des pirates français et portugais qui longent les côtes brésiliennes.

Aujourd'hui, la traversée de la baie est beaucoup plus paisible qu'elle ne l'était au XVIe siècle.

En 1555, la flotte de l'amiral de Villegaignon débarque dans l'intention de fonder la première colonie française d'Amérique au sud de l'équateur. Cette tentative de colonisation se solde par une série d'échecs sans lendemain. Les Portugais attaquent en 1560, chassant les derniers colons français en 1565.

Rio de Janeiro recevra dès lors les marques d'un intérêt croissant de la part des maîtres portugais du Brésil. L'année 1567 marque la fondation de São Sebastião do Rio de Janeiro, ainsi baptisée en l'honneur de saint Sébastien (jour de sa fondation) – mais on surnommera bientôt la ville Rio de Janeiro. À la fin du XVIe siècle, Rio devient l'un des 4 comptoirs les plus peuplés de la colonie portugaise, exportant le sucre à destination de l'Europe. Son rôle ne fait que croître durant les 10 années suivantes, rivalisant avec celui de la capitale coloniale, Salvador, dans l'État de Bahia, au nord-est. Au XVIIIe siècle, la ruée vers l'or du Minas Gerais voisin transforme Rio en centre financier. Premier produit d'exportation, tout l'or du Brésil transite par Rio pour rejoindre le Portugal. En 1763, la ville conforte son nouveau statut en devenant capitale coloniale aux dépens de Salvador.

La capitale

Le règne de Rio a duré jusqu'aux années 1950. Lorsque la famille royale portugaise fuit l'armée napoléonienne en 1808, Rio devient capitale de l'Empire portugais. Avec l'indépendance acquise en 1822, la ville adopte le titre de capitale impériale du Brésil, puis, en 1899, celui de capitale de la république du Brésil. Durant toutes ces années, elle demeure le cœur économique et politique du pays, le centre de tous les fastes monarchiques et des intrigues de la république. Mais le XXe siècle va apporter une bouffée de croissance sans précédent à l'État de São Paulo. En 1950, São Paulo a déjà dépassé Rio en termes démographiques et économiques, une avance toujours maintenue depuis. Enfin, en 1960, Rio subit une ultime humiliation lorsque le président Juscelino Kubitschek transfère la capitale brésilienne à Brasília, ville qu'il a fait sortir du néant, en plein centre du pays. Depuis qu'elle a perdu son statut de numéro un, Rio stagne. São Paulo lui ayant dérobé la couronne en matière industrielle et financière, la ville est devenue pour une large part dépendante du tourisme, même si son élite sociale ne l'admet que du bout des lèvres. Il est toutefois un premier rôle que Rio a su conserver : celui des intrigues et manigances politiques en tout genre. Et, comme le font si bien remarquer les Cariocas avec fierté, Brasília ou São Paulo ont beau toujours avoir le dernier mot sur tout, Rio sera toujours la ville instigatrice de toute affaire.

CI-DESSOUS : fontaine de la Praça Floriano.

Empreintes de l'histoire

Au premier coup d'œil, Rio semble avoir conservé peu de traces de son passé – résultat d'une série de booms immobiliers capricieux et de l'insatiable soif du Carioca pour le neuf et le moderne. De plus, les frontières naturelles de la ville limitant son espace, il faut toujours y détruire quelque chose pour construire. La grue des démolisseurs a eu raison d'une grande part du Rio originel, mais quelques trésors uniques se cachent encore dans les vieilles rues du Centro.

En plein cœur de Rio, au **Largo da Carioca** Ⓐ, le **Convento de Santo Antônio** Ⓑ a connu plusieurs périodes de construction à partir de 1608. L'église principale du monastère fut achevée en 1780. À ses côtés, l'**Igreja de São Francisco da Penitência** Ⓒ (1739) brille par son intérieur rehaussé à la feuille d'or et ses sculptures en bois.

Il reste dans le vieux Rio quelques beaux édifices à découvrir.

Au sud du Largo da Carioca, la **Catedral Metropolitana** Ⓓ, ou Nova Catedral, fut inaugurée en 1979 dans l'Avenida Chile. Dominant un quartier moderne, cette immense structure conique peut accueillir jusqu'à 20 000 personnes. Quatre vitraux de 60 m de haut illuminent l'intérieur d'un rutilant arc-en-ciel.

Au nord de la cathédrale s'étend la **Praça Tiradentes** Ⓔ, nommée après le plus célèbre révolutionnaire du Brésil, Joaquim José da Silva, plus connu sous le sobriquet de "Tiradentes", l'"Arracheur de dents". Cet homme du Minas fut pendu le 21 avril 1792 après la découverte d'un complot visant à gagner l'indépendance de la colonie. Cette date est à présent une journée nationalement fériée. Sur la *praça* se dressent 2 des plus importants théâtres de la ville, le Teatro Carlos Gomes et le Teatro João Caetano, ainsi que le **Real Gabinente Português de Leitura**, une bibliothèque inaugurée en 1887. Elle abrite plus de 350 000 œuvres littéraires en portugais, la plus vaste et la plus riche collection en dehors du Portugal.

L'**Igreja da Ordem Terceira de São Francisco de Paula** Ⓕ se dresse côté sud du Largo, derrière la file de bus qui borde la place. Dotée d'une façade rococo, cette église abrite une chapelle qui est réputée pour ses peintures baroques, œuvres de Valentim da Fonseca e Silva.

Un kilomètre plus au nord, dans l'Avenida Rio Branco, le **Mosteiro de São Bento** Ⓖ date de 1663. Le monastère donne sur la baie, mais plus encore que la vue, c'est la splendeur de ses sculptures en bois doré à la feuille qui vous impressionnera.

CI-DESSOUS : la moderne Catedral Metropolitana.

La colline sur laquelle est perché le monastère compte parmi les rares reliefs ayant survécu dans le Centro. Les autres éminences de la période coloniale ont disparu, victimes du progrès à la carioca – l'arasement des collines pour combler la baie. Ce phénomène prit un caractère particulièrement barbare en 1921-1922 : la colline de Castelo se retrouva effacée de la carte, tout comme la plupart des dernières demeures du XVIe et du XVIIe siècle de Rio qu'elle abritait. Avant sa disparition, la colline formait une toile de fond à l'Avenida Central, la plus élégante artère de Rio, aujourd'hui plus connue sous le nom d'Avenida Rio Branco.

La très impressionnante **Igreja Nossa Senhora da Candelária** Ⓗ se dresse 3 rues au sud du Mosteiro São Bento, sur l'Avenida Rio Branco. Construits entre 1775 et 1811, l'édifice et son dôme semblent garder le bout de l'Avenida Presidente Vargas. L'église bordait autrefois les flots : elle s'en trouve aujourd'hui très éloignée, en raison des remblais successifs issus des collines disparues.

Le site appelé **Espaço Cultural da Marinha** Ⓘ (Espace culturel de la marine, Avenida Alfredo Agache ; ouv. du mar. au dim. de 12h à 17h ; entrée payante) se trouve entre Candelária et la baie. Les nombreuses expositions nautiques montrent notamment la barge impériale, construite à Salvador en 1808, le torpilleur *Bauru*, construit aux USA en 1943, qui joua un rôle lors de la Seconde Guerre mondiale, et le sous-marin *Riachuelo*, construit en Angleterre en 1973 et mis hors service en 1997. La croisière dans la baie (*voir* Notez-le, *ci-contre*) vous fera découvrir l'Ilha Fiscal, sur laquelle le palais édifié en 1889 ressemble à un château du XIVe siècle.

En continuant parallèlement à la baie, vous arrivez Rua Primeiro de Março, devant l'**Igreja Nossa Senhora do Carmo** Ⓙ. Achevé en 1761, cet imposant édifice vit le sacre de deux empereurs brésiliens, Pedro Ier et Pedro II. Un étroit passage le sépare de l'**Ordem Terceira do Monte do Carmo**, édifiée en 1770.

Les 2 églises se dressent sur le côté ouest de la **Praça XV de Novembro**, elle-même au cœur d'un dédale de rues où se presse continuellement une fourmilière d'hommes d'affaires, d'employés, de commerçants et de passants. Cette place héberge le **Paço Imperial** Ⓚ, un palais néoclassique datant de 1743 qui servit de

Ne manquez pas de faire une sortie dans la baie de Rio à bord de l'adorable remorqueur *Laurindo Pitta*, construit en Angleterre en 1910. La croisière de 1h30 part de l'Espaço Cultural da Marinha (jeu.-dim. dép. 13h15 et 15h15).

CI-DESSOUS : la splendeur baroque du Mosteiro de São Bento.

siège aux gouverneurs généraux du Brésil avant de devenir palais impérial. Restauré dans les années 1980, reconverti en centre culturel, le Paço englobe un théâtre, une salle de cinéma, une bibliothèque, des salles d'exposition et des restaurants. En face, Rua da Assembléia, le **palais de Tiradentes**, siège du Parlement de l'État de Rio de Janeiro, a bénéficié d'une restauration récente. L'entrée est gratuite et les expositions sous-titrées en anglais. Ne manquez pas le Grand Salon de ce majestueux édifice, généreusement imprégné de style Belle Époque.

Pour vous faire une bonne idée du vieux Rio, rendez-vous dans le quartier d'**Arco de Teles**, près de la Praça XV, en face du Paço Imperial. Vous pourrez vous perdre dans le lacis de ses ruelles piétonnes bordées de bâtiments du XVIIIe siècle, de restaurants au charme désuet et de devantures protégeant des intérieurs aux plafonds élevés.

Les adorables bâtiments à 2 étages du quartier ancien d'Arcos do Teles sont appelés des sobrados.

Grands musées

À 500 m au sud-est du Museu Naval, le **Museu Histórico Nacional** **L** (Praça Marechal Ancora ; ouv. du mar. au ven. de 10h à 17h30, les sam. et dim. de 14h à 18h ; entrée payante) et son ensemble de bâtiments coloniaux détiennent des archives historiques et autres documents coloniaux rares et précieux, ainsi qu'une série de photographies de Rio prises par l'Espagnol Juan Gutierrez à la fin du XIXe siècle.

Le **Museu de Arte Moderna** **M** (MAM, Parque do Flamengo ; ouv. du mar. au dim. de 12h à 17h30 ; entrée payante) se trouve sur la Marina da Glória, près de l'aéroport du centre-ville. Ce musée complète ses collections par une série d'expositions internationales itinérantes. Y prennent place tout au long de l'année concerts et expositions, et, au mois d'octobre, le festival de jazz de la ville.

Dominant l'Avenida Rio Branco, 5 rues au nord du Museu de Arte Moderna, le **Museu Nacional das Belas Artes** **N** (ouv. du mar. au ven. de 10h à 18h, les sam. et dim. de 14h à 18h ; entrée payante) expose les œuvres des plus grands artistes brésiliens. Baptisée Avenida Central, l'Avenida Rio Branco fut inaugurée en 1905 par le président Rodrigues Alves, qui voulait transposer Paris sous les tropiques. Il avait omis que le centre de Rio ne pouvait se développer que verticalement, à l'inverse de Paris. Au fil des ans, les élégantes demeures à 3 ou 4 étages cédèrent la place à des gratte-ciel de 30 étages. Du même coup, l'avenue abandonna son nom d'origine.

Sur les 115 édifices qui bordaient jadis l'Avenida Central en 1905, seuls 10 ont survécu, parmi lesquels le Museu Nacional das Belas Artes, le **Teatro Municipal** **O** adjacent, somptueuse réplique de l'Opéra de Paris (ouv. lun.-ven. de 10h à 17h ; 3 visites guidées par jour ; tél. 021-226 2359) et la **Biblioteca Nacional** **P** (ouv. du lun. au ven. de 9h à 20h, le sam. de 9h à 15h), mélange éclectique de néo-classicisme et d'Art nouveau qui renferme quelque 15 millions d'ouvrages. Ces bâtiments avoisinent la zone connue sous le nom de **Cinelândia**, où, dans les années

CI-DESSOUS : allée paisible du Mosteiro de São Bento.

1920-1930, furent construits les premiers cinémas de la ville. Aujourd'hui, l'Odeon BR, magnifiquement restauré et qui ouvrit ses portes pour la première fois en 1926, accueille l'essentiel des manifestations du Festival du film de Rio.

Il existe des visites organisées du Teatro Municipal, mais les horaires sont variables. Le meilleur moyen d'en apprécier l'intérieur est encore de s'y rendre pour un concert, un opéra ou un ballet. La très riche programmation s'étend sur toute l'année. Vous en trouverez le détail sur le site Internet du Théâtre – www.theatromunicipal.rj.gov.br – au menu "Programação."

Presque tous les grands musées de Rio se concentrent dans le Centro ou aux abords immédiats, comme le **Museu do Índio** (Rua das Palmeiras 55 ; ouv. du mar. au ven. de 9h à 17h30, les sam. et dim. de 13h à 17h ; entrée payante), situé dans le quartier de Botafogo (à 10 min du centre), excellente source d'informations sur les tribus indigènes du Brésil. À proximité, la **Casa Rui Barbosa** (Rua São Clemente ; ouv. du mar. au ven. de 10h à 17h, les sam. et dim. de 14h à 18h ; entrée payante) hébergea plusieurs figures célèbres de la culture et de la politique brésiliennes. Rui Barbosa (1848-1923) était un abolitionniste qui se présenta par 2 fois à la présidence du pays, sans succès.

Le **Museu Villa-Lobos** (Rua Sorocaba ; ouv. du lun. au ven. de 10h à 17h30 ; entrée payante) honore la mémoire de l'un des plus grands et des plus prolifiques compositeurs d'Amérique du Sud, Heito (Heitor) Villa-Lobos (1887-1959), connu dans le monde entier pour ses *Bachianas Brasileiras*.

À 15 min en voiture du Centro, la famille impériale brésilienne occupa le palais du **Museu Nacional** (Quinta de Boa Vista ; ouv. tlj. de 10h à 16h ; entrée payante) au cours du XIXe siècle. Ce majestueux édifice situé à côté du **Jardim Zoológico** (ouv. tlj. de 9h à 17h ; entrée payante), le zoo de Rio. Il abrite des collections d'histoire naturelle, d'archéologie et de minéralogie et mérite assurément une visite particulière pour ses oiseaux exotiques aux couleurs éclatantes.

Foot et samba

Le Museu Nacional et le zoo ne sont guère loin du **Maracanã**, sans doute le plus célèbre des stades. C'est dans ce temple du football, réalisé en 1950 pour la Coupe du monde, que Pelé a marqué, en 1969, son millième goal. Les grands matches s'y déroulent les mercredis soir et dimanches après-midi. Les transferts pour assister aux matches ou pour le Hall of Fame (ouv. les jours sans match), peuvent être

Ci-dessous : la salle de lecture de la Bibliothèque nationale.

Heito Villa-Lobos

Villa-Lobos, né à Rio en 1887, révèle un talent pour la musique dès l'enfance. Petit garçon, il apprend la guitare, le violoncelle et la clarinette. À la mort de son père, il joue dans les orchestres de théâtre et de musiciens de rue, puis parcourt le Brésil, recueillant au cours de son errance d'authentiques chants traditionnels. Ce n'est qu'en 1912 qu'il commence sérieusement à composer une musique largement inspirée du tango, de la musique de rues et du folklore indigène. Les influences européennes, de Debussy à Satie en passant par son grand ami, le compositeur français Darius Milhaud, se font aussi ressentir. Son œuvre nationaliste, créée sous Varga, lui vaut quelque temps les critiques des musiciens européens. Ses funérailles nationales seront le dernier événement civil à se dérouler à Rio avant que la capitale ne soit transférée à Brasília.

organisés par le réceptionniste de votre hôtel. À sa grande époque, Maracanã pouvait accueillir environ 200 000 spectateurs. À la suite d'une complète restauration pour les PanAmerican Games de 2007, sa capacité a été réduite à 103 000 places. Maracanã fait également office de scène pour accueillir le festival Rock'n'Rio ou des chanteurs et rockers tels Frank Sinatra, Paul McCartney, Sting, Madonna, Tina Turner, les Rolling Stones, Kiss…

Le football est l'une des 3 passions brésiliennes, la samba et le carnaval étant les 2 autres. Entre le stade de Maracanã et le centre-ville de Rio siègent 2 éléments essentiels de la samba et du carnaval. L'Avenida Marquês de Sapucai abrite la Passarela do Samba, aussi appelé **Sambódromo**, dans laquelle défilent les plus grandes écoles de samba le dimanche et le lundi soirs du carnaval (*voir p. 85*). Conçue par Oscar Niemeyer (*voir p. 124*), la structure sert d'école le reste de l'année.

Tout près des docks, la **Cidade de Samba** (Cité de la Samba, Rua Rivadavia Corrêa ; ouv. du mer. au lun. de 12h à 20h ; spectacle le jeu. à 20h), inaugurée en 2006, donne aux curieux l'occasion de visiter les ateliers des principales écoles de samba, de voir comment elles préparent le carnaval et d'entendre des musiciens.

Un tramway pour Santa Teresa

Au centre-ville, devant le building de la **Petrobrás** (compagnie pétrolière d'État), des tramways ouverts vous font gravir les flancs de la colline et traverser les rues pittoresques du quartier de Santa Teresa – l'une des excursions les plus intéressantes de Rio. Point fort de cette balade, l'**Aqueduto da Carioca**, plus connu sous le nom d'**Arcos da Lapa** Ⓠ. Il s'agit d'un des monuments les plus frappants de Rio. Construit au XVIIIe siècle pour acheminer l'eau de Santa Teresa au Centro, cet aqueduc a été converti en viaduc en 1896 pour permettre le passage du nouveau tramway.

À quelques minutes seulement des rues bondées du Centro, **Santa Teresa** Ⓡ a toutes les allures d'un paisible nid d'aigle perché au sommet d'une arête qui surplombe toute la ville en contrebas. Selon la légende, les esclaves noirs du XVIIIe siècle utilisaient les sentiers de montagne de Santa Teresa pour prendre la

La visite du zoo de Rio est une fête pour les yeux et les oreilles.

Ci-dessous : l'arche du Sambódromo.

Montez à bord de l'un des trolleys bondés de Santa Teresa est une aventure assez drôle, mais attention : la promiscuité est la meilleure alliée des pickpockets.

fuite, lorsque Rio était le plus grand port aux esclaves du Brésil. Le quartier accueillit des résidents plus permanents lorsqu'une épidémie de fièvre jaune obligea la population citadine à fuir dans les collines pour échapper aux moustiques porteurs de la maladie. À la fin du XIXe siècle, Santa Teresa était devenue une adresse fort convoitée par les riches de Rio, dont les demeures victoriennes parsemaient les flancs. Quant aux intellectuels et aux artistes, ils étaient attirés par la fraîcheur de la brise et la sérénité d'un lieu à la fois écarté et proche de la vie tourbillonnante du centre.

Une personnalité célèbre – artiste à sa façon – résida dans le quartier : Ronnie Biggs, qui participa à l'attaque du train postal de Londres (*voir p. 164*).

Quartiers de caractère

Accrochées aux pentes tout au long de tortueuses rues pavées, les maisons de Santa Teresa affichent un mélange architectural qui fait tout le charme et l'intérêt de ce quartier. Demeures à gâbles, décors en fer forgé et fenêtres à vitraux se serrent aux côtés de bâtiments plus compassés, tous unis sur ce même perchoir qui offre un panorama unique sur la Baía de Guanabara. Ici, seules les fleurs et la verdure peuvent rivaliser avec les points de vue – notamment si vous descendez au second arrêt du tramway.

Plusieurs escaliers publics vous conduisent des rues de Santa Teresa aux quartiers de **Glória** et de **Flamengo**, très en contrebas. Le parc du **Museu Chácara do Céu** ❺ (musée de la Ferme du ciel ; Rua Murtinho Nobre 93 ; ouv. du mer. au lun. de 12h à 17h ; entrée libre le mer.) domine la ville, l'aqueduc et la baie.

Ce musée, l'un des principaux sites du quartier de Santa Teresa, expose une magnifique collection d'œuvres de peintres modernistes du pays, dont des tableaux du plus grand artiste moderne brésilien, Cândido Portinari, ainsi que quelques trésors de maîtres européens – Dalí, Matisse, Modigliani, Monet ou encore Picasso.

À l'est de Santa Teresa, dans le quartier de Glória, un joyau architectural se dresse sur une colline dominant la baie de Guanabara : la chapelle **Nossa Senhora**

CI-DESSOUS ET À DROITE : Santa Teresa, un quartier très pittoresque.

da Glória do Outeiro ❶ (ouv. du lun. au ven. de 8h à 17h, les sam. et dim. de 8h à 12h ; entrée libre), plus communément appelée église de Glória. Érigé dans les années 1720, cet édifice aux lignes classiques et aux murs d'un blanc immaculé compte parmi les exemples de baroque brésilien les mieux préservés.

À proximité, à Catete, le **Palácio do Catete** ❶ servit de résidence aux présidents brésiliens avant d'accueillir le **Museu da República** (Rua do Catete 153 ; ouv. du mar. au ven. de 12h à 17h, les sam. et dim. de 14h à 18h ; entrée libre le mer.), qui expose des tableaux historiques. Le **Museu do Folclore Édison Carneiro** voisin (ouv. du mar. au ven. de 11h à 18h, les sam. et dim. de 15h à 18h ; entrée payante) présente des expositions sur la vie quotidienne et les religions populaires brésiliennes.

L'une des très rares boîtes à lettres à l'ancienne, à l'extérieur de la poste centrale de Rio.

Baie de Guanabara

Depuis sa découverte par les Européens en 1502, la **Baía de Guanabara** de Rio n'a cessé d'enchanter les voyageurs. Charles Darwin écrivait en 1823 : "La baie de Guanabara dépasse en magnificence tout ce qu'un Européen a pu voir dans son pays natal." Depuis quelques décennies, en revanche, la baie s'est muée en une gigantesque décharge : des dépôts estimés à 1,5 million de tonnes par jour la réduisent à l'état virtuel de cloaque. Ce qui n'enlève rien à la beauté du spectacle, ponctué par les 2 forts des XVIIe et XIXe siècles qui gardent ses abords.

Si vous traversez la baie jusqu'à la ville de **Niterói** de l'autre côté, ou jusqu'aux îles, vous aurez une vue imprenable sur Rio. Le ferry est moins cher, mais des aéroglisseurs plus confortables font également la traversée (ferry et aéroglisseurs partent de la Praça XV de Novembro). Des goélettes embarquent à divers points touristiques, partant chaque dimanche à 10h, également de la Praça XV. Les excursions "crépuscule" de 2h sur la baie partent tous les jours à 15h et 17h de la Marina da Glória. Quelque 84 îles parsèment la Baía de Guanabara ; sur la plus grande, **Ilha de Paquetá**, vous pouvez louer des vélos ou faire une promenade féerique autour de l'île en carriole à cheval – mais évitez de vous baigner dans la baie.

Les Cariocas ne sont pas toujours tendres pour Niterói, qui ne manque pourtant pas d'intérêt : grimpant à travers une forêt tropicale, une route sinueuse conduit au **Parque da Cidade** – vue époustouflante sur la baie et les montagnes. Au pied de cette colline s'étend Praia Itapú, plage offrant un panorama tout aussi vaste sur Rio. Quant au **Museu de Arte Contemporânea** (ouv. du mar. au dim. de 11h à 18h ; entrée libre le mer.), on vient plus y admirer l'architecture d'Oscar Niemeyer (particulièrement impressionnante la nuit) que ses collections notoirement insipides.

CI-DESSOUS : la sacristie de Nossa Senhora da Glória do Outeiro.

Pain de Sucre

Tout le monde connaît le **Pão de Açúcar** ❶, ou Pain de Sucre, piton de granite qui surplombe de 270 m l'entrée de la Baía de Guanabara. Les Indiens nommaient ce monolithe aux formes

En traversant la baie, vous pourrez admirer le palais vert qui se dresse sur l'Ilha Fiscal. Des visites guidées de l'île sont proposées. Pour information : tél. 21-2104 6025.

CI-DESSOUS : l'imposante entrée de la baie.

singulières pau-na-acuqua, ou "sommet isolé en pointe". Les Portugais comprirent *pão de açúcar*, sa forme leur rappelant les moules en argile utilisés pour raffiner le sucre en cônes appelés pains. En 1912 fut inauguré le premier téléphérique : il gravit le Pão de Açúcar en deux étapes depuis **Praia Vermelha** ❷, s'arrêtant d'abord au Morro da Urca, colline appuyée à la montagne.

Vous embarquerez dans une nacelle en forme de bulle, qui peut prendre jusqu'à 75 passagers et offre une vision à 360 degrés. Chaque étape dure 3 min exactement, les nacelles partant du sommet et de la base en même temps pour se croiser au milieu du parcours. La vente des tickets se fait à la gare de Praia Vermelha (départs toutes les demi-heures de 8h à 22h).

Le **Morro da Urca** comme le Pão de Açúcar ménagent d'excellentes perspectives tous azimuts des sentiers menant aux points d'observation. À l'ouest, vous apercevez les plages de **Leme** ❸, Copacabana, Ipanema, Leblon et les montagnes au-delà. À vos pieds, Botafogo et Flamengo conduisent au Centro, adossé aux pentes du Corcovado que surplombe la statue du Christ Rédempteur à l'arrière-plan. Au nord, un grand pont enjambe la baie, reliant Rio et Niterói dont les plages s'étendent vers l'est. Vous pouvez monter au Pão de Açúcar de jour comme de nuit (jusqu'à 22h), la vue est tout aussi fabuleuse.

Plages

Si les eaux de la baie sont devenues impropres à la baignade, les plages qui la bordent ont jadis fait la réputation de Rio. Au début du XXe siècle, des tunnels furent percés pour relier Botafogo, côté baie, à la plage de Copacabana sur l'océan. La vie de Rio s'était trouvé un nouveau centre. Depuis lors, les Cariocas n'ont cessé de chercher la plage idéale, descendant toujours plus au sud, d'abord à Copacabana, puis à Ipanema et Leblon, puis à São Conrado, Barra da Tijuca et encore au-delà. Avec les années, la notion de plage a évolué, passant de la paisible sortie en famille à un style de vie particulier, exclusif, auquel tout est dédié. La plage ne fait plus partie de la vie de Rio, elle en constitue l'essence même. Elle est

EL PONTE RIO–NITERÓI

Un moyen original pour se rendre à Niterói consiste prendre le bus qui traverser la baie en empruntant le magnifique Ponte Rio-Niterói – officiellement nommé le Ponte Presidente Costa e Silva, en l'honneur de l'homme qui ordonna sa construction. Les bus partent de la gare routière de Rodoviária, et les tarifs ont très bon marché. Par contre, lorsque les vents sont trop forts, le pont est fermé à la circulation pour des raisons évidentes de sécurité. Si vous traversez en voiture, sachez que vous aurez un petit droit de péage à régler à la sortie du pont, coté Niterói. D'une longueur totale de 13 km, dont 9 au-dessus de l'eau, le pont à 6 voies fut inauguré le 4 mars 1974, après 5 ans de travaux. Ce très bel ouvrage a été effectué par une entreprise britannique et financé par des banques également britanniques. Le coût total de sa réalisation est estimé à 22 millions de dollars US.

devenue crèche et cour d'école, salon de lecture, terrain de football et de volley-ball. Elle sert de bar, de restaurant et de scène de rock ; de gymnase et de bureau. Il arrive même que l'on fasse une brève trempette, uniquement pour se rafraîchir avant de vaquer à des occupations plus importantes, mais toujours sablées.

Les Cariocas papotent, lisent le journal, flirtent, font de l'exercice, rêvent, réfléchissent, et traitent même des affaires sur la plage. Par un beau week-end d'été, c'est tout Rio qui s'y donne rendez-vous. Ce qui ne veut pas dire que la plage soit vide en semaine, loin de là. Et c'est bien le grand mystère de Rio : comment le moindre travail arrive à s'y effectuer lors d'une journée ensoleillée…

Évitez si possible le Pão de Açúcar entre 10h et 11h, et entre 14h et 15h, quand les cars déversent leur chargement de touristes. Préférez arriver – par beau temps – une heure avant le coucher du soleil, pour voir la ville de jour puis de nuit.

Une société en miniature

Les sociologues cariocas affirment que la plage est la grande niveleuse sociale de Rio, et sa principale soupape de sûreté. Selon leur théorie, les pauvres, qui constituent la majorité de la population de la ville, les habitants de ses favelas, de ses programmes d'urbanisation et de ses taudis du nord, ont tous accès à la plage, où leur pauvreté s'évanouit au soleil. Vision quelque peu simpliste, mais pas tout à fait dénuée de fondement. Car si la hausse du taux de criminalité indique que la plage ne guérit pas de tous les maux, elle n'en demeure pas moins gratuite et accessible à tous. Démocratiques, certes, les plages de Rio n'échappent pas pour autant aux hiérarchies sociales. Une rapide promenade le long de Copacabana et d'Ipanema vous suffira pour remarquer comment les baigneurs se regroupent en petites communautés selon leur appartenance sociale – gays, hétéros, familles, jeunes, yuppies, célébrités, etc. Revenez le lendemain et vous retrouverez les mêmes groupes exactement à la même place. Ces "sociétés de plage" sont devenues une caractéristique permanente de la vie à Rio.

Copacabana

Elle a pris quelques rides sous son fond de teint, et la concentration des grands hôtels de luxe y encourage la criminalité, mais la **Praia de Copacabana** ❹ n'en

Ci-dessous : toutes les demi-heures, un téléphérique monte jusqu'au Pain de Sucre.

demeure pas moins le symbole des plages de Rio. Le dessin de son croissant de sable, cloué à son extrémité par l'imposant Pão de Açúcar, en a fait un irremplaçable sujet de cartes postales pendant des décennies. Copacabana s'est rendue célèbre dans les années 1920 avec l'ouverture du luxueux **Copacabana Palace Hotel**. À cette même époque, le jeu fut légalisé, ce dont Copacabana profita pour accueillir les tables de jeux les plus courues de Rio.

Inauguré en 1923, le Copacabana Palace Hotel était alors le tout premier hôtel de luxe d'Amérique du Sud.

Dotée d'un casino et du meilleur hôtel du continent, Copacabana se mua en refuge alcoolisé pour les célébrités les plus en vogue de la planète. Les soirées en smoking au "Copa" – c'est ainsi que les Cariocas surnomment le palace – devinrent le nec plus ultra pour des vedettes et figures internationales comme Lana Turner, Eva Perón, Ali Khan ou Orson Welles. Même John F. Kennedy y fit une brève apparition dans les années 1940.

Le gouvernement interdit les jeux de casino en 1947, mais la fête se poursuivit durant les années 1950. Copacabana traversa une mauvaise passe dans les années 1960, avant que la construction de 3 nouveaux hôtels et la rénovation des autres, dont le Copacabana Palace, redonnent à la plage son lustre dans les années 1980. De nos jours, des remblayages successifs l'ont élargie, tandis qu'Ipanema est devenue également plus agréable et plus sûre.

Lors des chaudes journées estivales, ce sont des centaines de milliers d'adorateurs du soleil et de la mer qui foulent ses sables vaporeux. Les colporteurs de boissons, provisions, crèmes solaires ou chapeaux tourbillonnent çà et là, mêlant à ce papillonnement de couleurs acides leurs voix chantantes et le rythme frénétique de leurs petits tambours et de leurs crécelles en métal. Les baigneurs s'abritent sous des parasols multicolores, puis se trempent rapidement dans l'océan avant d'aller parader sur l'**Avenida Atlântica**, la promenade de la plage, en prenant une bière fraîche à la terrasse d'un café.

Durant n'importe quel week-end d'été, jusqu'à un demi-million de Cariocas et de touristes descendent sur la promenade de Copacabana. La foule de la plage ne fait que prolonger celle qui se presse sur l'*avenida*. Quintessence du quartier de Rio, Copacabana se compose de 109 rues où vivent plus de 350 000 personnes, compressées dans des tours, entre les montagnes à l'arrière et l'Atlantique devant. Pour cette masse urbaine, la plage constitue la seule issue vers un espace ouvert.

CI-DESSOUS : Copacabana by night.

La plage de Copacabana se poursuit, à l'ouest, par celle d'**Arpoador** ❺, réputée pour son surf. Tout au bout, l'imposant sommet des **Dois Irmãos** (Deux Frères) se dresse en sentinelle – un élément très spectaculaire du décor de Rio.

Ipanema

La principale route qui traverse le Parque Nacional da Tijuca ménage tout au long de son parcours des aperçus spectaculaires sur les plages et les quartiers d'**Ipanema** ❻ et de Leblon, ainsi que de la Lagoa Rodrigo de Freitas – la ceinture dorée de Rio, où cohabitent grande bourgeoisie et nouveaux riches.

Ipanema, ou "eaux dangereuses" en langue indienne, vit son aventure immobilière débuter en 1894, lorsque de simples pistes vinrent éventrer les dunes pour desservir une poignée de bungalows. Ce quartier n'intéressait pas grand monde, mais la pression démographique de Copacabana finit par avoir raison de ses plus riches résidents, qui partirent chercher un peu de paix sur cette plage plus au sud.

Sur la plage de Copacabana, vous apprécierez surtout les boissons fraîches, parmi les nombreuses choses que proposent les vendeurs.

Des années 1950 à nos jours, Ipanema a connu une véritable fièvre immobilière, accompagnée d'une explosion démographique ; depuis les années 1960, une cohorte de tours est venue transformer le quartier en une version réduite de Copacabana. Durant ces mêmes années 1960, une vague d'idéalisme avant-gardiste submergea Ipanema. Les marginaux et les intellectuels de Rio se réunissaient aux terrasses de ses cafés pour partager les grandes préoccupations d'alors : le "flower power", Che Guevara, les Stones, les Beatles, la drogue, les cheveux longs et l'amour sans entraves. L'humour gardait pourtant ses droits, tel ce journal satirique qui proclama fièrement la naissance de la république d'Ipanema. La jeune république comptait deux membres particulièrement éminents : le poète Vinicius de Moraes et le compositeur Tom Jobim. Un beau jour, Jobim vit passer une ravissante écolière devant son repaire habituel, un bar d'Ipanema. Ensorcelé, il guetta son passage chaque jour pendant des semaines, demandant même à son copain Moraes de se joindre à lui. Inspirés par sa beauté, les deux compères traduisirent leurs sentiments en paroles et en musique, créant un grand classique de la bossa nova, La Fille d'Ipanema.

Ce mélange mystico-politico-hédoniste se heurta à une réalité des plus cruelles avec le coup d'état de 1964 et la chasse aux gauchistes lancée par les militaires. Moraes et Jobim sont morts, et la jeune fille, Heloisa Pinheiro, est devenue une femme d'affaires mère de 4 enfants. Mais certaines plaques commémorent les origines de la chanson : la rue que descendait Heloisa s'appelle aujourd'hui Moraes, et le bar a pris le nom d'A Garota de Ipanema (La Fille d'Ipanema, *voir p. 163*).

En dépit de sa brièveté, cette période a forgé l'esprit du Carioca moderne – insolent, indépendant, et très ouvert dans les domaines du sexe comme de l'esprit.

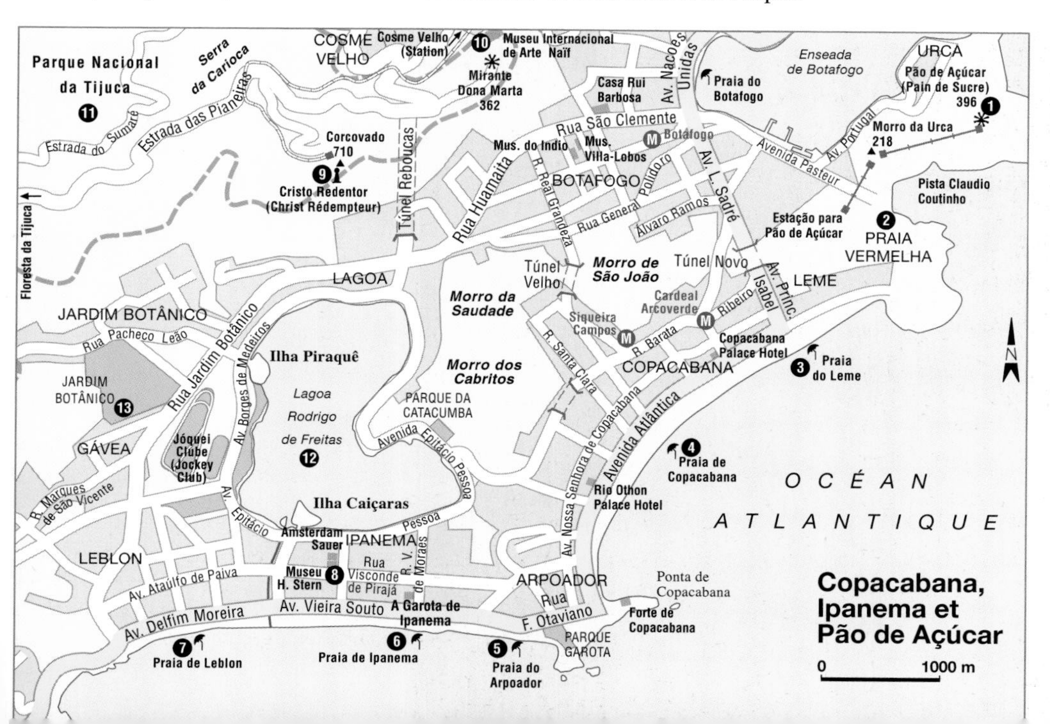

Elle a également propulsé Ipanema à l'avant-garde du style carioca, obligeant Copacabana à jouer les seconds rôles.

Même si, ici comme ailleurs, le téléphone portable a fait fureur, les publiphones ne manquent pas le long des plages.

Beaux et riches à la fois

Le matin, joggers et cyclistes se croisent, les premiers empruntant le trottoir, les autres la *ciclovia* qui longe toute la plage, où ceux qui suivent des cours de gymnastique pratiquent s'adonnent à leurs exercices giratoires. Pendant la journée et une bonne partie de la nuit, les beaux et les riches de Rio hantent les parages. Et chacun peut profiter du massage délicieusement relaxant pratiqué par Amarilton, présent tous les jours sur la plage entre deux fanions arc-en-ciel. Les palmiers ajoutent une note à la fois intime et tropicale au cadre d'Ipanema. Au coucher du soleil, les trottoirs se couvrent d'amoureux de tous âges, souvent main dans la main. Moins tapageuse que le front de mer de Copacabana, la plage d'Ipanema aura mieux préservé la romance de Rio qu'aucune des 22 autres de la ville.

L'Ipanema actuel est devenu le summum du chic et de l'ostentatoire. Les boutiques les plus branchées de Rio bordent les rues d'Ipanema et de **Leblon ❼**, qui forment en fait un seul quartier : le canal reliant le lagon à l'océan les sépare théoriquement, mais, hormis leurs noms différents, ils partagent une même identité.

Les boutiques les plus en vogue d'Ipanema se pressent aux abords de la rue principale, **Visconde de Pirajá**, et dans les rues perpendiculaires qui partent à droite et à gauche, la **Rua Garcia d'Avila** étant la plus cotée d'entre toutes. Elles attirent une clientèle de tous âges, associant vêtements et cadeaux divers aux articles de cuir ou aux chaussures. Vous trouverez certainement moins cher en ville, mais les prix demeurent très raisonnables comparés à ceux des capitales européennes.

Depuis quelques années, Ipanema est devenu le centre des joailliers de Rio. Le Brésil est le plus gros producteur de pierres précieuses au monde : vous en trouverez des exemples de toutes variétés et couleurs Rua Visconde de Pirajá, entre la Rua Garcia d'Avila et la Rua Anibal Mendonça. Ce secteur héberge

CI-DESSOUS : *divertimento* sur la plage.
À DROITE : belle sirène en sable.

plusieurs boutiques de joaillerie, dont le siège mondial de H. Stern, premier joaillier brésilien et l'un des plus importants de la planète. Le **Museu H. Stern** ❽ (Rua Garcia d'Avila 113 ; ouv. du lun. au ven. de 8h30 à 17h30, le sam. de 8h30 à 12h30 ; entrée libre et taxi gratuit au départ des grands hôtels) présente une remarquable exposition consacrée à tout ce qui concerne les pierres précieuses. Vous pouvez également acheter des bijoux à des prix intéressants.

Pour visiter le parc national de Tijuca, adressez-vous à l'agence réputée Jeep Tour (rua João Ricardo 24, São Cristóvão, tél. 21-2108 5800 de 7h à 21h, www.jeeptour.com.b).

Christ Rédempteur

Dominant tout Rio, la célèbre statue du **Cristo Redentor** ❾ étend ses bras au sommet du Corcovado, le mont "bossu". Pour y accéder, vous pouvez louer une voiture ou prendre un taxi, mais préférez si possible la promenade de 3,7 km offerte par le chemin de fer du **Corcovado** : départs toutes les 20 min (tlj. de 8h30 à 18h30) d'une gare du quartier sur **Cosme Velho**, à mi-chemin entre le Centro et Copacabana. Cette voie spectaculaire grimpe à travers la végétation tropicale qui s'ouvre sur la montagne et la ville en contrebas. De la gare supérieure, un ascenseur vous hisse jusqu'au sommet, où vous attend un café.

À 30 m de la petite gare, une grande demeure du XIXe siècle encadrée de manguiers centenaires loge le **Museu Internacional de Arte Naif do Brazil** ❿ (MIAN, Rua Cosme Velho 561 ; ouv. du mar. au ven. de 10h à 18h ; les sam. et dim. de 12h à 18h ; entrée payante, remise de 50 % sur présentation du ticket de train pour le Corcovado). Les quelque 6000 œuvres picturales, dont les plus anciennes datent du XVe siècle, constituent l'une des plus importantes et des plus complètes collections d'art naïf au monde. Un grand nombre des tableaux ont, bien entendu, pour sujet Rio et le Brésil, telle l'immense toile de Lia Mittarakis exposée à l'entrée du musée (*voir p. 123*).

Au sommet, le Christ en granite reste visible nuit et jour de presque partout à Rio. Achevé en 1931, cet ouvrage de 38 m de haut est l'œuvre d'artisans dirigés par le sculpteur français Paul Landowsky. Il dispute depuis au Pão de Açúcar le premier rang en tant que symbole de la ville et meilleur point de vue. Mais le Corcovado possède un avantage certain sur le Pão de Açúcar : il offre la plus belle vue possible… sur le Pão de Açúcar ! Couronnant la ville, le Corcovado domine le Pão, Niterói, les plages atlantiques sud (Copacabana et Ipanema) ainsi que la belle Lagoa Rodrigo de Freitas, que les Cariocas surnomment simplement "la Lagoa" (le lagon). Et si vous voulez avoir un panorama véritablement insurpassable, il vous reste encore l'hélicoptère. Helisight (tél. 21-2511 2141, www.helisight.com.br) propose 4 héliports et 8 vols différents.

Peu connu, le **Parque Nacional da Tijuca** ⓫ enveloppe le Corcovado. Cette réserve naturelle enchanteresse couvre 100 km de routes étroites, qui serpentent à travers l'épaisse végétation de la forêt, ponctuée de cascades et de points d'observation à ne manquer sous aucun prétexte. Selon la légende, Dom Pedro II

CI-DESSOUS : jogging au bord de la plage d'Ipanema.

emmenait son impériale famille en pique-nique à la **Mesa do Imperador**, d'où ils pouvaient contempler le lagon et les quartiers sud. La **Vista Chinesa** oriente son panorama vers le sud et les flancs du Corcovado. Juste en dessous du sommet du Corcovado, le **Dona Marta Belvedere** (362 m) donne directement sur le Pão de Açúcar.

La gare Cosme Velho, d'où un charmant petit train à crémaillère vous emmène jusqu'à Corcovado.

En retrait des plages

Éloignez-vous de la promenade d'Ipanema, et vous découvrirez un autre aspect romantique de Rio, la **Lagoa Rodrigo de Freitas** ⓬. Ce lac naturel faisait partie d'une plantation de canne à sucre au XVIe siècle. Il offre aujourd'hui une poche d'oxygène en marge des plages bondées du sud. Longeant sa rive sinueuse, joggers, marcheurs et cyclistes consultent leur montre tout en profitant d'un superbe paysage de montagnes –le Corcovado et la forêt de Tijuca, les Dois Irmãos et le sommet tabulaire de la Gávea dans le lointain.

Vers les montagnes, sur la rive la plus éloignée de la plage, les 140 ha du **Jardim Botânico** ⓭ (ouv. tlj. de 8h à 17h ; entrée payante) englobent quelque 235 000 arbres et plantes représentant plus de 8 000 espèces. Créé en 1808 par le prince régent portugais Dom João VI, ce jardin permit d'acclimater des plantes importées du monde entier – thé, clous de girofle, cannelle ou ananas. Il héberge également de nombreux oiseaux et autres espèces animales. Cette oasis paisible offre un répit bienvenu à l'écart de la chaleur et de la folie urbaine de Rio : vous prendrez un plaisir d'autant plus grand à observer ses multiples spécimens de végétation tropicale. Une imposante avenue bordée de 134 palmiers royaux, tous âgés de 160 ans ou plus, vous accueille à l'entrée.

CI-DESSOUS : les pédalos en forme de cygnes du lac Rodrigo plaisent toujours autant.

São Conrado

La côte au sud d'Ipanema n'est qu'une enfilade de criques et de plages le plus souvent bordée par la forêt. La première plage, **São Conrado** ❶, fréquentée par la jeunesse dorée de Rio, s'étire le long d'une anse ponctuée à chaque extrémité par

un pain de granite, dont la Pedra da Gávea, encore plus impressionnant que le Pão de Açúcar (*voir p. 158*).

Pour rallier d'Ipanema la plage de la vallée de São Conrado, vous pouvez soit emprunter le tunnel qui passe sous la colline Dois Irmãos, soit prendre l'**Avenida Niemeyer** qui longe la côte depuis Leblon. Celle-ci, réalisée en 1917, est en fait une merveille d'ingénierie : construite en porte-à-faux, elle s'appuie sur la falaise pour passer littéralement au-dessus de l'eau. Au détour des virages, elle offre de superbes vues sur l'océan et la baie d'Ipanema, gardant la plus spectaculaire pour la fin, lorsque l'avenue descend vers São Conrado et que, tout à coup, apparaissent la mer, la plage et le Pedra de Gávea en toile de fond. À Rio de Janeiro, le spectaculaire peut devenir banal, mais la beauté inégalée de ce spectacle vous prend par surprise.

Vidigal, que borde l'Avenida Niemeyer, est un étrange quartier résidentiel où les riches semblent cohabiter avec les pauvres, les luxueuses résidences étant petit à petit entourées par les masures d'une *favela*.

L'espace et le manque de foule sont les principaux facteurs qui différencient ces plages de leurs célèbres voisines, Copacabana et Ipanema. Même si cette banlieue est relativement compacte, le manque proportionnel de monde garantit à São Conrado une certaine ouverture soulignée par le **golf 18-trous de Gávea**, lequel traverse tout le quartier.

Suivez le bon panneau !

Les contrastes de São Conrado

Adresse particulièrement recherchée, São Conrado propose un parfait miroir du microcosme *carioca*. En bas dans la vallée, les classes moyennes et supérieures vivent dans des appartements, des maisons et des domaines luxueux, en lisière de la plage et du golf. Profitant de cette situation unique, les greens comptent parmi les plus beaux du monde, rehaussant encore le caractère verdoyant de São Conrado.

Cependant, la verdure et la beauté du quartier ne sauraient masquer une urbanisation qui contraste violemment avec son aspect le plus séduisant. En effet,

Ci-dessous : le jardin japonais du Jardim Botânico.

une large cicatrice tranche la végétation des pentes où **Rocinha** (*voir p. 162*), la plus grande *favela* d'Amérique du Sud, dégringole du haut en bas de la montagne. Cette fourmilière grouillante de sentiers et de ruelles abrite au moins 150 000 personnes – et plus probablement près du double. La plupart de ces *favelados* vivent dans des baraques et des cabanons en brique, étroitement pressés les uns contre les autres.

Les surveillants de baignade ont toujours l'œil sur les nageurs imprudents.

Planer au-dessus de Rio

À l'extrémité de São Conrado, une nationale dépasse l'énorme **Pedra da Gávea**, d'où décollent des deltaplanes. À droite, une autre route mène au parc national de Tijuca et au Corcovado, traversant la forêt et jalonnée de vues sur les plages. Si l'expérience vous tente, rien ne vous empêche de vous lancer du haut de la piste à 510 m au-dessus de la mer, de vous laisser porter au-dessus de la baie puis de redescendre en lentes glissades sur la plage. Plusieurs pilotes expérimentés proposent des vols en tandem. Mais évitez ceux qui racolent sur les plages. Paulo Celani, de la compagnie Just Fly, accompagne depuis une vingtaine d'années les apprentis deltistes (tél. 21-2268 0565, port. 9985 7540, www.justfly.com.br).

Barra da Tijuca

De São Conrado, une route surélevée continue jusqu'aux plages plus à l'ouest, serpentant le long des falaises verticales où de splendides villas s'accrochent au-dessus du vide. À la sortie d'un tunnel, vous vous retrouvez soudain face à **Barra da Tijuca** ❷, quartier très apprécié par la moyenne bourgeoisie de Rio.

Durant les 15 dernières années, la hauteur des immeubles de Barra – comme on l'appelle familièrement – a subi un essor spectaculaire. Vers l'ouest, de luxueux buildings se lancent à l'assaut des montagnes. Cette agglomération aux allures nord-américaines porte bien son surnom de Miami du Brésil. Tout y est plus cher, et la voiture s'impose pour se déplacer. C'est ici qu'a choisi de s'implanter **Barra Shopping** ❸, le plus vaste centre commercial d'Amérique latine. Cet opulent et prospère paradis de la consommation agit comme un aimant sur les Cariocas. Quant aux 18 km de la plage de Barra, ils se remplissent sans peine en fin de semaine. Tout au long de la promenade, **Avenida Sernambetiba**, les voitures se traînent pare-chocs contre pare-chocs tandis que les classes moyennes de Rio tentent de fuir la poussière et la pollution de leur ville.

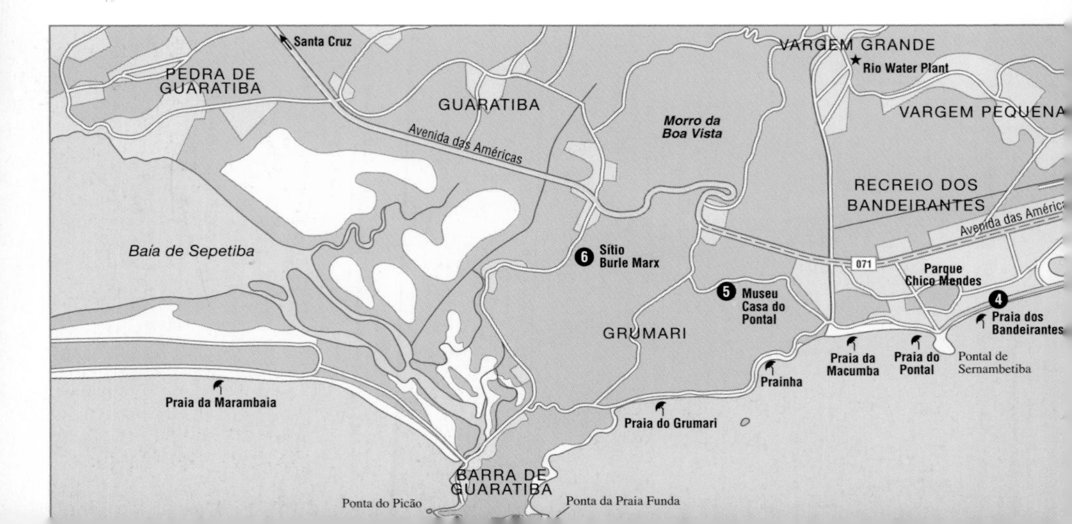

Mais comme toutes les plages de Rio, c'est la nuit que Barra s'éveille, comme le prouve le nombre important de nightclubs, dont le fameux Hard Rock Café Rio. Vous trouverez également plein d'endroits où manger, des élégants restaurants internationaux aux échoppes de fast-food (*voir p. 165*), sans oublier les innombrables caravanes et cabanons qui bordent l'Avenida Sernambetiba.

Caravanes de Barra

Aux terrasses de Copacabana, Barra réplique par une succession de caravanes hors d'âge qui vendent boissons fraîches et aliments chauds aux baigneurs. Durant les nuits de week-end, ces mêmes caravanes se muent en lieux de rendez-vous pour les couples comme pour les célibataires. De véritables foules peuvent se presser autour des plus connues, dont certaines se reconvertissent la nuit en centres de samba appelés pagodes.

Confinées à l'origine dans les arrière-cours des quartiers prolétaires du nord, les pagodes n'étaient que des lieux de réunion où musiciens professionnels et amateurs se lançaient dans des jam-sessions nocturnes. En se déplaçant vers le sud et le Rio des riches, les pagodes ont préservé leur pureté de style mais y ont ajouté un aspect commercial, devenant des bars à samba en plein air.

En tout cas, vous ne pourrez qu'être séduit par la superbe allure de ces caravanes à samba – probablement le plus beau but de soirée à Rio, quand les rouleaux déferlent à l'arrière-plan, que la guitare et les percussions font monter la samba dans la nuit, et que le public entonne en chœur les airs les plus connus.

Au fil des années, des dizaines de motels ont surgi dans les environs de Barra. À Rio comme dans le reste du Brésil, les motels sont conçus pour les amoureux, et leurs chambres se louent à l'heure, avec tout le confort désirable pour un couple – sauna, jacuzzi, miroirs au plafond... Par leur "débauche" de luxe inouï, certains des motels de Barra surclasseraient même les meilleurs 5 étoiles de la ville.

Si vous souhaitez vous aussi survoler la plage de São Conrado, vous pouvez faire appel à un instructeur (voir Carnet pratique, p. 368).

Surfs, poissons et crevettes

À l'extrémité de Barra se niche la **Praia dos Bandeirantes** ❹, petite plage protégée par une barre naturelle qui a créé ici une baie paisible. De la plage, la route escalade les flancs de la montagne, redescend sur **Prainha**, plage appréciée des surfeurs, puis continue vers **Grumari**, plage merveilleusement isolée où fut tournée une partie du film de Stanley Donen *Blame It On Rio* (*C'est la faute à Rio*, 1984).

De Grumari, une route défoncée grimpe tout droit à l'assaut de la colline. À son sommet vous attend une autre vue mémorable de Rio : les plates étendues de

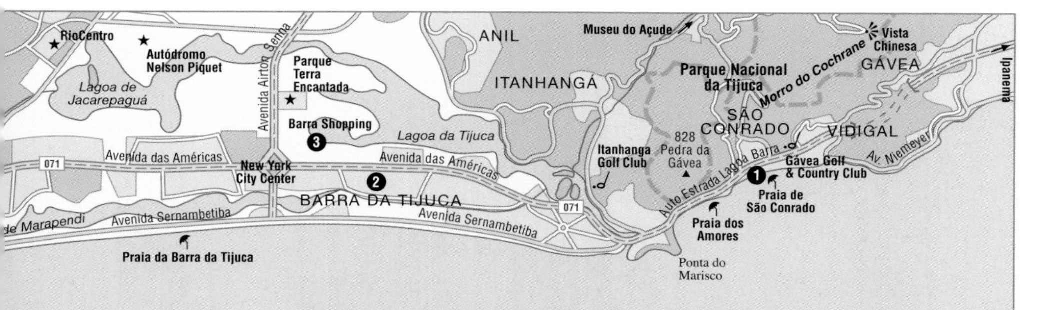

Guaratiba et le long ruban de sable qui s'étire au loin – la Restinga de Marambaia, domaine militaire hélas interdit aux promeneurs.

Au pied de la colline, à 60 km au sud-ouest de Rio, dans le village de pêcheurs de **Pedra da Guaratiba**, les restaurants Candido's et Quatro Sete Maria vous proposent leur excellente cuisine de la mer. Vous pourrez ainsi couronner cette très belle excursion par un long déjeuner passé à savourer crevettes et poissons en compagnie de la société dorée de Rio.

Outre la plage, ses appartements modernes et son énorme centre commercial, Barra héberge également un circuit automobile – qui accueillait le Grand Prix de Formule 1 dans les années 1980 –, et le Rio Centro, le plus grand centre d'exposition et palais des congrès de toute l'Amérique latine.

Deux autres sites de Barra de Guarabita méritent votre attention. Le premier, le **Museo Casa do Pontal** ❺ (Estrada do Pontal 3295 ; ouv. du mar. au dim. de 9h30 à 17h30 ; entrée payante) vous dévoilera une collection riche de plus de 8 000 œuvres du folklore artistique brésilien, rassemblée sur une période de 50 ans. Et le second, le **Sítio Roberto Burle Marx** ❻ (ouv. du mar. au dim. de 9h30 à 13h30 ; visites guidées, réservation obligatoire ; entrée payante), vous donnera l'occasion de visiter la demeure et les jardins du grand architecte paysagiste. Burle Marx (*voir encadré p. 161*) habita cette maison de 1949 jusqu'à sa mort, en 1994.

Sortir en ville

Pour tout Carioca qui se respecte, une soirée en ville est une affaire sérieuse. Bien plus sérieuse pour beaucoup qu'une journée de travail. Si vous voulez vivre à l'heure de Rio, ne dînez pas avant 21h. Le week-end, les restaurants les plus fréquentés acceptent de servir jusque bien après minuit.

Un repas se conçoit de 2 manières : léger et intime, ou copieux et assourdissant. Pour un dîner intime, privilégiez le restaurant à la française avec une belle vue. Pour la "grande bouffe", préférez la *steakhouse* à la brésilienne : la *churrascaria*, où les Cariocas s'installent en meutes autour de longues tables littéralement submergées de nourriture et de boissons. La nuit, Copacabana redevient la reine indiscutée de Rio. Pour s'en convaincre, il suffit de contempler le chapelet de lumières qui épouse la plage et l'ombre ténébreuse du Pão de Açúcar en toile de fond.

CI-DESSOUS : fin d'après-midi sur la plage de Leblon.

Tout au long de la plage et de l'Avenida Atlântica, les cafés en terrasse servent notamment leur bière pression glacée, aussi appréciés des touristes que des Cariocas qui s'y donnent rendez-vous. La nuit, Copacabana a quelque chose d'un souk persan. Les vendeurs de rue colportent souvenirs, peintures, sculptures sur bois ou T-shirts sur le terre-plein central de l'avenue. Prostitués en tous genres – hommes, femmes et travestis – arpentent le large trottoir aux motifs serpentins.

Plus connu par les riverains sous le sobriquet de "Copa", le célèbre **Copacabana Palace Hotel** (*voir p. 151*) a été amoureusement rénové dans les années 1990, retrouvant son lustre des années 1920 et 1930, lorsque milliardaires et célébrités du monde entier y affluaient. Même si vous n'avez pas les moyens d'y séjourner, offrez-vous quand même le luxe délicieux d'un cocktail au bord de sa piscine. Le Sofitel Rio Palace possède également un bar à cocktails, d'où vous pourrez voir le soleil se coucher sur Ipanema.

Pour visiter le Sítio Burle Marx, pensez à vous couvrir bras et jambes et enduisez-vous d'une bonne couche de répulsif à insectes, surtout si le temps est humide.

Les sortilèges de la nuit

Entre Copacabana et Leme s'étend l'infamant quartier chaud de Rio. Dans les bars et clubs aux lumières tamisées, des Occidentaux cherchent un plaisir à peu de frais, oubliant apparemment les risques de contracter le sida, le désespoir qui pousse des personnes à se prostituer – sans compter le fait que nombre de ces jolies demoiselles sont en fait des hommes. Ancien quartier chaud également, Lapa est devenu ces dernières années un secteur émaillé de bars à musique live. La clientèle y est plutôt jeune – par prudence, ne vous écartez pas des rues principales. Carioca da Gema, Semente et Rio Scenarium notamment se sont bâti une excellente réputation pour leur programmation variée de musique brésilienne, de la samba à la bossa nova, dans un cadre chaleureux.

Cirques et grands spectacles

Amateurs de musique en tout genre ne manquez pas d'aller voir un concert au **Circo Voador** (cirque volant) de Lapa. À l'origine, cette compagnie avait installé

CI-DESSOUS : détail du Sítio Roberto Burle Marx.

ROBERTO BURLE MARX

Paysagiste, peintre et sculpteur, Roberto Burle Marx, avec son style très caractéristique, innove dans la conception du jardin contemporain. Mais il fera beaucoup plus que de concevoir des jardins : en utilisant des matériaux différents et en associant des plantes inhabituelles, il réussit à transformer la façon dont les gens visualisent l'espace. Au cours de ses voyages, il rapporte plus de 3500 espèces de plantes, dont certaines très rares. Ce personnage exubérant et aventurier, au légendaire mauvais caractère, aimait également collectionner des objets divers qu'il exposait avec art autour de sa maison : vieilles portes récupérées sur les chantiers de démolition, figures de proue, jarres en terre, rochers… Ne manquez pas ses autres œuvres *cariocas*, dont le Parque do Flamengo et le trottoir de Copacabana, pavé de pierres dont les couleurs alternées dessinent des vagues.

Favelas de Rio

La *favela* est devenue une caractéristique incontournable de Rio, au point que certaines agences incluent la visite de Rocinha dans leur itinéraire. Née dans les années 1940, Rocinha a pris les allures d'une fourmilière tentaculaire : plus de 150 000 personnes vivraient au flanc de cette colline abrupte, la plupart dans des cabanons de fortune.

La *favela* constitue à bien des égards le centre névralgique de la ville brésilienne, pépinière de ses talents musicaux, berceau de ses figures les plus inventives. On sous-estime l'apport culturel des *favelas*, sans lesquelles le plus célèbre carnaval de la planète n'existerait pas. Toutes les grandes écoles de samba proviennent en effet des *favelas* de Rio, dont elles portent les noms. Pour les sélections du carnaval, les *favelados* pratiquent frénétiquement leurs exercices de samba et préparent leurs costumes de satin, cousus de plumes et de sequins. Celles de Rio sont les plus visibles ; si toutes les villes ont leurs *favelas*, elles demeurent cachées, comme à São Paulo, où vous n'en aurez qu'un bref aperçu, sur la route de l'aéroport au centre-ville. Les *favelas* sont la réponse des pauvres à l'expansion chaotique des grandes villes : les prix ont explosé, empêchant toute famille d'acheter ou de louer une maison dans le centre. Dans le même temps, la hausse du tarif des bus saigne à blanc les ouvriers qui doivent en prendre 2 ou 3 pour venir des banlieues les moins chères. Ainsi les pauvres ont-ils commencé, dans les années 1900, à construire illégalement sur les pentes de collines jugées sans valeur par les spéculateurs immobiliers. Environ 70 % des gens qui vivent à Rocinha sont arrivés du Nordeste, région la plus déshéritée du Brésil. Leurs conditions de vie sont similaires à celles que connurent les immigrants européens à New York. Une famille de 6 personnes partage une seule pièce avec un lit pour les adultes, les enfants couchant par terre. Presque toutes les maisons ont cependant le téléphone et la télévision. Environ 80 % des habitants de Rocinha travaillent, et l'énorme majorité n'a rien à voir avec la drogue et la violence qui sont associées aux *favelas*.

Les visites guidées des *favelas* de Rio s'effectuent en 4x4, à pied ou à moto. Mais peu d'agences permettent un réel contact avec les habitants. Les meilleures d'entre elles sont associées à des organisations caritatives et reversent une partie des bénéfices dans des programmes sociaux – écoles, apprentissage.

Rio compte aujourd'hui 800 *favelas*, où vivent 3 millions de *favelados*. Leur situation s'est sensiblement améliorée au fil des ans, certains disposant aujourd'hui de l'électricité et de l'eau courante. Les *favelas* alimentent même un marché immobilier prospère, les *favelados* enrichis déménageant pour des baraques plus récentes et vendant leurs cabanons aux nouveaux arrivants. Quelques *favelados* se sont taillé une célébrité nationale. Benedita da Silva, première femme noire sénateur du Brésil, vit toujours dans le bidonville de Chapeu Mangueira de Rio ; il vous faudra gravir 56 marches pour atteindre sa maison.

Le plus étonnant est peut-être la proximité des *favelas* avec quelques-uns des plus élégants quartiers de la planète. Rocinha surplombe des hôtels 5 étoiles, des complexes de luxe et des restaurants haut de gamme. Des décennies durant, l'élite, essentiellement blanche, n'a pu échapper à cette vision cauchemardesque d'une marée noire de *favelados* dévalant les pentes pour venir les chasser de leur paradis. Mais cette cohabitation a des avantages : les *favelas* fournissent à leur riche voisinage une main-d'œuvre bon marché – femmes de chambre, concierges, ou personnel de restaurant. Paradoxalement, la plupart des bourgeois *cariocas* n'imagineraient jamais approcher une *favela* alors qu'ils trouvent naturel d'employer ses habitants. Cette crainte est alimentée par les médias, qui font leurs choux gras des aspects les plus négatifs des *favelas*. ❑

À GAUCHE : la Favela das Canoas, accrochée à la montagne.

un grand chapiteau sur le site sous lequel nombre de jeunes artistes brésiliens ont fait leurs débuts dans les années 1980-1990. En 2000, il fut démonté pour être remplacé par une construction… en forme de chapiteau, donnant une nouvelle vie au Circo Voador pour continuer ses spectacles des plus éclectiques.

Si vous êtes en quête de shows à grande échelle, vous avez Canecão, situé à côté du Rio Sul Shopping, non loin de Copacabana, ainsi que l'ATL Hall de Barra, qui propose les meilleurs spectacles brésiliens et internationaux ; tandis que Plataforma I, à Leblon, donne tous les soirs un spectacle où se mêlent chansons, danses et carnaval.

Parmi les night-clubs les plus courus, faites un tour notamment au Baronneti, Rua Barão da Torre, à Ipanema ; au Bukowski dans la Rua Paulo Barreto, à Botafogo ; au Six, Rua das Marrecas, dans le Centro ; et au Ball Room, Rua Humaitá, à Botafogo. Il va presque sans dire que dans toute grande ville, la popularité d'une adresse très tendance et celle d'une autre plus discrète peuvent changer du tout au tout d'un mois – quand ce n'est pas d'une semaine – à l'autre. Les amateurs de jazz et de bossa nova devraient trouver leur bonheur à Mistura Fina, Avenida Borges de Medeiros, Lagoa ; et au Vinicius Bar, Rua Vinicius de Moraes, à Ipanema. Pour trouver un établissement renommé, adressez-vous à un Carioca, par exemple au réceptionniste de votre hôtel ; ou bien consultez le supplément de l'hebdomadaire *Vejá*.

En cas de besoin, les kiosques de police ne manquent pas.

Dîner en ville

Les cuisines de Rio n'ont qu'un seul point en commun : leur saveur. Sinon, elles présentent autant de variété que la multitude de nationalités qui fréquentent la Cidade Maravilhosa. Restaurants français, italiens, japonais, chinois ou libanais rivalisent avec les plus traditionnelles *churrascarias* brésiliennes, qui servent bœuf, saucisses, poisson ou poulet de qualité en quantité quasi illimitée. Les restaurants de poissons et fruits de mer sont également légion, qu'ils se spécialisent en recettes portugaises ou du Nordeste, s'assurant à parts égales la clientèle des touristes et des Cariocas.

Ci-dessous : le bar A Garota de Ipanema porte le nom de la célèbre chanson.

Mais les restaurants de Rio ne se contentent pas de vous nourrir. Sortir dîner fait partie de la culture carioca, et constitue une forme essentielle de distraction. Lorsqu'ils sortent au restaurant – souvent –, les Cariocas le font tout autant pour voir leurs amis, montrer leurs dernières acquisitions – vêtements, voiture, petit(e) ami(e) – que pour être vus. Et surtout, ils sortent pour se faire plaisir et passer un bon moment. Beaucoup de restaurants servent à une table d'hôte, où vous pouvez vous retrouver assis à côté d'une star, d'un sénateur ou d'un simple employé de banque. Peu importe d'ailleurs, vous serez bientôt emporté par la joie de vivre contagieuse des Cariocas. En sortant – quelques heures plus tard, – vous serez certain d'avoir rencontré là tout le petit et le grand monde de Rio, et de vous être fait les meilleurs amis du monde.

Il y en a pour tous les goûts. Certains restaurants pratiquent l'intimité et la discrétion, d'autres l'espace et le tohu-bohu : selon votre humeur ou votre appétit du moment, vous n'aurez que l'embarras du choix.

Barra Shopping est le plus grand centre commercial d'Amérique du Sud. Pour attirer le chaland, des navettes gratuites le relient à de nombreux hôtels.

Shopping

Le premier centre commercial de Rio n'a fait son apparition que dans les années 1980, mais les Cariocas ont vite adapté leurs habitudes à ces grandes galeries climatisées qui leur épargnent des températures estivales moyennes de 35 °C. À présent, la grande majorité des magasins de grandes marques et les meilleures boutiques de Rio s'éloignent progressivement d'Ipanema pour s'installer dans ou autour des galeries ou centres commerciaux à la mode. Voici la liste des principaux d'entre eux :

Rio-Sul (ouv. du lun. au sam. de 10h à 22h, le dim. de 15h à 21h ; bus gratuits des hôtels de Copacabana). Dans le quartier de Botafogo, à courte distance de Copacabana, ce centre, tout récemment rénové, offre une sécurité de haut niveau. Outre ses boutiques, il propose également un large choix de divertissements, une galerie de restaurants, plusieurs cinémas et un night-club.

Barra Shopping (ouv. du lun. au sam. de 11h à 21h30, le dim. de 15h à 21h ; navettes gratuites aller-retour des hôtels). Il s'agit du plus grand centre commercial d'Amérique latine, situé à Barra da Tijuca. Il ressemble étonnamment à une galerie commerçante de grande banlieue américaine.

Cassino Atlântico (Avenida Atlântica ; ouv. du lun. au ven. de 9h à 21h, le sam. de 9h à 20h). Logé dans le Sofitel Rio Palace Hotel, sur le célèbre front de mer de Copacabana, ce petit centre offre un excellent choix de souvenirs, d'antiquités et de galeries d'art.

Rio Design Leblon (ouv. du lun. au sam. de 10h à 21h). Boutiques de vêtements branchées et excellents stands de restauration, sans oublier les magasins de meubles et de décoration, lesquels sont peut-être d'un intérêt moindre pour les touristes.

São Conrado Fashion Mall (ouv. du lun. au sam. de 11h à 22h, le dim. de 15h à 21h). Non loin des hôtels Sheraton et Intercontinental à São Conrado, découvrez dans cette minuscule mais très chic galerie boutiques, restaurants et magasins d'art.

CI-DESSOUS : à la Feira Hippy, l'ambiance est très… cool.

Et pour rester baba…

Si vous cherchez l'exotisme absolu ou êtes nostalgique des années 1960 et de leur vague Flower Power, courez à la **Feira Hippy d'Ipanema** (Praça General Osorio ; ouv. le dim. de 9h à 18h), marché proposant un vaste choix de sculptures sur bois, de peintures, d'articles en cuir faits main et autres souvenirs, dont un vaste éventail de T-shirts *cariocas*. À la nuit tombée, vous aurez l'occasion de retrouver la plupart de ses vendeurs sur le terre-plein central de l'Avenida Atlântica à Copacabana ; flânez-y lorsque vous regagnez votre hôtel après avoir dîné, car l'endroit ne manque pas de piquant. ❑

RESTAURANTS

Albamar
Praça Marechal Ancora 184, Centro
Tél. 21-2240 8428
L'un des plus vieux restaurants de la ville, installé dans un bâtiment aussi vénérable.
Fruits de mer et plats brésiliens. Ouv. tlj. midi et soir. **$$**

Bar Lagoa
Avenida Epitácio Pessoa 1674, Lagoa
Tél. 21-2523 1135
Installez-vous au bar art-déco de cette institution, ouverte en 1934 pour un repas complet ou seulement un verre. Prix raisonnables. Ouv. tlj. midi et soir. **$$**

Cais do Oriente
Rua Visconde de Itaboraí 8, Centro
Tél. 21-2233 2531
Un restaurant, plusieurs bars, un jardin et un salon accueillant des spectacles musicaux en soirée. Ouv. tlj. midi et soir. **$$$**

Carlota
Rua Dias Ferreira 64, Leblon
Tél. 21-2540 6821
Petit bar décontracté très apprécié des Cariocas qui viennent s'y serrer. Les plats marient tradition et modernité. Ouv. tlj. midi et soir. **$$$**

Casa da Feijoada
Rua Prudente de Morais 10 loja B, Ipanema
Tél. 21-2247 2776
Comme son nom l'indique, la spécialité du lieu est la *feijoada*, le plat national. Ouv. tlj. midi et soir. **$$**

Celeiro
Rua Dias Ferreira 199, Leblon
Tél. 21-2274 7843
Salades originales et délicieuses à base de légumes bio, quiches, tourtes et desserts délectables. Ouv. les lun. et mar. à midi, du mer. au sam. midi et soir. **$**

Colombo Tearooms
Goncalves Dias 32, Centro
Tél. 21-2232 2300
Une institution. Décor Art nouveau, murs couverts de miroirs. Buffet et repas légers, mais on y vient surtout l'après-midi pour prendre le thé. Ouv. du lun. au ven. de 8h à 20h, le sam. de 10h à 17h. **$$**

Garcia & Rodrigues
Avenida Ataulfo de Paiva 1251, Leblon
Tél. 21-3206 4100
Excellent restaurant français, boulangerie, cave à vins, épicerie, café et snack bar. Ouv. du lun. au ven. midi et soir, les sam. et dim. à midi. **$$**

Gero
Rua Anibal de Mendonça 157, Ipanema
Tél. 21-2239 8158
Ouvert en 2002, Gero, l'un des restaurants les plus cotés de Rio, mitonne des plats italiens sophistiqués. Ouv. tlj. midi et soir. **$$$**

Grottamare
Rua Gomes Carneiro 132, Ipanema
Tél. 21-2523 1596
Ce restaurant de poisson et de fruits ne désemplit pas. Ouv. du lun. au ven. le soir, les sam. et dim. midi et soir. **$$**

Hard Rock Café
Citta América, Avenida de las Americas, Barra da Tijuca
Tél. 21-2132 8000
Trois bars, un restaurant, une terrasse et une piste de danse. Fusion de musique brésilienne et de succès internationaux. Ouv. tlj. midi et soir. **$$$**

Margutta
Avenida Henrique Dumont 62, Ipanema
Tél. 21-2259-3887
Ce restaurant douillet vaut le détour pour son succulent plat de homard, mais aussi pour ses crevettes et ses fruits de mer. Ouv. du lun. au ven. le soir, les sam. et dim. midi et soir. **$$$**

Marius
Rua Francisco Otaviano 96 et Avenida Atlântica 290
Tél. 21-2104 9000
Ces 2 élégants restaurants attenants servent de délicieux plats de fruits de mer et de *rodizio*. Réservation indispensable. Mais l'attente semble inévitable. Ouv. tlj. midi et soir. **$$$**

Olympe
Rua Custódio Serrão 62, Jardim Botânico
Tél. 21-2537 8582
Pour beaucoup, c'est le meilleur restaurant de Rio. Sa cuisine française inventive est concoctée par l'accueillant Claude Troisgros. Ouv. du lun. au sam. midi et soir. **$$$**

Porcão
Avenida Infante Dom Henrique, Aterro do Flamengo
Tél. 21-3389 8989
Pour un barbecue, c'est la meilleure adresse. Vos papilles y seront à la fête. En outre, vous aurez le Parque do Flamengo comme cadre et la baie en toile de fond. Les 2 autres antennes de ce restaurant, à Ipanema et Copacabana, sont aussi recommandables.
Ouv. tlj. midi et soir. **$$$**

Quadrifoglio
Rua J.J. Seabra 19, Jardim Botânico
Tél. 21-2294 1433
Exquise cuisine italienne, légère et parfumée. Endroit accueillant et confortable. Ouv. du dim. au ven. midi et soir, le sam. soir. **$$$**

Quinta do Bacalhau
Rua do Teatro 5, Largo de São Francisco
Tél. 21-242 8205
La spécialité de ce restaurant portugais simple et excellent, installé en plein cœur du vieux Rio, est le *bacalhau*. **$**

Siri Mole
Rua Francisco Otaviano 50, Copacabana
Tél. 21-2267 0894
Une très bonne adresse pour goûter à la cuisine brésilienne. Nombreuses spécialités bahianaises. Ouv. du mar. au dim. midi et soir, le lun. soir. **$$**

Gamme des prix

Les prix s'entendent pour un repas (2 plats) pour 2 personnes. Comptez 20 $US environ pour une bouteille de vin.

$	moins de 40 $US
$$	de 40 à 70 $US
$$$	de 70 à 100 $US

ÉTAT DE RIO DE JANEIRO

Un chapelet de paradis tropicaux s'égrène tout au long de la côte, tandis que la charmante cité impériale de Petrópolis profite de la fraîcheur des montagnes où elle est nichée.

La ville de **Rio de Janeiro** ❶ symbolise le Brésil depuis longtemps et avec éclat. Mais l'État de Rio de Janeiro ne manque pas non plus d'atouts. À l'image de sa capitale, il présente un ensorcelant contraste de forêts montagneuses et de plages inondées de soleil, toutes situées à quelques heures de route au plus de la ville.

Ne manquez pas !
PETRÓPOLIS
NOVA FRIBURGO
BÚZIOS
ARRAIAL DO CABO
ANGRA DOS REIS
ILHA GRANDE
PARATI

Fraîcheur des montagnes

Les Cariocas ont beau avoir dédié leur vie à la plage, il leur arrive quand même de ressentir le besoin irrépressible de tout quitter pour gagner la divine fraîcheur des montagnes. Ce besoin s'est fait sentir dès les premiers temps de la nation brésilienne, et fut à l'origine de la fondation de deux grandes stations de montagne, Petrópolis et Teresópolis. Les teintes pastel et les jardins verdoyants de ces villégiatures exotiques sont un héritage du XIXe siècle, légué par les deux premiers empereurs du Brésil indépendant, Pedro Ier et Pedro II.

À GAUCHE : bateau servant d'excellent plongeoir, près d'Angra dos Reis.
CI-DESSOUS : le Museu Imperial de Petrópolis.

Petrópolis

À seulement 65 km de Rio, **Petrópolis** ❷ (280 000 hab.) est à elle seule un monument à la mémoire de Dom Pedro II, empereur du Brésil de 1831 jusqu'à son exil en 1889 (voir encadré p. 32) – il mourut à Paris 2 ans plus tard. La paternité de la ville revient à Pedro Ier, qui acheta des terrains dans la **Serra Fluminense** pour y bâtir son palais d'été, et échapper à la chaleur torride de Rio. Mais ce fut son fils qui mena le projet à bien, puis entreprit d'édifier la ville qui l'entoure dès les années 1840.

La route de Petrópolis constitue en elle-même l'une des plus belles destinations de l'État de Rio. Merveilles de technique et d'audace, ses ponts en béton enjambent de profondes et verdoyantes vallées tandis que la route épouse le flanc des montagnes. Partant du niveau de la mer à Rio, la nationale

s'élève de 810 m en une heure et quart d'ascension. Vous apercevrez en chemin des vestiges de l'ancienne route de Petrópolis, parcours pavé semé d'embûches, et qu'une armée d'ouvriers remettait en état tout au long de l'année.

La vie de Petrópolis se concentre aux abords de deux artères, **Rua do Imperador** et **Rua 15 de Novembro** – seul quartier de la ville dont les immeubles dépassent 4 étages. La température est ici plus basse qu'à Rio, et les passants vêtus de pulls lui donnent un air automnal durant les mois les plus frais, de juin à septembre.

Les monarques brésiliens empruntaient l'Avenida 7 de Setembro, perpendiculaire à la Rua do Imperador. Cette avenue partiellement pavée est séparée par un canal, et les carrioles à cheval louées à l'heure forment une file de taxis d'un autre âge, sur ces pierres mouchetées par le soleil.

Le téléphone exposé au Museu Imperial fut offert à l'empereur par Alexander Graham Bell, son inventeur. Ce fut le premier téléphone à fonctionner au Brésil.

Actuel **Museu Imperial** (Rua da Imperatriz 22 ; ouv. du mar. au dim. de 11h à 18h ; entrée payante), le palais d'Été, dont la façade rose est tournée vers l'Avenida 7 de Septembro, domine un quartier enseveli sous les arbres et les arbustes que sillonnent des allées piétonnes soigneusement entretenues. Il héberge un musée particulièrement intéressant. Vous devrez enfiler des chaussons en feutrine pour glisser silencieusement sur les étincelants planchers en *jacaranda* et en *pau-brasil*. La modestie du mobilier, tout comme le décor extérieur, révèlent la personnalité discrète de Dom Pedro II, qui chercha toujours à éviter les pièges de l'aristocratie. Au premier étage, la collection personnelle d'objets impériaux, dont un téléphone et un télescope, témoigne des marottes scientifiques de Dom Pedro.

Entre autres pièces originales, vous découvrirez les fabuleux **joyaux de la couronne** – un ensemble éblouissant de 77 perles et de quelque 639 diamants – ainsi que les robes et manteaux de la garde-robe impériale de cérémonie, dont une cape cousue d'éclatantes plumes de toucans d'Amazonie. Mais les photographies exposées indiquent que les deux derniers empereurs du Brésil se sentaient nettement plus à l'aise dans leurs costumes de ville.

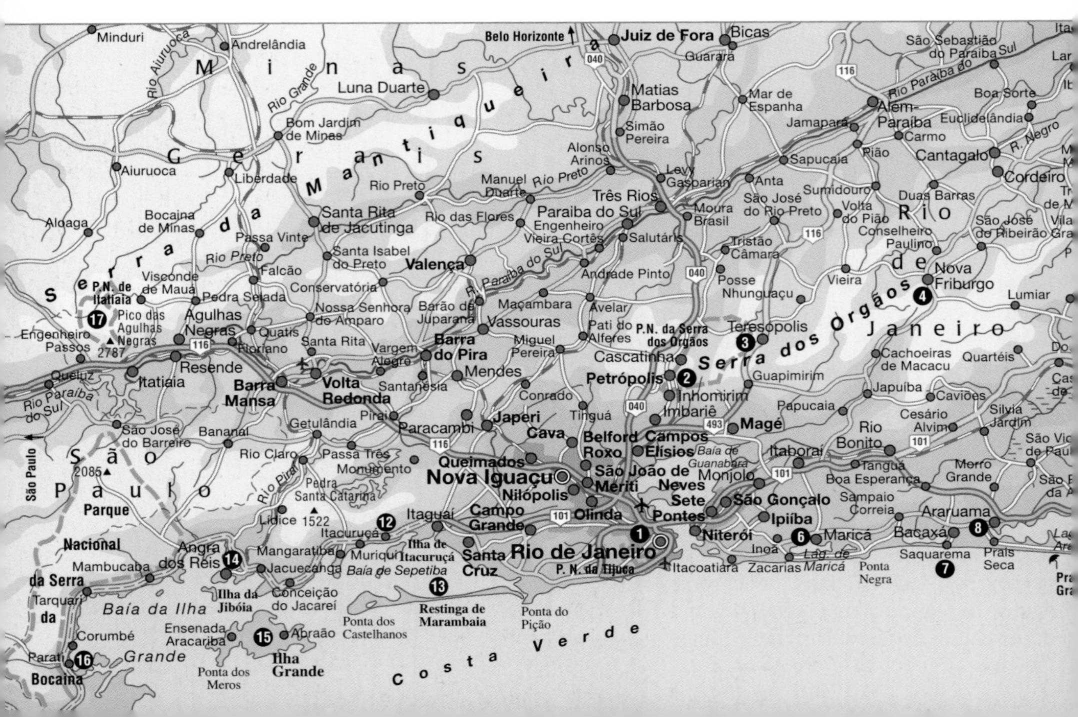

 Carte ci-dessous

Demeures impériales de Petrópolis

En face du palais, de l'autre côté de la place, les descendants de Dom Pedro II occupent l'ancienne demeure des invités d'honneur. Son propriétaire actuel est Dom Pedro de Orleans e Bragança, arrière-petit-fils de Pedro II et principale figure du monarchisme au Brésil. L'accès en est interdit au public, mais il n'est pas rare de voir Dom Pedro se promener sur la place ou faire la causette avec quelques riverains.

Un peu plus haut dans l'Avenida 7 de Septembro, la **Catedral de São Pedro de Alcântara** (ouv. du mar. au dim. de 8h à 20h ; entrée libre) a été achevée en 1939 : il aura fallu 55 ans pour venir à bout de cet écrasant édifice de style néogothique.

La ville est justement célèbre pour le charme de ses rues et de ses ravissantes maisons roses, dont beaucoup hébergèrent autrefois des membres de la famille royale. De nombreux jardins privés et parcs publics mettent en valeur les teintes pastel des pierres et des crépis. La **Casa de Petrópolis-Instituto de Cultura** (Rua Ipiranga 716 ; ouv. du mar. au dim. ; tél. 24-2242 0653), compte parmi les rares demeures ouvertes au public. Entrez jeter un coup d'œil sur son décor raffiné : vous y découvrirez d'intéressantes expositions d'art, ainsi qu'un joli restaurant où l'on sert café et déjeuner.

À quelques rues derrière la cathédrale, Rua Alfredo Pachá, le **Palácio de Cristal** (1884) abrite encore des expositions d'art ou d'horticulture sous sa structure en panneaux de fer et de verre – presque entièrement importés de France. À proximité, l'originale **Casa de Santos-Dumont** (Rua do Encanto 22 ; ouv. du mar. au dim. de 9h à 17h ; entrée payante) expose un ensemble d'objets étranges, dignes reflets de l'extraordinaire personnalité de son ancien propriétaire, le mirobolant pilote et inventeur Alberto Santos-Dumont. Dessinée par ses soins, la maison ne possède qu'une seule pièce, pas de table ni de cuisine (il se faisait livrer ses repas par un hôtel), ni d'escalier intérieur. Les étagères en revanche pullulent, chacune conçue dans un but spécifique, tandis qu'une commode lui servait de lit.

L'aéronaute et aviateur Alberto Santos-Dumont (1873-1932).

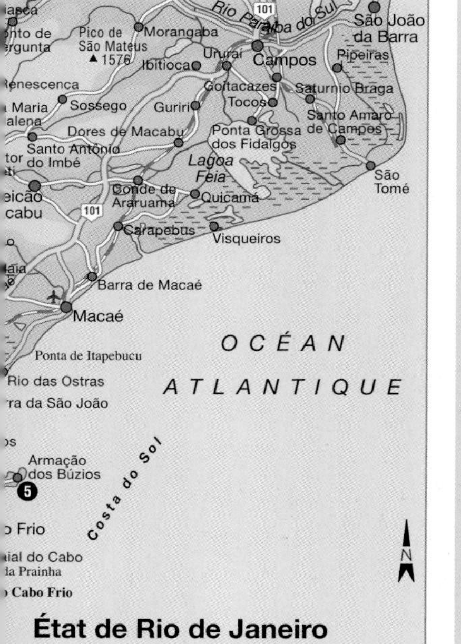

Alberto Santos-Dumont

L'aéroport Santos-Dumont de Rio honore la mémoire de l'une des plus illustres personnalités brésiliennes. Fils d'un riche planteur de café, Alberto Santos-Dumont se rend à Paris à l'âge de 17 ans pour y faire des études d'ingénieur. Il y mène une vie de play-boy jusqu'à son premier vol en ballon, en 1898. Enthousiasmé, Santos-Dumont se lance alors dans la conception d'une série de machines volantes, dont il s'efforce d'augmenter la manœuvrabilité. Il remporte le prix Deutsch de la Meurthe pour son vol Saint-Cloud-Tour Eiffel et retour, remettant la moitié des gains aux pauvres.

Il réalise ensuite le biplan 14-bis, disgracieux appareil ressemblant à un assemblage de cerfs-volants cubiques. C'est pourtant avec lui qu'il effectue le premier vol homologué d'un engin plus lourd que l'air en Europe (à Bagatelle, en 1906), qui sera en fait le premier vol à propulsion autonome, puisque les frères Wright ont utilisé une catapulte 3 ans plus tôt. Santos-Dumont conçoit ensuite un monoplan, avant de se désintéresser de l'aviation. Il utilisera parfois un petit avion pour se rendre chez des amis en banlieue, ou l'attachera à un lampadaire près des bars qu'il fréquente.

Santos-Dumont passera ses dernières années au Brésil. Il se suicide en 1932, horrifié par l'utilisation de l'aviation en temps de guerre.

Au marché de Brejal, près d'Itaipava, vous trouvez souvenirs aussi bien que produits frais.

En quittant Petrópolis, vous remarquerez peut-être un immense hôtel de style normand, le **Quitandinha** (ouv. du mar. au dim. de 9h à 17h ; entrée payante) : ce luxueux édifice achevé en 1945 devait constituer le plus beau casino du Brésil – mais le jeu fut proscrit seulement quelques mois après son inauguration. Situé à 8 km du centre sur la nationale Rio-Petrópolis, cet ensemble encore imposant a été converti en complexe d'appartements et club privé.

Teresópolis et Nova Friburgo

À 57 km de Petrópolis, au terme d'un trajet d'une heure sur d'abruptes et sinueuses routes de montagne, vous arriverez enfin à **Teresópolis** ❸ (138 000 hab.), la deuxième villégiature impériale. Baptisée du nom de la femme de Dom Pedro II, Teresa Cristina, Teresópolis, planifiée dans les années 1880, sera achevée seulement en 1891, 2 ans après le départ du couple en exil.

Située à 92 km de Rio, Teresópolis s'accroche aux pentes de la **Serra Fluminense**, à 870 m d'altitude. Outre la fraîcheur de son climat, elle possède deux atouts : une vue générale quoique lointaine de la **Baía de Guanabara** de Rio, et la proximité du superbe **Parque Nacional da Serra dos Orgãos**. Une crête de pics escarpés domine ce parc aménagé de vastes pelouses, de folies, de fontaines et de patios. Le plus haut sommet, **Pedra do Sino**, atteint 2 260 m, mais on le remarque moins que l'impressionnante aiguille rocheuse baptisée **O Dedo do Deus** (Le Doigt de Dieu). Par temps clair, la ligne déchiquetée de la Serra dos Orgaõs s'aperçoit même de certains points de Rio.

Morceau de Suisse égaré sous les tropiques, à 78 km à l'est de Teresópolis, **Nova Friburgo** ❹ (180 000 hab.) est l'œuvre du roi du Portugal en exil, João VI, qui y autorisa l'immigration de 400 familles suisses du canton de Fribourg. S'installant dans les montagnes, ces pionniers baptisèrent leur région d'adoption la "Nouvelle Fribourg". Et si, comme on peut s'en douter, la ville ne manque ni d'espaces verts, ni de chalets, elle est également industrieuse et elle se targue d'être la capitale brésilienne de la lingerie. Côté plaisirs et loisirs, Nova Friburgo a la

À DROITE : la cour d'une *fazenda* typique.

FAZENDAS COLONIALES

Au XIXe siècle, lorsque le café constituait la principale source d'exportation du Brésil, sa production se concentrait sur de vastes fermes, les *fazendas*, dans l'arrière-pays de Rio de Janeiro ; les esclaves défrichèrent ces terres au détriment des verdoyantes forêts humides atlantiques de la vallée du Paraiba. Les richesses obtenues transformèrent les barons du café en une élite nouvelle, installée dans des demeures somptueuses. Lorsque, dans les années 1880, la production de café déclina, laissant place au bétail, nombreuses furent les *fazendas* qui changèrent de mains.

Une poignée a survécu grâce à leur reconversion en hôtels et en restaurants où règne une atmosphère bien éloignée de la poussière et de la sueur de Rio de Janeiro. Au cœur de vastes domaines, elles offrent détente et confort, qu'accompagne une cuisine aux ingrédients maison, avec vaisselle et argenterie d'une autre époque. Certaines proposent des balades à cheval ou en kayak.

Citons notamment la **Pousada Fazenda São Polycarpo** (tél. 24-9969 0060), hotel-*fazenda* meublé et décoré dans le style XIXe siècle, et la **Fazenda Pau d'Alho à Valenca** (tél. 24-2453 3033), sans hébergement, mais qui sert le thé dans une ambiance coloniale extraordinaire (réservation conseillée).

réputation d'avoir une bonne table – pas seulement germanique –, d'offrir de superbes panoramas ainsi que d'agréables sentiers de randonnées dans la forêt humide presque vierge.

Les 65 km d'excellente route qui relient Nova Friburgo et Teresópolis sont jalonnés de sites touristiques, de bons restaurants et de club-hôtels tels que Rosa dos Ventos (tél. 21-2644 9900), Hotel Village Le Canton (tél. 21-2741 4200) et Fazenda Vista Soberba (tél. 22-2529 4053). Depuis peu, il est plus rapide et plus facile de rallier la Costa do Sol de Nova Friburgo en empruntant la nouvelle et panoramique voie express Lumiar-Rio das Ostras, près de Búzios.

NOTEZ-LE

Si vous ne souhaitez pas conduire, empruntez l'une des lignes régulières de la Team Airlines qui relient Rio et São Paulo à Cabo Frio. Sinon, des cars confortables quittent à intervalles réguliers la Rodoviária Novo Rio (tél. 21-3213 1800), gare routière de Rio, à destination de Búzios.

Armação dos Búzios

Situé à 190 km à l'est de Rio sur la Costa do Sol, **Armação dos Búzios** ❺, communément appelé **Búzios**, est souvent comparé à Ibiza. Cette station balnéaire internationale plutôt chic parvient à préserver presque toute l'année son côté village tranquille de pêcheurs – sauf en plein été et juste avant, pendant et après le carnaval : même Búzios connaît alors une invasion de touristes, sa population de 20 000 habitants passant à 100 000 personnes. Dans ces conditions, mieux vaut faire un détour. Mais il reste tout de même 9 mois dans l'année durant lesquels ce lieu remplit sans effort apparent son rôle de rêve mué en réalité. Contrairement à de nombreuses stations balnéaires brésiliennes, Búzios a su maîtriser sa croissance, attirant une clientèle exigeante et élitiste. Depuis les années 1970, le village a naturellement connu son boom immobilier, mais la municipalité n'a pas laissé le champ libre aux promoteurs. Des règlements très stricts limitent la hauteur des habitations, évitant de voir l'horizon bétonné comme dans tant d'autres plages brésiliennes. Le résultat est parfait : les élégantes résidences, égrenées le long de la plage, se fondent merveilleusement bien – pour une bonne partie – avec les pittoresques maisons de pêcheurs. L'hébergement consiste ici bien souvent en *pousadas* appartenant à des étrangers, ou en de petites auberges de caractère, mais raffinées et fréquemment dotées d'une piscine.

CI-DESSOUS : rafraîchissements à bord, plage de Búzios.

La statue en bronze de Brigitte Bardot, figure du Búzios bohême.

La Bardot Connection

Selon les manuels d'histoire, les Portugais ont "découvert" Búzios au début du XVIe siècle. Mais les gens du coin évoquent une tout autre histoire, bien plus palpitante. Selon eux, Búzios fut en fait découvert par notre star nationale, Brigitte Bardot. Invitée par un ami argentin, la Bardot passa 2 séjours très photographiés à Búzios en 1964, promenant son ébouriffant bikini sur des plages idylliques, et répandant le nom de Búzios comme une traînée de poudre enflammée à travers toute la planète. Búzios ne s'en est jamais remis. Ce village de pêcheurs sommeillait paisiblement face aux flots languissants d'une baie bien abritée. Bardot envolée, Búzios est demeuré à jamais le symbole de tout ce que le terme de paradis tropical peut évoquer – plages de sable blanc, eaux cristallines, palmiers et cocotiers, naïades et apollons à demi nus, nonchalance et liberté. On y croirait presque, d'autant plus que la vérité n'est pas si loin. Búzios fait partie de ces rarissimes destinations de rêve qui ne déçoivent jamais. Ici, ce sont les cartes postales et les dépliants qui paraissent bien ternes, et non la réalité.

Sur la plage abandonnée…

Búzios et ses abords comptent 23 plages, pas une de moins : certaines nichées le long de criques ou de bras de mer paisibles, d'autres ouvertes sur l'Atlantique. Les plages de la ville ou toutes proches, notamment **Ossos**, **Do Canto** ou **Ferradura**, sont aisément accessibles à pied ou en voiture. Comme d'habitude, les plus belles demandent un peu plus d'efforts. Soit il faut marcher un bon bout de chemin, parfois sur un terrain rocheux, soit la route se transforme en terrain de labour. Au bout de l'enfer vous attendent des paradis tels que **Tartaruga**, **Azeda**, **Azedinha**, **Brava**, et **Forno**, dont les eaux paisibles vous éblouiront. Mais vous pouvez aussi vous épargner bien des fatigues : les pêcheurs de Búzios se sont convertis en guides à temps partiel, et louent leurs bateaux à l'heure ou à la journée. Les voiliers se louent également, tout comme les voitures et les buggies, les vélos, les motos et les chevaux. Quant aux plongeurs, ils trouveront aussi tout le matériel nécessaire à louer en ville.

Ci-dessous : jeu d'enfants à Búzios.

Une journée typique à Búzios ne démarre jamais avant 11h, avec un solide petit-déjeuner pris à la **pousada**. Les activités diurnes se concentrent autour de la plage : nager, faire de longues balades, ou partir à la découverte de plages plus éloignées, avec une halte pour savourer crevettes sautées ou quelques huîtres fraîches arrosées de bière glacée ou de **caipirinha**, la boisson nationale brésilienne – liqueur de canne à sucre, glace et rondelles de citron vert.

Une série de boutiques très en vogue longe les pavés de la **Rua José Bento Ribeiro Dantas**, surnommée Rua das Pedras ou Rua Manuel Turibe de Farias – en fait chacun ici semble l'appeler comme bon lui chante. De nombreux artistes brésiliens et étrangers s'étant installés à Búzios, le petit village de pêcheurs s'inscrit dans le marché croissant de l'art.

Búzios by night

Quelque peu paresseux de jour, Búzios sort de sa léthargie au crépuscule. Petite par la taille, grande par ses tables, la ville s'est bâti une réputation gastronomique enviable, avec plus de 20 restaurants haut de gamme, certains comptant parmi les meilleurs du Brésil. Les gourmets et les gourmands ont le choix entre des dizaines de cuisines – brésilienne, italienne, française ou portugaise notamment, sans parler des fruits de mer et des crêpes, grand classique local. Estáncia Dom Juan (grillades), Cigalon (cuisine française), Sawasdee (cuisine thaïlandaise) et S'Essa Rua Fosse Minha (poisson, fruits de mer et vue imprenable) comptent parmi les meilleurs restaurants, mais de nouvelles enseignes ouvrent régulièrement – certaines d'excellente qualité. Une petite ombre au tableau cependant : les prix imbattables de Rio n'ont pas cours ici. Après un délicieux repas, la clientèle chic et branchée de Búzios se donne rendez-vous dans l'un de ses bars, dont beaucoup proposent un spectacle live.

Les charmes de Búzios ont retenu plusieurs étrangers de passage ; Brigitte Bardot s'en est allée mais d'autres sont restés, ouvrant bar, restaurant et imprégnant la station d'une atmosphère cosmopolite mâtinée de Français, de Suisses, de Scandinaves ou d'Américains, bien décidés à ne pas repartir.

Le tramway de Búzios part de la Praia da Armação (tél. 22-2623 2763). La course coûte environ 15 $US et comprend un en-cas : sandwich, boisson et fruits frais.

Région des lagunes

Entre Rio et Búzios, de belles plages jalonnent la région des lagunes, séparée de l'Atlantique par de longues barres de sable. Des courants violents et des vagues puissantes balayent cette côte fort appréciée par les surfeurs.

Près de **Maricá** ❻, la plage de **Ponta Negra** déploie des sables immaculés presque déserts et une eau d'un bleu irréel. Les compétitions de surf les plus importantes se déroulent à **Saquarema** ❼, l'une des 4 stations balnéaire de cette région de lagunes. Mais vous pouvez également partir en balade à cheval dans l'arrière-pays de Nosso Paraíso (tél. 22-9906 8172 ou 22-2653 6278). Les Cariocas affectionnent **Araruama** ❽ et **São Pedro da Aldeia** ❾ en période de congés – en particulier durant le carnaval –, envahissant les hôtels et les nombreux campings de la région. Vous apercevrez des salines sur cette portion de route, dont les vastes étendues de **Cabo Frio** ❿, où débute officiellement la Costa do Sol.

À 29 km de Búzios, Cabo Frio vaut d'abord pour la qualité exceptionnelle de ses sables blancs, sur la plage comme sur les dunes. Pendant leurs vacances, les Cariocas viennent gonfler la population de cette ville de 110 000 habitants. Contrairement à Búzios, l'histoire de Cabo Frio remonte plus loin que la naissance du bikini. Ses ruines du XVIIe siècle comprennent le **Forte São Mateus** et l'église **Nossa Senhora da Assunção** – tous 2 de 1616 –, ainsi que le couvent **Nossa Senhora dos Anjos**, datant de 1686.

CI-DESSOUS : la Praia do Forte, à Cabo Frio.

Un paradis débusqué

À 18 km de Cabo Frio, **Arraial do Cabo** ⓫ peut à juste titre disputer à Búzios la couronne des plages de la Costa do Sol. Les vacanciers lui ont longtemps préféré Búzios et Cabo Frio, réservant Arraial pour leurs excursions, mais un éventail de **pousadas** et d'hôtels a fini par s'y implanter.

Les plongeurs et pêcheurs sous-marins ne s'y trompent pas : les eaux d'Arraial sont les plus claires du sud du Brésil. Le bourg s'étend à l'extrémité d'un cap ourlé de plusieurs plages, certaines léchées par des eaux tranquilles sur fond de montagnes luxuriantes, tandis que d'autres subissent les assauts de l'Atlantique qui propulse déferlantes et surfeurs jusqu'au rivage.

Au large se dresse le phare d'**Ilha do Farol** – plus connue pour sa **Gruta Azul**, grotte sous-marine aux eaux bleues étincelantes. Accessible par bateau, l'île permet d'avoir une très belle vue sur la côte.

À l'origine village de pêcheurs comme Búzios, Arraial est encore réputé pour la qualité de son poisson. Les eaux sont ici d'une limpidité telle que les pêcheurs locaux grimpent en haut des dunes afin d'y repérer les bancs de poissons.

Costa Verde

À l'ouest de Rio, une succession de plages et d'îles s'échelonne le long de la **Costa Verde** (Côte verte). Ainsi baptisée à cause de l'épaisse végétation qui domine le littoral et descend jusqu'au rivage, cette côte offre un splendide cocktail tropical de montagnes, de forêts humides, de plages et d'îles. Une verdure aux multiples nuances vous environne, imbibant les flots d'une subtile teinte turquoise.

Longeant la Costa Verde, la BR 101 porte localement le surnom de **nationale Rio-Santos**, les deux villes qu'elle relie. Cette route spectaculaire rappelle celle qui longe la Costa Brava espagnole, ou la State Road 1 californienne. Par endroits, vous avez l'impression que vous allez décoller, tant la route s'élève à flanc de montagne, ménageant soudain une vue panoramique avant de virer en épingle à cheveux pour descendre vers le rivage. Cet itinéraire mémorable longe un parc national, une centrale nucléaire, des stations balnéaires, des villages de pêcheurs, des quais d'approvisionnement pour transatlantiques, des ranchs, un chantier naval, et enfin la ville de Parati – saisissant musée à ciel ouvert d'architecture baroque brésilienne.

Les 270 km de la Costa Verde retiennent évidemment l'attention par leurs plages. Certaines petites criques enchâssent leur miroir sans rides au creux des falaises, tandis que d'autres s'étirent sur des kilomètres, labourées par les rouleaux. Les amateurs de sports en tous genres y trouveront fatalement leur bonheur, du tennis au golf, de l'équitation à la voile, de la pêche au gros à la plongée – sans oublier bien sûr le surf.

Vous pouvez parfaitement découvrir la Costa Verde en une journée, mais

CI-DESSOUS : De port actif, Angra dos Reis est devenue une station balnéaire recherchée.

pour l'explorer véritablement, comptez au moins 2 ou 3 jours. Depuis 20 ans, le tourisme a fait d'immenses progrès dans la région, et vous trouverez sans peine de bons hôtels et restaurants, même sur certaines îles.

Îles tropicales

La Costa Verde commence à 100 km de Rio de Janeiro, avec la ville d'**Itacuruçá** ⓬ (3 700 hab.). Amarrées aux quais, des goélettes embarquent jusqu'à 40 personnes chaque matin pour une journée d'excursion aux îles tropicales de la **Baía de Sepetiba** ⓭. Les prix sont raisonnables et vous pouvez même vous offrir un déjeuner océanique moyennant un supplément. La goélette mouille devant plusieurs îles comme **Martins**, **Itacuruçá** ou **Jaguanum** laissant le temps à ses passagers de se baigner ou de plonger avec palmes et masque. Pour explorer les îles les plus petites (**Pombeba** et **Sororoca** en particulier sont recommandées), il vous faudra louer un bateau et un guide, généralement un pêcheur. Et si vous souhaitez séjourner sur l'une des îles, vous y trouverez plusieurs hôtels de qualité tels l'Elias C et l'Hotel do Pierre.

La nationale passe par **Muriqui** puis **Mangaratiba**, où s'est implanté un grand Club Méditerranée. Plus loin, **Angra dos Reis** ⓮ (l'Anse des Rois), plus grande ville de la Costa Verde (130 000 hab.), se déploie sur une série de collines à l'entrée d'un golfe de 100 km de périphérie.

Le **golfe d'Angra** recèle quelque 365 îles, 2 000 plages, 7 baies et des dizaines de criques. L'eau y est aussi tiède que limpide et accueillante pour la vie marine. Les amateurs de pêche au harpon comme ceux de pêche au gros apprécient. En face de la gare routière, sur le port, un office du tourisme fournit plans et informations sur les hôtels et les excursions en bateau. L'Hotel do Frade détient le seul golf de la côte, superbe 18-trous qui accueille des tournois internationaux en juin et en novembre.

En terme d'infrastructures touristiques, Angra a fait d'immenses progrès ces dernières années. Il ne lui reste plus qu'à réveiller ses longues nuits un tantinet

Des navettes rapides transportent des passagers d'Ilha Grande à Mangaratiba, où les attendent des cars pour les mener à leur hôtel à Rio, ou directement à l'aéroport. Vous trouverez une information détaillée au port d'Abraão.

CI-DESSOUS : bateaux de pêche d'Itacuruçá.

trop tranquilles par rapport à Búzios. Le soir, les visiteurs se plaisent à rester dans leur **pousada** ou bien ils traversent la baie en bateau moteur pour se rendre à une soirée organisée sur Ilha do Arroz, Ilha de Itanhangá, Chivas ou une autre île.

La casa de Cultura d'Abraão organise des cours de *capoeira*, et les visiteurs sont les bienvenus.

Ilha Grande

À 90 min en bateau d'Angra, la réserve naturelle et paradisiaque d'**Ilha Grande** ⓯ est entourée de belles plages et abrite une flore et une faune d'exception. Body and Soul Adventures propose kayak de mer et randonnées sur les merveilleuses pistes de l'île, programme assaisonné de yoga et de massage. Des ferries desservent l'île au départ de Mangaratiba et d'Angra, vous déposant à **Abraão**, seule agglomération de l'île.

Vous pouvez également louer des barques à Abraão pour découvrir des plages plus éloignées comme **Lopes Mendes**, **Das Palmas**, et **Saco do Céu**. L'île dispose de plusieurs terrains de camping et d'une poignée de *pousadas*, dont certaines très luxueuses.

Destination fort prisée par les *backpackers* et les baroudeurs en 4x4, Ilha Grande s'est récemment dotée d'élégantes **pousadas**, de simples campings, d'excellents restaurants, de bons bistrots sans prétention et de bars animés. D'Abraão, vous pourrez louer de petites embarcations pour aller sur les plages comme Lopes Mendes, Mangues et Saco do Céu ; ou partir en randonnée sur l'un des sentiers bien balisés qui sinuent dans les collines. Si vous êtes en pleine forme, n'hésitez pas à gravir les 960 m du pic **Bico do Papagaio**, qui ressemble vraiment à son nom, le Bec du Perroquet. Dans ce cas-là, n'oubliez pas de prévenir quelqu'un de votre projet, et d'emporter eau et antimoustiques. La difficulté n'est pas extrême, mais le temps peut changer rapidement, amenant nuages et brume en quelques instants.

Depuis l'arrivée sur Ilha Grande du tour operator Body and Soul Adventures (www.bodysouladventures.com), qui propose un programme dans lequel alternent kayak de mer, trek sur les époustouflants sentiers de l'île, yoga et massages, l'île s'est soudainement découvert une vocation écotouristique.

CI-DESSOUS : Sarongs et hamacs à vendre à Vila do Abraão. À l'arrière-plan, le Bico do Papagaio.

Un musée vivant

À partir d'Angra, la nationale épouse le golfe, longeant la centrale nucléaire, puis le pittoresque port de pêche de **Mambucaba**. À l'extrémité du golfe –à 265 km et 3h30 de route de Rio– surgit **Parati** ⓰ (30 000 hab.) : classé au Patrimoine mondial par l'Unesco en 1966, ce joyau de l'ère coloniale n'a rien perdu de son charme malgré l'essor du tourisme.

Fondée en 1660, Parati a gagné célébrité et fortune au XVIIIe siècle avec la découverte d'or et de diamants dans l'état voisin du Minas Gerais. Les pierres précieuses étaient acheminées jusqu'à Parati, d'où elles partaient soit pour Rio, soit directement par bateau pour le Portugal. La ville constituait également la principale étape pour les voyageurs et les marchandises qui circulaient entre São Paulo et Rio de Janeiro. Pendant plus d'un siècle, Parati et ses habitants continuèrent de s'enrichir. D'opulentes demeures et de vastes domaines témoignent de cet âge d'or.

Parati est justement réputée pour sa cachaça, *l'alcool de sucre de canne à la base de la* caipirinha. *Dans ses magasins, vous trouverez des bouteilles de toutes les tailles, formes et couleurs remplies du breuvage.*

Après la déclaration d'indépendance du Brésil en 1822, les exportations d'or à destination du Portugal cessèrent, et une nouvelle route s'ouvrit, délaissant Parati pour relier directement Rio à São Paulo. Privée de sa position stratégique, Parati sombra rapidement dans l'oubli, et son héritage colonial demeura ainsi préservé. Aujourd'hui, cet ensemble d'églises et de demeures coloniales semble prisonnier de souvenirs sur lesquels le temps même n'a plus d'emprise.

Entre autres églises exceptionnelles, **Santa Rita** (1722), réservée aux esclaves affranchis, offre un exemple classique d'architecture baroque brésilienne. L'église héberge également le petit **Museu de Arte Sacra** (ouv. du mer. au dim. de 9h à 11h et de 14h à 17h ; entrée libre).

Les habitants de Parati sont particulièrement fiers de leur ville, un trait de caractère très bien représenté à la **Casa de Cultura** (ouv. les lun., mer., jeu. et dim. de 10h à 18h30, les ven. et sam. de 13h à 21h30 ; entrée payante), un étonnant édifice à la commémoration de la ville, de ses citoyens et à leur dignité.

Festival international de littérature

En août 2003, Parati devient la toute dernière ville à la mode à organiser un festival international de littérature, de l'étoffe d'Adélaïde, Toronto, Berlin ou Édimbourg. Il est créé par Liz Calder, co-fondatrice de Bloomsbury Publishing, dont la passion pour le Brésil remonte aux années 1960, époque où elle travaillait à São Paulo comme mannequin. Quelques décennies plus tard, ce festival annuel est devenu un événement des plus prestigieux, considéré comme l'un des rendez-vous mondiaux les plus importants et les plus éclectiques, ayant construit sa notoriété sur la présence de grands écrivains brésiliens et étrangers, parmi lesquels on compte Salman Rushdie, Ian McEwan, Martin Amis, Margaret Atwood, Paul Auster, Ariano Suassuna et Ruy Castro.

Ci-dessous : des maisons très colorées égayent toutes les rues de Parati.

Un cadre enchanteur, des couleurs chatoyantes et jamais le temps de s'ennuyer.

La moindre rue de Parati recèle son lot de surprises : galeries d'art, boutiques d'artisanat, *pousadas* de caractère, demeures coloniales. Vues de l'extérieur, les *pousadas* ont l'aspect de maisons méditerranéennes blanchies à la chaux, avec leurs lourdes portes en bois et leurs volets aux couleurs éclatantes. Une fois à l'intérieur, vous pénétrez dans une cour transformée en jardin de fougères, d'orchidées, de rosiers, de violettes ou de bégonias.

Parati ne s'est pas fait connaître pour ses plages, mais des voiliers comme le *Soberno da Costa*, goélette de 24 m, partent en excursion d'une journée jusqu'aux îles – vous en avez 65 à proximité, soit 200 plages environ. Hôtels et agences vendent les billets. Le **Caminho do Ouro**, piste de l'or datant du XVIIIe siècle, a été ouvert en 1999. Teatro Espaço y propose des randonnées jusqu'aux anciennes douanes qui dominent toute la baie. Ne manquez pas non plus leur remarquable spectacle de marionnettes (Rua Dona Geralda 327) les mercredi et samedi. La ville a organisé son premier festival de littérature en août 2003 (*voir encadré p. 177*).

Échappée à l'intérieur des terres

Sur la frontière d'État, la Via Dutra mène au **Parque Nacional de Itatiaia ⓱**, à 240 km à l'ouest de Teresópolis. Fondée en 1937, ce premier parc national créé au Brésil couvre les pentes des montagnes de la Mantiqueira. Tout en offrant une bonne infrastructure aux visiteurs, cette belle réserve naturelle abrite une forêt riche en vie sauvage, orchidées et broméliacées, sans parler de la splendeur des lacs et des cascades ; les amateurs d'oiseaux seront comblés.

En prenant de l'altitude, la végétation se transforme en prairies et en broussailles, avant d'atteindre les paysages lunaires du **Pico das Agulhas Negras** (2 787 m), particulièrement apprécié des grimpeurs et des randonneurs. Un musée d'histoire naturelle (ouv. mar.-dim. de 10h à 16h) vous attend près de l'entrée du parc. Vous pouvez séjourner notamment à l'Hotel Simon (tél. 24-3352 1230 ou 24-3352 2214) ou à l'Hotel do Ypê (tél. 24-3352 1453). ❑

CI-DESSOUS : l'architecture coloniale de Parati s'accorde parfaitement à une lumière de fin de journée.

LO CAMINHO DO OURO

Peut être serez-vous tenté de suivre le Caminho do Ouro (le Chemin de l'or), d'ores et déjà ouvert au public. Cette piste retrace les différentes routes empruntées au XVIIIe siècle par les chercheurs d'or, alliant histoire, divertissements et décors naturels spectaculaires. Tout d'abord, des camions ouverts, spécialement aménagés, vous emmènent jusqu'au village de Penha. Puis, accompagné d'un *frigo-burro* (âne-glacière) qui transporte pour vous des boissons rafraîchissantes, vous parcourrez à pied 2,5 km avant d'achever votre balade à une ferme où pourrez vous sustenter.

Cette excursion part du **Teatro Espaço** (Rua Dona Geralda 327, Parati ; du mer. au dim. à 10h). Pour plus d'informations, appelez le 24-3371 1575. Comptez environ 10 $US par personne, et 5 $US supplémentaires si vous envisagez de déjeuner à la ferme.

Restaurants

Petrópolis

Locanda della Mimosa
Alameda das Mimosas 30, Vale Florido
Tél. 24-2233 5405
L'antre de Danio Braga, l'une des plus grandes toques du Brésil. Sa renommée ne se dément et le fait que son restaurant se trouve hors des sentiers battus ne décourage pas ses admirateurs. Ouv. le ven. midi, les sam. et dim. midi et soir. **$$$-$$$$**

Majorica
Rua do Imperador 754
Tél. 24-2242 2498
Restaurant apprêtant traditionnellement le steak. Si le rumsteak mérite la palme, les plats en sauce et ceux de poisson ne sont pas à dédaigner. Ouv. tlj. de 11h à tard. **$$**

Pousada Alcobaça
Rua Dr Agostinho Goulão 298, Corrêas
Tél. 24-2221 1240
Maison d'hôte absolument charmante, située aux confins de la ville. Simple et bonne cuisine maison. Les légumes viennent du jardin. Ouv. tlj. de 20h à tard. **$$$**

Solar do Imperio
Avenida Koeler 376
Tél. 24-2103 3000
Hôtel-restaurant central aménagé avec beaucoup de goût et présentant une belle carte. Celle-ci propose en semaine pour le déjeuner un menu à prix fixe peu élevé. Ouv. tlj. midi et soir. **$$**

Búzios

Bar do Zé
Orla Bardot 382, Centro
Tél. 22-2623 4986
Rendez-vous de gourmets. La carte change en fonction des arrivages de produits frais du marché. Ouv. tlj. le soir. **$$$**

Brigitta's
Rua das Pedras 131, Centro
Tél. 24-2623 6157
C'est une institution qui a bâti sa réputation sur la crevette et le homard, mais qui propose aussi d'autres plats moins chers et tous délectables. Ouv. tlj. de 17h à tard. **$$$**

Chez Michou
Rua das Pedras 90, Centro
Tél. 22-2623 2169
Adresse incontournable à Búzios. Bonnes crêpes peu chères . Ne prends pas la carte bancaire. Ouv. tlj. de 17h à tard. **$**

Cigalon
Rua das Pedras 265, Centro
Tél. 22-2623 6284
Carte audacieuse, cadre enchanteur. Les desserts sont géants. Ouv. du lun. au sam. de 18h à tard, le dim. de 13h à tard. **$$$**

Estância Dom Juan
Rua das Pedras 178, Centro
Tél. 22-2623 2169
Laissez la viande de bœuf fondre dans votre bouche tout en appréciant la beauté du cadre. Soirée tango à l'occasion. Ouv. tlj. de midi à tard. **$$$**

Sawasdee
Orla Bardot 422, Centro
Tél. 22-2623 4644
Poissons et fruits de mer apprêtés à la thaïe. Ouv. du jeu. au mar. de 18h à tard. **$$$-$$$$**

Parati

Banana da Terra
Rua Dr Samuel Costa 198
Tél. 24-3371 1725
Poissons et fruits de mer cuisinés avec les ingrédients locaux. Ouv. le lun., le mer. et le jeu. soirs, du ven. au dim. midi et soir. **$$-$$$**

Bartholomeu
Rua Dr Samuel Costa 176
Tél. 24-3371 5032
Restaurant classieux installé dans une maison du XVIIIe siècle. La viande d'Argentine est une spécialité. Ouv. tlj. le soir. **$$-$$$**

Merlin o Mago
Rua do Comércio 376
Tél. 24-3371 2157
Une touche de magie et de fantaisie fait vivre cette demeure des années 1780. La fraîcheur des produits est irréprochable et leur préparation très soignée. Vous n'oublierez pas cette adresse. Ouv. du jeu. au mar. le soir. **$$$**

Porto Entreposto Cultural
Rua do Comércio 14
Tél. 24-3371 1058
Cuisine inventive, cadre attrayant. Ouv. tlj. midi et soir. **$$-$$$**

Refúgio
Praça da Bandeira 1
Tél. 24-3371 2447
Confortable, décor traditionnel où vous goûterez à de bons plats de poisson, entre autres. Les portions de crevettes salent la note. Ouv. tlj. midi et soir. **$$$**

Gamme des prix

Les prix s'entendent pour un repas (2 plats) pour 2 personnes. Comptez 20 $US environ pour une bouteille de vin.

$	moins de 40 $US
$$	de 40 à 70 $US
$$$	de 70 à 100 $US

À droite : devant Chez Michou, à Búzios.

banespa

Carte p. 198

SÃO PAULO : VILLE ET ÉTAT

Mégalopole moderne, cosmopolite et industrielle, São Paulo présente des aspects contrastés mais gorgés de vie, tandis que plages ou montagnes offrent leurs refuges à proximité.

Si l'on peut parler de 2 Brésils – une partie à l'économie dynamique, une autre dévastée par la pauvreté et la sécheresse –, il existe une multiplicité de São Paulo, qui correspond à chaque groupe ethnique ou social. New York de l'Amérique latine, **São Paulo ❶** héberge un plus grand nombre de communautés ethniques qu'aucune autre ville de la région. Son parc industriel, l'un des plus vastes et des plus modernes, témoigne du dynamisme de São Paulo, tout comme ses majestueux immeubles et ses élégantes demeures affichent la richesse de sa bourgeoisie d'affaires. Centre industriel et financier du pays, São Paulo est également gangrenée par les taudis. Cinq millions de Paulistanos, comme on appelle ses habitants (les Paulistas étant les résidents de l'État), vivent dans des bouges en tôle et en contreplaqué, ou des cabanes à lapins surnommées *cortiços* (ruches) où une centaine de personnes partagent une même salle de bains tandis que les enfants jouent au milieu des ordures de l'arrière-cour. Mal desservies, mal éclairées, les banlieues couvrent un chapelet de collines dont la puanteur s'échappe par 1 000 km d'égouts à ciel ouvert. La moitié de la population se contente d'un revenu moyen de 100 euros par mois, voire moins.

Ne manquez pas !

- **Monasteiro e Basilica de São Bento**
- **Teatro Municipal**
- **Pinacoteca do Estado**
- **Museu de Arte de Sao Paulo**
- **Ibirapuera**
- **Paranapiacaba**
- **Embu**
- **Sao Sebastiao**

PAGES PRÉCÉDENTES : São Paulo *by night*.
À GAUCHE : symbole de prospérité.
CI-DESSOUS : orgie de chiffres et de cris.

Chaudron ethnique

Environ 2,5 millions de Paulistanos sont d'origine italienne. 1,5 million est d'origine espagnole ou hispanisante. D'importantes communautés allemande (100 000 personnes), russe (50 000) et arménienne (50 000) cohabitent avec les 70 000 immigrants originaires d'Europe centrale et des Balkans. Comme dans les villes nord-américaines, cette population étrangère travaille et appartient aux couches moyennes, tandis que les réfugiés des zones déshéritées viennent augmenter la masse des pauvres. Environ 4 millions de Paulistanos sont des immigrés ou des descendants d'immigrés venus du Nordeste. Outre 100 000 immigrés venant d'autres régions d'Asie, São Paulo compte un million d'habitants d'origine japonaise. Contrai-

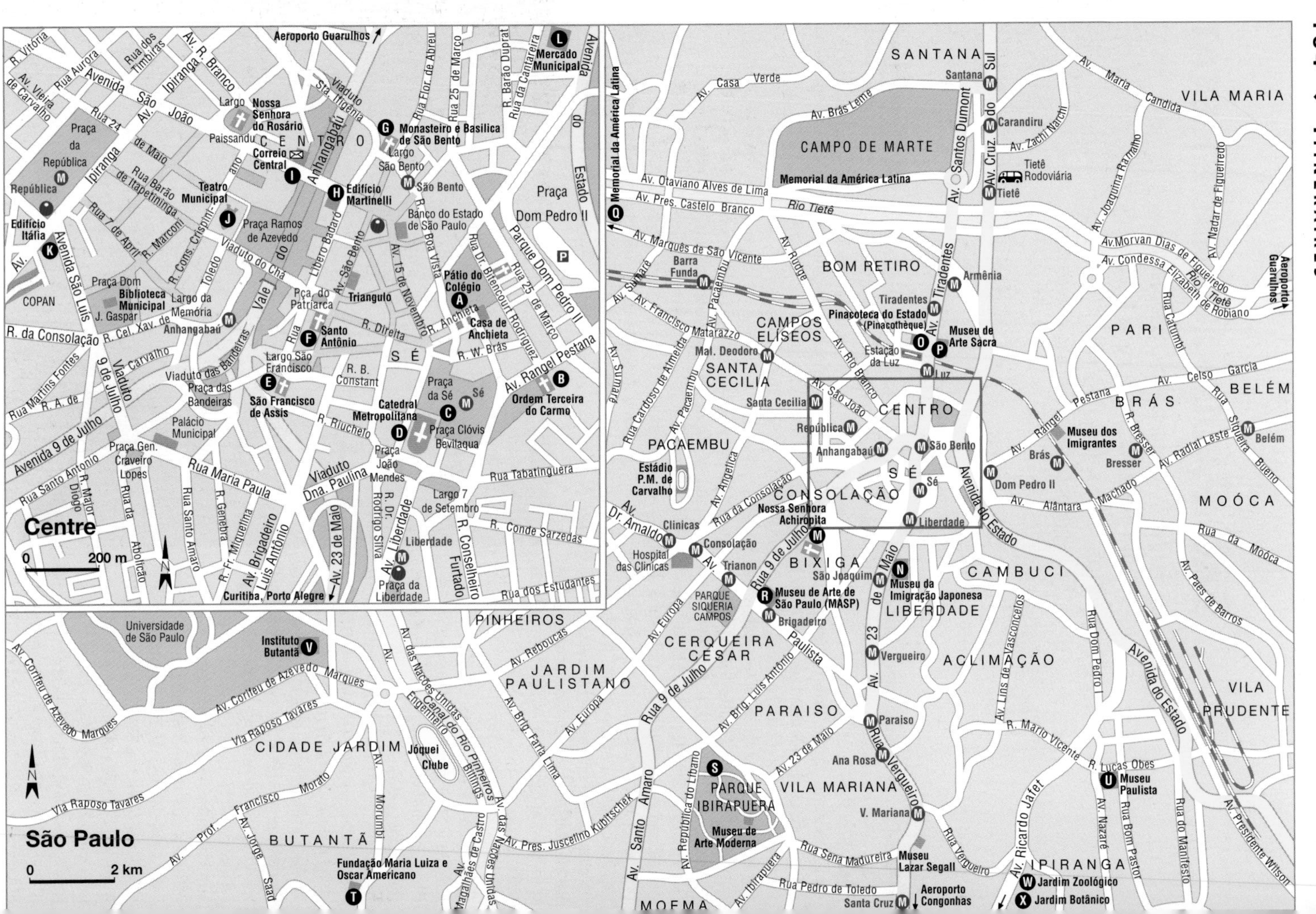
Centre
0 200 m
São Paulo
0 2 km
Santana
Vila Maria
Campo de Marte
Memorial da América Latina
Bom Retiro
Pari
Brás
Belém
Mooca
Vila Prudente
Cambuci
Aclimação
Liberdade
Ipiranga
Centro
Sé
Consolação
Bixiga
Campos Elíseos
Santa Cecilia
Pacaembu
Cerqueira César
Paraiso
Vila Mariana
Parque Ibirapuera
Moema
Jardim Paulistano
Pinheiros
Cidade Jardim
Butantã
Aeroporto Guarulhos
Aeroporto Congonhas
Pinacoteca do Estado (Pinacothèque)
Museu de Arte Sacra
Museu dos Imigrantes
Museu da Imigração Japonesa
Museu de Arte de São Paulo (MASP)
Nossa Senhora Achiropita
Estádio P.M. de Carvalho
Museu de Arte Moderna
Museu Lazar Segall
Museu Paulista
Jardim Zoológico
Jardim Botânico
Jóquei Clube
Instituto Butantã
Universidade de São Paulo
Fundação Maria Luiza e Oscar Americano
Avenida do Estado
Paulista
Av. 23 de Maio
Mercado Municipal
Monasteiro e Basilica de São Bento
Edifício Martinelli
Correio Central
Nossa Senhora do Rosário
Teatro Municipal
Edifício Itália
Pátio do Colégio
Casa de Anchieta
Ordem Terceira do Carmo
Catedral Metropolitana
Praça Clóvis Bevilaqua
Santo Antônio
São Francisco de Assis
Biblioteca Municipal
Palácio Municipal
Praça da República
Praça da Sé
Triangulo
Curitiba, Porto Alegre

Cartes p. 184 & 198

rement aux autres grandes villes brésiliennes, les Noirs et les métis comptent pour moins de 10 % de la population totale. L'État de São Paulo est le plus vaste (35 millions d'hab.) et le plus riche du Brésil. L'économie y manifeste une santé et une variété florissantes, des industries polluantes de São Paulo aux stations balnéaires rivalisant avec Rio ; des villégiatures de montagne aux régions agricoles les plus fertiles et les plus productrices du Brésil. L'État constitue une véritable centrale thermique pour l'économie nationale, fournissant 30 % de son PNB. Il alimente les caisses fédérales à une hauteur moyenne bien supérieure à celle des autres États, et consomme de l'énergie en quantités tout aussi disproportionnées. La moitié de toutes les entreprises industrielles brésiliennes sont affiliées à la Fédération industrielle de l'État (FIESP), et environ la moitié des 50 plus grosses compagnies et banques privées brésiliennes tiennent leur siège dans l'État de São Paulo. Mais ce qui frappe le plus dans cette évolution est sa rapidité foudroyante. Durant les 3 premiers siècles et au-delà de l'histoire brésilienne, São Paulo demeura une bourgade anonyme, peuplée de commerçants et de pionniers de toutes origines.

L'obélisque de São Paulo, monument à la révolution de 1924.

Premières colonies

Première colonie portugaise permanente dans le Nouveau Monde, São Vicente est fondée en 1532. Une génération plus tard, deux jésuites, José de Anchieta et Manuel da Nóbrega, fondent une mission sur un haut plateau de l'arrière-pays, à 70 km de São Vicente. Ils baptisent leur colonie São Paulo de Piratininga. Une grande partie du dynamisme traditionnel de São Paulo puise sa source dans l'isolement de colonies comme São Vicente et Piratininga, très éloignées des centres administratifs et commerciaux de la région. Comme peu de femmes européennes sont prêtes à accepter de vivre sur ce plateau venteux, les colons prennent alors des Indiennes pour concubines. Elles engendrent une race solide de métis habitués aux privations de cette vie de pionniers, et peu attachés à la couronne portugaise. En 2 générations, cette colonie isolée a produit sa propre génération de *bandeirantes* (pionniers). De ses origines indiennes, le *bandeirante* tire le sens de l'orientation et les techniques de survie. De ces ancêtres portugais, il a hérité l'appât du gain et une instabilité qui le pousseront à parcourir la moitié d'un continent. L'individualisme du *bandeirante* se traduira politiquement durant le XIXe siècle. Dom Pedro Ier sera très influencé par ses conseillers *paulistas* et leur chef José Bonifácio de Andrada e Silva ; plus tard, les Paulistas mèneront la lutte contre l'esclavage et aideront à l'instauration de la république en 1889.

Ci-dessous : revers de la médaille, le bidonville de Paraisopolis – 60 000 hab. –, dans le quartier de Morumbi.

Croissance économique

Mais São Paulo trouve sa vraie vocation dans les affaires. Intéressés par l'expansion de l'industrie textile britannique, les Paulistas se lancent dans la culture du coton dès le début du XIXe siècle. Cependant, dépourvus d'un vaste réservoir d'esclaves, ils se trouvent confrontés au manque de main-

L'aéroport international de São Paulo se trouve à Guarulhos, à 30 km à l'est. Un service de cars efficace le relie à la ville toutes les 30 à 45 min, de 5h30 à 23h40, avec arrêt Praça da Republica, au terminal Tiete et à l'aéroport de Congonhas. Coût : 10 $US, mais comptez le double pour gagner le centre-ville en taxi. Pour aller à l'aéroport, partez 30 bonnes minutes avant l'heure d'enregistrement, et 1 heure aux heures de pointe.

d'œuvre : leur production arrive loin derrière celle des Nord-Américains. Enrichis par l'argent du boom du coton, ils se convertissent alors dans le café, en demande croissante à travers le monde. Les conditions climatiques locales et un sol rougeâtre, la terra roxa, s'avèrent parfaitement adaptés aux capricieux plants de café, dont les fruits vont faire de l'État de São Paulo le plus riche du Brésil. En une décennie, les ressources générées par le café surpassent la manne apportée par le coton. Dans le même temps, la pénurie de main-d'œuvre se résorbe avec l'arrivée massive d'immigrants européens dès les années 1870, à la suite d'une campagne systématique de publicité. Ainsi, entre 1870 et 1920, quelque 5 millions d'immigrants débarquent dans le pays. Près de la moitié s'installe dans l'État, la plupart travaillant pour une durée contractuelle dans les plantations de café.

Industrie et immigration

L'argent du café a redonné vie au léthargique comptoir de São Paulo de Piratininga. En même temps, les barons du café cherchent des placements sûrs qui les protègent contre une éventuelle chute des cours mondiaux. Ils se diversifient, et, cette fois, se tournent vers les produits manufacturés. Ils disposent d'atouts multiples : une bourgeoisie d'affaires dynamique et inventive, une trésorerie alimentée par le boom du café, un réseau moderne de voies ferrées, un port exceptionnel, Santos, et, à travers les rivières qui descendent la chaîne côtière de la Serra do Mar, d'abondantes ressources en énergie hydroélectrique. Ainsi São Paulo est-elle prête à se métamorphoser en géant industriel et financier. La Première Guerre mondiale allume la mèche : la pénurie en produits manufacturés importés d'Europe laisse un vide, immédiatement comblé par une nuée d'entrepreneurs énergiques. La crise de 1929 marque le début d'une vague migratoire qui va satisfaire la demande de l'État en main-d'œuvre, tandis que São Paulo va connaître la croissance la plus forte du monde dans les années 1960 et 1970, avec quelque 1 000 nouveaux arrivants par jour. La rapidité de cette évolution apparaît dans les statistiques : bourgade de 32 000 habitants, São Paulo n'était en 1872 que la neu-

CI-DESSOUS : vendeur de fruits installé dans le centre.

MOSAÏQUE RELIGIEUSE

Riche d'une grande diversité ethnique, São Paulo reflète, de fait, une aussi grande diversité confessionnelle. Si le catholicisme est la première religion au Brésil – la messe du dimanche est célébrée en 26 langues –, São Paulo est sans doute la ville la moins catholique du pays. Un tiers de ses habitants pratiquent d'autres religions, une conséquence relevant des vagues successives d'immigration : le protestantisme, le shintoïsme et le bouddhisme pratiqués par la vaste communauté asiatique, l'islam, par de plus de 1 million de croyants d'origine libanaise, et le judaïsme par 100 000 fidèles. Les croyances traditionnelles africaines, tel l'*umbanda e candomblê* (*voir p. 70*), sont présentes à tous les échelons de la société, souvent amalgamées aux religions plus formelles. Une telle hétérogénéité fait de São Paulo un parfait exemple du syncrétisme culturel et religieux.

vième municipalité du Brésil : Rio de Janeiro en comptait alors 276 000. En 1890, São Paulo a tout juste doublé son chiffre (65 000 hab.). Mais l'expansion de l'industrie provoquée par la Première Guerre mondiale en fait une ville de 579 000 habitants dès 1920, juste derrière les 1,1 million de Cariocas de Rio. En 1954, São Paulo dépasse sa rivale et devient ainsi la plus grande ville du Brésil. En 1960, elle compte 3,8 millions de résidents. En 2002, ce géant a passé la barre des 18 millions – contre 11 millions pour Rio –, dont 8 millions concentrés dans ses banlieues tentaculaires.

Certains estiment que Liberdade, le quartier japonais de São Paulo, est plus nippon que Tokyo. Il est vrai que celle-ci s'est considérablement occidentalisée, tandis que Liberdade semble être figé dans le temps.

Une fibre indépendantiste

São Paulo a perpétué sa tradition d'indépendance politique et intellectuelle tout au long du XXe siècle. Cette attitude se traduit pour la première fois lorsque les casernes de la ville, menées par de jeunes officiers, se soulèvent en 1924 contre une république conservatrice et sclérosée. En 1932, c'est l'État tout entier qui se mobilise en une guerre civile de 3 mois contre l'intervention fédérale dans les affaires d'État. Les Paulistas se portent également à l'avant-garde du mouvement intellectuel nationaliste qui se déclenche en 1922. Cette année-là, le gouvernement fédéral a organisé une exposition à Rio de Janeiro pour marquer le centenaire de l'indépendance. Un groupe d'artistes et d'écrivains boycotte l'événement, en organisant simultanément une Semaine de l'art moderne au **Teatro Municipal** de São Paulo. Cette génération d'intellectuels, dont le peintre Anita Malfatti, l'écrivain Mário de Andrade, le poète Oswald de Andrade, le sculpteur Victor Brecheret et le compositeur carioca Heito Villa-Lobos (*voir p. 146*), domina les arts et la littérature du Brésil au XXe siècle, mêlant l'ancien et le moderne, l'étranger et l'indigène en un cocktail qui fait tout le charme de São Paulo.

Mosaïque ethnique

Malgré des disparités économiques, les habitants de São Paulo partagent la même convivialité et la même joie de vivre des Brésiliens. Ces caractéristiques sont

CI-DESSOUS : l'entrelacs des routes aériennes.

attribuée à son immense diversité ethnique. Cette ville de 20 millions d'habitants –représentant 11 % de la population brésilienne– se place au 5e rang mondial après Tokyo, Mexico, Séoul et New York. Elle accueille le plus grand nombre de communautés ethniques que toute autre ville du pays. À l'échelle mondiale, São Paulo est la 3e ville italienne, la plus grande cité japonaise en dehors du Japon, la plus grande localité portugaise en dehors du Portugal, la plus grande commune espagnole en dehors de l'Espagne, et la 3e libanaise en dehors du Liban. Comparée au reste du pays, São Paulo ne compte que 10 % de Noirs et de métis.

En 2005, Biritiba Mirim signifia à ses habitants qu'il leur était interdit de mourir puisque la commune n'avait pas le droit d'étendre son cimetière archiplein ni d'en construire un nouveau. Le maire qualifia cette annonce de protestation ironique contre l'inflexibilité des politiques urbanistiques.

Dynamisme économique

São Paulo n'est pas simplement la porte d'entrée principale du pays, elle joue aussi un rôle primordial dans le tourisme d'affaires. Parmi les 20 millions de visiteurs annuels, 57 % se déplacent pour affaires. Des 160 foires et salons nationaux, 120 sont organisés par la ville, dont la réputation pour ses infrastructures sophistiquées implantées dans plusieurs quartiers de la ville n'est plus à faire. Une telle fréquentation de voyageurs d'affaires repose non seulement sur le fait que de nombreuses banques et sociétés nationales et internationales y ont leur siège social, mais aussi parce qu'elle héberge un parc industriel de valeurs sûres dans des secteurs aussi diversifiés et pointus que l'automobile, les télécommunications, l'électronique et l'agroalimentaire. L'agriculture joue un rôle tout aussi important. La région du grand São Paulo concentre de larges centres de distribution agricole comme Mogi das Cruzes (40 km à l'est de la ville) et Biritiba Mirim (à 70 km). Parallèlement, São Paulo cherche à développer largement ses équipements hospitaliers, ses établissements scolaires et ses installations commerciales –centres commerciaux, parcs de loisirs et centres culturels– dans l'objectif d'attirer plus de visiteurs.

Ci-dessous : un ange échappé de la cathédrale…

Centre historique

Le cœur de São Paulo s'oxygène par une vaste esplanade qu'encadre une poignée de bâtiments blancs, le **Patio do Colégio** Ⓐ. C'est là que les jésuites Anchieta et Nóbrega fondèrent la mission São Paulo de Piratininga en 1554. Les maisons et la chapelle ont été consolidées et restaurées au cours des années 1970. La petite **Casa de Anchieta** (ouv. du mar. au dim. de 9h à 12h et de 13h à 17h ; entrée payante) héberge tant bien que mal une énorme collection qui date des premiers colons.

Il faudra près d'un siècle pour que s'agrandisse la modeste colonie des débuts. En 1632, l'**Igreja da Ordem Terceira do Carmo** Ⓑ s'élève à 200 m environ de la chapelle d'Anchieta, derrière la **Praça da Sé** Ⓒ. La façade maniériste de l'église est bien conservée, mais en grande partie masquée par des immeubles de bureaux et une caserne de pompiers. Côté sud de la Praça da Sé, l'actuelle **Catedral Metropolitana** Ⓓ dresse ses flèches néogothiques à 100 m de hauteur. Construite en 1954, elle a remplacé une cathédrale du XVIIIe siècle que le

Carte p. 184

diocèse de la ville fut contraint de démolir en 1920, car elle menaçait de s'écrouler sur les fidèles.

En 1647, une autre belle façade maniériste vient agrémenter la lisière du bourg – celle de la charmante **Igreja de São Francisco de Assis** Ⓔ, située à 400 m environ du Pátio do Colégio. Un couvent lui est ajouté en 1676. Dans cet ensemble, vous pourrez admirer des statues en bois et des décors à la feuille d'or datant de l'ère coloniale. En 1717, c'est au tour de l'**Igreja de Santo Antônio** Ⓕ d'émerger à mi-chemin environ du Pátio do Colégio et de l'église São Francisco. Récemment restaurée, sa souriante façade jaune et blanche tranche agréablement sur les tours grises qui la surplombent de tous côtés.

Restauration rapide dans une ville pressée : ici un vendeur de hot-dogs.

En remontant l'Avenida São Bento vers le nord-est, vous arrivez au Largo São Bento, d'où furent lancées des milliers d'expéditions de *bandeirantes* et où se dresse le sanctuaire du même nom, le **Monasteiro e Basilica de São Bento** Ⓖ, l'un des bâtiments les plus anciens de la ville (1598). Ses murs résonnent toujours de l'angélique chant grégorien qu'entonnent les moines, accompagnés par l'un des plus grands orgues du pays. Vous pourrez les entendre à certains offices de la basilique, si vous êtes matinal : du lun. au ven. à 7h, le sam. à 6h et le dim. à 10h. Ensuite vous sera donné le plaisir de goûter au pain fait au monastère, en vente à sa boulangerie.

Un urbanisme débridé

Le XXe siècle va bouleverser le vieux centre-ville de fond en comble. 1901, grande année du café, coïncide avec l'inauguration de la gare en brique et en fer de Luz, coiffée d'un clocher d'inspiration victorienne et agrémentée de vastes jardins. Après la Première Guerre mondiale naît le **Banco do Estado de São Paulo**, influencé par l'Empire State Building de New York. Cet immeuble, le plus haut d'Amérique latine, annonce au monde la nouvelle puissance de São Paulo. À proximité, les 30 étages de l'**Edifício Martinelli** Ⓗ surplombent l'**Avenida São João**. Ce premier emblème de la population italienne de São Paulo fut inauguré en 1929. De l'autre côté du tunnel, l'imposant **Correio Central** Ⓘ (poste centrale) date de 1920. À quelques pâtés de maisons vers le sud, Rua Toledo, l'architecte Francisco Ramos de Azevedo adopte le style éclectique – Renaissance italienne et Art nouveau – pour son **Teatro Municipal** Ⓙ, inauguré en 1911. Isadora Duncan, Anna Pavlova et Enrico Caruso se sont produits dans ce décor de marbre, d'onyx et de bronze, sous un lustre suisse en cristal pesant une tonne et demie. Le fantôme du ténor italien continuerait de s'époumoner lamentablement par une fenêtre à l'étage, tandis que sa petite amie, tout aussi transparente, agripperait un lys humecté de larmes. Vers l'ouest, au coin méridional de la Praça de República, s'élèvent les 42 étages de l'**Edifício Itália** Ⓚ, l'un des plus puissants symboles de la nouvelle São Paulo, qui sortit de terre en 1965.

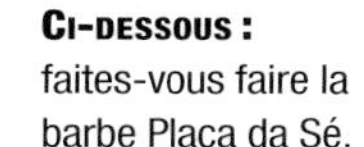

Ci-dessous : faites-vous faire la barbe Plaça da Sé.

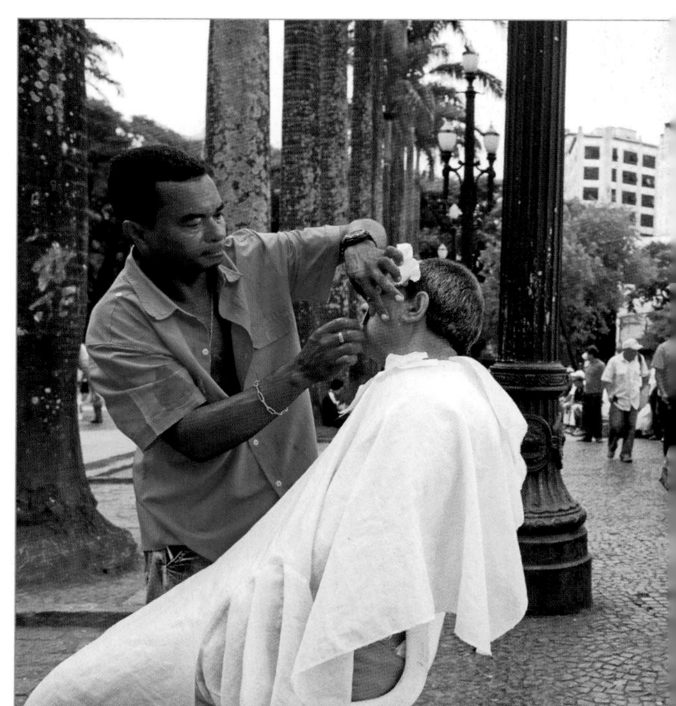

L'année de crise 1933 vit pourtant l'achèvement d'un autre ouvrage d'Azevedo, le vaste **Mercado Municipal** Ⓛ, structure de style néogothique allemand trônant en lisière nord-est du Centro, derrière la Praça Dom Pedro II. Ce marché est toujours en activité, ses 55 jolis vitraux illuminant les étalages et leurs trésors de produits frais. À l'étage, vous trouverez un espace restauration (ouv. du lun. au sam. de 7h à 18h, le dim. de 7h à 16h) et pourrez goûter aux cuisines espagnole, portugaise, italienne, brésilienne, japonaise et arabe.

Bixiga, le surnom de Bela Vista, n'est pas très flatteur. Ce mot portugais signifiant vessie faire référence au marché qui, au début du XXe siècle, vendait des tripes aux immigrants qui n'avaient pas les moyens d'acheter autre chose de meilleur.

Une ville en pleine expansion

Jusqu'au milieu du XIXe siècle, la "ville" de São Paulo se résume à un quadrilatère d'églises englobant une dizaine de rues et leurs maisons basses. Mais, avec l'inauguration du chemin de fer Jundiaí-Santos qui transporte la récolte de coton, la ville change à tout jamais de visage. La brique rouge et le fer forgé font leur apparition. Ateliers et entrepôts surgissent aux abords de la gare (près de l'actuelle gare de banlieue de Luz).

La hausse des cours du café va précipiter le mouvement. À partir de 1892, lorsque la première passerelle en fer vient enjamber le **Vale d'Anhangabaú**, dans le Centro, et jusque durant les années 1920, São Paulo se dote d'une nouvelle ceinture de quartiers d'affaires et de faubourgs. Les barons du café sont les premiers à construire au nord de l'Anhangabaú, dans un quartier appelé **Campos Elíseos**. Sur ces Champs-Élysées, des grilles gardent encore quelques demeures Art nouveau, étincelantes de bronzes et de vitraux, mais, dans l'ensemble, le quartier n'a conservé que des vestiges de ses fastes évanouis. La fièvre immobilière se propage ensuite dans le secteur voisin d'**Higienópolis**, puis le long de l'élégante **Avenida Paulista**.

Pendant ce temps, des milliers d'immigrants affluent dans les quartiers ouvriers qui essaiment autour du vieux centre de São Paulo. Toujours pimpantes, Vila Inglesa, Vila Economizadora et d'autres tentent de combler les carences de la ville en logements – en vain.

CI-DESSOUS : Liberdade, où se rencontrent l'Occident et l'Orient.

LIBERDADE

Le tentaculaire quartier japonais de São Paulo, Liberdade, qui se déploie autour de Rua Galvão abrite plus de 1,5 million de Japonais, la plus grande population en dehors du Japon. L'histoire de Liberdade commence en juin 1908, lorsque le vapeur *Kasato Maru* accoste au port de Santos avec à son bord 830 immigrants venus travailler dans les plantations de café. L'histoire de leur délocalisation des zones rurales vers São Paulo, où ils fonderont leur propre quartier, est relatée au **Museu da Imigração Japonesa** Ⓝ (Rua São Joaquim ; ouv. l'après-midi du lun. au sam. ; entrée payante). L'édifice abrite également une école qui enseigne le rituel de la cérémonie du thé.

Aujourd'hui, Liberdade attire tant les Paulistanos que les touristes qui y viennent faire du shopping tendance, déguster quelques spécialités ou tout simplement pour s'imprégner de son ambiance. Si vous souhaitez découvrir des saveurs culinaires, rendez-vous chez **Kinoshita** (Rua da Glória 168), un restaurant traditionnel qui concocte des recettes innovantes orchestrées par le fameux chef Tsuyoshi Murakami, ou au **Sushi Yassu** (Rua Tomás Gonzaga 98), où sont servis les meilleurs sushis de São Paulo. Ou vous pourrez tout simplement savourer un échantillonnage de mets à l'Oriental Street Fair (le dim. de 9h à 19h), Praça Liberdade, près de la station de métro Liberdade. De jour comme de nuit, Liberdade explose de vie, de couleurs et de surprises. Seule critique possible : difficile de se croire en Amérique du Sud.

La Première Guerre mondiale marquant le début de l'expansion industrielle, les immigrants italiens, japonais et portugais se retrouvent compressés dans le chapelet de taudis – **Brás**, **Bom Retiro**, **Bela Vista** et **Liberdade** (*voir encadré p. 190*) – qui encercle le Centro. Aujourd'hui encore, ces quartiers ont conservé des ensembles de logements insalubres à forte dominante immigrée.

Patchwork urbain

Au cœur de **Bixiga** – de son vrai nom **Bela Vista**, la petite Italie de São Paulo –, la **Rua 13 de Maio** aligne sa double haie de *cantinas* rouges et vertes et de charmantes petites maisons à un étage. Des colonnes ouvragées rythment **Nossa Senhora Achiropita** Ⓜ, basilique miniature coiffée d'un dôme surdimensionné. Durant les week-ends d'août, un festival y célèbre le vin, les pâtes et la musique. La Rua 13 de Maio est alors interdite à la circulation, tandis que des milliers de participants se rassemblent pour danser, boire (5 000 l de vin) et manger (3 t de spaghettis et 40 000 pizzas).

L'entrée dans les musées et galeries est très modique – entre 1 et 3 $US –, sauf pour le MASP (*voir p. 192*), qui coûte 10 $US.

Près de la gare de Luz, **Bom Retiro** a conservé quelques vestiges de son passé oriental, notamment chrétien libanais. Un souk tonitruant empile tissus et tapis le long de la tortueuse Rua 25 de Março. Commerçants juifs, musulmans et chrétiens papotent et sirotent leur café comme si les conflits du Moyen-Orient n'avaient jamais existé.

Au-delà de Bom Retiro, le quartier de **Brás** entoure l'immense gare Roosevelt. Essentiellement italien au tout début du XXe siècle, Brás est devenu un vaste taudis, hébergeant les milliers d'immigrants qui fuient la misère du Nordeste. S'y retrouvent les chauffeurs de bus de São Paulo et les ouvriers des routes et des chantiers brûlés par le soleil. Gorgée de folklore brésilien, leur culture se manifeste à chaque coin de rue. Les joueurs d'accordéon *nordestinos* se produisent toutes les nuits sur la partie pouilleuse (nord-est) de Praça da Sé. Durant la journée, les repentistas composent à la guitare d'habiles chansons rimées d'après n'importe quel sujet proposé par leurs auditeurs. Les adeptes de *capoeira* bahianaise (art martial afro-brésilien) dansent au son irréel du *berimbau* (instrument à corde unique) devant la station de métro Anhangabaú, tandis que sur la Praça do Patriarca un herboriste du Nordeste négocie peaux de caïman, élixirs et épices amazoniennes tirés de sacs en jute étalés sur le trottoir.

Dès les années 1940, la ville multiplie ceintures commerciales et résidentielles dans son expansion en spirale. À **Higienópolis** et **Jardins**, au sud de l'Avenida Paulista, de hauts buildings émergent, accueillant classes moyennes et supérieures. Plus tard, bureaux, appartements et centres commerciaux formeront une nouvelle ceinture autour de **Faria Lima**, nouvelle avenue chic au sud de l'Avenida Paulista. Dans les années 1970, São Paulo franchit le **Pinheiros** pour développer sur l'autre rive une banlieue plus luxueuse à **Morumbi**, où s'étagent de véritables palais, dont la résidence du gouverneur de l'État.

CI-DESSOUS : les rues commerçantes de São Paulo sont toujours très animées.

La façade baroque de l'université catholique.

Musées et galeries

Tout entière dédiée à l'entreprise, São Paulo détient paradoxalement les meilleurs sites culturels du pays. Derrière la gare et le parc de Luz, le bâtiment néoclassique de la **Pinacoteca do Estado** **O** (Pinacothèque nationale ; Praca da Luz 2 ; ouv. du mar. au dim. de 10h à 18h; entrée libre le sam.) fut réalisé par Ramos de Azevedo in 1905. Contrairement au MASP, les 5 000 pièces de la Pinacoteca se consacrent exclusivement à l'art brésilien – telles les sculptures de Vitor Brecheret, auteur du monument aux Bandeirantes (*voir p. 193*) ainsi que *A Leitura de Júnior*, portrait d'une jeune fille lisant sur un arrière-plan de palmiers et d'auvents rayés.

Le **Museu de Arte Sacra** **P** (Avenida Tiradentes 676 ; métro Armenia ou Tiradentes ; ouv. du mar. au sam. de 11h à 18h, le dim. de 10h à 19h ; entrée payante) expose la collection de pièces coloniales la plus importante de São Paulo, répartie dans les anciens cloîtres et la chapelle du labyrinthique **Mosteiro da Luz**. De style baroque, le bâtiment principal fut achevé en 1774, mais ses parties les plus anciennes remontent à la fin du XVIIe siècle. Vous pourrez y voir des portraits des premiers évêques de São Paulo, des objets de culte en or et en argent, des fragments de sculptures dorées à la feuille, sauvés de la folie destructrice du XXe siècle. De rares statues en bois du grand sculpteur brésilien du XVIIIe siècle, Antônio Francisco Lisboa (*voir p. 203*), plus connu sous le nom d'Aleijadinho, complètent la collection du musée.

Vers l'ouest, à la station de métro Barra Funda, se trouve le **Memorial da América Latina** **Q**, dû à Oscar Niemeyer (*voir p. 124*), dont vous reconnaîtrez la pâte. Construit à partir de 1989 et inauguré en 1998, le bâtiment loge le **Centro Brasileiro de Estudos da América Latina** (ouv. du mar. au dim. de 9h à 18h ; entrée libre), centre culturel abritant un musée, une bibliothèque, un auditorium et un centre d'expositions.

Le **MASP**, **Museu de Arte de São Paulo** **R** (Avenida Paulista 1578 ; métro Trianon ; ouv. du mar. au dim. de 11h à 17h ; entrée payante), au sud, fait l'orgueil des Paulistanos, avec ses quelque 1 000 pièces originaires de Grèce antique et du Brésil moderne. Ses installations originales – des rangées de tableaux encastrés dans des panneaux de verre fumé – visent essentiellement à la pédagogie. Des explications détaillées au dos de chacune des pièces exposées replacent l'artiste et son œuvre dans leur perspective historique. Le musée se parcourt donc comme un livre d'histoire, mais, au lieu de reproductions en couleurs, ce sont Raphaël, Bosch, Holbein, Rembrandt, Monet, Van Gogh, Goya, Reynolds ou Picasso, entre autres grands maîtres, qui en illustrent les pages. Vous aurez également un aperçu de la peinture brésilienne, des artistes de cour du XIXe siècle comme Almeida Júnior et Pedro Américo, jusqu'aux maîtres modernistes Portinari, Di Cavalcanti, ou Tarsila do Amaral.

CI-DESSOUS : l'imposant monument aux Bandeirantes.

Toujours dans la direction du sud, **Ibirapuera** Ⓢ, le plus grand parc de São Paulo, couvre une immense étendue d'arbres, de pelouses et de pavillons sortis de terre pour les célébrations du 400e anniversaire de São Paulo en 1954. Un demi-million de Paulistanos fréquentent ses terrains de jeux, ses aires de pique-nique et ses aménagements sportifs. Face au parc se dressent un **obélisque** de 72 m et son **monument** à la mémoire des héros de la guerre civile de 1932, ainsi que le **Monumento aos Bandeirantes** de Vitor Brecheret, hommage aux pionniers du XVIIe siècle (*voir p. 34*). Quant aux courbes basses des pavillons conçus par Niemeyer, elles abritent le plus important centre culturel de São Paulo. Remarquez notamment l'Oca, rectangle en verre à trois niveaux de rampes qui héberge la prestigieuse Bienal Internacional de São Paulo (*voir encadré ci-dessous*).

À Morumbi, côté sud-ouest de la ville, face à l'imposant palais du gouverneur, la **Fundação Oscar Americano** Ⓣ (Avenida Morumbi 4077 ; ouv. du mar. au ven. de 11h à 17h, les sam. et dim. de 10h à 17h ; entrée payante) vous propose d'apprécier ses chefs-d'œuvre dans un cadre des plus bucoliques. Architecte et collectionneur célèbre décédé en 1974, Oscar Americano a fait don à l'État de sa propriété et de tout son contenu. Cette discrète demeure en pierre et en verre expose ainsi des œuvres de Di Cavalcanti, Portinari, Guignard, du peintre hollandais du XVIIe siècle Franz Post, et de bien d'autres encore, dans un environnement de vastes pelouses et de bosquets. Ouvert jusqu'à 18h, le salon de thé donne sur un patio. Le samedi après-midi, des quatuors à cordes et des solistes se produisent dans un petit auditorium.

De nombreux musées et sites sont accessibles en métro, mais pour gagner ceux qui ne le sont pas, prenez le taxi. Si ce moyen de transport reste assez cher – 12 $US env. pour une course de 15 min –, il est sûr, les bus, étant quant à eux souvent bondés et très lents.

Vestiges de l'empire

Parque da Independência, dans la banlieue paisible d'Ipiranga, le **Museu Paulista** Ⓤ (Avenida Nazaré s/n ; métro Vila Mariana puis court trajet en taxi ; ouv. du mar. au dim. de 9h à 16h45 ; entrée payante) occupe le site où Pedro Ier déclara l'indépendance du Brésil. Un monument équestre marque l'emplacement où Dom Pedro s'écria “L'indépendance ou la mort !” devant un entourage clairsemé.

Art dans le parc

Le pavillon Ibirapuera, un édifice tout en verre et haut de 3 étages, organise chaque année paire la prestigieuse biennale de São Paulo (d'oct. à nov. ; www1.uol.com.br/bienal). Ritualisé depuis 1951, il s'agit là de l'événement artistique le plus important de la planète. Il rassemble tout ce qui se fait de nouveau, d'expérimental et d'étrange dans le monde des arts et de la musique. Ibirapuera accueille également des salons culturels et industriels.

Au 3e étage, vous pourrez découvrir une collection permanente d'art brésilien, tandis qu'au **Museu de Arte Moderna** (ouv. du mar. au mer. et du ven. au dim. de 10h à 18h, le jeu. de 10h à 22h ; entrée payante), relié au pavillon par un auvent ondulé, vous aurez, grâce aux expositions temporaires, un aperçu des œuvres de sculpteurs et de peintres contemporains brésiliens.

CI-DESSOUS : sculpture pour la 26e biennale de São Paulo.

L'Instituto Butantã montre quelque mille espèces de serpents.

La dépouille de l'empereur repose sous la plaque commémorative en bronze et en béton. Perché à proximité, l'imposant musée de style néoclassique héberge tout un caravansérail de collections historiques et scientifiques. Une aile est dédiée aux souvenirs de la famille impériale. Une autre réunit des ustensiles agricoles et des carrioles à cheval évoquant le passé de São Paulo. Le département des études indiennes de l'université de São Paulo présente notamment une exposition de poteries précolombiennes de l'île de Marajó, en Amazonie. D'autres salles célèbrent la mémoire du pionnier de l'aviation Alberto Santos-Dumont, ou les miliciens *paulistas* qui combattirent durant la rébellion de 1924 (*voir p. 39*). Une salle expose un tableau de Pedro Américo, *O Grito do Ipiranga*, représentation romancée du fameux cri d'indépendance lancé par Dom Pedro Ier.

Fondé en 1901, l'**Instituto Butantã** Ⓥ (Avenida Vital Brasil 1500 ; métro Clínicas puis trajet en taxi ; ouv. du mar. au dim. de 9h à 16h30) compte parmi les plus grands centres internationaux de recherche sur les serpents venimeux. Ces sympathiques reptiles rampent un peu partout, en vitrine, empilés les uns sur les autres dans l'herbe, empaillés et exposés aux côtés d'araignées velues et de scorpions. Quelque mille serpents vivent ici, le personnel prélevant périodiquement le venin de leurs crocs.

Gastronomie et shopping

À São Paulo, ville des restaurants, la gastronomie est reine – les buffets débordent, les serveurs s'égosillent, les grils et les poêles grésillent, critiques et gourmets communient dans une même religion. Plus que toute autre population urbaine du Brésil, les Paulistanos adorent la cuisine sous toutes ses formes. Avec son patchwork de minorités, chacune dotée de ses plats et restaurants nationaux, São Paulo a hissé le repas au rang de cérémonie. Ainsi les Paulistanos ont-ils remplacé la culture de plage de Rio par une vie nocturne axée sur le dîner et ses vins, dégustés à l'une des multiples tables de la ville (*voir p. 201*).

À DROITE : en règle générale, les animaux du zoo de São Paulo vivent dans l'équivalent de leur habitat naturel.

DÉCOUVERTES PÉRIPHÉRIQUES

Ceux qui disposent d'un peu de temps et d'argent – car les courses en taxi sont relativement élevées (*voir Notez-le p. 193*) – peuvent découvrir un autre aspect de São Paulo. La ville possède en outre l'un des plus grands zoos du monde, avec plus de 3 200 spécimens et 444 espèces pour la plupart acclimatés à des habitats naturels. Réputé pour sa collection d'oiseaux tropicaux, le **Jardim Zoológico** Ⓦ (Avenida Miguel Stéfano 4241 ; ouv. du mar. au dim. de 9h à 17h) attire plusieurs millions de visiteurs par an.

Dans la même rue que le zoo, le **Jardim Botânico** Ⓧ (ouv. du mer. au dim. de 9h à 17h) donne accès à 360 000 m² de jardins. Ses 2 serres abritent des centaines de plantes fragiles, dont une collection d'orchidées. L'Institut de botanique informe le public sur les divers écosystèmes du Brésil.

Au nord de la ville, également appelé Parque Albert Löefgren, le **Horto Florestal** (Rua do Horto 931 ; ouv. tlj. de 6h à 18h) est un délicieux parc, créé en 1896, où vous trouverez des aires de jeux, d'agréables sentiers de promenade et le belvédère de Pedra Grande duquel la vue sur tout le nord de la ville est absolument magnifique. Le parc héberge aussi le **Museu Florestal Octavio Vecchi**, qui présente une exceptionnelle collection d'essences endémiques.

Lorsque les Paulistanos ne travaillent ni ne dînent, ils font généralement leur shopping. La mode féminine et masculine haut de gamme se concentre **Rua Augusta**, aux abords de la Rua Oscar Freire dans le Jardim Paulista. Une clientèle élégante fréquente notamment Forum, Zoomp ou Ellus. D'autres boutiques occupent les galeries qui jalonnent la Rua Augusta. "Cinquième Avenue" de São Paulo, la **Rua Oscar Freire** et ses abords (Rua Bela Cintra et Rua Haddock Lobo) accueillent de grandes enseignes comme Versace, Fendi, Montblanc, Armani, Kenzo, Thierry Mugler, Cartier ou Tommy Hilfiger.

Le meilleur rendez-vous pour ceux qui aiment les antiquités, est donné le week-end dans les foires qui se tiennent dans les musées et sur les places de la ville. Les plus connues de ces foires sont celles du MASP (Avenida Paulista 1578 ; le dim. de 9h à 17h) et du parking du centre commercial d'Iguatemi (Avenida Faria Lima ; le dim. de 9h à 17h).

Mais, pour le Paulistano, rien ne vaut un bon centre commercial. **Morumbi** détient la palme des prix les plus élevés, avec ses boutiques de luxe et ses magasins de design. **Iguatemi**, le plus ancien, le plus chic (pour beaucoup le meilleur) campe dans l'Avenida Faria Lima, réputée pour ses embouteillages, ses rampes piétonnes, son horloge à eau et ses 4 salles de cinéma. Presque aussi traditionnel, le quadrilatère d'**Ibirapuera** se trouve près du parc. Mais le plus grand de tous est Eldorado, immense serre coiffant ses fontaines et ses miroirs géants avec son centre de loisirs et son Monica Park pour les enfants. Plus récent, le **Shopping Light** comprend de nombreuses boutiques haut de gamme et des galeries de restauration.

Sur les marchés de la ville, vous trouverez des objets de qualité très diverse mais tous réalisés par des artistes locaux.

Vie nocturne

São Paulo dispose d'un réservoir inépuisable de night-clubs et de discothèques. Tout dépend de vos goûts, de vos finances, et de la tendance en cours. Les choses sérieuses ne démarrent qu'à partir de minuit. Au lieu d'un ticket d'entrée, beaucoup d'endroits vous délivrent une carte d'un montant minimum que vous réglez en

Ci-dessous : À São Paulo, les restaurants ne manquent pas, et tous semblent très animés.

Ayrton Senna, mort en 1994 à l'âge de 34 ans, est resté une légende.

sortant. Même les jus de fruits ne sont pas donnés et certains lieux font payer un forfait "artistique" couvrant les coûts du spectacle.

Des quartiers comme Itaim Bibi et Vila Olímpia et Vila Madalena connaissent une vie nocturne moins traditionnelle et plus vivante, artistes, étudiants et autres alternatifs s'y retrouvant. D'excellents spectacles musicaux se donnent à Pau Brasil, dans Vila Olímpia. Vous trouverez les détails dans la presse. Rendez-vous à **Original** (Rua Grauna 137, Moema, dans le sud de la ville) pour siroter la meilleure bière pression et au **Skye** (Hotel Unique ; Avenida Brigadeiro Luis Antonio 4700, Jardim Paulista) pour jouir de la meilleure vue nocturne sur la ville. Au **Grazie a Dio !** (Rua Girassol 67, Vila Madalena) se produisent des musiciens de styles divers. Une envie irrésistible de danser vous prend ? Courez au **CB Bar** (Rua Brigadeiro Galvao 871, Barra Funda). À l'inverse, si vous recherchez un endroit à la fois romantique et distingué, vous attend le **Barreto** (Hotel Fasano ; Rua Fasano 88, Jardim Paulista). Les bars de la Rua Consolação – entre Alameda Jacé et Alameda Tietê – attirent une clientèle gay.

Les amateurs de cigares trouveront leur bonheur au **Havana Club** de l'Hotel Renaissance (Alameda Santos 2233, Cerqueira César), confortable salon-bar à cigares doté d'une piste de danse. Quant aux cow-boys et autres cow-girls, ils se réunissent au **Jardineira Beer** (Avenida dos Bandeirantes 1051, Vila Olímpia).

Divertissements en tous genres

Le public et les moyens financiers de São Paulo attirent les plus grands artistes internationaux. En une même saison peuvent paraître à l'affiche le ballet du Bolchoï, le New York Philharmonic, James Taylor et nombre d'autres stars dans des salles comme l'**Anhembi Convention Center**, le **Credicard Hall**, le **Gymnasium** d'Ibirapuera, le **Teatro Municipal**, ou le **Direct TV Music Hall** de Moema. Le **théâtre Alfa Real**, voisin de l'Hotel Transamérica, offre tout le confort de ses équipements modernes pour les spectacles artistiques. Quant au **Tom Brasil**, il est le temple de la meilleure musique (informations pratiques dans la presse locale et sur www.gringoes.com).

Dans le domaine du "X", São Paulo n'a plus rien à envier à Rio. De rutilants bars à strip-tease proposent leurs spectacles érotiques, Rua Augusta, près du Caesar Park Hotel, et se succèdent jusqu'au Centro, Rua Nestor Pestana. D'autres ont pignon sur rue dans la Rua Bento Freitas, près du Hilton. Près d'Ibirapuera, à Itaim Bibi, le **Café Photo** ne désemplit pas.

Stations de montagne

Tout comme les Cariocas, les Paulistanos peuvent partir en vacances à la montagne ou au bord de la mer sans quitter leur État. Perché à 1 700 m dans une verdoyante vallée de la Serra da Mantiqueira, **Campos do Jordão** ❷ vous transporte en Savoie avec ses chalets et son climat alpin. Durant tout le mois de juillet, un festival de musique

LA FOLIE DES CIRCUITS

Au Brésil, la notoriété du Grand prix de Formule 1 est comparable à celle de leurs nombreux succès footballistiques. Depuis la première victoire d'Emerson Fittipaldi en 1972 à bord de la Lotus 72D Emmo – sans doute le meilleur prototype jamais dessiné –, les Brésiliens ont remporté plus de championnats que tout autre nation. À Fittipaldi succéda Nelson Piquet, vainqueur de 3 titres mondiaux, puis Ayrton Senna, le plus vénéré des pilotes brésiliens. Seul Alain Prost devance Senna (51 contre 41 pour Senna) en nombre de victoires en Formule 1 et en nombre de points gagnés durant sa carrière en championnat. En mai 1994, il entre dans la légende lorsque, âgé de 34 ans, son bolide se disloque à près de 300 km/h sur le circuit de San Marino à Imola.

Les pilotes brésiliens trouvent une motivation supplémentaire dans le fait que leur public idolâtre la réussite, et que les sportifs couronnés deviennent instantanément des héros, voire des dieux. Et il faut bien avouer que le pilotage de "Magic" Senna, comme le jeu de Pelé et autres Ronaldo, déborde quelque peu l'univers du rationnel. On peut ainsi comprendre qu'une telle "magie" déchaîne les foules brésiliennes lorsqu'un pilote brésilien gagne chez lui, sur le circuit d'Interlagos, comme l'a fait Felipe Massa en octobre 2006, le premier Brésilien depuis Senna en 1993.

y programme des concerts classiques ou de variété dans son **Auditório Claúdio Santoro** moderne. À côté, le **museu Felícia Leirner** (ouv. du mar. au dim. de 10h à 18h), charmant jardin de sculptures, présente les œuvres en bronze et en granite de Felícia Leirner, artiste d'origine polonaise.

Une série de restaurants et de boutiques anime le centre de Campos do Jordão. Vous pourrez y acheter des objets artisanaux en métal, en bois et en cuir, des lainages et du mobilier rustique. À proximité, des carrioles de location font le tour du lac. Des tramways vert et brun, chargés de touristes, circulent de temps à autre en ferraillant.

Une cinquantaine d'hôtels et des dizaines de résidences d'été appartenant à la belle société *paulistana* encadrent le centre-ville. Baptisée **Palácio Boa Vista**, la plus grande héberge le gouverneur de l'État en hiver. Une partie de cette demeure de style néo-Tudor a été convertie en **musée** (ouv. du mer. au dim. de 10h à 12h et de 14h à 17h ; entrée payante). Un mobilier du XIXe siècle accompagne des peintures d'artistes *paulistas* comme Tarsila do Amaral, Di Cavalcanti et Portinari.

À environ 12 km du centre-ville, le Pico do Itapeva vous offre une vue impressionnante sur la vallée du Paraíba, où les premiers plants de café sortirent de terre voici plus d'un siècle.

Également proche de São Paulo, à 60 km sur la nationale Fernão Dias, mais mieux adaptée au tourisme, la station de montagne d'**Atibaia** ❸ est également la capitale régionale de la pêche et de la fraise. En hiver, un festival y célèbre la fraise dans tous ses états, de la confiture aux liqueurs.

Les 800 m d'altitude d'Atibaia lui prodiguent un air pur et vivifiant qui contraste avec l'atmosphère polluée de São Paulo, lui valant le surnom de "Suisse brésilienne".

Dans les agréables jardins du Parque Municipal, vous découvrirez des sources d'eau minérale, des lacs et un **musée du Rail** (ouv. les sam., dim. et j. fér. de 10h à 18h ; entrée payante). Près du centre, la blanche façade du **Museu Historico Municipal João Batista Conti** (Praça Bento Paes ; ouv. du mar. au dim. de 10h à 17h ; entrée libre) date de 1836.

Les bords de la rivière invitent à la promenade.

CI-DESSOUS : Campos do Jordão et son architecture d'inspiration alpine.

Paranapiacaba

Les charmes de Campos do Jordão ne posent qu'un problème : 167 km les séparent de São Paulo. Plus proche de la métropole, à 60 km dans la direction de la côte, surgit une étrange station ferroviaire figée dans le temps : **Paranapiacaba** ❹.

Construites en 1867 par des ingénieurs britanniques, gare en brique et maisons mitoyennes vous plongent dans l'ambiance de l'Angleterre victorienne. La grande tour d'horloge rappelle nettement Big Ben. Perchée à 800 m, Paranapiacaba ("vue sur la mer" en tupi-guarani) était la dernière gare de la ligne Jundiaí-Santos avant la descente vers le littoral.

Un trajet d'une demi-heure à bord d'une motrice asthmatique conduit les touristes par une série de tunnels et d'étroits viaducs jusqu'au bord ultime du plateau, d'où la vue sur la plaine de Santos est saisissante. Paranapiacaba n'offre pas grand-chose d'autre. Ni hôtels ni restaurants, seulement quelques vendeurs de fruits et de boissons. Un **musée** (ouv. les sam. et dim.) expose des locomotives du XIXe siècle.

Au marché d'artisanat d'Embu, les fabricants travaillent devant vous.

Excursions

À 100 km de São Paulo sur la nationale Castelo Branco, **Itu** ❺ ne se contente pas d'azur et d'oxygène pour attirer les touristes. Ses maisons des XVIIIe et XIXe siècles s'alignent sagement au bord de charmantes rues piétonnes, où se concentre une poignée d'antiquaires. Tout près de la grand-place, le **Museu Republicano da Convenção de Itu** (ouv. du mar. au sam. de 10h à 16h45, le dim. de 9h à 15h45 ; entrée libre) expose des meubles et objets des périodes coloniale et impériale. Et le petit **Museu da Energia** (ouv. du mar. au dim. de 10h à 17h ; entrée libre) vous en apprendra long sur l'électricité.

Capitale de l'artisanat, **Embu** ❻ n'est distante que de 28 km de São Paulo par la nationale Regis Bittencourt. Les deux principales places et le réseau de rues piétonnes qui les relie accueillent chaque dimanche une vaste foire d'art primitif, de cuisine et d'artisanat brésiliens. Des étals exposent céramique, articles en cuir ou en métal, lainages, dentelles, tricots et batiks. Sur le Largo dos Jesuitas, des sculpteurs sur bois pratiquent leur art en plein air. Des rangées de vieilles bâtisses du XVIIIe siècle font office de magasins de brocante et d'antiquités. Étrangement rustique, la chapelle Nossa Senhora do Rosário fut construite par des Indiens en 1690. En annexe, son musée d'art sacré aurait besoin d'un bon coup de plumeau.

Vous pourrez tester des spécialités bahianaises comme le *vatapá* (ragoût de fruits de mer ou de poulet) ou les desserts à la noix de coco sur des étals en plein air, ou faire votre choix parmi une dizaine de restaurants intéressants. À proximité, Orixás propose plats bahianais et *feijoada*, ragoût de porc aux haricots noirs – le plat national brésilien. Patacão se spécialise également dans la cuisine brésilien-

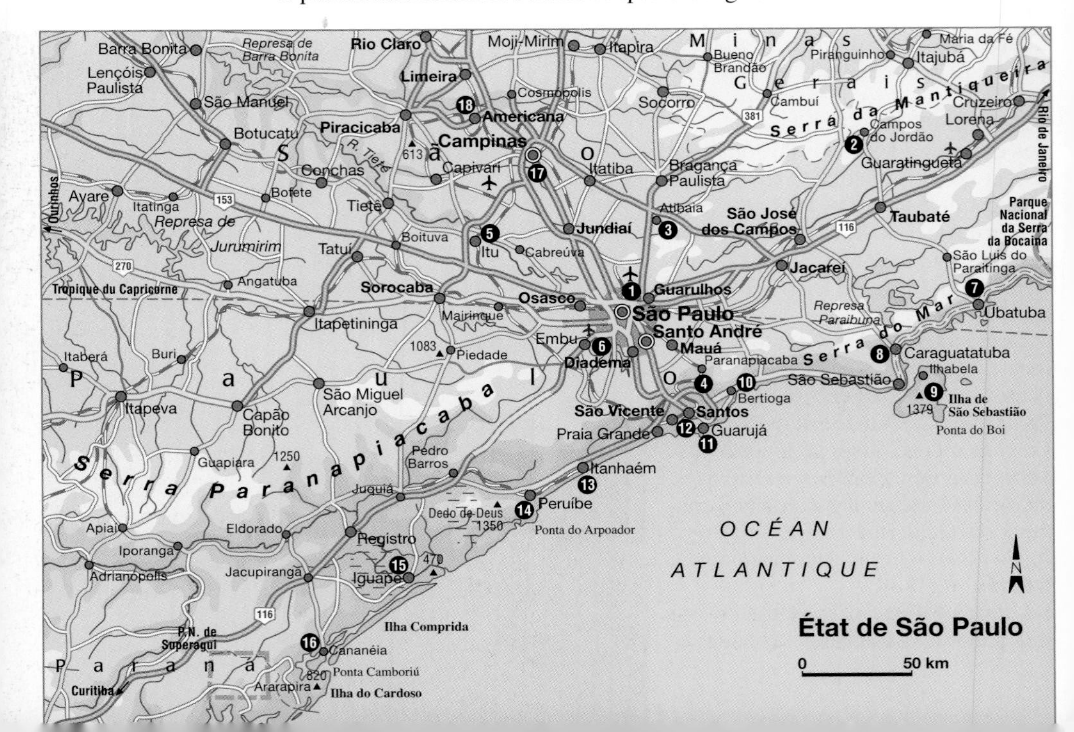

ne ; ses longues tables en bois sombre et sa cheminée évoquent une taverne de l'époque coloniale.

Plages

L'État de São Paulo n'est pas particulièrement réputé pour ses plages. On en compte pourtant une bonne centaine le long de ses 400 km de côtes, où les Paulistanos aisés viennent en week-end ou pendant les vacances.

À seulement 70 km de Parati *(voir p. 177)*, **Ubatuba** ❼ brille surtout par sa position stratégique, entre São Paulo et Rio. Quelque 85 km de plages se déroulent autour de ses anses et de ses îles. Des excursions en bateau vous conduisent aux ruines de la prison d'Anchieta sur l'une des îles principales, puis remontent la côte jusqu'aux fantomatiques vestiges de la plantation de Lagoinha, partiellement détruite par le feu au XIXe siècle.

Le nom de Bertioga a pour origine le mot tupi buriquioca, *qui signifie habitat des grands singes.*

À 50 km au sud par la nationale 55, **Caraguatatuba** ❽ comprend presque autant de plages mais moins de sites historiques. Complexe hôtelier luxueux, le Tabatinga propose toute la gamme des activités sportives, notamment un parcours de golf. Caraguatatuba permet en outre d'aller visiter la plus grande île de l'État – **São Sebastião** ❾, à 25 km plus au sud par la nationale 55.

Des ferries relient régulièrement la ville de São Sebastião au village d'**Ilhabela** sur l'île de São Sebastião. D'éblouissants paysages de montagne, de cascades, de plages, de flots bleus et d'activités nautiques – comme la plus importante régate d'Amérique du Sud (juil.) – ont su y retenir la jet-set de São Paulo.

La nationale 55 conduit à **Bertioga** ❿, à 100 km plus au sud. Depuis 1547, l'enceinte blanche et les petites tourelles de le **Forte São João** gardent un étroit bras de mer où les yachts de plaisance passent à portée de ses canons.

Trente kilomètres au sud de Bertioga, **Guarujá** ⓫, "Perle de l'Atlantique", fait miroiter ses plages élégantes aux Paulistanos – notamment **Enseada**, la plus fréquentée, dont le fer à cheval de sables et d'hôtels rutilants rappelle Copacabana. À proximité, la plage de **Pernambuco** apporte un peu plus de tranquillité à la riche société de São Paulo, qui en a fait son Malibu. Entourées de pelouses, défendues par leurs clôtures et leurs gardiens, des villas de tous styles donnent sur les vagues de l'Atlantique et les îles du large.

Ci-dessous : vue de l'île São Sebastião.

À seulement 90 km de São Paulo, Guarujá a contracté elle aussi le virus de la gastronomie. Il Faro se signale particulièrement pour sa cuisine italienne, Rufino's pour ses produits de la mer, tandis que l'auberge coloniale du Casa Grande Hotel étire son bar-restaurant le long de **Praia da Enseada**.

Quelques rues séparent le Casa Grande de l'étroite **Praia de Pitangueiras**. Les rues avoisinantes sont piétonnes, vous pourrez ainsi flâner à votre guise parmi des dizaines de boutiques d'artisanat ou de joaillerie.

Une île portuaire

Du centre, le ferry emprunte un bras de mer pollué jusqu'à **Santos** ⓬, le grand

L'histoire de la production de café est relatée à la Bolsa Oficial de Café.

port de São Paulo. Les Santistas ne font pas trop d'efforts pour cacher le visage industriel de leur île : d'énormes pétroliers sillonnent d'étroits chenaux qu'ils souillent de leurs déchets, tandis que les containers s'empilent près d'entrepôts à l'abandon. Malheureusement, cette décrépitude a gagné jusqu'au centre-ville. L'**Igreja do Carmo**, dont certaines parties datent de 1589, dresse sa façade grisâtre à côté d'une gare en ruine. À proximité, un quartier de taudis encercle l'**église São Bento**, du XVIIe siècle, et son **Museu de Arte Sacra** (Rua Santa Joana D'Arc 795 ; ouv. du mar. au dim. de 14h à 17h ; entrée libre). Récemment restaurée, la **Bolsa oficial de Café**, Rua 15 de Novembro, héberge un intéressant petit musée du Café.

La façade atlantique de Santos, en revanche, présente le même visage immaculé que Guarujá. Près de l'embarcadère de Guarujá, au **Museu da Pesca** (musée de la Pêche ; ouv. du mar. au dim. de 10h à 18h ; entrée payante), vous pourrez voir des requins empaillés pêchés dans les eaux locales, un immense coquillage de 148 kg, des plantes aquatiques ainsi que des formations coralliennes.

São Vicente, le village le plus ancien du Brésil, où, en 1532, s'installèrent durablement les premiers Portugais, se trouve à seulement 5 km de Santos. Sa plage principale, Gonzaguinha, est ourlée d'une suite d'habitations blanches et couleurs pastel, de bars et de restaurants en plein air. São Vicente conduit à la plage la plus bondée du pays : **Praia Grande**, interminable ruban de sable gris-brun, de cars de tourisme et de chair humaine. À 60 km au sud par la nationale 55, une atmosphère nettement plus détendue vous attend à **Itanhaém** ⓭, l'une des plus anciennes colonies du Brésil. Certaines parties de la chapelle Nossa Senhora da Conceição y remontent à 1534.

D'autres stations balnéaires se succèdent au sud de São Vicente, dont la charmante **Peruíbe** ⓮ (à 80 km) ; **Iguape** ⓯ (à 200 km), sur l'anse paisible formée par Ilha Comprida ; et **Cananéia** ⓰ (à 280 km), avec sa réserve naturelle et ses excursions aux îles, où vous débusquerez quelques plages tranquilles.

CI-DESSOUS : la côte sauvage vous offre encore quelques plages édéniques.

Villes du Nord

Dans le nord de l'État, 2 centres urbains méritent une brève halte si vous y passez. **Campinas** ⓱ (plus d'1 million d'habitants, à 100 km de São Paulo), ville industrielle enrichie par le sucre puis le café, accueille l'une des meilleures universités du pays, Unicamp (à 13 km du centre), refuge des enseignants de gauche durant les années de répression militaire. L'imposant édifice néoclassique (1883) de la **Catedral Metropolitana** domine le Largo do Rosário, tandis que la vie culturelle locale s'épanouit au **Centro de Convivência** (Praça Imprensa Fluminense), réputé pour son orchestre symphonique. **Americana** ⓲ (175 000 hab.) fut la première ville fondée avec succès par les Sudistes qui fuyaient la guerre de Sécession, attirés au Brésil par des terres bon marché, la liberté de culte et la pratique toujours légale de l'esclavage. ❑

RESTAURANTS

Arabia
Rua Haddock Lobo 1397, Cerqueira Cesar
Tél. 11-3061 2203
Établissement spacieux et confortable servant une merveilleuse cuisine libanaise. Ouv. tlj. midi et soir. **$$**

Baby Beef Rubaiyat
Alameda Santos 86, Paraíso
Tél. 11-3141 1188
Avenida Brigadeiro Faria Lima 2954, Itaim Bibi
Tél. 11-33078 9488
Les meilleures *churrascarias* de la ville. Ouv. tlj. midi et soir. **$$**

Cantaloup
Rua Manuel Guedes 474, Itaim Bibi
Tél. 11-3078 3445
Ancienne boulangerie rénovée avec beaucoup de goût, où vous pourrez déguster une excellente cuisine contemporaine et inventive. Ouv. du lun. au ven. midi et soir, le sam. soir, le dim. midi. **$$**

Capim Santo
Alameda Ministro Rocha Azevedo 471, Cerqueira Cesar
Tél. 11-3068 8486
Le buffet du déjeuner, comprenant fruits de mer, viandes et salades, est très bon marché. Celui du dimanche propose également des crevettes ou du homard. Ouv. tlj. midi et soir. **$$**

Cheiro Verde
Rua Peixoto Gomide 1413, Jardim Paulista
Tél. 11-289 6853
Restaurant végétarien, simple et accueillant. Ouv. tlj. **$**

Fasano
Rua Vitorio Fasano 88, Cerqueira Cesar
Tél. 11-3062 4000
Si vous pouvez vous le permettre, rendez-vous dans le restaurant de l'Hotel Fasano, l'un des plus luxueux de la ville où l'on honore la gastronomie italienne. Ouv. du lun. au sam., le soir. **$$$-$$$$**

Gero
Rua Haddock Lobo 1629
Tél. 11-3064 0005
Le Gero est la version bistro du Fasano, proposant la même qualité culinaire à meilleur prix, dans un cadre moins formel et une ambiance plus jeune. Ouv. tlj. midi et soir. **$**

Jardim de Napoli
Rua Dr Martinico Prado 463, Higienópolis
Tél. 11-3666 3022
Cantina italienne typique, servant pâtes et pizzas. Ouv. tlj. toute la journée. **$**

Koyama
Rua 13 de Maio 1050, Bela Vista
Tél. 11-283 1833
Un cadre traditionnel pour une cuisine japonaise d'exception. Ouv. du lun. au sam. midi et soir. **$$**

Le Coq Hardy
Rua Jeronimo da Veiga 461, Itaim Bibi
Tél. 11-3079 3344
Le meilleur restaurant français de la ville. Ouv. du lun. au ven. midi et soir, le sam. soir.**$$**

Massimo
Alameda Santos 1826, Cerqueira Cesar
Tél. 11-3284 0311
Les hommes politiques se retrouvent dans cet établissement élégant et spacieux, pour savourer d'excellents plats italiens et internationaux. Ouv. tlj. **$$$**

Panino Giusto
Rua Augusta 2963, Jardim Paulista
Tél. 11-3064 9992
Très bons sandwichs et petits plats. Ouv. tlj. **$**

Portucale
Rua Nova Cidade 418, Vila Olímpia
Tél. 11-3845 8929
La gastronomie portugaise y est à l'honneur et toujours présentée avec beaucoup de soin. Ouv. du mar. au sam. midi et soir, le dim. midi. **$$**

Vinheria Percussi
Rua Conego Eugenio Leite 523, Pinheiros
Tél. 011-3088 4920
Restaurant charmant proposant une exquise cuisine italienne. Ouv. du mar. au sam. midi et soir, le dim. midi. **$$**

Gamme des prix

Les prix s'entendent pour un repas (2 plats) pour 2 personnes. Comptez 20 $US environ pour une bouteille de vin.

$	moins de 40 $US
$$	de 40 à 70 $US
$$$	de 70 à 100 $US

À DROITE : l'accueillant restaurant Quinta do Mandioca.

Lyrisme et dynamisme

Par leur réussite exceptionnelle, l'art et l'architecture baroques brésiliens confèrent à l'est du pays un caractère inoubliable.

Contrairement aux architectures monumentales qui écrasent souvent les capitales d'Amérique latine, les premiers édifices publics brésiliens manifestent une fraîcheur, une simplicité et une élégance singulières. Le mouvement baroque a connu 3 grands centres au Brésil : Salvador, l'État de Rio de Janeiro et le Minas Gerais. Réputés ouverts aux idées nouvelles, les jésuites encouragent et soutiennent l'explosion du baroque à Salvador. Les artistes se démarquent rapidement de leurs modèles européens, brossant d'étonnants arrière-plans de fruits tropicaux et de palmiers ébouriffés aux scènes bibliques traditionnellement illustrées en peinture comme en sculpture. Alors moins importante que la capitale vice-royale de Salvador, Rio ne vit pas cette vague de manière aussi intense, mais elle en laissera un petit joyau avec l'Igreja da Gloriá do Outeiro.

C'est dans le Minas Gerais que le baroque brésilien atteint son apogée. Merveilleux musée en plein air, Ouro Preto offre le plus pur exemple de baroque avec sa chapelle du Rosário dos Pretos (*voir p. 208*) : ici, la courbe se substitue à la ligne droite, une façade convexe s'achevant par les 2 courbes gracieuses du clocher. À l'intérieur, la nef est ovale, tandis que des arcades rehaussent portes et fenêtres.

Ci-dessus : l'Unesco a classé au patrimoine mondial la ville de Cachoeira (XVIe siècle), dans l'État de Bahia, pour son architecture baroque exceptionnelle.

Ci-dessus : cette fontaine de 1749 illustre le souci du détail qui caractérise la ville coloniale très préservée de Tiradentes, dans le Minas Gerais.

À gauche : les thèmes brésiliens gagnent les arts décoratifs bahianais au XVIIIe siècle, tel ce visage indien traité à l'européenne.

Ci-dessous : les églises de l'État de Bahia, comme Nossa Senhora da Conceição do Monte à Cachoeira, devaient à la fois plaire aux fidèles européens, indiens et afro-brésiliens.

Lisboa, le génie du baroque brésilien

Les églises *mineiras* doivent leur homogénéité à la prédominance d'un homme – Antônio Francisco Lisboa (vers 1730-1814). Fils sans éducation d'un artisan portugais et d'une esclave noire, Lisboa va devenir le plus grand sculpteur et architecte brésilien de son temps. Quand une maladie lui paralyse les mains, lui valant le surnom d'O Aleijadinho – "le petit invalide" –, il n'en poursuit pas moins son œuvre, marteau et ciseaux liés aux poignets. L'Aleijadinho a puisé les principes du baroque européen dans les livres et auprès des missionnaires. Outre les chefs-d'œuvre réalisés à Ouro Preto, il créera les 12 *Prophètes* en stéatite et les 66 bois sculptés de *La Passion* à Congonhas do Campo, dans le Minas Gerais oriental.

Ci-dessus : en lisière de l'État de Rio de Janeiro, Parati, ville du XVIIIe siècle aligne ses édifices coloniaux au bord des flots.

À gauche : à Salvador, les styles européen et brésilien se confondent dans l'architecture baroque et les façades aux teintes pastel du quartier du Pelourinho.

Ci-contre : les statues et sculptures du Christ ne manquent pas, comme ici dans le Minas Gerais. Arrivés au Brésil au XVIIIe siècle, les jésuites sauront exploiter la théâtralité du baroque pour fasciner les fidèles et leur faire peur.

LE MINAS GERAIS ET L'ESPÍRITO SANTO

Les richesses du Minas Gerais ont suscité une expression culturelle forte, tandis que le littoral voisin, malgré des atouts naturels exceptionnels, est resté à l'écart des itinéraires touristiques.

Ne manquez pas !
- Capela de São Francisco, Pampulha
- Ouro Preto
- Sabará
- Mariana
- Congonhas do Campo
- Tiradentes
- Diamantina
- Linhares

À gauche : l'un des *Prophètes* de Congonhas do Campo. **Ci-dessous :** maisons coloniales d'Ouro Preto.

Même à l'échelle brésilienne, le Minas Gerais est un géant : 587 000 km², 19 millions d'habitants, le cinquième État du pays manifeste pourtant un caractère parfois sauvage et isolé.

Le plateau central s'élève abruptement sur toute sa lisière orientale. Jadis très boisées, ses terres présentent désormais un aspect aride. Car les veines et filons des minas (mines) ont inondé le monde d'or, de diamants ou de fer. Aujourd'hui encore, les rues de ses vieilles cités conservent la teinte ocre rose de la poussière d'or, qui colore aussi ses rivières de rouge.

Le folklore du Mineiro n'a rien à voir avec l'exubérant Carioca ou l'industrieux Paulista. On dit le Mineiro têtu, méfiant, dur à l'ouvrage et près de ses sous. Et il conserve tout : non seulement ses églises, trésors du baroque brésilien, mais aussi son héritage familial, et jusqu'aux bibelots qui envahissent son grenier. Les habitants de São João del Rei ont préservé la musique et les instruments du XVIIIe siècle, jouant des pièces orchestrales baroques durant la liturgie de la semaine sainte. Mais le Mineiro n'est pas fermé au progrès. S'il peut se vanter d'avoir sauvé les plus belles villes provinciales du pays, il a aussi bâti sa première ville planifiée, Belo Horizonte, et c'est un groupe de Mineiros, dirigé par le président Kubitschek, qui a construit Brasília.

Une solitude complète

Une grande part du traditionalisme *mineiro* remonte à l'isolement de la province durant l'époque coloniale. Le Minas Gerais naquit avec la ruée vers l'or de 1695 (*voir p. 34*). Jusqu'au XIXe siècle, sa seule voie de communication avec le monde empruntait un sentier muletier qui dévalait l'abrupt plateau.

Un isolement si complet que les Mineiros durent fonder leurs propres exploitations agricoles. Cette faculté d'adaptation leur donna le goût de la démocratie. Selon le voyageur français

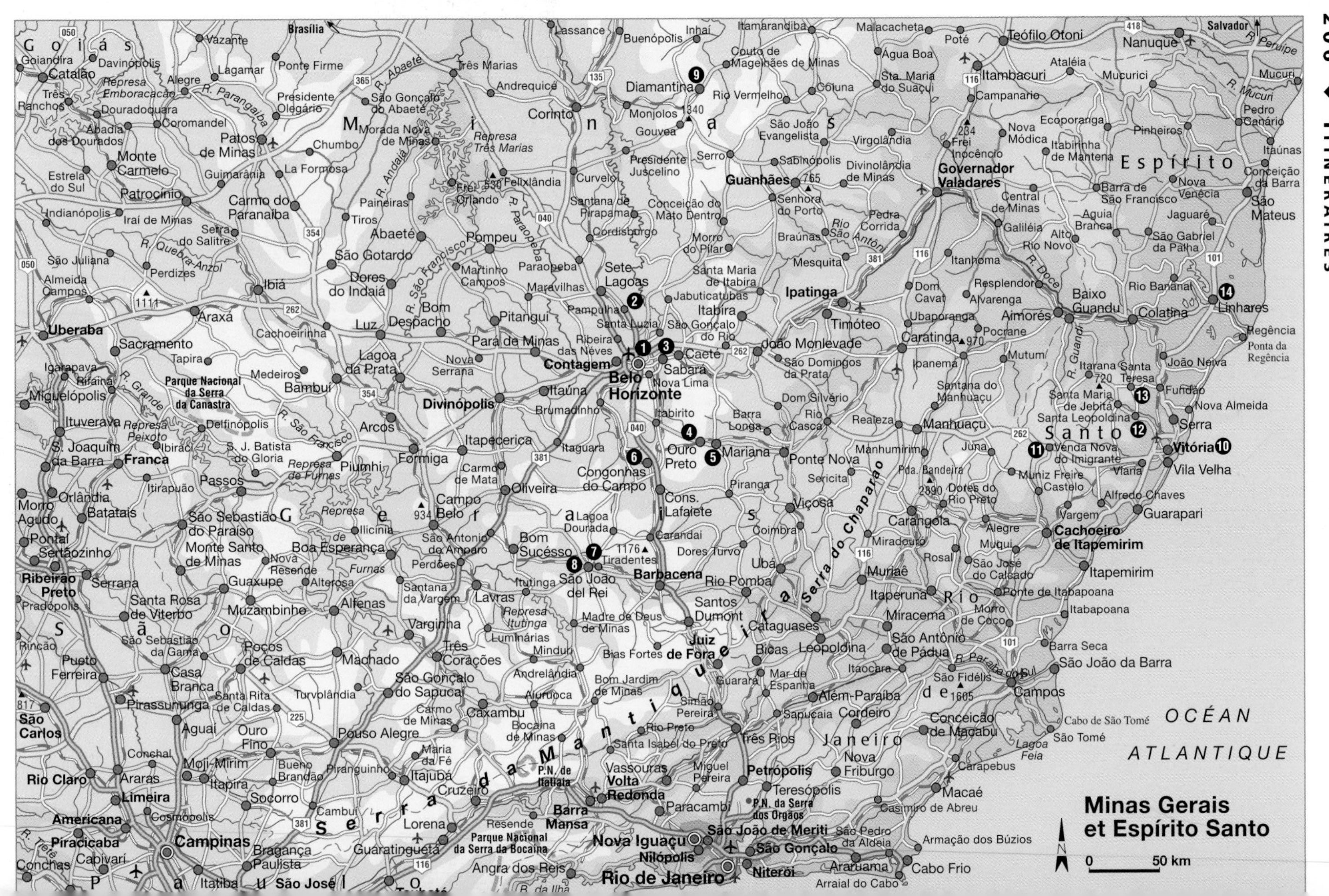
Minas Gerais
et Espírito Santo
0
50 km
N
OCÉAN
ATLANTIQUE
Cabo de São Tomé
Espírito Santo
Minas Gerais
Rio de Janeiro
São Paulo
Goiás
Serra da Mantiqueira
Serra do Chaparão
Belo Horizonte
Contagem
Vitória
Vila Velha
Serra
Rio de Janeiro
Niterói
Nova Iguaçu
Nilópolis
São Gonçalo
São João de Meriti
Petrópolis
Teresópolis
Nova Friburgo
Juiz de Fora
Governador Valadares
Ipatinga
Timóteo
Uberaba
Campinas
Ribeirão Preto
Diamantina
Ouro Preto
Mariana
Congonhas do Campo
São João del Rei
Tiradentes
Barbacena
Linhares
Colatina
Cachoeiro de Itapemirim
Guarapari
Teófilo Otoni
Nanuque
Divinópolis
Volta Redonda
Barra Mansa
Campos
Macaé
Cabo Frio
Parque Nacional da Serra da Canastra
Parque Nacional da Serra da Bocaina
P.N. de Itatiaia
P.N. da Serra dos Órgãos
Salvador
Brasília
R. Doce
R. São Francisco
R. Grande
Represa Três Marias
Represa de Furnas

Saint-Hilaire : "Dans le Minas, vous verrez toujours le propriétaire terrien présent, travaillant côte à côte avec ses esclaves, contrairement aux propriétaires aristocrates du reste du Brésil." Et le poète *mineiro* Drummond de Andrade d'ajouter : "Le Minas n'a jamais produit et ne produira jamais de dictateur."

Carlos Drummond de Andrade, né à Itabira en 1902, est considéré comme l'un des plus grands poètes brésiliens du XXe siècle. Vous pouvez admirer une statue grandeur nature le représentant sur la plage de Copacabana, à Rio de Janeiro, la ville où il termina sa vie et mourut, en 1987.

Fièvre de l'or et du diamant

Au XVIIIe siècle, c'est tout le commerce de la planète qui dépend de l'or du Minas Gerais. Entre 1700 et 1820, la production atteint 1 200 t, soit 80 % de toute la production mondiale durant cette période.

Les prospecteurs deviennent fabuleusement riches du jour au lendemain. Même certains esclaves s'enrichissent en grattant clandestinement la terre des galeries souterraines. Le légendaire Chico Rei, roi africain avant d'être envoyé en esclavage au Brésil, avait fait vœu de recouvrer sa couronne dans le Nouveau Monde. C'est exactement ce qu'il fera, travaillant comme un damné et gagnant assez d'or pour racheter sa liberté et celle de sa grande famille.

Lisbonne se retrouve ainsi inondée par les pièces d'or frappées à la Casa dos Contos d'Ouro Preto. Mais, au lieu d'investir ces nouvelles richesses, la monarchie les dilapide en travaux fastueux. Lorsque l'or du Brésil cède le pas aux diamants, la Couronne portugaise réagit. Instruite par l'expérience, elle fait interdire les mines de diamants de Tijuca aux prospecteurs. Elle nomme un gouverneur et lui envoie une garnison pour appuyer ses décrets et pouvoirs. Mais ce plan échoue. À l'image de João Fernandes, qui dépense des fortunes à construire un lac artificiel et un navire pour Xica da Silva, sa maîtresse esclave, les gouverneurs se livrent à la contrebande. Même les diamants ne donnent naissance qu'à une éphémère richesse.

Belo Horizonte et ses environs

Ouro Preto demeura la capitale du Minas Gerais jusqu'en 1897, lorsque les responsables de l'État inaugurèrent la première ville planifiée du Brésil, **Belo**

CI-DESSOUS : la Capela de São Francisco, signée Oscar Niemeyer.

Commère d'Ouro Preto à sa fenêtre.

Horizonte ❶. Comparée à Ouro Preto, cette cité moderne de 2,4 millions d'habitants n'a pas grand-chose à offrir au voyageur, mais constitue une bonne base pour visiter les villes anciennes environnantes.

L'élégante **Pampulha ❷** accueille la **Capela de São Francisco**, dont la structure en demi-lune recouverte de tuiles bleues est due à Oscar Niemeyer tandis que le plus grand artiste moderne du Brésil, Cândido Portinari (*voir p. 119*), réalisa les sobres peintures de saint François et les 14 stations du chemin de croix.

Trésor baroque, **Sabará ❸** est nichée dans une vallée boisée, à 23 km au nord de Belo Horizonte. Dans un faubourg ombragé se cache son plus beau joyau, la modeste chapelle **Nossa Senhora do O**. Ses formes étranges abritent un décor de folie: chaque centimètre carré de mur et de plafond est recouvert de sculptures en bois, de feuille d'or, de peintures sombres et mystérieuses évoquant des scènes de la Bible, et de motifs aux teintes raffinées qui rappellent l'épopée des jésuites portugais en Extrême-Orient.

Quelques rues plus loin, la façade anonyme de l'église **Nossa Senhora da Conceição**, une fois encore, contraste avec l'explosion baroque du décor intérieur. Les thèmes d'Extrême-Orient sont largement exploités – plus particulièrement à la porte de la sacristie, chargée de façon très excessive.

La coquille vide de l'**Igreja do Rosário dos Pretos**, chantier abandonné avec l'épuisement des filons d'or, trône tel un fantôme sur la grand-place de Sabará. Un peu plus loin, l'**Igreja do Carmo** recèle quelques trésors de l'Aleijadinho, dont des chaires en stéatite superbement ouvragées et un frontispice en bas-relief. Une paire de torses mâles dont les veines semblent irriguer le bois soutient la tribune du chœur.

CI-DESSOUS : Porte-fenêtre et balcon ouvragés à Ouro Preto.

La ville de l'"or noir"

Les richesses se sont envolées, mais l'art a survécu, notamment à **Ouro Preto ❹**. Situé à 100 km de Belo Horizonte (capitale de l'État), Ouro Preto se trouva au

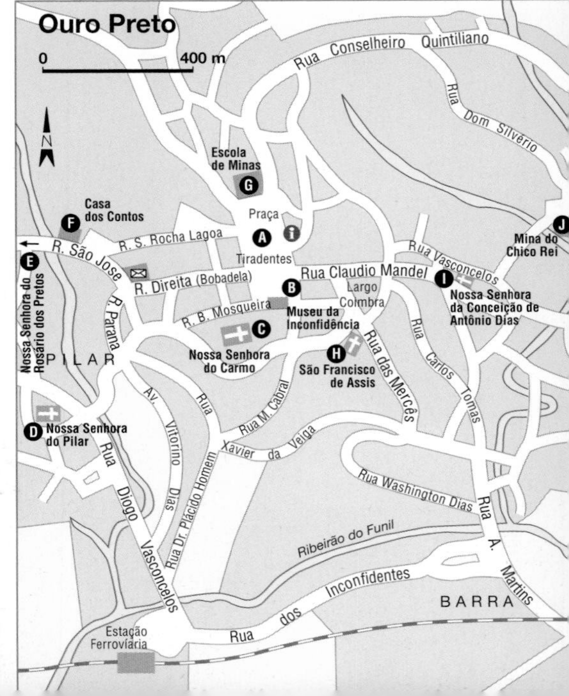

cœur de la ruée vers l'or de la fin du XVIIe siècle. D'abord appelé Vila Rica, ce village de montagne vit les premières bandes d'aventuriers arriver de la côte atlantique en quête d'esclaves et d'or. Près de Vila Rica, ils récoltèrent une étrange pierre noire, dont ils envoyèrent des échantillons au Portugal. Sans le savoir, ils avaient découvert de l'or (sa coloration noire provenant de l'oxyde de fer du sol). Vila Rica prit alors le nom d'Ouro Preto (or noir) et la ruée vers l'or commença.

En 1750, 80 000 personnes habitaient Ouro Preto, un chiffre supérieur à celui du New York de l'époque. Les prêtres jésuites apportèrent avec eux le bagage artistique et philosophique de l'Europe ; ils imposèrent le style baroque aux églises construites avec l'or des mines. Aujourd'hui encore, Ouro Preto réunit le plus pur ensemble d'architecture et d'art baroques. Six musées et 13 églises dispersées parmi ses maisons pimpantes donnent à Ouro Preto l'allure d'une ville de conte de fées. Elle a été classée monument culturel mondial par l'Unesco en 1981.

Le 21 avril, date de l'exécution de Tiradentes est fête nationale.

La chute de Tirandentes

Au cœur de la ville, sur la **Praça Tiradentes** Ⓐ, vaste place aux pavés usés par l'histoire, est campé l'imposant **Museu da Inconfidência** Ⓑ (ouv. du mar. au dim. de 12h à 17h30 ; entrée payante). C'est ici que la tête du patriote Joaquim José da Silva Xavier, surnommé Tiradentes (l'"arracheur de dents"), fut exposée au bout d'une pique en 1792. Xavier et 6 de ses compagnons avaient conspiré pour l'indépendance du Brésil. Mais des espions éventèrent leur plan, et Xavier fut exécuté. Ancien hôtel de ville, le musée expose notamment des pièces de l'échafaud utilisé pour l'exécution de Tiradentes, ainsi qu'une copie de sa sentence de mort. Certains de ses compagnons reposent sous les dalles en maçonnerie du 1er niveau. Une salle séparée présente les très expressives sculptures en bois de l'autre grande figure historique d'Ouro Preto – le sculpteur et architecte Antônio Francisco Lisboa (*voir encadré p. 210*).

Ci-dessous : la belle Ouro Preto, douillettement sise dans un paysage de montagnes boisées.

Figurines typiques d'Ouro Preto.

Une affaire de famille

Vous pourrez admirer une part majeure de l'œuvre de l'Aleijadinho à l'église **Nossa Senhora do Carmo** Ⓒ (ouv. du mar. au dim. de 12h à 17h), également sur la place. Cet édifice imposant (1766) est l'œuvre du père de l'Aleijadinho, Manuel Francisco Lisboa. En 1770, l'Aleijadinho modifia les plans paternels durant la construction, intégrant les clochers à la façade et encadrant la porte principale d'un porche élégant. Il réalisait ainsi un compromis entre des traditions maniéristes conservatrices et le baroque brésilien qu'il n'allait pas tarder à imposer. Son style se traduit ici par les frises en pierre très travaillées et les anges en élévation qui surmontent l'entrée.

Trésors sacrés

À côté de l'église, le **Museu do Oratório** (ouv. tlj. de 9h30 à 11h50 et de 13h30 à 17h30 ; entrée payante) présente une riche collection d'art sacré. Les sculptures de l'Aleijadinho dominent, parmi les manuscrits enluminés et les objets du culte en or ou en argent. Un fragment d'os étiqueté "São Clemente" flotte étrangement dans son reliquaire en verre et or.

Fonds d'or

Trois rues à l'ouest du Carmo, le simple parallélépipède de **Nossa Senhora do Pilar** Ⓓ prépare peu au choc qui vous attend à l'intérieur – l'un des plus extravagants décors baroques d'Ouro Preto. Œuvre partielle du sculpteur Francisco Xavier de Brito, les murs de l'église du Pilar explosent d'anges et de saints aux joues roses, dont les robes papillonnent sur un arrière-plan doré à la feuille.

Plus à l'ouest, dans le quartier du Rosário, **Nossa Senhora do Rosário dos Pretos** Ⓔ produit l'effet exactement inverse : son audacieuse façade baroque s'ouvre sur un décor intérieur pratiquement vierge. L'église du Rosário fut bâtie par des esclaves qui avaient juste assez d'or pour ériger cette majestueuse

CI-DESSOUS : décor de fontaine du XVIIIe siècle.

UN SCULPTEUR TRÈS INSPIRÉ

L'Ouro Preto de l'époque coloniale compte 2 héros de nature bien différente : Tiradentes et le sculpteur et architecte Antônio Francisco Lisboa (1738-1814), plus connu sous le nom d'O Aleijadinho. Il doit ce surnom de "Petit Infirme" au handicap qu'il contracta à l'âge adulte, résultat probable de l'arthrose, mais qui ne l'empêcha pas de travailler, bien qu'en peinant davantage (*voir p. 60*).

Il fut même extrêmement prolifique – ce n'est pas pour rien qu'il est considéré comme le premier représentant du baroque dans l'art statuaire brésilien –, et vous pourrez admirer son art raffiné dans beaucoup d'églises du Minas Gerais. Au Museu da Inconfidência (*voir p. 209*), visitez la salle consacrée à ses statues en bois originales et très ouvragées, dont se détache l'émouvante représentation du Christ au Pilier.

coquille vide – authentique chef-d'œuvre, que ses murs convexes, sa façade incurvée et ses clochers gracieux placent au premier rang des monuments baroques du Brésil. Deux autres musées jalonnent les rues pavées qui vous ramènent à la Praça Tiradentes. Au pied de l'abrupte Rua Rocha Lagoa, la **Casa dos Contos** F (ouv. du mar. au sam. de 12h30 à 17h30, le dim. de 9h à 15h ; entrée payante) prélevait les impôts et frappait monnaie durant la ruée vers l'or : elle expose des pièces d'or ainsi qu'une fonderie techniquement très élaborée pour l'époque. En haut de la rue s'étire l'**Escola de Minas** G. À l'intérieur de cette École des mines, le **Museu de Mineralogia e Pedras** (ouv. du mar. au dim. de 12h à 17h) rassemble une très belle collection de pierres précieuses, de minerais et de cristaux – 23 000 pièces au total !

Panneau de bois peint dans l'Igreja de São Francisco.

Chef-d'œuvre de l'Aleijadinho

À l'est de la Praça Tiradentes se dresse le coup de maître architectural de l'Aleijadinho, l'étincelant écrin de la chapelle **São Francisco de Assis** H (ouv. du mar. au dim. de 8h30 à 11h45 et de 13h30 à 17h). Ses lignes baroques se rapprochent de celles du Rosário dos Pretos, tandis que les reliefs torturés du porche principal continuent le travail commencé au Carmo. À l'intérieur, l'Aleijadinho a laissé des statues en stéatite (pierre à savon) ou en bois dont les yeux en amande, l'anatomie précise et les vêtements flottants caractérisent l'apogée du baroque *mineiro*. Les murs et le plafond sont l'œuvre de Manuel da Costa Athayde (1762-1837), grand spécialiste des silhouettes distordues sur fond réaliste. Surfaces peintes et traits architecturaux s'y recoupent parfois, comme si le ciel du plafond allait s'ouvrir au regard scrutateur de Dieu.

Deux rues à l'est de la chapelle São Francisco, Ouro Preto a érigé son monument à l'Aleijadinho avec le musée et l'église **Nossa Senhora da Conceição de Antônio Dias** I (ouv. du mar. au sam. de 8h30 à 11h30 et de 13h30 à 16h45, le dim. de 12h à 16h45). L'Aleijadinho y est inhumé : un repère en bois dans une chapelle latérale indique l'emplacement de sa dépouille. Derrière la sacristie, des salles présentent ses œuvres en bois et en stéatite, ainsi que les bibles et missels européens richement illustrés où il puisait son inspiration.

À Ouro Preto toujours, vous pouvez descendre à la **Mina do Chico Rei** J (Rua Dom Silvério 108 ; ouv. tlj. de 8h à 17h), mine d'or creusée par les esclaves en 1702, puis tombée en désuétude après l'abolition de l'esclavage en 1888. Une galerie de 1,3 km est accessible au public.

À 8 km d'Ouro Preto sur la route de Mariana, la **Mina da Passagem** (ouv. tlj. de 9h à 17h ; entrée assez chère) présente plus d'intérêt : elle fonctionnait encore voici 15 ans, et on peut y voir les diverses étapes suivies par le minerai. Creusée au XVIIIe siècle, la mine descend par une galerie de 11 km jusqu'à une profondeur de 120 m. Les visiteurs de la mine peuvent être transportés par son train jusqu'à un lac souterrain.

CI-DESSOUS : le baroque resplendissant de l'église de Mariana.

Mariana

Athayde naquit dans la remarquable bourgade coloniale de **Mariana** ❺, située à 12 km d'Ouro Preto. Son art exubérant s'exprime sans freins à travers les statues aux couleurs sombres et les visages de mulâtres qui envahissent les 2 chapelles du **Carmo** et de **São Francisco** ainsi que la superbe **Catedral de Nossa Senhora da Assunção**. *La Passion* et *La Mort de saint François* comptent parmi ses chefs-d'œuvre. Il est enterré à l'arrière du Carmo. Réalisé en 1701, l'orgue allemand de la cathédrale fut acheminé de Rio de Janeiro à dos de mulet (concerts le ven. à 11h et le dim. à 12h15). Derrière la cathédrale, le **Museu Arquidiocesano de Arte Sacra** (Rua Frei Durão ; ouv. du mar. au dim. de 9h à 12h et de 13h30 à 17h ; entrée payante) renferme la plus importante collection de peinture et de sculpture baroques du Minas Gerais.

Crucifix sur fond peint dans l'Igreja de Santo Antônio.

Sculpture à Congonhas do Campo

Le Minas Gerais oriental, économiquement plus développé que l'aride *sertão*, renferme d'authentiques trésors du baroque tardif *mineiro*. À **Congonhas do Campo** ❻ (à 80 km au sud de Belo Horizonte), vous pourrez admirer les 2 plus grands chefs-d'œuvre de la sculpture de l'Aleijadinho : les 12 statues grandeur nature des *Prophètes* qui jalonnent le parvis du **Santuário Bom Jesus de Matosinhos** et les 66 scènes de *La Passion*, sculptées et peintes dans une série de chapelles annexes. Réalisés en stéatite (pierre à savon) grise, *Les Prophètes* adoptent une attitude sévère, leurs traits et leurs costumes stylisés touchant au mythique, portés par l'imagination d'un grand artiste. Si *Les Prophètes* semblent perdus dans un au-delà inatteignable, en revanche un souffle de vie et d'émotion anime les personnages de *La Passion*. La statue du Christ saisit par son expressivité farouche, avec ses yeux en amande et sa bouche à demi ouverte, sa peau livide et veinée, ses muscles et tendons saillants. Pour ses 12 prophètes aux visages creusés par la fatigue des travaux, l'Aleijadinho a sans doute pris pour modèles des habitants locaux, peut-être membres d'un jury.

CI-DESSOUS : l'Igreja de Santo Antônio à Tiradentes.

Joaquim da Silva Xavier naquit en 1746 dans la ville qui porte son nom, **Tiradentes** ❼, à 80 km au sud. L'atmosphère de la période coloniale a encore mieux survécu ici que dans toute autre ville du Minas Gerais. Ses rues en ardoise rose, ses carrioles à cheval, ses rideaux de dentelle et ses volets peints de couleurs vives lui confèrent une sérénité intemporelle. Le grand **Museu Padre Toledo** (Rua Padre Toledo ; ouv. du mer. au dim. de 9h à 11h30 et de 13h à 16h40 ; entrée payante) présente un ensemble de meubles d'époque et d'art sacré. À proximité, l'Aleijadinho a sculpté le frontispice en pierre de l'imposante **Igreja de Santo Antônio**. À l'intérieur, l'orgue du XVIIIe siècle rappelle celui de Mariana.

Une ville ferroviaire

À seulement 13 km de Tiradentes, **São João del Rei** ❽ a converti sa gare en

 Carte p. 206

un rutilant **Museu Ferroviário** (Avenida Hemílio Alves 366 ; ouv. du mar. au sam. de 9h à 11h30 et de 13h à 18h ; entrée payante). Ce fascinant vestige du rail à l'ancienne héberge de mythiques locomotives Baldwin noires et rouges – certaines remontent à 1880 –, alignées sur leur rotonde comme des jouets pour géants autour de leur arbre de Noël. Les voitures d'excursion ont conservé leurs boiseries et leurs vitres gravées. De style victorien, la gare est intégralement d'époque, de l'assourdissant sifflet à vapeur au halètement syncopé du train touristique.

La ville possède 7 églises, dont l'**Igreja do Carmo**, très proche des chefs-d'œuvre baroques d'Ouro Preto. La **Basílica de Nossa Senhora do Pilar** voisine présente une façade massive, mais un riche décor intérieur. Le plus beau trésor de la ville demeure cependant l'**Igreja de São Francisco**, dont les tours rondes et les proportions équilibrées affirment le triomphe architectural de l'Aleijadinho. Une double haie de palmiers, puis une série de larges marches mènent à un gracieux parvis encerclé de balustrades.

Diamantina

À 280 km environ au nord de Belo Horizonte, **Diamantina** ❾, une bourgade isolée par sa beauté austère et son histoire, rivalise avec les merveilles d'Ouro Preto. Postée en lisière du *sertão* semi-aride, Diamantina s'entoure de collines rouge ferreux qui mènent à un plateau rocheux – région notoirement riche en orchidées. Églises et maisonnettes blanchies à la chaux dévalent une pente irrégulière, découpant leurs toits hérissés de clochers en bois. Le gouverneur des mines João Fernandes et sa maîtresse esclave Xica da Silva en avaient fait leur quartier général, habitant une résidence princière **Praça Lobo Mesquita**.

De l'autre côté de la place, l'**Igreja do Carmo** compte parmi les présents offerts à sa belle par le roi du diamant. Fernandes fit déplacer le clocher à l'arrière de l'église, car son carillon la réveillait. Au plafond du Carmo, des peintures représentent des scènes bibliques, très en vogue chez les artistes *mineiros* du

Ci-dessous : des pentes escarpées encerclent Diamantina.

XVIIIe siècle – tel José Soares de Araujo, dont le travail au Carmo et dans la proche **Igreja do Amparo** rappelle celui d'Athayde.

À une rue du Carmo, **Nossa Senhora do Rosário** est l'œuvre d'esclaves qui ont imposé couleurs vives et statues de saints noirs. À l'extérieur, les racines d'un arbre ont fait éclater le crucifix du Rosário, ne laissant apparaître qu'une barre et le haut de la croix. Selon la légende, un esclave y aurait été exécuté : protestant de son innocence, celui-ci aurait affirmé qu'une chose extraordinaire arriverait qui prouverait sa sincérité. Peu de temps après, des bourgeons apparurent sur la croix, et des racines s'infiltrant dans le sol firent naître un arbre robuste.

Les jeunes années de Kubitschek à Diamantina furent plutôt difficiles. Son père mourut alors qu'il n'avait que 2 ans et il fut élevé par sa mère, institutrice d'origine tchèque.

En face de la Catedral Metropolitana (1930), le **Museu do Diamante** (ouv. du mar. au sam. de 12h à 17h30, le dim. de 9h à 12h ; entrée payante) expose du matériel d'époque, des documents et autres pièces intéressantes. Une petite salle présente les instruments de torture utilisés sur les esclaves.

Près de la place, la bibliothèque de Diamantina se signale par ses charmants moucharabiehs qui couvrent le balcon du 1er étage. Kubitschek naquit un peu plus loin, dans la **Rua Direita**. À proximité, les gouverneurs portugais de Diamantina siégeaient à la **Casa da Gloriá**, 2 bâtiments en pierre bleus et blancs reliés par un pont en bois.

L'Espírito Santo, un État naturel

Capitale de l'État d'**Espírito Santo**, **Vitória** ⑩ fut fondée en 1551. Ville côtière relativement peu importante (313 000 hab.) par rapport aux capitales d'autres États brésiliens, son centre occupe une île reliée aux faubourgs par une série de ponts. Une poignée de bâtiments rappellent son passé colonial, tandis que quelques plages au nord et au sud de la ville ne manquent pas de charme. L'État a pourtant été épargné par la vague touristique qui a submergé ses voisins de Bahia et du Minas Gerais – et bien sûr de Rio de Janeiro. Copie conforme de la Scala de Milan, le **Teatro Carlos Gomes** (Praça Costa Pereira) accueille fréquemment des festivals de musique et des productions théâtrales. De beaux

CI-DESSOUS : les orchidées prolifèrent dans l'Espírito Santo.

vitraux éclairent la **Catedral Metropolitana**, construite en 1918 sur la Praça Dom Luis Scortegagna.

À 113 km à l'ouest de Vitória, de reposants paysages alpestres environnent **Venda Nova do Imigrante** ⓫ (ou plus simplement Venda Nova), appréciés par les randonneurs et les montagnards. Au nord-ouest de Vitória, à 70 km, les Suisses fondèrent la ville de **Santa Leopoldina** ⓬ ; elle constitue un but d'excursion agréable au départ de la capitale.

La charmante **Santa Teresa** ⓭ est perchée 21 km plus au nord. À la sortie de la ville, le **Museu Biológico Professor Mello Leitão** (Avenida José Ruschi 4 ; ouv. tlj. de 8h à 17h ; entrée payante) fut fondé par une autorité mondiale en matière de colibris : Augusto Ruschi, mort en 1986. Dans une zone de forêts riches en vie sauvage et en orchidées, ce musée d'histoire naturelle s'est adjoint un petit zoo, un jardin de colibris et de papillons, et un parc offrant un large éventail de plantes et d'arbres.

Proche de **Linhares** ⓮, à 135 km de Vitória, la **Reserva Biológica Comboios** (ouv. tlj. de 8h à 12h et de 13h à 17h ; www.projetotamar.org.br) a été créée pour protéger les tortues marines. Vous trouverez plusieurs hôtels et restaurants en ville. À proximité de Linhares toujours, deux autres réserves, celle de Linhares même (floresta@tropical.com.br) et la **Reserva Biológica Sooretama** (olimpio@es.ibama.gov.br) se consacrent à la protection de la forêt humide, de son fabuleux monde végétal (orchidées comprises), et de sa vie sauvage. Plus de 370 espèces d'oiseaux y ont été recensées, dont le hocco de Blumenbach. Il faut une autorisation spéciale pour visiter ces réserves, et vous pourrez l'obtenir par mail aux adresses ci-dessus.

Plus au nord, près de la frontière avec l'État de Bahia, la petite ville de **Conceição da Barra** permet de rejoindre Itaúnas et ses immenses dunes – certaines peuvent atteindre une hauteur de 30 m – et plages désertes. Les dunes ont complètement recouvert l'ancienne ville d'Itaúnas, dont seul le clocher dépasse encore du sable. ❑

Les réserves nationales sont gérées par l'Ibama, acronyme d'Instituto Brasileiro do Meio Ambiente e dos Recursos Naturais Renováveis, l'institut national de l'Environnement et des Ressources naturelles renouvelables (www.ibama.gov.br).

Ci-dessous : la beauté d'une tortue imbriquée.

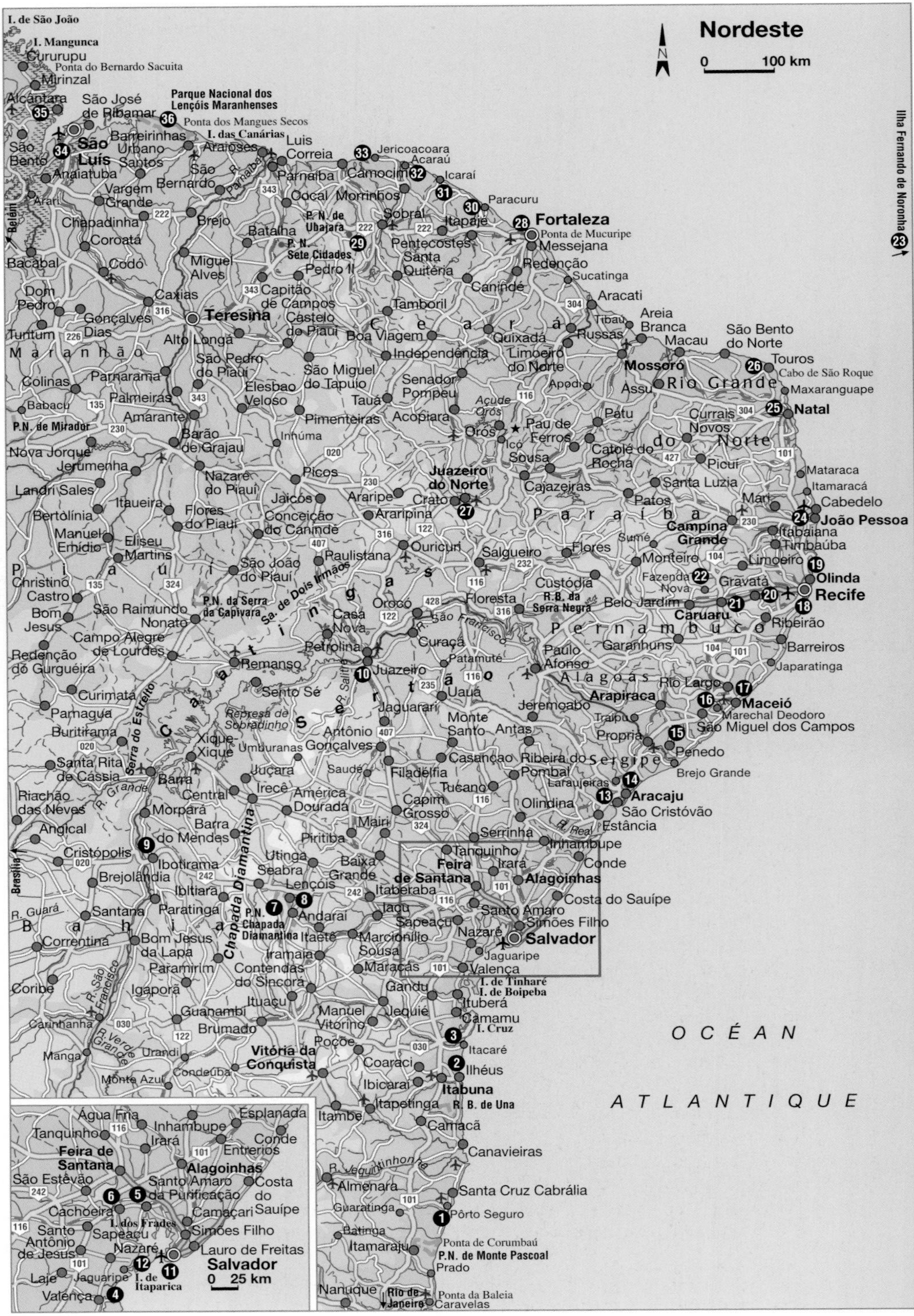

Nordeste

0 100 km

N

Océan Atlantique

Ilha Fernando de Noronha 23

Maranhão
Piauí
Ceará
Rio Grande do Norte
Paraíba
Pernambuco
Alagoas
Sergipe
Bahia
Caatinga
Sertão

I. de São João
I. Mangunca
Cururupu
Ponta do Bernardo Sacuita
Mirinzal
Alcântara 35
São José de Ribamar
Parque Nacional dos Lençóis Maranhenses 36
Ponta dos Mangues Secos
I. das Canárias
Barreirinhas
Araioses
Luis Correia
Jericoacoara 33
Acaraú
São Bento
São Luís 34
Urbano Santos
São Bernardo
Parnaíba
Camocim 32
Icaraí
Anajatuba
Vargem Grande
Cocal
Morrinhos
31
Paracuru 30
Arari
Belém
Chapadinha
Brejo
P. N. de Ubajara
Sobral
Itapajé
Fortaleza 28
Ponta de Mucuripe
Batalha
Coroatá
P. N. Sete Cidades 29
Pentecostes
Messejana
Bacabal
Codó
Miguel Alves
Pedro II
Santa Quitéria
Redenção
Sucatinga
Caxias
Capitão de Campos
Canindé
Aracati
Dom Pedro
Tamboril
Tuntum
Gonçalves Dias
Teresina
Castelo do Piauí
Tibau
Areia Branca
Alto Longá
Boa Viagem
Quixadá
Russas
Macau
São Bento do Norte
Independência
Limoeiro do Norte
Mossoró
Touros 26
Cabo de São Roque
São Pedro do Piauí
São Miguel do Tapuio
Senador Pompeu
Apodi
Assu
Maxaranguape
Colinas
Parnarama
Elesbão Veloso
Tauá
Açude Orós
Natal 25
Babacu
Palmeiras
Acopiara
Orós
Pau de Ferros
Patu
Currais Novos
P.N. de Mirador
Amarante
Pimenteiras
Barão de Grajaú
Inhúma
Icó
Sousa
Catolé do Rocha
Nova Jorque
Jerumenha
Picos
Juazeiro do Norte
Cajazeiras
Picuí
Mataraca
Itamaracá
Landri Sales
Nazaré do Piauí
Santa Luzia
Itaueira
Jaicós
Araripe
Crato 27
Patos
Mari
Cabedelo
Bertolínia
Flores do Piauí
Conceição do Canindé
Araripina
Campina Grande
João Pessoa 24
Manuel Emídio
Eliseu Martins
Itabaiana
Sumé
Timbaúba
Ouricuri
Salgueiro
Flores
Paulistana
Monteiro
Limoeiro
Christino Castro
São João do Piauí
Sa. de Dois Irmãos
Custódia
Fazenda Nova 22
Gravatá
Olinda 19
Bom Jesus
São Raimundo Nonato
P.N. da Serra da Capivara
Orocó
Floresta
R. B. da Serra Negra
Belo Jardim
Caruaru 21
20
Recife 18
Casa Nova
R. São Francisco
Ribeirão
Redenção do Gurguéia
Campo Alegre de Lourdes
Petrolina
Curaçá
Paulo Afonso
Garanhuns
Barreiros
Remanso
Patamuté
Japaratinga
Juazeiro 10
Rio Largo
Curimatá
Sento Sé
Uauá
Arapiraca
Maceió 17
16
Parnaguá
Serra do Estreito
Represa de Sobradinho
Jaguarari
Jeremoabo
Marechal Deodoro
Buritirama
Antônio Gonçalves
Monte Santo
Antas
Traipu
São Miguel dos Campos
Xique-Xique
Umburanas
Propriá
15
Penedo
Santa Rita de Cássia
Saúde
Casanção
Ribeira do Pombal
Brejo Grande
Barra
Juçara
Filadélfia
Laranjeiras 14
Riachão das Neves
R. Grande
Irecê
Tucano
Aracaju 13
Central
América Dourada
Capim Grosso
Olindina
São Cristóvão
Morpará
Estância
Angical
Barra do Mendes
Chapada Diamantina
Mairi
R. Real
Serrinha
Cristópolis 9
Piritiba
Inhambupe
Brasília
Ibotirama
Utinga
Baixa Grande
Tanquinho
Irará
Conde
Brejolândia
Seabra
Feira de Santana
Alagoinhas
Ibitiara
Lençóis 8
Itaberaba
Paratinga
P.N. Chapada Diamantina 7
Iaçu
Costa do Sauípe
R. Guará
Santana
Andaraí
Santo Amaro
Sapeaçu
Simões Filho
Correntina
Bom Jesus da Lapa
Itaetê
Marcionílio Souza
Nazaré
Salvador
Iramaia
Jaguaripe
Paramirim
Contendas do Sincorá
Maracás
Valença
Coribe
Igaporã
Gandu
I. de Tinharé
I. de Boipeba
Ituaçu
Ituberá
R. São Francisco
Guanambi
Manuel Vitorino
Jequié
Camamu
Carinhanha
Brumado
I. Cruz
R. Verde Grande
Poções 3
Itacaré
Manga
Urandi
Vitória da Conquista
Coaraci
Ilhéus 2
Condeúba
Monte Azul
Ibicaraí
Itabuna
Itapetinga
R. B. de Una
Itambé
Camacã
Canavieiras
R. Jequitinhonha
Almenara
Santa Cruz Cabrália
Guaratinga
Pôrto Seguro 1
Batinga
Itamaraju
Ponta de Corumbaú
P.N. de Monte Pascoal
Prado
Nanuque
Rio de Janeiro
Ponta da Baleia
Caravelas

Água Fria
Esplanada
Tanquinho
Inhambupe
Irará
Conde
Entre Rios
Feira de Santana
Alagoinhas
São Estêvão
Santo Amaro da Purificação
Costa do Sauípe
6
5
Cachoeira
Camaçari
I. dos Frades
Santo Antônio de Jesus
Sapeaçu
Simões Filho
Nazaré
Lauro de Freitas
12
11
Salvador
Laje
Jaguaripe
I. de Itaparica
0 25 km
Valença 4

020 030 101 104 116 122 135 222 226 230 232 235 242 304 316 324 343 407 427 428

LE NORDESTE

La région la plus déshéritée économiquement séduit par la beauté de ses plages et la richesse de sa culture populaire.

Rassemblant 9 États, soit 18 % du Brésil sur un territoire semi-désertique, le Nordeste a connu des fastes éphémères au début de la période coloniale, lorsque l'économie reposait sur la canne à sucre et les plantations de coton, et que Salvador était la capitale du pays.

Avec la fin de l'économie sucrière, le Nordeste décline. Et il restera délaissé en raison de son manque de potentiel productif : l'immense et aride *sertão* de l'intérieur anéantit tout espoir de prospérité. Des sécheresses périodiques ruinent les petits fermiers, qui parviennent tout juste à subsister quand ils ne meurent pas de faim. Le taux d'alphabétisme, de 20 % inférieur à celui des autres régions, révèle la misère qui sévit dans certaines parties du Nordeste. Tous les Nordestinos ne sont pas pauvres. Des zones plus peuplées se concentrent sur un ruban fertile le long de la côte et au bord du São Francisco, grand fleuve qui traverse les États de Bahia, Pernambuco, Sergipe et Alagoas. La côte bénéficie d'une agriculture et d'une industrie plus favorisées, mais aussi de ses fabuleuses plages tropicales – et par suite de la manne touristique.

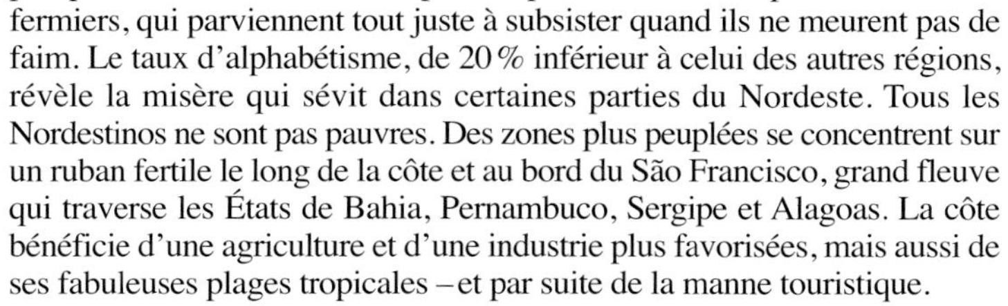

Le potentiel touristique du Nordeste commence à éveiller l'intérêt : les communications se sont améliorées (des vols directs desservent Salvador et Recife au départ de plusieurs villes étrangères), tandis que complexes hôteliers et aménagements divers se développent. L'attrait de la région se résume à un concept simple mais vérifiable : la côte du Nordeste ressemble à un paradis. Soleil et températures sont au rendez-vous toute l'année, les plages demeurent sans doute les plus belles et en tout cas les moins abîmées du pays, les régions sauvages y sont vraiment sauvages, quant à la culture… Ses villes coloniales, les plus anciennes du Brésil, voient se dérouler des carnavals et autres fêtes religieuses *nordestinos* qui n'ont rien à envier à Rio. L'État de Bahia, aux puissantes racines africaines, dispose, en outre, d'un héritage exceptionnellement riche, oscillant entre traditions religieuses et populaires.

Les fermiers pauvres du *sertão*, en revanche, ne profitent guère du tourisme. La région a certes fait l'objet de nombreux programmes de développement assistés par le gouvernement, mais, impliquant une agriculture à grande échelle, ils n'ont fait qu'affaiblir encore les petits exploitants. Une nouvelle tendance émerge, avec des projets visant à aider ceux qui en ont le plus grand besoin, et à freiner ainsi l'exode rural. ❑

PAGES PRÉCÉDENTES : pêcheurs bahianais relevant leur filet.

L'ÉTAT DE BAHIA

Splendeur des plages ou villes anciennes de l'aride intérieur, Salvador ne détient pas le monopole de la qualité de vie et de culture bahianaises.

L'État de Bahia, c'est un peu l'âme du Brésil. Dans cet État du Nordeste, races et cultures se sont mêlées plus qu'ailleurs, créant le Brésil le plus authentique qui puisse être.

Pedro Álvares Cabral découvrit la côte sud de l'État de Bahia à **Porto Seguro**, en 1500. Un an plus tard, le jour de la Toussaint, le navigateur italien Amerigo Vespucci entrait dans la baie que borde aujourd'hui **Salvador**, capitale de l'État et qui fut pendant plus de 2 siècles celle du Brésil.

L'État de Bahia a vu la naissance de la première école de médecine du pays, de ses premières églises, du développement le plus important de son architecture coloniale, et de son plus vaste patrimoine d'art sacré. Il a également vu naître nombres des plus grands écrivains, hommes politiques et compositeurs brésiliens. Partout traduites dans le monde, certaines œuvres de Jorge Amado ont été adaptées au cinéma avec succès (*Dona Flor et ses deux maris*, *Gabriela*). La musique des Bahianais João Gilberto, Caetano Veloso, Baden Powell ou Gilberto Gil est jouée à travers toute la planète.

Mais cette région recèle encore d'autres sortilèges, qui captent l'esprit comme les sens. Le mysticisme y règne avec une telle force que le moindre aspect de la vie quotidienne s'en trouve imprégné. Vous le retrouverez dans la manière dont les gens s'habillent, dans leur discours, leur musique, leur mode de relations, et même dans leur cuisine. C'est aussi pourquoi les Brésiliens pensent que l'âme de leur pays vit dans l'État de Bahia.

Ce mysticisme puise sa source dans la culture importée et préservée par les Africains introduits comme esclaves. De nos jours, la religion panthéiste de la tribu africaine des Yorubá continue de s'épanouir dans la région, et vous verrez de nombreux Bahianais blancs, catholiques baptisés et pratiquants, faire leurs offrandes aux *orixás* (divinités) de la religion *candomblé*.

Ne manquez pas !

- Porto Seguro
- Ilhéus
- Itacaré
- Santo Amaro da Purificação
- São Felix
- P. N. chapada Diamantina
- Lençois

À gauche : Bahianais aux couleurs de son *orixá*.

Ci-dessous : balade à vélo sur une route de campagne de Porto Seguro.

Fusion du catholicisme et des religions africaines, ce phénomène de syncrétisme est apparu quand les esclaves durent travestir leurs divinités en saints catholiques pour pouvoir pratiquer leur culte. Ainsi, la divinité africaine Iemanjá et la Vierge se confondent, comme Santo Antônio et le dieu Oxumaré.

Le sud de l'État

Tout au sud de l'État de Bahia, nombreux sont les touristes à fréquenter **Porto Seguro** ❶ et la région au sud de la ville, dont Arraial da Ajuda et Trancoso. Vous trouverez à Porto Seguro des centaines d'hôtels et de *pousadas*, maints restaurants, bars et salles de danse. Et, lors de son carnaval, on ne s'ennuie guère. La tribu indienne des Pataxó vit encore près de Porto Seguro, pêchant et fabricant des souvenirs pour touristes. Aux environs du **Monte Pascoal**, où les Portugais découvrirent le Brésil pour la première fois en 1500, une réserve protège d'épaisses zones primaires de forêt humide atlantique. Un ferry traverse la baie jusqu'à **Arraial d'Ajuda**, dont les *pousadas* et les bars vivent au rythme du *forró*. Plus au sud, bus ou combi vous conduiront à **Trancoso**, dont les maisons colorées et l'église coloniale (1656) encadrent une place verdoyante, le Quadrado, de laquelle vous jouirez de superbes vues sur l'océan. Les plages sont fabuleuses, mais attirent des foules de touristes en été.

À 265 km au nord de Porto Seguro, s'étend **Ilhéus** ❷ (220 000 hab.), métropole importante de la côte sud, capitale du cacao brésilien et l'un de ses plus grands ports de commerce. Située à 468 km de Salvador, cette ville moderne fondée en 1534 a préservé son histoire. Les plages ne manquent pas dans la région, et le carnaval d'Ilhéus est l'un des plus endiablés de l'État. Les agences de voyages locales louent des goélettes qui partent en croisière dans les îles. La ville offre des hôtels corrects et des terrains de camping ont été aménagés sur les plages.

À 20 km au sud d'Ilhéus, la ville thermale d'**Olivença** permet de camper tout en "prenant les eaux". Outre le carnaval, la fête de São Sebastiaò (11-20 janvier),

CI-DESSOUS : ces ravissantes figurines font de jolis souvenirs.

l'anniversaire de la ville (28 juin) et la fête du cacao (tout le mois d'octobre) jalonnent le calendrier d'Ilhéus.

Destinations de choix

Posée sur l'estuaire du Rio das Contas, qui prend sa source à Chapada Diamantina (*voir p. 226*), la petite ville d'**Itacaré** ❸ (18 000 hab., 70 km au nord d'Ilhéus), est devenue une destination très prisée. De nombreux restaurants, d'excellentes *pousadas* et plusieurs clubs-hôtels offrent toutes les prestations requises par les visiteurs venus en nombre pour admirer les paysages et les superbes plages. Toutes les formes d'écotourisme y sont encouragées : plongée, surf et grandes randonnées dans les forêts humides atlantiques ainsi que sur les longues plages désertes.

Jeune fille pataxo vendant en bord de route de l'artisanat amérindien.

En poussant vers le nord sur une route assez difficile, vous serez récompensé en découvrant une région encore vierge, la **Península de Maraú**. Son isolement ravira tous ceux qui recherchent le calme et l'isolement. Pour l'hébergement, vous aurez le choix entre de petites *pousadas* et un club-hôtel plus sophistiqué. À l'extrême nord de la péninsule, la ville de **Barra Grande** est, selon les critères locaux, très fréquentée en saison. Tout proche, cependant, la **Praia de Taipús de Fora**, considérée comme la plus belle plage du Brésil, demeure remarquablement désertée. Cette péninsule peut se visiter en excursion à la journée au départ d'Itacaré.

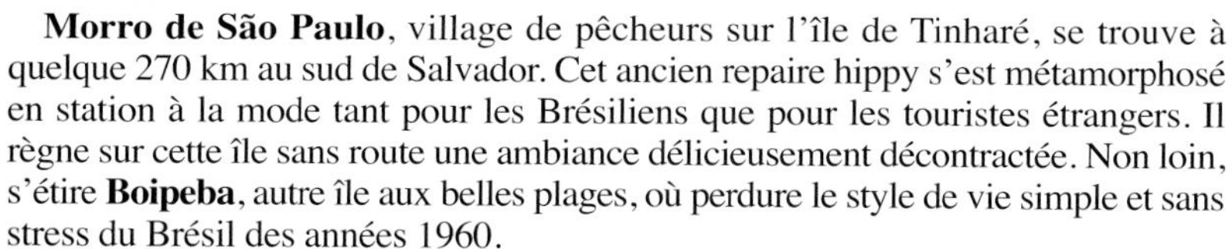

Morro de São Paulo, village de pêcheurs sur l'île de Tinharé, se trouve à quelque 270 km au sud de Salvador. Cet ancien repaire hippy s'est métamorphosé en station à la mode tant pour les Brésiliens que pour les touristes étrangers. Il règne sur cette île sans route une ambiance délicieusement décontractée. Non loin, s'étire **Boipeba**, autre île aux belles plages, où perdure le style de vie simple et sans stress du Brésil des années 1960.

Un peu plus au nord en direction de Salvador, là où l'Una se jette dans l'océan Atlantique, s'étend **Valença** ❹ (83 000 hab.). La ville est le site où fut construite la première usine textile hydroélectrique du pays. À 15 km de là, vous dénicherez la plus belle plage de la région, **Guaibim**, animée de nombreux et bons bars et restaurants de fruits de mers.

Au nord de Salvador

L'Estrada de Coco (route de la Noix-de-Coco) prend la direction nord à partir de la plage la plus éloignée de Salvador, Itapoã. Bordée de palmiers, cette route longe une succession de plages pour la plupart sauvages, dont **Arembepe**, **Jaua**, **Abaí**, **Itacimirim** et **Jucuípe**.

À **Praia do Forte** (85 km de Salvador), quelque 100 000 palmiers occupent les 12 km d'une plage de sable qu'une fondation privée protège contre toute menace environnementale. Mais la piste autrefois sablonneuse a été goudronnée, et les touristes étrangers sont de plus nombreux à visiter le village. Praia do Forte constitue également un centre important de

JORGE AMADO

Jorge Amado demeure sans aucun doute l'auteur brésilien le plus connu du XXe siècle, dont l'œuvre est publiée dans 55 pays. Né le 10 août 1912 à Itabuna (à 38 km d'Ilhéus) dans une famille de 4 enfants, il acquiert sa profonde connaissance de la vie rurale dans l'État de Bahia auprès de son père, agriculteur sur une exploitation de cacao. À l'âge de 10 ans, il crée une lettre d'informations, *A Luneta*, qu'il distribue dans sa famille et son entourage. En 1931, il publie son premier roman : *Le Pays du carnaval*.

En décembre 1933, il épouse Matilde Garcia Rosa, mais l'amour de sa vie sera Zélia Gattai, qu'il rencontre en 1945 après sa séparation d'avec Matilde. Écrivain, tout comme lui, elle restera auprès de lui jusqu'à sa mort. Son œuvre prolifique n'a d'équivalent que ses convictions politiques. Ses profondes opinions, ses écrits et son adhésion au parti communiste brésilien le conduisent plusieurs fois en prison et le contraignent à s'exiler (Argentine, Uruguay, France).

Voyageur invétéré et adepte du *candomblé*, Jorge Amado meurt le 6 août 2001 à Salvador da Bahia. Selon ses dernières volontés, il est incinéré et ses cendres sont dispersées autour d'un manguier dans le jardin de sa maison à Rio Vermelho, où vit toujours sa compagne Zélia, âgée de 92 ans (à l'heure de la rédaction). Un musée, dédié à sa mémoire, a été créé à Salvador da Bahia (*voir p. 235*).

préservation des tortues marines dont on récolte les œufs la nuit sur la plage. Les jeunes tortues seront relâchées en mer quand elles pourront se défendre par elles-mêmes.

Après Praia do Forte, la **Linha Verde** (route du littoral) épouse des plages spectaculaires, pratiquement désertes jusqu'à la frontière de l'État de **Sergipe**. Elle passe par **Costa do Sauípe**, grand complexe balnéaire comprenant 5 hôtels internationaux de luxe. Achevée en 2000 pour un coût faramineux de 600 millions d'euros, cette station a des allures de Disneyland brésilien. Cinquante autres hôtels sont prévus en 5 tranches successives. Les amateurs de golf apprécieront l'ouverture d'un 18-trous (ouv. aux non-résidents tlj. de 7h à 18h; dernier dép. pour un 18-trous 14h30, pour un 9-trous 15h30; tél. 71-2104 8523).

Si la samba de roda *est toujours associée aux célébrations de l'Irmandale da Boa Morte, vous pourrez assister en dehors du festival à des spectacles spontanés. Des groupes, constitués essentiellement d'hommes jeunes, marquent le rythme sur lequel des femmes revêtues d'un habit particulier exécutent la samba en cercle. De temps en temps, l'une d'entre elles gagne le centre pour montrer à tous ses talents de danseuse.*

Le *sertão*

À 200 km du littoral, la sécheresse et les broussailles règnent sur l'arrière-pays du Nordeste. Cette région a été le théâtre de grandes tragédies. Des sécheresses périodiques ont forcé les fermiers locaux à fuir le *sertão* pour rejoindre les villes côtières en quête de nourriture et de travail. Lorsque reviennent les pluies, les Sertanejos font de même. Malheureusement, les pluies peuvent également causer des ravages: des averses torrentielles submergent parfois cette terre desséchée, incapable d'en absorber toute l'eau. Les Sertanejos sont des gens durs à la peine, attachés à leur terre – et leur pays réserve des surprises à ceux qui veulent bien le découvrir.

Le Recôncavo da Bahia, la région chaude et humide entourant la Baía de Todos os Santos, constitue un bon point de départ pour explorer le *sertão*. La BR-324 vous conduit d'abord à **Santo Amaro da Purificação** ❺ (60 000 hab.), cité coloniale située à 80 km de Salvador. Cet ancien centre de production de tabac et de sucre est surtout connu et vénéré par les fans de musique brésilienne comme étant la ville natale de Caetano Veloso et de Maria Bethânia.

Au long des rues pavées et des placettes de Santo Amaro, les demeures coloniales à stucs blanches et roses alternent avec de splendides façades Art déco revêtues de couleurs pastel et rehaussées de motifs géométriques d'une blancheur éblouissante. Témoignant du développement de la région au début du XXe siècle, ces façades se retrouvent en de nombreuses bourgades de l'intérieur du Nordeste.

CI-DESSOUS : sculpture à la réserve de tortues TAMAR.

Le passé pas à pas

À 120 km de Salvador, **Cachoeira** ❻ (32 000 hab.) produit du tabac, de la noix de cajou et des oranges. Cette ville coloniale, centre historique d'intérêt majeur, compte peu d'auberges, de restaurants ou de boutiques de souvenirs ; en revanche, l'agence d'État Bahiatursa a mis au point une promenade balisée qui passe en revue toutes les églises et édifices importants. Il vous suffit de suivre les panneaux numérotés blanc et bleu. Vous découvrirez notamment **Nossa Senhora**

da Conceição do Monte, église du XVIIIe siècle offrant une vue ravissante sur le fleuve Paraguaçu et le village de São Felix sur la berge opposée. L'édifice n'est ouvert au public qu'en novembre.

Ne manquez pas le **Correios e Telégrafos** (bureau de poste), plus bel exemple de style Art déco de la ville. Quant à la **Pousada do Convento**, elle ne manque pas de ressources : les cellules des nonnes de ce couvent du XVIIe siècle ont été converties en chambres, le mausolée s'est fait salon de télévision.

L'une des plus fascinantes *festas* du Brésil est le très célébré festival de Notre-Dame d'août, organisé par l'**Irmandade da Nossa Senhora da Boa Morte** (communauté des sœurs de Notre-Dame de la belle mort). La date de création de cette fraternité demeure inconnue, mais il est certain qu'elle remonte au début du XIXe siècle, à l'époque de l'esclavage. Fondée pour apporter une assistance sociale, notamment pour permettre de décentes funérailles, elle perdure encore à ce jour. Pour rejoindre la communauté, il faut être une femme noire de plus de 40 ans, être adepte à la fois du rite *candomblé* ainsi que du culte de la Vierge Marie et suivre un noviciat très strict pendant 3 ans. Le festival de Notre-Dame d'août – parfait exemple de syncrétisme des traditions africaine et catholique – se déroule les 2 premières semaines d'août selon un programme chargé comprenant des processions pour célébrer la mort, l'ensevelissement et la résurrection de la Vierge.

Les conditions de vie des populations rurales de l'État de Bahia restent souvent difficiles.

São Félix

De l'autre côté du pont, le paisible bourg de **São Felix** ne s'éveille que pour les concours de samba-ronda du dimanche. Hommes et femmes dansent alors la samba en cercles frénétiques, au simple rythme des claquements de mains. Le centre culturel de São Felix, la **Casa da Cultura Américo Simas** (ouv. du lun. au ven. de 9h à 12h et de 14h à 17h), occupe une manufacture de cigares restaurée datant du xixe siècle. Au programme : peinture sur plâtre, comptabilité ou… haltérophilie. Quant au **Centro Cultural Dannemann** (ouv. du mar. au dim. de 8h à 17h) élevé

CI-DESSOUS : Praia do Forte, sa plage et son église.

sur la berge, il présente des expositions, de vieux outillages de fabrication de *charutos* (cigares), et vend des cigares faits main.

La solide agriculture bahianaise s'appuie majoritairement sur le Recôncavo, qui produit des céréales, de la canne à sucre, de la noix de coco ainsi que 95 % du cacao national. La ville de Camaçari accueille l'un des 3 complexes pétrochimiques du Brésil, et l'industrie régionale connaît un essor de plus en plus important.

Une fois quittée la zone littorale en direction de l'ouest ou du nord, les routes s'enfoncent dans le *sertão* profond, qui occupe l'horizon avec ses cactus et ses broussailles brûlées de soleil. Cette région a ses propres héros mais aussi sa propre musique, totalement différente des sensuelles bossa nova ou samba pratiquées ailleurs au Brésil. La *música sertaneja* se fonde sur des harmonies simples et linéaires, et intègre rarement plus de 3 accords. On y parle d'amour déçu, de mal du pays (*saudade*), de mauvais temps et de mort. Désormais, cette musique ne se cantonne plus au *sertão* : elle possède un charme universel et des émissions de variétés brésiliennes s'y consacrent exclusivement.

Jaguaripe et Nazaré

Posée sur la rive orientale du fleuve éponyme à 150 km de Salvador, **Jaguaripe** (fleuve du Jaguar, en Tupi-Guarani) est en passe de devenir un important centre écotouristique doté, en outre, d'édifices religieux datant du XVIIe siècle. Une croisière sur le fleuve de 45 min vous permettra de découvrir le village de **Maragogipinho**, où l'art de la poterie fut introduit par les jésuites il y a plus de 300 ans. En visitant les ateliers, même si la production demeure artisanale, sachez qu'elle est considérée comme la plus importante de toute l'Amérique du Sud.

Une fois par an, pendant la Semaine sainte, se tient une exposition dans la ville voisine de **Nazaré das Farinhas**, l'une des plus dynamiques du Recôncavo. Elle conserve aussi le plus vieux cinéma toujours en activité du pays, le Cinema Rio Branco, récemment restauré par le héros local, le joueur de football Vampeta, qui a joué au niveau national, en Hollande, Italie et France.

Le Recôncavo, l'une des régions agricoles capitales pour l'économie du Bahia, produit, outre des céréales, de la cane à sucre et des noix de coco, 95 % du cacao national. La ville de Camaçari, siège de l'une des 3 industries pétrochimiques du Brésil, connaît actuellement une forte croissance économique.

CI-DESSOUS : retour de courses à São Felix.

Chapada Diamantina

Le **Parque Nacional Chapada Diamantina** ❼, créé en 1985, couvre une surface de plus de 152 000 km². L'altitude dans le parc varie entre 400 m et 1 700 m. Sachez que la saison des pluies durant de novembre à avril – les plus fortes tombent de novembre à janvier –, choisissez de visiter cette région plutôt entre août et octobre.

Figurant parmi les plus belles régions de la campagne de Bahia, la Chapada Diamantina ravira tous les amoureux de nature. Mais il s'agit d'une région montagneuse désertique qu'il est préférable de découvrir accompagné d'un guide local. Grâce à ses nombreuses sources et chutes, au pied desquelles fleurissent des orchidées, la région subit rarement la sécheresse. Certaines cascades sont accessibles à pied. À 66 km de Lençóis, un sentier long de 7 km et très pentu vous mènera à la **Cachoeira da Fumaça**, chute de 400 m de haut. La **Gruta das Areias**, une grotte longue de 1 km, est couverte de sable de différentes couleurs qu'utilisent les artisans pour créer des motifs en bouteilles. Du haut de la montagne **Pai Inácio**, riche en flore exotique, vous jouirez d'une vue époustouflante sur toute la région. Des villages et des bourgs, tels que Mucugê et Igatú, vous donneront un aperçu intéressant sur l'histoire et la vie des ethnies qui peuplent cette étonnante région.

On utilise le sable coloré de Gruta das Areias pour constituer des décors à l'intérieur de bouteilles

Ruée sur le diamant

Au cœur de l'État de Bahia, à 425 km à l'ouest de Salvador, la ville de **Lençóis** ❽ (10 000 hab.) est nichée dans le piémont de la **Serra da Sincorá**, sur la Chapada Diamantina. La naissance de Lençóis remonte à 1844 et à la découverte de diamants dans la région. Des hordes d'aventuriers se ruèrent alors sur le site, s'improvisant des tentes sous de vastes toiles appelées *lençóis* en portugais. Le nom est resté. Du jour au lendemain, la ruée vers le diamant transforma ce campement en véritable ville. La bonne société de Lençóis s'habillait à la dernière mode de Paris et envoyait ses enfants étudier en France. Le gouvernement français y ouvrit même un consulat. Avec le marché municipal, édifice de style italien qui servit jadis de bourse d'échange aux diamants, l'immeuble consulaire demeure la plus belle construction de la ville.

Le folklore de Lençóis, quoique profondément bahianais, n'en possède pas moins ses singularités. Le carnaval y revêt moins d'importance que la São João, notre Saint-Jean. Et l'on pratique ici le *jarê*, version locale du *candomblé*. Les fêtes *jarê* se célèbrent essentiellement en septembre, décembre et janvier.

Mais Lençóis vaut également et surtout pour son ambiance délicieusement décontractée, et les possibilités de randonnées offertes par la Chapada Diamantina.

CI-DESSOUS : La majestueuse montagne Pai Inácio dans le parc national Chapada Diamantina.

Dans cette région montagneuse, authentiquement sauvage (l'une des plus belles de l'arrière-pays bahianais), un guide local est vivement recommandé. De nombreuses sources préservent le terrain de la sécheresse, et les orchidées fourmillent aux abords des cascades, dont certaines ne sont accessibles qu'à pied. À 66 km de Lençóis, la Cachoeira da Fumaça (cascade de la Fumée) chute de 400 m de hauteur. Il vous faudra marcher 7 km pour y parvenir. Dans lo Gruta das Areias, caverne d'1 km de long, on récolte les sables colorés dont les artisans remplissent des bouteilles, créant des paysages étonnants. Vous aurez une vue saisissante de la région en grimpant au sommet du mont du Pai Inácio, où s'épanouissent nombre de plantes exotiques. Outre leurs bouteilles, les artisans locaux proposent dentelles, broderies et poteries. Lençóis possède de bons terrains de camping et plusieurs hôtels et auberges, comme la Pousada de Lençóis, Canto dos Aguas, et le Portal Lençóis, un cinq-étoiles.

Sa longueur – 320 km – et sa surface – 4 220 km² – font du Sobradinho l'un des plus grands lacs artificiels au monde. Pour le contenir, le barrage de Sobradinho a un mur de 41 m de haut et de 12,5 km. L'écluse, longue de 120 m et large de 17 m, autorise la navigation entre les villes des États du Minas Gerais et du Pernambuco.

À l'ouest de Lençóis, à 252 km par la nationale 242, **Ibotirama** ❾ s'étend le long du Rio São Francisco. Paradis des pêcheurs, cette ville compte 24 000 habitants. qui élèvent du bétail, cultivent manioc, maïs, haricots et riz ; mais, quant vient la sécheresse, chacun s'en remet au fleuve pour se nourrir. Des dizaines d'espèces de poissons différentes se retrouvent ainsi dans la poêle, y compris les piranhas, considérés ici comme le fin du fin. Vous pouvez également louer des bateaux ou bien des pirogues sur le quai, pour pêcher, ou partir en fin de journée photographier le coucher de soleil, souvent fabuleux sur la rive gauche. À la saison sèche, de mars à octobre, les eaux baissent, mettant à nu des plages de sable sur les îles de **Gado Bravo** (40 min en amont) et d'**Ilha Grande** (25 min en aval).

Lac de Sobradinho

À partir d'Ibotarama, le São Francisco coule vers le nord-est jusqu'au **barrage de Sobradinho** et son immense lac artificiel (*voir ci-contre*), l'un des plus vastes du monde – 4 fois la baie de Salvador. Il faut prévenir une semaine à l'avance pour le visiter. Près de la rive nord du lac, **Juazeiro** ❿ (200 000 hab.) se trouve à 566 km de Salvador. Durant la période coloniale, les pionniers et autres voyageurs venant du nord et faisant route vers Salvador s'arrêtaient à Juazeiro. La ville naquit officiellement en 1706 lorsque les moines franciscains bâtirent une mission, avec sa chapelle et son monastère, dans un village indien cariri. À la fin du XVIIIe siècle, Juazeiro était devenue le plus gros centre urbain et commercial de la région. Les restaurants locaux servent le poisson pêché dans le São Francisco. Figure de proue censée tenir à distance les démons, la *carranca*, mi-homme, mi-dragon, domine l'artisanat local. Dents découvertes en un rugissement muet, la *carranca* est sculptée dans un tronc d'arbre et peinte de couleurs vives. On en vend également des modèles miniatures comme souvenirs. ❑

Restaurants

Lençóis

Beco da Coruja
Rua da Rosário 172
Tél. 75-3334 1652
Restaurant végétarien chaudement recommandé.
Ouv. tlj. midi et soir. **$$**

Burritos y Taquitos Santa Fé
Rua José Florêncio 5
Tél. 75-3334 1083
Pour savourer la meilleure cuisine mexicaine.
Ouv. tlj. le soir. **$$**

Neco's Bar Restaurante
Praça Maestro Clarindo Pacheco 15
Tél. 75-3334 1179
Exquise cuisine maison mettant la gastronomie locale à l'honneur et servie dans un cadre des plus simple. Attention : il est nécessaire de réserver un jour à l'avance. Ouv. tlj. midi et soir. **$$**

Os Artistas da Massa
Rua da Baderna 49
Tél. 75-3334 1886
Excellentes et authentiques pâtes italiennes. Ouv. tlj. le soir. **$$$**

Restaurante Canto das Águas
Avenida Senhor dos Passos 01
Tél. 75-3334 1154
Choix restreint de plats très bien préparés. Personnel affable.
Ouv. tlj. midi et soir. **$$$**

Gamme des prix

Les prix s'entendent pour un repas (2 plats) pour 2 personnes. Comptez 20 $US environ pour une bouteille de vin.

$	moins de 40 $US
$$	de 40 à 70 $US
$$$	de 70 à 100 $US

La cuisine bahianaise

De ses origines africaines, la cuisine bahianaise puise un bouquet de saveurs à la fois uniques et envoûtantes. N'hésitez pas à tester d'abord certains plats, même s'ils s'avèrent trop pimentés ou trop lourds à votre goût.

Tout en intégrant des influences portugaises et amérindiennes, cette cuisine conserve surtout l'empreinte de celle des esclaves africains, qui modifièrent les plats portugais avec des épices et des herbes africaines.

Elle se caractérise par un usage généreux de *malagueta* (poivrons) et d'huile de *dendê*, extraite d'un palmier d'origine africaine bien adapté au climat. Plusieurs plats bahianais utilisent également des fruits de mer (crevettes le plus souvent), du lait de noix de coco, de la banane et de l'*okra*.

La *moqueca* est un mélange de crevettes avec d'autres fruits de mer, noix de coco, ail, oignon, persil, piment, coulis de tomate et huile de *dendê*. Rissolés à feu doux, ces ingrédients sont servis accompagnés de riz cuit au lait de noix de coco.

Parmi d'autres plats traditionnels, essayez la *vatapá* – fruits de mer ou poulet au *dendê*, noix de coco, cacahuètes broyées et piments verts hachés – ou le *caruru* de *camarão*, avec des crevettes fraîches et séchées, et de l'*okra* en tranches.

Dans les meilleurs restaurants bahianais (où des spectacles folkloriques animent souvent les dîners), on vous servira votre plat avec une sauce *malagueta* épicée. Le cuisinier vous demandera si vous l'aimez *quente* (très épicé) : il faut du temps pour s'habituer aux saveurs piquantes du *dendê* et de la *malagueta*, mieux vaut répondre au début par la négative. Commencez vos explorations culinaires par un restaurant d'hôtel, par principe moins généreux en *dendê*.

Les cuisinières bahianaises font preuve d'une inventivité sans bornes. Noix de coco, œufs, gingembre, lait, cannelle et citron, tout est bon pour concocter un dessert. Spécialités locales : la cocada, bonbon à la noix de coco bouilli dans de l'eau de sucre avec une pincée de gingembre ou de citron ; l'ambrosia (jaunes d'œufs et vanille) et le quindim (petit gâteau collant à base d'œufs et de noix de coco). Vous en achèterez auprès des Baianas dans les quartiers chic comme Rio Vermelho, et sur les plages de Piatã et d'Itapuã.

Les Baianas, généralement de blanc vêtues, montent chaque jour leur étal sous des kiosques au toit de chaume ou sur des tables improvisées, servant desserts et *acarajé* maison, hamburger à la bahianaise. Laissez-vous tenter, mais seulement si l'adresse vous a été recommandée ou si vous y voyez en nombre de Brésiliens qui y mangent ; ainsi serez-vous assuré de la fraîcheur des produits vendus.

Pour l'*acarajé*, on prépare une pâte à base de *fradinhos* (haricots) écossés et réduits en purée avec crevettes et oignons, puis plongés à la cuiller dans de l'huile de *dendê* bouillante. Chaque petit beignet est ensuite fourré de *vatapá* puis servi avec de la salade, des crevettes, et, si vous aimez votre *acarajé quente* (épicé), de piment chili. Accompagné d'une boisson fraîche, l'*acarajé* fait un délicieux coupe-faim à un bar de plage. L'*abará* est une version non frite de l'*acarajé*.

La misère a poussé nombre de Bahianais à quitter leur État pour se rendre dans les villes, notamment Rio de Janeiro, employeuses de main-d'œuvre. Bien entendu, ils ont emporté avec eux leur cuisine traditionnelle. Aussi risquerez-vous de trouver des mets bahianais dans de nombreuses régions du Brésil.

Mais pour une véritable expérience culturelle et culinaire bahianaise, ne manquez pas de vous rendre dans l'un des restaurants de Salvador da Bahia, où la cuisine locale est souvent animée par un spectacle folklorique. (*Voir la sélection des restaurants, p. 241*). ❑

À DROITE : Baiana installée à sa table pour la vente de l'*acarajé* maison.

SALVADOR

Capitale de tous les envoûtements, Salvador baigne dans une atmosphère festive et colorée, ses églises coloniales prêtant leur décor aux processions et groupes de danseurs de carnaval.

Salvador a été colonisée 30 ans après la découverte du Brésil. En 1530, le roi João III envoie un groupe de colons prendre possession de ce nouveau territoire, renforçant ainsi la présence portugaise contre les menaces françaises et hollandaises. Lorsqu'en 1549 la Couronne portugaise dépêche Tomé de Souza en qualité de gouverneur-général, **Salvador** ⓫ devient la première capitale du Brésil. Perchée au sommet des falaises, elle occupe une position défensive idéale. Si la ville a perdu depuis son importance politique et économique, mais elle est devenue en revanche le pôle d'une culture brésilienne multiraciale, brassant les descendants d'Africains et d'Européens. Ses 2,6 millions habitants font de Salvador, capitale de l'État de Bahia, la quatrième ville du pays. De plus, Salvador résume un peu à elle seule cet État, au point que les Brésiliens mélangent souvent les 2, appelant Salvador "Bahia".

La religion et le mysticisme qui imprègnent la vie bahianaise se reflètent dans le nom même de Salvador, "sauveur". La **Baía de Todos os Santos** (baie de Tous-les-Saints) baigne la péninsule où fut bâtie la ville ; son nom commémore le 1er novembre, jour de sa découverte par Gonçalo Coelho en 1501. C'est la ville de tous les envoûtements : ses églises aux retables et panneaux incrustés d'or, les senteurs et les saveurs exotiques de sa cuisine d'inspiration africaine, les cris des vendeurs de rue, le brouhaha de la circulation, la clameur des supporters de football, où s'infiltrent, toujours et partout, le son et les rythmes de la musique bahianaise.

Ne manquez pas !

- Praça da Sé
- Catedral Basílica
- Igreja de São Francisco
- Museu Afro-Brasileiro
- Largo do Pelourinho
- Elevador Lacerda
- Mercado Modelo
- Nosso Senhor do Bonfim
- Ilha de Itaparica

À GAUCHE : bienvenue à Salvador !
CI-DESSOUS : l'Elevador Lacerda relie les villes haute et basse.

De la musique avant toute chose

Dans presque toutes les rues de Salvador, et sur n'importe quelle plage, le week-end est réservé à la musique. Aujourd'hui pour une grande partie commerciale – elle se taille la part du lion au hit-parade des tubes brésiliens –, cette musique plonge ses racines dans le culte *candomblé* (religion afro-chrétienne), dont les pulsations et les rythmes hypnotiques doivent aider à entrer en contact avec les dieux. Ainsi des groupes de Baianos se rassemblent-ils devant les bars des coins de rues pour y chanter leurs airs favoris, devant se contenter parfois d'une grosse boîte d'allumettes en guise de tambourin. D'autres groupes de musiciens amateurs jouent sur de petits tambours et autres percussions, et sont munis parfois d'une guitare à 4 cordes, le *cavaquinho*, qui ressemble à l'ukulélé. La musique est aussi essentielle à la vie des Baianos que boire ou manger. L'année tourne autour des fêtes religieuses, célébrées à grand renfort de processions et de parades, dont le carnaval est l'apogée, juste avant les 40 jours de carême, période de prière et de repentance qui précède la semaine sainte.

Certains préfèrent passer une soirée de carnaval dans un *camarote* (corbeille), installés sur le passage du défilé. Les prix varient en fonction du jour et des prestations de services offertes. Celles-ci vont du *camarote* tout simple – avec juste l'espace nécessaire pour voir passer les orchestres – au *camarote* beaucoup plus sophistiqué et climatisé – avec boissons, dîners et night-club, assurant ainsi la fête jusqu'au petit jour !

Carnaval et *candomblé*

Le carnaval dure officiellement 4 jours, du samedi au mardi précédant le mercredi des Cendres. Mais, à Salvador, il se prolonge pratiquement tout l'été. Les clubs organisent des bals de précarnaval et abritent des *ensaios*, des répétitions. Le week-end, les rues s'emplissent de participants se préparant au grand événement.

Si vous arrivez à cette période, n'espérez pas dormir durant les 4 jours du carnaval. Les Baianos ont assez d'énergie en réserve pour tenir 96 heures d'affilée. Le carnaval de Salvador n'a rien à voir avec les manifestations organisées de Rio ou de São Paulo : pas d'écoles de samba récompensées par des prix, et peu de gens costumés. À Salvador, on est là pour s'amuser, boire, danser, flirter à la rigueur ; ce n'est pas grand-chose et toute la vie à la fois…

Grande caractéristique du carnaval de Salvador, le Trio Elétrico : perché sur la plate-forme d'un camion, ce groupe (pas forcément limité à 3) fait danser la foule dans les rues. Les participants suivent 3 itinéraires distincts, le moins bondé étant celui du Pelourinho, le plus connu celui du Campo Grande, tandis que celui de Barra-Ondina suit la côte, faisant profiter le public de la (relative) fraîcheur océane.

Le carnaval est d'inspiration chrétienne, mais, à Salvador, le mysticisme ne perd jamais ses droits. Les *afoxés*, groupes d'adeptes du candomblé, défilent dans les rues avec bannières et statues de leurs saints patrons, généralement des divinités africaines auxquelles ils consacrent leurs prières et leurs offrandes. L'un des plus illustres *afoxés* s'est choisi, lui, une tout autre sorte de saint. Basés dans le centre du quartier historique du Pelourinho, les Filhos de Gandhi (Fils de Gandhi) honorent le grand homme politique indien.

À Salvador, on ne limite pas les célébrations religieuses et autres réjouissances à la seule période du carnaval. Chaque mois compte au moins un jour férié, et, s'il n'y a pas de fête durant votre séjour, vous pouvez encore assister à une cérémonie de *candomblé* ou à un spectacle de *capoeira*. Les agences de voyages et certains hôtels prennent les réservations pour des spectacles folkloriques (dont la *capoeira*) et les cérémonies de candomblé ouvertes au public. Vous pouvez également contacter Bahiatursa, l'agence touristique d'État (tél. 71-3117 3000), dont les opérateurs parlent au moins une langue étrangère.

O CORAÇÃO DO MUNDO BATE AQUI !

Le carnaval de Salvador da Bahia est une organisation sous haute surveillance. Les *blocos* (blocs) sont formés d'un Trio Elétrico – stars locales et nationales, groupes et solistes donnent leurs spectacles du haut de scènes perchées au sommet d'énormes camions qui diffusent la musique à fond pour danser dans la rue. Ils sont suivis par un camion technique et d'assistance, équipé de toilettes, d'un bar et d'un centre médical. Chaque *bloco* entraîne dans son sillage – et sous cordon de sécurité – quelque 3 000 personnes venus pour danser et s'amuser. Il leur faudra environ 5 à 7 heures pour atteindre la destination finale. Si vous voulez vous joindre à un *bloco*, il vous faudra posséder un kit *abadá* qui comprend un short et un T-shirt frappé du sigle du *bloco*. Ce kit est votre laisser-passer : il est scrupuleusement inspecté par l'équipe de sécurité afin d'éviter des *crashers*. Les kits *abadá* sont mis en vente très tôt dans l'année et leurs prix varient de l'abordable à l'inabordable selon la popularité des groupes. Certains fêtards, appelés les *foliões pipoca* (danseurs popcorn – par allusion à leur danse sautée) suivent derrière, en dehors du cordon de sécurité, profitant de la musique sans avoir déboursé un dollar, et de l'ambiance sécurisée et privilégiée du *bloco*. Cette ambiance unique est totalement amusante et très excitante, mais rappelez-vous qu'il vous faudra rester constamment sur vos gardes dans de telles foules : c'est ici que bat le cœur du monde !

Cérémonie vivante, animée de danses et de musique, le culte *candomblé* n'en est pas moins un service religieux qui, comme tel, exige un comportement respectueux et une tenue correcte, excluant le port de shorts, tee-shirts ou débardeurs. Les appareils photo sont strictement interdits. La cérémonie a généralement lieu le soir et peut durer près de 3 heures.

Art martial mis au point par les esclaves, la *capoeira* est un combat au pied, masqué en danse. Comme les combats leur étaient interdits, les esclaves imaginèrent ce stratagème. De nos jours, les adeptes de la *capoeira* pratiquent au coin des rues et sur le Mercado Modelo au son du *berimbau*, un instrument à une corde qui ressemble à un arc. La musique de la *capoeira* s'approche énormément de celle du candomblé qui rythme la cérémonie afin d'ouvrir un passage vers les divinités.

Tous les magasins vendent des figurines du culte candomblé.

Saints de Salvador

Autre grande fête de Salvador, le Procissão do Senhor Bom Jesus dos Navegantes, procession du jour de l'an consacrée Notre-Seigneur-des-Marins : toute une flottille de bateaux escorte la statue de la Vierge jusqu'à la **plage de Boa Viagem**, où les marins et leurs familles se chargent de la transporter à l'église.

Le troisième jeudi de janvier, les Baianas revêtent leur plus belle robe pour laver les marches de l'église de **Nosso Senhor do Bonfim** (Notre-Seigneur-du-Bon-Secours), le lieu de culte le plus fréquenté de la ville (*voir p. 237*).

Iemanjá, la déesse de la mer dans le *candomblé*, se fête le 2 février. Vêtues de corsages et de jupes en dentelle, les Baianas lui envoient leurs offrandes sous forme de peignes, de miroirs ou de savons placés dans de petits bateaux fabriqués à la main qui partent sur les flots. Cet *orixá* (divinité) capricieuse est supposée apaiser la mer pour les pêcheurs.

Les fêtes célébrées en juin (Santo Antônio, São João et São Pedro) sont collectivement appelées *festas juninas* (fêtes de juin). Ces jours-là, comme durant chaque week-end du mois, tout le monde se réunit pour allumer des feux de joie, envoyer des ballons dans les airs et faire pétarader des feux d'artifice. Dans la rue, on sert du maïs sous toutes les formes imaginables, et des brochettes de bœuf accompagnées de *quentão* (vin ou *cachaça* très épicés). Le 8 décembre, une procession accompagne Nossa Senhora da Conceição da Praia (Notre-Dame-de-la-Conception-de-la-Plage) jusqu'à son église.

CI-DESSOUS : Pelourinho, célèbre pour son architecture coloniale, l'une des plus belles du continent américain.

La Cidade Alta

La meilleure façon de s'orienter à Salvador est de couper mentalement la ville en 4 : plages, faubourgs, ville basse et ville haute. Le centre englobe à la fois l'historique **Cidade Alta** (ville haute) et la Cidade Baixa (ville basse, plus récente). Pour explorer à pied la Cidade Alta, commencez par la **Praça da Sé** Ⓐ, qui donne sur le **Terreiro de Jesus**. Trois églises y sont regroupées. La grande **Catedral Basílica** Ⓑ, de style jésuite (XVIIe siècle), est essentiellement construite en pierre de Lioz, et son maître-autel présente de beaux décors dorés à la feuille. Elle domine ses 2 voisines, **São Pedro dos Clérigos** **C** (XVIIIe siècle) et l'**Ordem Terceira de São Domingos** **D**, église dominicaine du XVIIe siècle. Les boutiques environnantes vendent de la dentelle faite main, des objets en cuir et de ravissantes peintures naïves.

L'édifice que vous voyez s'élever majestueusement sur la place adjacente, **Praça Anchieta**, est l'une des plus fastueuses églises baroques du monde. Paradoxe suprême, elle est consacrée à un saint qui prêchait le dénuement : **São Francisco** **E** fut construite au XVIIIe siècle en pierre importée du Portugal. À l'intérieur, murs et plafonds disparaissent sous une profusion de sculptures dorées à la feuille. Une chapelle latérale abrite un splendide São Pedro de Alcântara, sculpté en un seul bloc dans le tronc d'un jacaranda par Manoel Inácio da Costa, illustre représentant du baroque brésilien. Importés du Portugal à la fin du XVIIIe siècle, les *azulejos* qui décorent le vestibule retracent des scènes de la vie de saint François.

On dit que Salvador compte 365 églises, autant que de jours dans l'année. Mais n'allez pas bouder curiosités touristiques de la ville en vous amusant à vérifier ce chiffre !

Le monastère franciscain attenant encadre une très jolie cour intérieure. À côté, l'**Ordem Terceira de São Francisco** **F** se signale par sa façade baroque de style espagnol.

Côté nord du Terreiro de Jesus, le **Museu Afro-Brasileiro** **G** (ouv. du lun. au ven. de 9h à 17h ; entrée payante) qui occupe l'ancienne faculté de médecine réunit une passionnante collection d'objets mettant en lumière les fortes influences africaines qui imprègnent la culture bahianaise : instruments de musique, masques, costumes, sculptures et autres pièces liées à la religion du *candomblé*. Vous y découvrirez aussi les panneaux en bois peints par Carybé, artiste argentin tombé amoureux du Brésil et installé à Salvador.

Largo do Pelourinho

En descendant la **Rua Alfredo Brito**, qui part sur votre droite du Terreiro de Jesus, vous arrivez au **Largo do Pelourinho** **H** : c'est ici que se concentrent les demeures coloniales les mieux préservées de Salvador, leurs façades colorées illuminant d'abruptes et tortueuses rues pavées. Pelourinho (pilori) rappelle que sur ce site

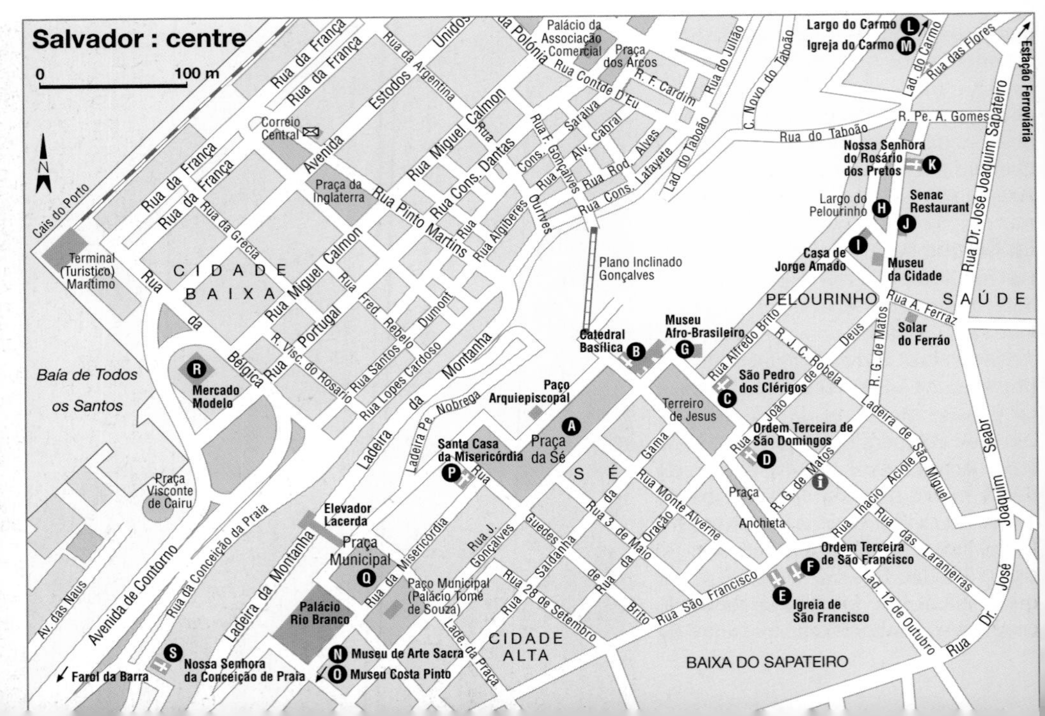

étaient punis les esclaves et les criminels. L'Unesco a classé le Pelourinho comme le plus important ensemble d'architecture coloniale des XVIIe et XVIIIe siècles des deux Amériques. Jadis à la mode, le Pelourinho a vu la fortune de ses résidents péricliter. Mais il demeure parfaitement fréquentable et n'a rien perdu de ses charmes pour autant, de nombreux édifices ayant été restaurés. Au centre du Largo (également appelé Praça José Alencar), la **Casa de Jorge Amado** **I** (ouv. du lun. au sam. de 9h à 18h ; www.fundacaojorgeamado.com.br) est un petit musée rempli de livres écrits par l'un des plus célèbres écrivains brésiliens (ses ouvrages ont été traduits dans quelque 50 langues). Doté d'une bibliothèque et d'un café, le musée présente également des photos, des souvenirs ainsi qu'une vidéo sur la vie de Jorge Amado, l'une des figures les plus aimées de Bahia. À côté, le minuscule **Museu da Cidade** (musée de la Ville ; ouv. le lun et du mer. au sam. de 9h30 à 18h30, le dim. de 9h à 13h ; entrée payante) se consacre au folklore afro-brésilien. À l'étage, des mannequins endossent les attributs des plus importants *orixás* (divinités) du panthéon *candomblé* : elles portent à la fois leur nom africain et celui du saint catholique équivalent.

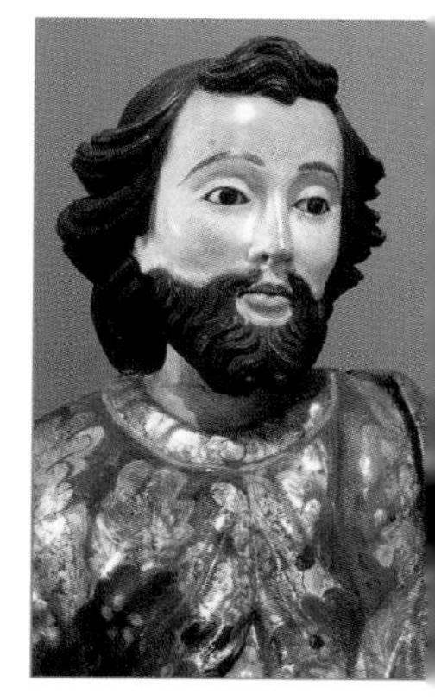

Statue en bois polychrome du Museu de Arte Sacra.

Sur la place, l'école hôtelière d'état gère le **Senac** **J** (ouv. du lun. au sam. de 11h30 à 15h30 et de 18h30 à 23h, le dim. de 11h30 à 15h30), excellent self-service où vous pourrez tester la cuisine locale à votre guise et assister à un spectacle de folklore bahianais (du jeu. au sam. à 19h). Le restaurant propose déjeuner ainsi que dîner, et, dans son espace buffet (ouv. du lun. au ven. de 11h30 à 14h30), vous vous servez vous-même et payez votre nourriture au poids.

Dans la rue qui descend du Largo se dresse l'église **Nossa Senhora do Rosário dos Pretos** **K** (N.-D.-du-Rosaire-des-Noirs). Comme les esclaves ne pouvaient pénétrer dans les églises fréquentées par leurs maîtres, ils édifièrent leurs propres lieux de culte. Au pied du Largo do Pelourinho débute un escalier, la Ladeira do Carmo, qui mène au **Largo do Carmo** **L**. Cet ensemble de bâtiments vit la reddition des Hollandais (1625) qui s'étaient emparés de Salvador, mais durent capituler un an plus tard lorsque les Portugais revinrent en force, soutenus par les Espagnols. Le plus intéressant de ces édifices, l'**Igreja do Carmo** **M**, et son couvent de carmélites datent de 1585. Le couvent a été partiellement converti en un petit **musée** (ouv. du lun. au sam. de 9h à 13h et de 14h à 18h). Depuis quelques années, ce quartier de Santo Antônio connaît une véritable renaissance. De nombreux bâtiments délabrés ont été soigneusement restaurés pour accueillir des hôtels de charme.

CI-DESSOUS : chez le coiffeur, Largo do Pelourinho.

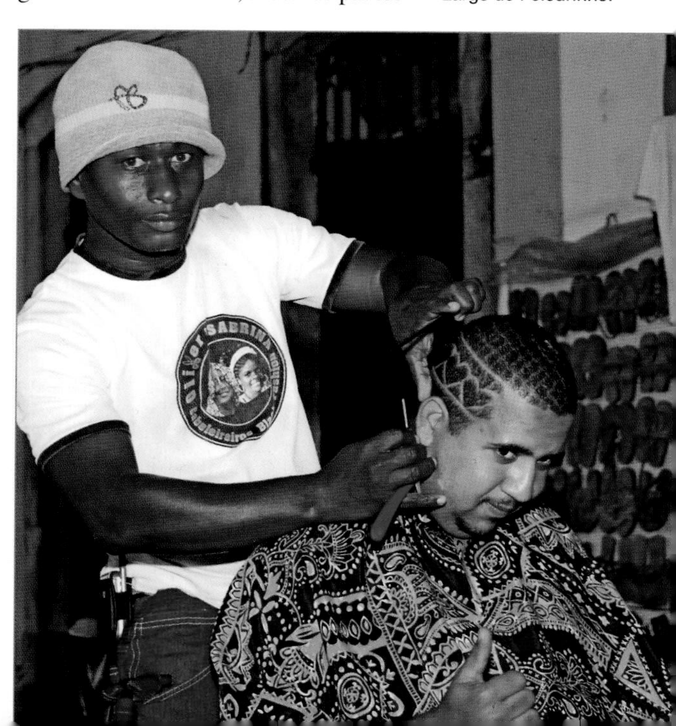

Fastes religieux

Toujours dans la Cidade Alta, mais plus proche du centre, vous pouvez consacrer l'après-midi à la visite de 2 musées. Au 276 de la Rua do Sodré, le **Museu de Arte Sacra** **N** (musée d'Art sacré ; ouv. du lun. au ven. de 11h30 à 17h30 ; entrée payante) occupe l'église et le couvent de Santa Teresa (XVIIe siècle). Les Baianos affirment qu'il s'agit de la plus importante collection d'art sacré d'Amérique

Les camelots qui vendent des bijoux et des bibelots peuvent vous paraître envahissants, malgré leur gentillesse et leur humeur joyeuse. Si vous n'avez pas l'intention de leur acheter un joli souvenir pour une somme modique, n'hésitez pas à leur dire non franchement et ils vous laisseront tranquille.

latine. C'est en tout cas le plus impressionnant musée de la ville, et l'un des plus passionnants du Brésil. Les arts baroque et rococo sont présentés dans de vastes salles lumineuses, souvent carrelées d'*azulejos* importés du Portugal au XVIIe siècle. Preuve que la contrebande était généralisée aux XVIIe et XVIIIe siècles, de nombreuses statues de saints en bois ont été évidées pour cacher de l'or et des bijoux. Le musée expose aussi des tableaux, des statues en ivoire et des objets en terre cuite, en or ou en argent.

Dans la direction de la plage de Barra, le **Museu Carlos Costa Pinto** **O** (ouv. le lun. et du mer. au ven. de 14h30 à 19h, le sam. et le dim. de 15h à 18h ; entrée payante) s'ouvre au 2490 de l'Avenida Sete de Setembro, l'une des principales artères de la ville, dans le quartier de **Vitória**. Carlos Costa Pinto (1885-1946) était un riche homme d'affaires, et le musée conserve la collection de sa famille – mobilier, bijoux, cristal, plats en porcelaine peints à la main, et somptueux *balangandans* en argent (charmes épinglés au corsage des femmes esclaves pour indiquer le degré de richesse de leur maître). À l'entrée, le personnel enveloppe vos souliers de chaussons pour protéger le sol du rez-de-chaussée, presque entièrement dallé en marbre de Carrare.

Autour de la Praça da Sé

Vous pouvez aussi commencer votre promenade dans la Cidade Baixa par la Praça da Sé ; tournant le dos cette fois au Terreiro de Jesus, descendez la Rua da Misericórdia jusqu'à la **Santa Casa da Misericórdia** **P**, église et hôpital du XVIIe siècle décorés d'*azulejos* portugais du XVIIIe siècle. Elle contient un **musée** (ouv. du lun. au ven. de 8h à 17h ; tél. 71-3322 7666), Un peu plus bas, l'hôtel de ville et les services municipaux occupent les demeures coloniales de la **Praça Municipal** **Q**. La place vous conduit au célèbre **Elevador Lacerda**, colossale structure d'inspiration Art déco construite en 1930 pour relier les deux parties de la ville, où une sorte de wagon vous descend en un clin d'œil à la Cidade Baixa.

Ci-dessous : l'ancien et le nouveau…
À droite : le sourire de l'enfant.

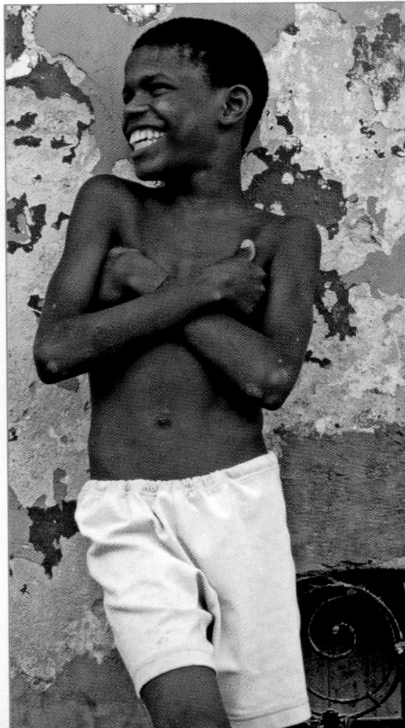

Cidade Baixa

Vous voici maintenant devant le **Mercado Modelo** Ⓡ, qui a longtemps occupé les vieilles douanes du port. Deux fois détruit par un incendie (le dernier en 1984), le marché a été complètement rebâti en béton. Dans ce bâtiment à 3 niveaux s'alignent des étals d'artisanat et de souvenirs.

Quoique très touristique, le Mercado Modelo compte parmi les sites incontournables de Salvador. Vous ne trouverez pas mieux en ville pour acheter vos souvenirs. Tandis que vous flânez entre les étals, des musiciens jouent de leurs instruments pour les mettre en valeur : à un bout du marché, vous entendez un ensemble de percussions endiablées, à un autre un homme joue sur son *berimbau* à une corde. Toutes sortes de jus de fruits fraîchement pressés étancheront petites et grandes soifs. Vous assisterez peut-être aussi à une démonstration de *capoeira* ; on vous demandera alors votre obole.

En quittant le marché, tournez à gauche (en laissant la baie sur votre droite) et descendez la rue jusqu'à **Nossa Senhora da Conceição de Praia** Ⓢ, qui renferme la statue de la sainte patronne de Bahia. Construite au Portugal au début du XVIIIe siècle, cette église fut totalement acheminée par bateau, pierre à pierre. Une procession religieuse y est célébrée le 8 décembre : c'est l'une des fêtes les plus importantes du calendrier catholique de Salvador.

La meilleure façon de se rendre à l'église Nosso Senhor do Bonfim est de prendre le taxi, qui ne vous en coûtera que 12 ou 14 $US. Certains hôtels mettent à disposition des taxis "spéciaux", garés à l'extérieur. C'est bien pratique, mais plus cher.

Église des miracles

À environ 10 km dans la direction opposée se dresse l'église **Nosso Senhor do Bonfim** (ouv. du mar. au dim. de 6h30 à 11h30 et de 13h30 à 18h). En chemin, vous passerez devant le **Mercado São Joaquim** (ouv. du lun. au sam. de 6h à 18h, le dim. de 6h à 12h). Cet endroit délabré et sale demeure néanmoins très pittoresque. Édifiée en 1745, Nosso Senhor do Bonfim est l'un des lieux de pèlerinage les plus fréquentés du pays. Les fidèles viennent de tout le pays prier pour obtenir un travail ou une guérison, ou pour remercier le Seigneur de miracles qu'ils Lui attribuent. Lorsque vous entrez dans l'église, garçons et filles tentent de

CI-DESSOUS : la ville haute vue d'en bas.

vous vendre un ruban frappé de ces mots : "Lembrança do Senhor do Bonfim da Bahia" (Souvenir de notre Seigneur du Bon-Secours). Selon la tradition, un ami doit vous offrir ce porte-bonheur et l'attacher à votre poignet en faisant trois nœuds, chaque nœud symbolisant un souhait ; quand le ruban tombera, tous vos vœux se réaliseront. Malgré un décor moins exubérant que celui d'autres églises de Salvador, Bonfim a la faveur des catholiques comme des adeptes du candomblé. Ne manquez pas la chambre des Miracles, tapissée de photos de ceux qui ont atteint l'état de grâce, ainsi que de plâtres d'organes guéris par l'intercession divine.

Plus bas sur la même route, la toute simple chapelle de **Monte Serrat** (XVIe siècle) est décorée d'*azulejos*. Le jour de l'an, la grande procession de Nossa Senhora dos Navegantes se rend à l'église de **Boa Viagem**, à proximité.

Des cars climatisés et bon marché relient Rio Vermelho à Pelourinho. Vous pouvez aussi monter à bord de la navette très peu chère qui part de l'aéroport et gagne Pelourinho en une demi-heure, empruntant un itinéraire des plus enchanteur.

Plages

Une série de rues et de boulevards vous permet de longer à pied les plages de Salvador, depuis celle de Barra, près du centre, aux plages lointaines de la côte nord, qui comptent parmi les plus belles du Brésil. **Barra**, la plage de la ville, vaut moins pour sa beauté que pour la convivialité de ses bars et de ses cafés en terrasse. C'est ici, et un peu plus loin, que les employés de bureau viennent profiter du Happy Hour. On y fait aussi ses courses, au pied d'appartements-résidences à louer à la semaine ou au mois, généralement moins chers qu'une chambre d'hôtel. Protégeant la plage auprès du phare, le vieux fort **Santo Antônio da Barra** héberge un musée océanographique.

Au nord de Barra, plusieurs hôtels haut de gamme se sont implantés sur la plage d'**Ondina**. Le **zoo** (ouv. du mar. au dim. de 9h30 à 17h ; entrée payante) se trouve en retrait de la plage, dans le même quartier. Dans l'élégant quartier voisin de **Rio Vermelho**, l'écrivain Jorge Amado vécut les 6 mois précédents sa mort en 2001 – il passait tous ses étés à Paris. Des bois de cocotiers bordent les plages plus au nord, vers **Maraquita** et **Amarilina**, où plusieurs bons restaurants ont décidé de s'installer.

CI-DESSOUS : choix illimité de bracelets à vendre.

Carte p. 234

À **Pituba** naviguent encore d'authentiques jangadas, radeaux primitifs en rondins dont les pêcheurs manient la voile avec dextérité. Sur la même route, vous longerez les plages de **Jardim de Alá**, **Armação de Iemanjá**, **Boca do Rio**, **Corsário** (dotée d'une des rares pistes cyclables de la ville), **Pituaçu**, et **Patamares** (bons restaurants).

Dernières plages avant l'aéroport, **Piatã** et **Itapoã** sont les plus belles de Salvador – Itapoã est moins peuplée que Piatã le week-end, mais toutes 2 se valent en matière de paysages, de bars et de restaurants. Les jeunes de la ville se donnent rendez-vous au pied de la statue de Iemanjá, qui marque la frontière entre les deux plages, l'une et l'autre envahies de musiciens chaque après-midi le week-end. Et il n'y a peut-être rien de plus beau à Salvador qu'un coucher de soleil sur la plage d'Itapoã.

Les rues de Salvador résonnent toujours de musique.

Vie nocturne

La vie nocturne de Salvador se concentre autour des rues pavées du Pelourinho, où toutes sortes de musiques vivantes résonnent même en semaine, mais plus particulièrement le mardi soir, tandis que des concerts ont lieu chaque soir en été – la plupart gratuits. La majorité des night-clubs se cantonnent dans le quartier de Barra et le long du boulevard de la plage.

Situé sur le **Campo Grande** face à l'**Hotel Tropical da Bahia**, le **Teatro Castro Alves** accueille des spectacles de ballet, de théâtre et de musique. Ses 1 400 places en font l'une des plus grandes salles d'Amérique du Sud. Devant le théâtre, un immense panneau annonce le programme de la semaine. Des orchestres symphoniques brésiliens ou étrangers s'y produisent parfois, mais l'on y voit plus régulièrement l'une des grandes vedettes brésiliennes y faire salle comble – notamment Caetano Veloso, Maria Bethânia, Gal Costa ou Gilberto Gil –, véritables idoles en leur pays.

Comme dans tout le Brésil, Salvador aime passionnément le football. L'équipe locale, Esporte Clube Bahia, joue au **Estádio Otávio Mangabeira** (souvent appelé Fonte Nova), généralement le mercredi soir et le dimanche après-midi.

CI-DESSOUS : la *capoeira*, un art martial qui exige un entraînement intensif.

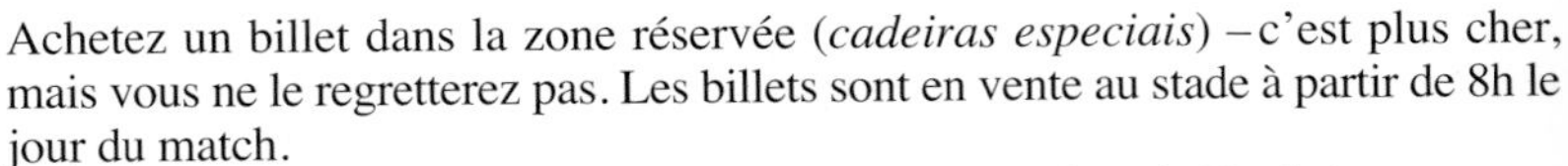

Achetez un billet dans la zone réservée (*cadeiras especiais*) – c'est plus cher, mais vous ne le regretterez pas. Les billets sont en vente au stade à partir de 8h le jour du match.

Évitez la zone portuaire et le quartier du Pelourinho la nuit. Et, de jour comme de nuit, si vous voulez vraiment vous amuser, autant faire comme les Bahianais : se rendre à la plage. Il ne vous reste ensuite qu'à choisir l'une des paillotes qui servent de bar sur les plages de Pituba ou Piatã, vous asseoir sur un tronc d'arbre scié faisant office de tabouret, commander une *batida* ou une *caipirinha* (boisson à l'alcool de canne à sucre et aux fruits), et écouter la musique jouée par vos voisins tandis que l'océan étire ses rouleaux

Dans les restaurants de Salvador, des musiciens jouent en soirée, suffisamment fort pour être entendus de tous sans pour autant gêner la conversation. En revanche, la musique que vous pouvez entendre dans la rue requiert toute votre attention.

Excursions au départ de Salvador

C'est sur l'**Ilha de Itaparica** ⓬, dans la Baía de Todos os Santos, que le Club Med fit construire son premier hôtel au Brésil. Environ 19000 personnes vivent sur l'île, essentiellement réparties entre pêcheurs et riches propriétaires de maisons secondaires qui ne sont souvent accessibles que par bateau. Dans ce repaire pour Brésiliens nantis, les hôtels ne sont pas donnés et l'île devient bondée le week-end ainsi que durant les vacances. Des ferries partent régulièrement du port de Salvador, et rejoignent l'île en 45 min. Vous pouvez également emprunter la route qui mène de l'autre côté de la baie jusqu'au pont reliant la côte à Itaparica, trajet de 3 heures qui s'allonge si vous vous laissez captiver par les villes historiques de Santo Amaro et de Cachoeira. Un petit ferry part également du Mercado Modelo, plus amusant que l'autre si vous avez le pied marin. Sur l'île, vous pouvez louer des vélos pour explorer ses nombreuses plages. Si vous n'avez pas trop de temps, les grandes agences de voyages de Salvador proposent une journée de croisière sur la baie. Le forfait inclut le transfert aller-retour de votre hôtel, *batidas* (alcool de canne à sucre et jus de fruits ou de noix de coco) et sodas sont offerts. À bord du *saveiro* (goélette), une surprise vous attend : le guide et l'équipage sont également musiciens. Tandis que le voilier fend les flots paisibles de la baie, ces derniers se réunissent à l'avant pour chanter et jouer des chansons populaires. Vous pouvez vous joindre à eux, tout le monde finissant généralement par chanter et danser après un nombre appréciable de *batidas*.

La plupart de ces *saveiros* font 2 escales. La première, en fin de matinée, à l'**Ilha dos Frades**, minuscule îlot pratiquement désert hormis quelques pêcheurs qui se sont trouvé une seconde source de revenus, très lucrative : le tourisme. Le *saveiro* jette l'ancre au large, et des canots embarquant jusqu'à 10 personnes vous transbordent sur l'île. Si vous n'avez pas peur des méduses vous pouvez nager jusqu'au rivage Après une heure passée à vous promener vous désaltérer, grignoter un morceau dans l'un des bars de fortune, ou acheter des souvenirs, on vous emmène à l'Ilha de Itaparica pour le déjeuner et une excursion à pied. Puis retour en goélette qui remet le cap sur Salvador, baignée par un splendide coucher de soleil. □

CI-DESSOUS : le temps de vivre, à l'ombre et bercé par la brise marine.

RESTAURANTS

Salvador vous offre un large choix de restaurants, nombreux étant ceux qui vous recevront dans leur cour ornée de fleurs. Vous y goûterez à la gastronomie bahianaise, les portions vous paraîtront souvent gigantesques, mais les prix resteront raisonnables.

Al Carmo
Rua do Carmo 66, Pelourinho
Tél. 71-3242 0283
Une vieille maison coloniale offrant de jolies vues sur le port. La cuisine est de qualité et bon marché. Ouv. le lun. soir, du mar. au sam. midi et soir. **$**

Alfredo di Roma
Rua Morro do Escravo Miguel s/n, Atlantic Towers, Ondina
Tél. 71-3331 7775
Restaurant installé dans le Caesar Towers Hotel et appartenant à la maison Roma, très réputée. Ouv. tlj. midi et soir. **$$$**

Escola do Senac
Praça José de Alencar 13, Largo do Pelourinho
Tél. 71-3324-4552/3324-4550/3324-4551
Ce self-service est celui de l'école de restauration de la ville, d'où la grande variété des plats. Dans l'espace buffet, payez votre repas au poids. Spectacle folklorique les jeu., ven. et sam. soirs. Ouv. du lun. au sam. midi et soir, le dim. midi. **$$**

La Lupa
Rua das Laranjeiras 17, Pelourinho
Tél. 71-3322 0066
Restaurant italien renommé et installé dans un bâtiment ancien du quartier de Pelourinho. Ouv. tlj. midi et soir. **$$**

Mama Bahia
Rua Portas do Carmo 21, Pelourinho
Tél. 71-3322 4397
Les plats à base de viande sont la spécialité. Ouv. tlj. midi et soir. **$$**

Manjericão
Rua Fonte do Boi 3-B, Rio Vermelho
Tél. 71-3335 5641
Bons plats servis dans le cadre agréable d'un jardin. Ouv. du lun. au sam. à midi. **$**

Maria Mata Mouro
Rua da Ordem Terceira de São Francisco 8, Pelourinho
Tél. 71-3321 3929/4244
Au cœur du quartier historique. Bonne cuisine contemporaine. Ouv. tlj. midi et soir. **$$**

Pizzeria Romolo e Remo
Rua das Laranjeiras 27, Pelourinho
Tél. 71-3321 8060
Au choix : 32 pizzas. Ouv. du mar. au dim. le soir. **$$**

Quattro Amici Pizzeria
Rua Dom Marcos Teixeira 35, Barra
Tél. 71-3264 5999/2709
Bonne pizzeria logée dans un bâtiment du XIXe siècle restauré. Ouv. tlj. midi et soir. **$**

À DROITE : dans les restaurants de Salvador, vous serez accueilli chaleureusement et vous mangerez très bien.

Restaurante Conventual
Convento do Carmo Hotel, Rua do Carmo s/n, Pelourinho
Tél. 71-3327 8400
Rendez-vous dans l'hôtel le plus luxueux de la ville pour savourer une cuisine mêlant les influences portugaise et bahianaise. Ouv. tlj. midi et soir. **$$$-$$$$**

Sorriso da Dadá
Rua Frei Vicente 5, Pelourinho
Tél. 71-3321 9642
Excellents plats bahianais servis dans un cadre enchanteur. Ouv. tlj. midi et soir. **$$$**

Trapiche Adelaide
Praça dos Tupinambas 2, Avenida do Contorno
Tél. 71-3326 2211
Cuisine internationale. À lui seul, l'endroit – touchant la Baía de Todos os Santos – vaut le détour. Ouv. du lun. au sam. midi et soir, le dim. midi. **$$$**

Yemanjá
Avenida Octávio Mangabeira 4655, Jardim Armação
Tél. 3461 9010
Gastronomie bahianaise authentique et ambiance très conviviale. Ouv. tlj. midi et soir. **$$$**

Gamme des prix

Les prix s'entendent pour un repas (2 plats) pour 2 personnes. Comptez 20 $US environ pour une bouteille de vin.

$	moins de 40 $US
$$	de 40 à 70 $US
$$$	de 70 à 100 $US

Mistura Fina

Le Brésil actuel, issu en partie d'un grand brassage d'origine européenne et africaine, serait plus pauvre si on lui enlevait sa part africaine, ancrée dans l'âme de chacun.

Les Brésiliens emploient le terme de *mistura fina* (mélange exquis) pour vanter leurs origines multiraciales.

Lorsque les Portugais prirent possession du Brésil, ne sachant trop comment peupler une région cent fois plus vaste que leur mère patrie, ils optèrent pour le mélange ethnique et importèrent une main-d'œuvre d'esclaves africains afin de bâtir leur colonie. L'esclavage ne connut pas ici les mêmes rigueurs que dans les colonies britanniques, et les Afro-Brésiliens purent préserver une grande part de leur culture. Bien des générations plus tard, la majorité des Brésiliens sont métissés, et les racines africaines de la culture brésilienne demeurent très vivaces.

Le *candomblé*, l'*umbanda* et la *macumba* dérivent tous des religions africaines et se pratiquent souvent parallèlement au christianisme. Un fidèle peut aller à la messe le dimanche puis le vendredi suivant au terreiro, où se pratiquent les religions africaines.

Le carnaval visait à laisser aux esclaves un temps de répit et l'opportunité d'exprimer leur héritage culturel. De nos jours, c'est toute la population qui y prend part, sans pour autant renier l'influence africaine. Tout comme la bossa nova, la samba et leurs dérivés, les rythmes locaux affirment clairement leurs racines d'outre-Atlantique.

Le Brésil d'aujourd'hui, et toute sa culture, serait plus pauvre si on lui enlevait sa part africaine, ancrée dans l'âme de chacun.

À gauche : la prêtresse *umbanda* est un exemple type du brassage des croyances. L'*umbanda* est un mouvement mystique qui associe le culte de divinités africaines, amérindiennes et européennes. Ce syncrétisme fait partie de la vie brésilienne et de nombreuses personnes pratiquent à la fois les religions afro-brésiliennes et chrétiennes sans apparemment faire de concessions.

Ci-dessus : Olodum, groupe de percussions mondialement réputé, combine des rythmes africains avec un son brésilien très moderne.

À gauche : les offrandes peuvent prendre diverses formes. Lors de la fête de Iemanjá, on offre fleurs et cosmétiques à la déesse de la mer pour obtenir des eaux calmes. Cette fête est célébrée à Rio le jour du Nouvel an, et à Salvador au début du mois de février.

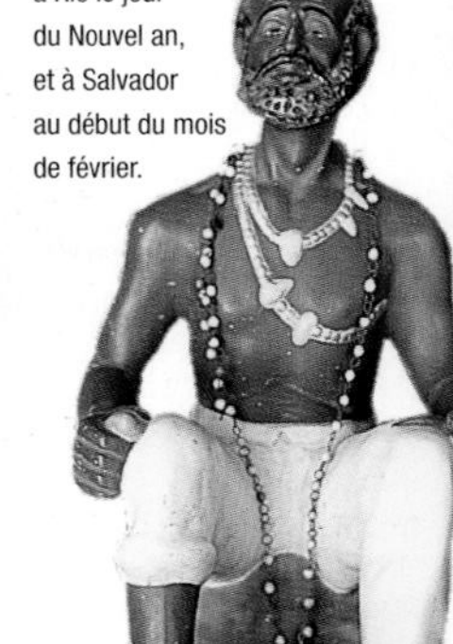

À droite : réalisée dans le Nordeste, région de Recife, cette statuette du *Preto Velho* (vieux noir) est très répandue parmi les figurines qui témoignent de l'héritage africain.

Afro-Brazilian Art and Crafts

Une grande part de l'art et de l'artisanat local affiche une inspiration africaine, et de nombreux objets dérivent des techniques et traditions importées par les esclaves au fil des siècles. Ce phénomène est manifeste dans les sculptures sur bois du Nordeste, rappelant des œuvres africaines.

Les *carrancas*, figures de proue qui protégeaient traditionnellement les embarcations fluviales du São Francisco, et qui se vendent aujourd'hui comme souvenirs, s'inspirent de l'art figuratif africain. Dans la même région, des statues stylisées évoquent très nettement les masques d'Afrique de l'Ouest.

La tenue religieuse des fidèles du culte *candomblé* comporte une profusion de colliers de perles aux couleurs des divinités africaines, similaires à ceux que l'on trouve en Afrique. Les échoppes de plage qui les vendent – généralement dans le Nordeste – proposent aussi une gamme de T-shirts colorés et imprimés de motifs africains traditionnels.

À droite : les rubans porte-bonheur sont très populaires au Brésil. De nombreux Afro-Brésiliens se montrent très superstitieux, et certains objets sont réputés porter chance ou malchance. À Bahia, ces rubans, qui font partie intégrante de la tradition catholique du Bonfim, porte-bonheur s'il vous est offert.

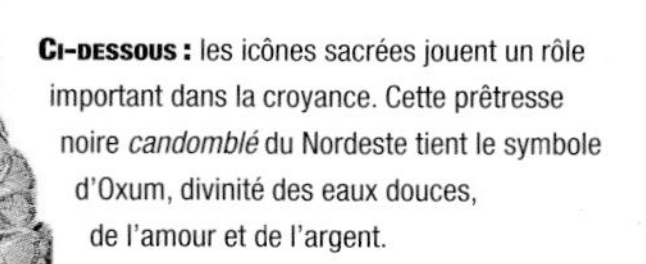

Ci-dessous : les icônes sacrées jouent un rôle important dans la croyance. Cette prêtresse noire *candomblé* du Nordeste tient le symbole d'Oxum, divinité des eaux douces, de l'amour et de l'argent.

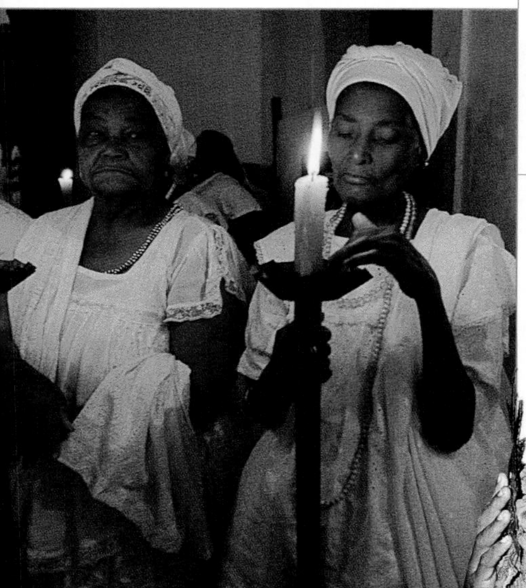

Ci-dessus : ces femmes bahinas assistant aux prières du vendredi soir sont revêtues de longues robes et de coiffes de dentelles traditionnelles. Elles pratiquent le culte du *candomblé*, le plus africain de tous les cultes brésiliens.

LE SERGIPE ET L'ALAGOAS

Plages sublimes, villes coloniales, produits de la mer et fêtes à tout-va commencent à aimanter les touristes vers ces deux États relativement peu connus.

Ne manquez pas !
- SÃO CRISTÓVÃO
- LARANJEIRAS
- ARACAJU
- PENEDO
- MARECHAL DEODORO
- MACEIÓ

Le Sergipe et l'Alagoas ont joué un rôle non négligeable dans la fastueuse période de la canne à sucre brésilienne qui débuta à la fin du XVIe siècle. Comme dans les provinces voisines de Bahia et du Pernambuco, la population se répartissait alors entre maîtres et esclaves – ces derniers étant importés en nombre toujours croissant pour travailler dans les *engenhos* (domaines) et les plantations. Mais les conditions de vie, insupportables, provoquaient de fréquentes rébellions et les esclaves fugitifs parvenaient quelquefois à se cacher dans les forêts. Ils y formèrent des communautés indépendantes, les *quilombos*, qui prospérèrent pendant plusieurs décennies.

L'un d'eux, autoproclamé République de Palmarès, compta jusqu'à 30 000 habitants dans l'État d'Alagoas. Au terme de 65 ans d'existence, ce *quilombo* fut rayé de la carte en 1694, sa population exterminée ou ramenée en esclavage.

La région a conservé de nombreux vestiges de son histoire coloniale – *engenhos* et maisons de maîtres jadis grandioses, églises richement sculptées, édifices baroques ou rococo.

CI-DESSUS : les gracieux palmiers agrémentent la côte nord-est.

Sur la côte

Tandis que les États voisins du nord-est ont largement compensé la disparition de la canne à sucre par l'explosion du tourisme, le Sergipe et l'Alagoas n'en sont qu'à leurs premiers pas dans ce secteur. Mais entre Recife et Salvador, les deux grandes villes du Nordeste, quelque 840 km de littoral superbe attirent un nombre de visiteurs chaque année plus conséquent, manne que les deux États commencent à exploiter.

De belles plages frangent les capitales, Aracaju et Maceió, et les fabuleux sables blancs, les palmiers et les eaux bleu cobalt de l'Alagoas ont leurs inconditionnels. Les flots vert sombre du Sergipe peuvent moins séduire, mais les amateurs de vieilles pierres apprécieront le charme de ses deux villes coloniales.

São Cristóvão

À 34 km au sud d'Aracaju, **São Cristóvão** ⓭ a été fondé en 1590 par Cristóvão de Barros. Cette date en fait la quatrième ville la plus ancienne du Brésil, et l'une des plus riche historiquement, avec plusieurs édifices coloniaux de belle facture comme le Convento de São Francisco (1693), l'Igreja e Convento do Carmo (1743-1766) ou Nossa Senhora da Vitória (fin XVIIe siècle). Quelques musées vous ouvrent leurs portes, dont le **Museu de Arte Sacra**, dans le Convento de São Francisco, et le **Museu Histórico de Sergipe** voisin (ouv. tous les 2 du mar. au dim. de 13h à 18h ; entrée payante). L'**Igreja do Carmo** héberge également un remarquable **musée d'ex-voto** (ouv. du lun. au ven. de 8h à 12h et de 14h à 19h). Enfin, les gourmands ne manqueront pas les biscuits préparés par les nonnes et vendus à l'orphelinat, à côté de l'église Nossa Senhora da Visitação.

São Cristóvão s'anime brusquement 2 semaines après le carnaval, pour la procession du Senhor dos Passos. Mais vous ne trouverez qu'un restaurant en ville, et le choix d'hébergement reste très limité.

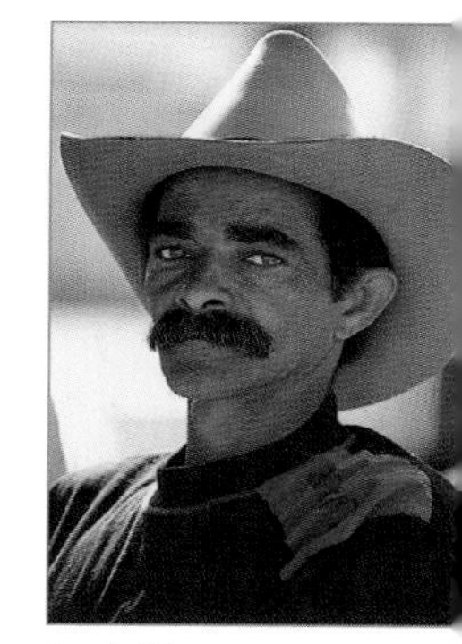

Les habitants de la région ont vu énormément de changements se produire ces dernières années.

Laranjeiras

Également fondée sur l'industrie du sucre, la ville voisine de **Laranjeiras** (23 km à l'ouest d'Aracaju) a remarquablement bien préservé son patrimoine. Les groupes folkloriques y sont très nombreux, et vous entendrez sans doute parler du Grupo Folclórico São Gonçalo. Témoignage d'une riche culture afro-brésilienne, le **Museu Afro-Brasileiro de Sergipe** (ouv. du mar. au dim. de 9h à 12h et de 14h à 18h ; entrée payante), premier du genre en Amérique Latine, a été inauguré dans les années 1970. En ville, plusieurs groupes pratiquent les rites *candomblé*, auxquels vous pourrez assister en vous adressant au musée.

Sept églises animent la vie religieuse de cette bourgade, dont Sant'Aninha (1875) et Comendaroba (1734). En fin d'après-midi, vendeurs d'*acarajé* et autres snacks s'installent dans les rues du centre. Mais si l'envie vous prend de séjourner sur place, vous aurez du mal à trouver un hébergement correct.

À gauche : sur un surf improvisé à Maceió.
Ci-dessous : noix de coco fraîches à vendre.

Le São Francisco

Troisième fleuve du Brésil, le São Francisco compte parmi les plus importants facteurs ayant façonné l'identité économique et culturelle du pays. Au XIXe siècle notamment, cette artère fluviale de 3 000 km de long joua un rôle vital dans le développement du Nordeste, ses eaux ocre rouge constituant pratiquement la seule voie de communication et d'échanges dans une région dépourvue de routes et de voies ferrées.

En raison de son importance, le São Francisco occupe dans l'histoire et la légende brésiliennes une place équivalente à celle du Mississipi aux États-Unis. Depuis le XIXe siècle, des navires sillonnent le São Francisco, approvisionnant les bourgades les plus reculées.

Le São Francisco prend sa source dans les collines du Minas Gerais, puis traverse les États de Bahia, Pernambuco, Alagoas et Sergipe. C'est entre ces deux derniers qu'il se déverse dans l'océan Atlantique.

La période coloniale vit surgir le long de ses berges villages et communautés qui se muèrent en importants comptoirs commerciaux au milieu du XIXe siècle. De nos jours, le fleuve conserve une vocation d'oasis agricole dans un terrain par ailleurs très aride. Le Vale do Rio São Francisco est l'unique région au monde à produire de bons vins à 8° de latitude de l'Équateur, le vignoble le plus connu étant le Rio Sol, appartenant au Portugais João Santos. Dès ses débuts en 2003, la production de vins Rio Sol a concurrencé celle des vins du sud du Brésil en recevant d'importantes distinctions nationales. Le vignoble, qui se trouve sur la route des vins du São Francisco, à 50 km de Petrolina, se visite : il vous suffit de vous adresser au restaurant Maria Bonita (Areia Branca, Petrolina), tenu par Denise Santos, l'épouse de João.

L'une des formes artistiques brésiliennes les plus originales tire son origine du São Francisco. Les riverains surnomment Velho Chico ("Vieux Chico") ce grand seigneur, qu'ils craignent et vénèrent à la fois en raison des mauvais esprits qui l'habitent. Pour s'en protéger, les charpentiers du XIXe siècle ornaient leurs embarcations de figures de proue à têtes de monstres (mi-homme, mi-animal) – les *carrancas*.

De nos jours, seuls les plus vieux marins croient encore aux *carrancas*, auxquelles on attribuait également la faculté d'avertir un équipage en cas de danger en émettant 3 plaintes graves. Mais vous verrez encore certains bateaux modernes porter de telles figures de proue.

Il est possible d'acheter d'authentiques *carrancas* sculptées dans du bois de cèdre à Petrolina, dans le Pernambuco (750 km de Recife) et à Juazeiro (566 km de Salvador). Et toutes les grandes foires d'artisanat en vendent des versions miniatures, décors de table ou porte-clés.

Dans les villes qui bordent le fleuve, des marins proposent des croisières d'une journée. Vous pourrez notamment embarquer à Penedo, Alagoas ; Paulo Afonso, Bahia ; Juazeiro, Bahia, et juste en face à Petrolina, Pernambuco (ces deux villes se trouvent au point où la largeur du fleuve prend les proportions d'un lac) ; Ibotirama, Bahia ; Januária et Pirapora, toutes 2 dans le Minas Gerais.

Construit aux États-Unis pour naviguer sur le Mississippi, un vaillant bateau à roues effectue des descentes régulières du São Francisco. Pendant des années, il a parcouru les 1 370 km qui séparent Pirapora de Juazeiro, prenant à la fois les touristes et les riverains. Aujourd'hui, il ne transporte plus que les touristes et ne dépasse pas Januária. Réservez auprès de l'agence Unitour, à Belo Horizonte (Rua Tupis 171, tél. 31-3201 7144, fax 31-3226 7152). ❑

À GAUCHE : embarquement pour un périple sur un fleuve majestueux.

Aracaju

Un peu plus au nord, sur le littoral du Sergipe, **Aracaju** ⓮ retient un important bassin de population (490 000 hab.). Fondée en 1855, la capitale a conservé un petit centre historique bien entretenu avec des édifices comme la Catedral Nossa Senhora da Conceição. En face, sur Praça Olimpio Campos, le centre touristique occupe une charmante demeure coloniale ; outre l'office de tourisme, vous y trouverez des boutiques d'artisanat local aux prix très raisonnables. Les possibilités d'hébergement sont plus intéressantes sur la plage d'Atalaia qu'en centre-ville. Avec sa grande promenade et ses divers restaurants, Atalaia constitue un bon choix pour explorer Aracaju, et découvrir d'autres plages comme Do Rabalo ou Mosqueiro.

L'office de tourisme, sur la Praça Olimpio Campos d'Aracaju.

Fêtes à profusion

Sa réputation, Aracaju la doit principalement à la beauté de ses plages et à l'hospitalité de ses habitants, mais aussi à un calendrier festif particulièrement fourni. Presque toutes ces dates reposent sur des fêtes religieuses, même si leurs manifestations ont souvent perdu l'essentiel de leur caractère sacré. Une procession de bateaux superbement décorés marque Bom Jesus dos Navegantes (1er janvier) ; des danses folkloriques et des simulacres de batailles célèbrent São Benedicto (1er week-end de janvier) ; les éclatantes Festas Juninas honorent São João, São Antonino et São Pedro durant tout le mois de juin ; la foire artisanale Expoarte se réserve le mois de juillet ; et comme dans d'autres villes mais à des dates différentes, la procession de Iemanjá (8 décembre) rend grâces à la déesse *candomblé*.

Fruits de mer

Les produits de la mer brillent par leur qualité, notamment le crabe, mais les connaisseurs apprécient plus encore la crevette d'eau douce d'Aracaju (d'un aspect similaire à celui de l'écrevisse), pêchée dans le Rio Sergipe. Autres spécialités : à l'apéritif, la *batida*, à base de *cachaça* (alcool de canne à sucre) et de fruits frais (mangue, anacardier, noix de coco ou *mangaba*) et, en dessert, la compote de fruit d'arbre à pain ou de noix de coco bouillie.

Ci-dessous : la région se distingue par la succulence de ses plats de fruits de mer.

À la frontière

Quittant Aracaju, la nationale BR-101 vous fait passer du Sergipe à l'Alagoas, frontière naturellement délimitée par le puissant Rio São Francisco (voir ci-contre). Au bord du fleuve, **Penedo** ⓯ fait une excellente étape avant de rejoindre Maceió (*voir p. 248*), capitale de l'État. De nombreuses églises baroques et rococo affirment le caractère de cette sympathique ville des XVIIe-XVIIIe siècle, notamment Nossa Senhora dos Anjos (1759) et Nossa Senhora da Corrente (1764). Vous pouvez descendre le São Francisco jusqu'à son embouchure en prenant le bateau à Piacabuci (22 km de Penedo), ou traverser le fleuve en ferry jusqu'à Neópolis, puis rejoindre Brejo Grande (27 km), d'où partent des excursions fluviales. À Santana do São Francisco

(3 km de Neópolis), vous trouverez de bonnes poteries et porcelaines en vente au Centro de Artesanato, géré par des membres de la communauté locale.

Des figurines plaisantes de ce genre sont fabriquées dans toute la région.

Plages paisibles

La route Penedo-Maceió vous permet de longer un chapelet de plages parfaitement tranquilles, voire désertes, comme Japu, Miai de Cima et Barreiras. Plus près de Maceió, **Praia do Gunga** (45 km au sud) attire nettement plus de monde, surtout en été. La plage s'étend au débouché du lac Roteiro sur l'océan. Les infrastructures touristiques sont bonnes, avec une poignée d'échoppes proposant nourriture et boissons. Plus fréquentée encore, en lisière des banlieues de Maceió, **Praia do Francês** touche la vieille ville de Marechal Deodoro, première capitale de l'Alagoas.

Marechal Deodoro

Marechal Deodoro ⓰ détient quelques superbes fleurons d'architecture coloniale brésilienne. Entre autres joyaux, vous pourrez y admirer le Convento de São Francisco, construit en 1684, et l'église Nossa Senhora da Conceição (1755).

Fondée sous le nom d'Alagoas, la cité fut rebaptisée en l'honneur de son enfant le plus célèbre, le maréchal Manuel Deodoro da Fonseca (1827-1892), éphémère président (non élu) du Brésil en 1891. Deux ans plus tôt, il avait pris la tête du coup d'État militaire qui déposa l'empereur Don Pedro II, mais son passage à la magistrature suprême connut quelques nuages. Confronté à l'opposition irréductible du Congrès, il remit le pouvoir entre les mains du vice-président Floriano Peixoto au bout de quelques mois, et mourut l'année suivante.

CI-DESSOUS : à cet agréable déjeuner sur la plage, seul l'âne ne semble pas convié…

Maceió

Aujourd'hui capitale de l'Alagoas, fondée en 1815, **Maceió** ⓱ (880 000 hab.) s'est régulièrement développé à partir d'une plantation de canne à sucre remontant au XVIIIe siècle. Les plages de Maceió sont réputées pour leurs eaux cristallines d'un chatoyant vert émeraude, particulièrement mises en valeur à marée basse sur **Praia**

Pajuçara où les flots, piégés entre la plage et les bancs de sable du large, s'étalent en un gigantesque bassin. Les pêcheurs ne vous demanderont pas grand-chose pour vous emmener jusqu'aux bancs à bord de leurs *jangadas* (radeaux à balancier).

La ville peine à endiguer les vagues de touristes qui la submergent chaque été. Décembre est particulièrement chargé, avec le Festival do Mar (Fête de la Mer) de Pajuçara : la foule investit les rues et la plage en une manifestation monstre où s'enchaînent rencontres sportives et danses folkloriques devant les étals d'artisanat indigène. Maceió n'a rien d'une vitrine historique, mais quelques vieux édifices ont tout de même survécu, notamment le **musée d'Art Sacré Fundação Pierre Chalita** (Palácio do Governo ; ouv. du lun. au ven. de 8h à 12h et de 14h à 18h ; entrée payante), l'église Bom Jesus dos Martirios (1870) et la Catedral de Nossa Senhora dos Prazeres (1840), sur Praça Dom Pedro II.

Dans la petite station de São Miguel dos Milagres, près de Porto de Pedras, faites-vous dorloter à la Pousada do Caju (tél. 82-295 1103), établissement luxueux ne comptant que 13 chambres dotées chacune d'une véranda, d'une piscine et d'un Jacuzzi.

Cap au nord

Poursuivant au nord de Maceió vers la frontière du Pernambuco, vous empruntez l'une des plus fabuleuses routes côtières de la région. Bordée de palmiers, elle épouse le littoral pendant presque tout le trajet, et vous donne accès à plusieurs plages. Entre Barra de Camaragibe et Porto de Pedras, rien ou presque ne vient troubler la sérénité d'une époque révolue. La route traverse une succession de petits villages dont les habitants vendent aliments divers, gâteaux ou tapioca devant leur porche. Un réseau de pistes discrètes (pas toujours faciles à repérer) vous conduit sur des plages isolées, aux sables rarement foulés par les touristes, même en haute saison. Bonne base pour explorer les plages, la petite ville de Porto de Pedras se signale par l'excellente cuisine maison de son restaurant : Dona Marinete vous réserve un homard et une omelette au crabe à sa façon (voir ci-dessous).

Entre autres plages, ne manquez pas Praia do Toque et Tatuamunha, puis, au nord de Porto de Pedras, presque à la frontière du Pernambuco, Japaratinga et Maragogi – cette dernière classée parmi les dix plus belles plages du Brésil par un très sérieux magazine national. ❑

RESTAURANTS

Aracaju

Casquinha de Caranguejo
Avenida Santos Dumont 751, Atalaia
Tél. 79-3243 7011
Restaurant de crabe en vogue, installé sur le front de mer. Parmi les autres plats proposés : poisson *bajedo* à la banane. Ouv. tlj. midi et soir. **$**

O Miguel
Avenida Antonio Alves 340, Atalaia Velha
Tél. 79-3243 1444
Restaurant prosaïque servant une *carne de sol* et un *pirão de leite* excellents. Ouv. tlj. midi et soir. **$$**

Laranjeiras

Nico's Restaurante
Praça da Matriz
Tél. 79-281 2883
Établissement central proposant des spécialités régionales. Simple et accueillant. Ouv. tlj. midi et soir. **$**

São Cristóvão

O Sobrado
Praça Getulio Vargas 40
Tél. 079-3261 1310
C'est une chance que l'unique restaurant de la ville soit de qualité. Cuisine locale servie dans le cadre attrayant d'une demeure coloniale. Ouv. tlj. midi et soir. **$**

Maceió

Carne de Sol do Picui
Avenida da Paz 1140
Tél. 82-3223 5313
La spécialité locale – *carne de sol* – se décline en une douzaine de variantes. Une assiette nourrit 2 convives. Ouv. tlj. midi et soir. **$**

Divina Gula
Rua Engenheiro Paulo Brandão Nogueira 85, Stella Maris
Tél. 82-3235 1016
Demeure coloniale où l'on sert des spécialités régionales. Adresse recommandée. Ouv. du mar. au dim. midi et soir. **$$**

Penedo

Esquina Imperial
Avenida Floriano Peixoto 61
(pas de réservation par tél.)
Restaurant familial établi de longue date et installé dans une demeure ancienne. Payez votre plat au poids. Ouv. tlj. à midi. **$**

Porto de Pedras

Peixada da Marinete
Rua Avelino Cunha s/n
(pas de réservation par tél.)
Cadre simple, cuisine exquise : essayez la *fritada de aratu* – omelette au crabe – ou la *lagostada* – à base de homard. **$-$$**

Gamme des prix

Les prix s'entendent pour un repas (2 plats) pour 2 personnes. Comptez 20 $US environ pour une bouteille de vin.

$	moins de 40 $US
$$	de 40 à 70 $US
$$$	de 70 à 100 $US

RECIFE ET LE PERNAMBUCO

L'animation fiévreuse de Recife et les charmes baroques d'Olinda font tout le caractère du Pernambuco, dont les richesses en art et en artisanat rivalisent avec la beauté des plages.

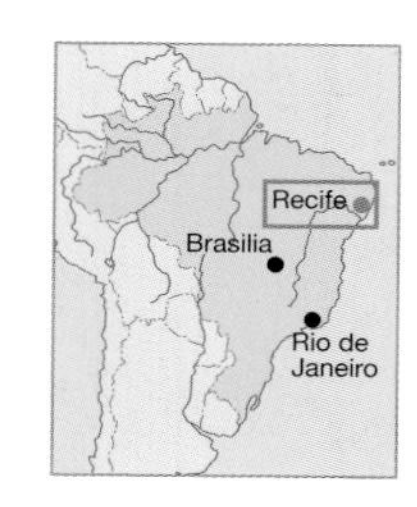

Lorsque le sucre règne en maître à la fin du XVIe et au début du XVIIe siècle, le Pernambuco est le plus riche état du Brésil. Les plantations de canne et leurs manufactures, les *engenhos*, se concentrent dans la région d'Olinda ; débouché naturel de la production, Recife développe rapidement son port. La traite des esclaves fournit la main-d'œuvre, et le pouvoir politique suit bientôt la domination économique. Quand le sucre perd de sa valeur, il cède largement le pas au coton, mais, au milieu du XVIIe siècle, l'or et les minerais précieux du Minas Gerais agissent comme un énorme aimant. La capitale du Brésil se déplace alors au sud, de Salvador à Rio de Janeiro, proche des riches régions minières. Le Pernambuco et sa capitale Recife ne retrouveront jamais leur gloire perdue.

Pourtant, si les pouvoirs économiques et politiques ont émigré au sud, Recife va ressusciter, propulsée cette fois par un tourisme en plein essor. De bons hôtels et restaurants attirent un nombre croissant de Brésiliens et d'étrangers en quête de belles plages, de perles coloniales comme Olinda et d'un climat chaud toute l'année.

Ne manquez pas !
- RECIFE:
- TEATRO SANTA ISABEL
- CAPELA DOURADA
- BOA VIAGEM
- ILHA ITAMARACÁ
- OLINDA
- CARUARU
- FAZENDA NOVA

À GAUCHE : vendeur de lait de coco sur la plage.
CI-DESSOUS : au marché d'État du Pernambuco.

Une ville corallienne

Capitale du Pernambuco, **Recife** ⓲ est une métropole de 1,4 million d'habitants. Son nom signifie en arabe "mur fortifié", mais les Portugais lui ont donné le sens de "récif". La côte de Recife, comme une grande partie du Nordeste, se caractérise par des récifs de corail et de berniques étirés parallèlement au continent, toujours à moins d'1 km au large. Les rouleaux se brisent sur les récifs et les baigneurs profitent ainsi de vastes bassins abrités. Sur la plage de **Boa Viagem**, à Recife, vous pouvez rejoindre la barrière à marée basse en vous mouillant tout juste les genoux.

Les Portugais colonisèrent le littoral du Pernambuco en 1537. Un siècle plus tard, une invasion hollandaise apporte une nouvelle ère d'art, de culture et d'urbanisation à la ville.

Recife se résumait jadis à un dédale de marais et d'îles ; le prince Maurice de Nassau les rend habitables par la construction de canaux. Trente-neuf ponts enjambent aujourd'hui ces canaux et les 2 fleuves qui séparent les 3 principales îles de Recife.

La belle architecture ornée mais défraîchie de Recife

Suivez le guide !

Vous pouvez partir à la découverte du vieux Recife à partir de la **Praça da República** Ⓐ et du **Teatro Santa Isabel** Ⓑ (ouv. du lun. au ven. de 13h à 17h) : ce bâtiment néoclassique (1850) est l'un des plus intéressants de la ville. D'autres édifices du XIXe siècle encadrent la place, comme la demeure du gouverneur, le palais de justice et les tribunaux, qui hébergent également l'école de droit de l'université catholique, la plus ancienne du Brésil.

En face du palais de justice, la **Capela Dourada** Ⓒ (Chapelle dorée) renfermerait, raconte la légende, plus d'or que toute autre église du Brésil, hormis São Francisco de Salvador. Construit à la fin du XVIIe siècle par des frères convers franciscains, cet édifice baroque correspond à l'apogée de l'architecture religieuse brésilienne (chapelle et musée d'art sacré attenant ouv. du lun. au ven. de 8h à 11h30 et de 14h à 17h, le sam. de 8h à 11h30 ; entrée payante).

Longeant le Rio Capibaribe par la Rua do Sol, vous rejoignez la **Casa da Cultura** Ⓓ (ouv. du lun. au sam. de 9h à 19h, le dim. de 10h à 14h). Cet ancien pénitencier a été complètement réhabilité en 1975 pour accueillir le plus important centre d'artisanat de la ville. Les cellules ont été converties en échoppes, où vous trouverez des articles en cuir, en paille, des figurines en terre cuite, des tee-shirts sérigraphiés et des eaux-de-vie de fruits. Sur la Praça Visconde de Mauá, face à la Casa da Cultura et à côté de l'**Estação Central** Ⓔ (1888), le **Museo do Trem** (ouv. du lun. au jeu. de 13h à 18h, le ven. de 8h à 12h ; entrée payante) retrace l'histoire du chemin de fer au Brésil.

À 400 m au sud-est par la Rua Torreto s'ouvre le **Patio de São Pedro** Ⓕ. C'est ici le coin des artistes, où se donnent des spectacles musicaux et

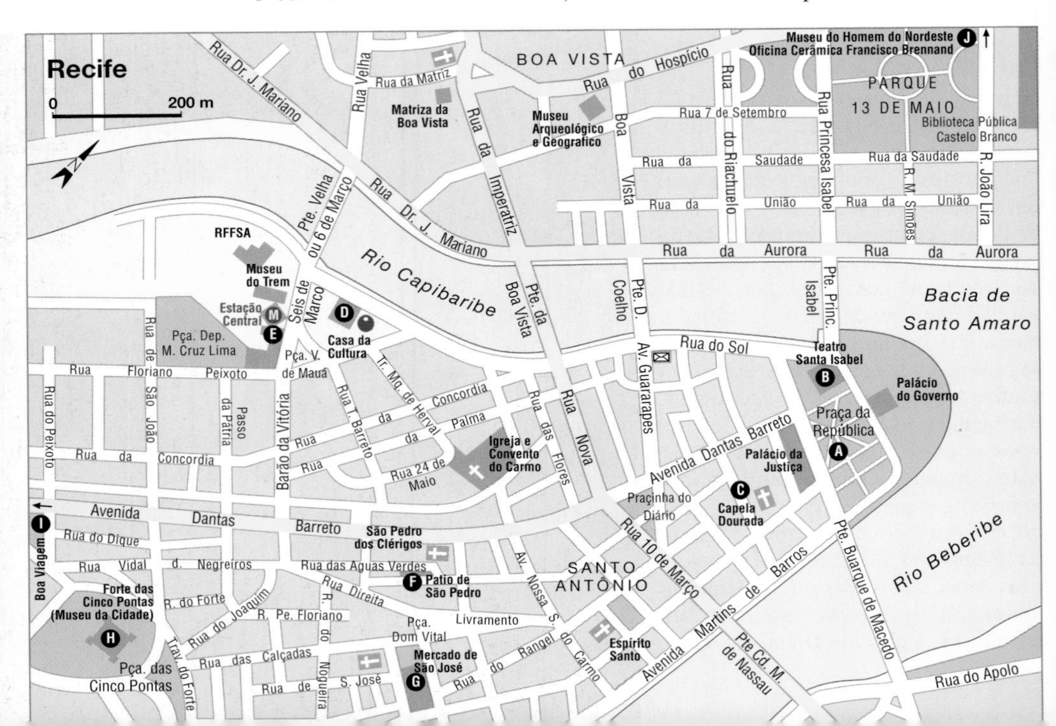

folkloriques le week-end. Très équilibrée, la façade baroque de l'**Igreja de São Pedro** ne manque pas d'allure. En poursuivant au sud-est par la Praça Dom Vital, vous arrivez au **Mercado de São José** **G** (ouv. du lun. au sam. de 5h à 15h30, le dim. de 6h à 12h), marché animé occupant un bâtiment du XIXe siècle.

Construits par les Hollandais en 1630 à l'extrémité sud de la ville, les puissants remparts en étoile du **Forte das Cinco Pontas** **H** accueillent le **Museu da Cidade** (Largo das Cinco Pontas ; ouv. du lun. au ven. de 9h à 18h, le sam. et le dim. de 13h à 17h ; entrée payante) qui évoque l'histoire de Recife.

En suivant l'Avenida Dantas Barreto en direction du sud-ouest, vous rejoindrez **Boa Viagem** **I**. La plupart des meilleurs bars et restaurants, et presque tous les très bons hôtels de la ville se serrent aux abords immédiats de la plage : c'est sans aucun doute la plus belle de Recife et toute la vie sociale de la ville se concentre ici.

Le soir, l'animation règne en front de mer et dans l'Avenida Conselheiro Aguiar, une rue en retrait. Une poignée de petits bars et de cafés avec terrasse y servent des boissons et snacks bon marché, et il y a toujours quelqu'un pour jouer de la musique.

Parmi les nombreux musées de la ville, le **Museu do Homem do Nordeste** **J** (musée de l'Homme du Nordeste ; ouv. le mar., le mer. et le ven. de 11h à 17h, le jeu. de 8h à 17h, le sam., le dim. et les j. fér. de 13h à 17h ; entrée payante) sort véritablement du lot. Fondé par le plus illustre anthropologue brésilien, Gilberto Freyre (1900-1987), ce musée se consacre tout entier à l'histoire culturelle de cette région passionnante. Vous le trouverez dans le quartier de **Casa Forte**, à 6 km du centre-ville, au 2187 de l'Avenida 17 de Agosto.

Toujours dans le même secteur, ne manquez pas l'étonnante **Oficina Cerâmica Francisco Brennand** (ouv. du lun. au ven. de 8h à 17h), l'atelier de l'un des artisans les plus courus du Nordeste. Situé dans le quartier ouvrier de **Várzea**, il occupe une ancienne manufacture de briques et de tuiles. Brennand est réputé à Recife pour ses tuiles et céramiques peintes à la main, ainsi que pour ses statues vaguement érotiques, très appréciées des Brésiliens comme des touristes. Vous pouvez visiter cet immense atelier, et, si vous appelez à l'avance, Francisco Brennand vous guidera en personne (tél. 81-3271 2466).

L'Igreja de São Pedro de Recife, bel exemple d'architecture baroque.

CI-DESSOUS : Porto de Galinhas, célèbre pour son sable blanc et fin.

Sublimes plages

Le nom de Pernambuco tire son origine du tupi *paranampuka*, qui signifie "la mer battant les rochers". De fait, la mer a joué un rôle primordial dans l'histoire du Pernambuco. De nos jours, ce sont ses plages qui attirent les visiteurs en nombre, devenant ainsi une véritable source de revenus. La côte s'étend sur 187 km, entre 2 États : au nord le Paraíba, au sud l'Alagoas. Vous y trouverez beaucoup de plages toutes plus belles les unes que les autres, baignées de soleil et léchées par une eau chaude tout au long de l'année.

Outre Boa Viagem, la ville s'ouvre sur d'autres belles plages comme **Pina**,

Noix de coco du Pernambuco : leur lait est l'une des boissons les plus rafraîchissantes par canicule.

Piedade et **Candeias**. En poussant plus loin, près d'**Ipojuca**, à 50 km du centre-ville, vous découvrirez **Porto de Galinhas**, l'une des plus attrayantes, dont l'étendue de 18 km de sable blond, les hôtels luxueux et le village attrayant lui ont acquis une réputation internationale. Durant les mois d'été, de fréquents championnats de surf animent **Maracaípe**, un peu plus au sud. Puis vient **Praia dos Carneiros**, l'une des plus belles plages du littoral du Pernambuco. En partant de Porto de Galinhas, vous pourrez y faire un saut dans la journée.

Au nord, les meilleures plages bordent **Ilha Itamaracá**, à 53 km de Recife, où les gens de la région passent leurs week-ends. En chemin, sur la BR-101, la ville ancienne d'**Igarassu** détient la seconde plus vieille église du Brésil (1535), consacrée à São Cosme e Damião. Le monastère franciscain adjacent renferme la plus importante collection de peintures religieuses baroques du pays – plus de 200 œuvres. Classée monument national, la ville a conservé de nombreuses demeures coloniales, et la première loge maçonnique brésilienne.

Sur la route de Forte Orange

Un poste de contrôle monte la garde à mi-chemin du pont d'Itamaracá : une partie de l'île sert de prison ouverte pour les détenus modèles d'un pénitencier voisin. Les prisonniers mariés peuvent y vivre avec leur famille, et tous pratiquent une activité commerciale. En descendant la route de l'île, vous apercevrez des haies d'échoppes et de petites boutiques où les prisonniers vendent souvenirs et cartes postales. Chacun d'eux est identifié par un numéro sur son tee-shirt.

Avant de rejoindre Forte Orange, édifié par les Hollandais en 1631, prenez la route secondaire de **Vila Velha**, première colonie de l'île : ce village fondé en 1534 est niché dans une cocoteraie le long de la côte sud. Coiffé par l'église Nossa Senhora da Conceição (XVIIe siècle), un ensemble de bâtiments coloniaux borde la place. Vous trouverez sur place plusieurs restaurants de poisson et de cuisine régionale. Des plages magnifiques frangent presque toute la côte.

CI-DESSOUS : Porto de Galinhas, son centre florissant, ses plages attrayantes.

Le centre d'Itamaracá et la vieille ville de **Forte Orange** disposent de bons hôtels et restaurants, Forte Orange possédant également un terrain de camping. À côté du fort, un centre d'accueil explique le Programme Lamantin, qui consiste à soigner les mammifères blessés avant de les relâcher en mer.

Olinda, splendeur culturelle

Le temps s'est arrêté à **Olinda** ⓳. Tel un musée en plein air, la ville épouse les collines qui dominent Recife. Cet authentique trésor d'art et d'architecture baroque a été classé au patrimoine mondial par l'Unesco en 1982, mais la restauration se fait encore attendre pour de nombreux bâtiments.

Selon la légende, le premier émissaire portugais envoyé gouverner la région aurait été tellement enthousiasmé par la beauté des collines qu'il aurait déclaré "*O linda situação para uma vila*" ("Quel beau site pour une ville") – et le nom d'Olinda est resté. Mieux vaut explorer la ville à pied pour pleinement apprécier le charme de ses ruelles bordées de maisons coloniales aux couleurs vives, de ses jolies églises toutes simples, des cafés en terrasse et des boutiques arborant des enseignes décoratives, dans un paysage de collines comme suspendu dans le temps.

Partant de la **Praça do Carmo**, où s'élève la plus ancienne église carmélite du Brésil (1580), remontez la Rua São Francisco jusqu'à la chapelle et le couvent **São Roque**, dont les fresques baroques retracent la vie de la Vierge Marie, l'église **Nossa Senhora das Neves** ainsi que le monastère **São Francisco** (ouv. du lun. au ven. de 7h à 11h30 et de 14h à 17h, le sam. de 7h à 12h), qui date de 1585 et où vous pourrez admirer des fresques baroques narrant la vie de la Vierge Marie. Prenez à gauche la Rua Bispo Coutinho à gauche pour visiter le **Seminário de Olinda** et l'église **Nossa Senhora da Graça**, 2 beaux exemples bien conservés de baroque brésilien du XVIe siècle. La rue s'ouvre ensuite sur une place dominante, l'Alto da Sé, qui donne sur l'océan et Recife, 6 km au loin.

Les amateurs d'huîtres seront à la fête sur la côte. Sur la plage, vous verrez des vendeurs portant des seaux remplis d'huîtres et de glace. Ils ouvrent les coquillages devant vous, les relèvent d'un zeste de citron, d'huile et de sel. Votre repas est prêt !

CI-DESSOUS : le superbe monastère São Francisco.

Libre cours à l'inspiration sur un mur d'Olinda.

L'**Igreja da Sé**, première église paroissiale du Nordeste, fut érigée au moment de la fondation d'Olinda en 1537. Elle a pris depuis rang de cathédrale pour accueillir le siège de l'archevêché. En face, le **musée d'art sacré** (ouv. du mar. au ven. de 8h à 12h et de 14h à 18h, le sam. et le dim. de 14h à 17h30) qui occupe le **Palácio Episcopal** (1676) expose une série de panneaux évoquant l'histoire d'Olinda. Les soirs de week-end, bars et cafés animent l'Alto da Sé.

En descendant la Ladeira da Misericódia, vous découvrez à votre droite **Igreja da Misericórdia** (ouv. tlj., de 11h45 à 12h30 et de 18h à 18h30), qui date de 1549. Ses bois et ses ors fastueusement gravés trahissent l'influence de l'école française et, plus particulièrement, celle de François Boucher. Rua Bernardo Vieira de Melo, le **Mercado da Ribeira** offre un bon choix d'œuvres d'art, tandis qu'au coin de la Rua 13 de Maio, le **Museu de Arte Contemporânea** (ouv. du mar. au ven. de 8h à 18h, le sam. et le dim. de 14h à 17h30 ; entrée payante) occupe une ancienne prison de l'Inquisition du XVIIIe siècle.

La plupart des édifices historiques d'Olinda sont ouverts tous les jours au public, avec une pause-déjeuner, généralement entre 12h et 14h. Vous trouverez en ville petites auberges ou hôtels de luxe, très souvent aménagés dans des demeures anciennes.

Dans les montagnes

La foire artisanale bihebdomadaire de Caruaru et la ville de Fazenda Nova (à 190 km à l'ouest de Recife) offrent un excellent but d'excursion au départ de Recife par la BR-232 qui gravit la chaîne côtière jusqu'à la villégiature de Gravatá et au-delà. À mi-parcours, près de **Vitória de Santo Antão**, vous ne risquez guère de manquer l'énorme bouteille et l'écrevisse trônant sur son étiquette – symbole de la distillerie de Pitú. Le panneau est d'ailleurs inutile : on sent le parfum de la *cachaça* (eau-de-vie de canne à sucre) bien avant de voir la bouteille. Cette marque célèbre propose une visite guidée de sa distillerie avec, en prime, une dégustation gratuite.

CI-DESSOUS : Rue d'Olinda, ville dont le nom signifie "belle".

Il vous reste 32 km d'une sinueuse route de montagne pour atteindre **Gravatá** ⑳. L'air se rafraîchit très nettement, et la végétation se fait plus rare. C'est à Gravatá que les bonnes familles de Recife ont leur résidence d'été, les hôtels et les auberges profitant de la fraîcheur du climat pour attirer la clientèle le week-end. Vous ne verrez pratiquement plus aucune verdure ensuite, hormis les lézards et la broussaille, avant de redescendre sur la côte.

À Caruaru, dans le quartier Alto do Moura, n'oubliez pas de visiter la Casa-Museu de Mestre Vitalino (ouv. du lun. au sam. de 8h à 12h et de 14h à 17h), où vécut et travailla le grand céramiste.

Caravansérail de Caruaru

L'idéal serait de pouvoir planifier votre excursion à Fazenda Nova un mercredi ou un samedi. Vous verrez alors la ville voisine de **Caruaru** ㉑ se métamorphoser en un gigantesque caravansérail où riches et pauvres se pressent au coude à coude devant les étals. Ici, une riche matrone de Recife examine soupçonneusement un service à thé en terre cuite peinte à la main, là, un vieillard édenté du *sertão* tente d'échanger une chèvre famélique contre quelques sacs de riz, de haricots et de sucre. Les villageois des alentours payent quelques centimes une place dans un camion ou une jeep pour venir faire leurs courses hebdomadaires à Caruaru. D'autres arrivent d'États éloignés, voire de l'étranger pour acheter des pièces artisanales d'une qualité exceptionnelle.

À l'origine créées par feu Mestre (maître) Vitalino, les fameuses figurines peintes de couleurs vives connaissent un grand succès, mais attention aux vendeurs qui vous demandent un prix exorbitant sous prétexte que leur merveille serait l'œuvre du Mestre en personne. Vitalino n'a pas produit énormément. Tout ce que vous verrez en vente ici, tout comme à la Casa da Cultura de Recife (mais en moins varié), a été réalisé par des élèves de Vitalino. Considérée comme l'une des meilleures du genre en Amérique du Sud, la foire de Caruaru débute vers 9h et se poursuit jusqu'à 17h.

Pendant des années, les habitants de **Fazenda Nova** ㉒ ont survécu du peu qu'ils arrachaient à une terre desséchée. Ce village se fit un nom lorsqu'en 1968 la famille Pacheco, aidée par le gouvernement, inaugura **Nova Jerusalem**.

Ci-dessous : l'artisanat des figurines reste une tradition vivante.

Maître Vitalino

Le céramiste de Caruaru connu sous le nom de Mestre Vitalino – titre soulignant la maîtrise de son art –, s'appelait Vitalino Pereira dos Santos (1909-1963) et vivait dans le quartier d'Alto do Moura. Il gagna la célébrité grâce à ses figurines en terre cuite, lesquelles représentaient en général des paysans pauvres du Nordeste. D'autres *bonequeiros* (fabricants de ses statuettes) venus de la campagne environnante vinrent à Caruaru et, se regroupant autour de Pereira dos Santos, se mirent à fabriquer leurs modèles en prenant exemple sur le Mestre. Les 5 enfants de ce dernier travaillaient avec lui, et, à sa mort, poursuivirent la tradition familiale. Vous pourrez voir à Caruaru les œuvres de 2 autres céramistes de grand talent : Luís Antônio et Manoel Galdino (mort en 1996), toutes deux d'inspiration contemporaine.

Les longues routes brûlées par le soleil du Pernambuco sont sillonnées de cars.

Réplique de la Jérusalem de 33 apr. J.-C., ce théâtre en plein air s'anime lors de la semaine sainte avec une Passion reconstituée devant des dizaines de milliers de spectateurs (*voir encadré ci-dessous*).

Le cadre impressionne : d'immenses scènes, dont chacune correspond à une étape du chemin de croix, surplombent acteurs (500 en tout, pour la plupart des villageois locaux) et spectateurs. Le public suit le drame d'une scène à l'autre, et il s'y intègre lui-même. La participation atteint son point culminant lorsque Ponce Pilate demande à la foule "Lequel voulez-vous – le roi des Juifs ou Barrabas ?". Les acteurs ne parlent pas, mimant des lèvres un dialogue préenregistré et sonorisé.

Statues géantes

À quelques pas du théâtre s'étend le **Parque das Esculturas** (ouv. tlj. de 7h à 17h) où d'immenses statues de pierre, pesant jusqu'à 20 t chacune, représentent à la fois des héros populaires et des personnages anonymes du Nordeste. Ainsi se regroupent la lavandière, le cueilleur de coton, le coupeur de canne à sucre, la dentellière, chacun mesurant 3 à 4 m de hauteur, ou, plus loin, Lampião, légendaire Robin des Bois du Nordeste, et sa fiancée Maria Bonita. Les danses et cérémonies folkloriques du Pernambuco livrent également leur part de figures et de légendes, avec l'immense cheval de mer et son cavalier, le *jaraguá* – mi-homme, mi-monstre – et le danseur de *frevo*.

Le *frevo* (du portugais *ferver*, bouillir) occupe une place de choix dans le carnaval du Pernambuco. Vous n'y verrez pas d'écoles de samba comme dans le Sud, ni de groupes sonorisés comme à Salvador. Les gens dansent dans les rues en tenant des parasols pour garder leur équilibre. Des groupes reconstituent le *maracatu*, une légende du Nordeste qui évoque l'histoire de la religion *candomblé* et les temps de l'esclavage.

Le plus beau carnaval du Nordeste se tient sans doute à Olinda, dont les ruelles sont envahies de participants durant 4 jours de folie absolue. ❑

CI-DESSOUS : rejouer la Passion.

NOUVELLE JÉRUSALEM

Nova Jerusalem est considérée comme la plus grande scène de théâtre en plein air du monde. Elle s'étend sur une surface de 10 ha que ferme une enceinte en pierre longue de 3,5 km, percée de 7 portes et hérissée de 70 tours. L'endroit avait été le cadre à plusieurs reprises de représentations de la Passion, mais c'est Plínio Pacheco qui en fit un immense théâtre. Cet homme né en 1926 à l'autre bout du pays, dans l'État le plus méridional de Rio Grande do Sul, se rendit à Fazanda Nova pour voir un ami interpréter le rôle de Jésus dans les rues du hameau. Il y rencontra Diva Mendonça, la fille de l'organisateur du spectacle. Ce fut un coup de foudre réciproque qui déboucha sur un mariage. Et, en 1962, Plínio projeta de bâtir une Jérusalem miniature afin d'abriter la Passion. Le site www.nova jerusalem.com.br vous donnera une information plus détaillée.

RESTAURANTS

Recife

Boi Preto Grill
Avenida Boa Viagem 97, Pina
Tél. 81-3466 6334
Carnivores de tous les pays, rendez-vous ici pour une partie de barbecue ! Ouv. tlj. midi et soir. **$$$**

Chez Georges
Avenida Boa Viagem 1906, Terceiro Jardim
Tél. 81-3466 6334
Remarquable cuisine française mâtinée d'influences locales. Ouv. du dim. au ven. midi et soir. **$$$**

Chica Pitanga
Rua Petrolina 19, Boa Viagem
Tél. 81-3465 2224
Le meilleur self-service de Recife. Ouv. tlj. midi et soir. **$$**

Famiglia Giuliano
Avenida Engenheiro Domingos Ferreira 3980, Boa Viagem
Tél. 81-3465 9922
L'endroit a pour cadre la copie d'un château médiéval et est réputé pour sa *feijoada*. Ouv. tlj. midi et soir. **$$$**

Mingus
Rua Atlântico 102, Boa Viagem
Tél. 81-3465 4000
Cuisine contemporaine raffinée. Ouv. le mar. et le mer. soirs, le jeu. et le dim. à midi, le ven. et le sam. midi et soir. **$$$**

Pomodoro Café
Rua Capitão Rebelinho 418, Pina
Tél. 081-3326 6023
Considéré par beaucoup comme le meilleur italien de la ville. Ouv. tlj. le soir. **$$$**

Taberna Japonesa Quina do Futuro
Rua Xavier Marques 134, Aflitos
Tél. 81-3241 9589
L'occasion de changer des spécialités régionales en goûtant à une cuisine asiatique de qualité. Ouv. du lun. au sam. midi et soir. **$$$**

Olinda

A Manoá
Rua Bispo Coutinho 645, Alto da Sé
Tél. 81-3429 6825
Appréciez les vues à couper le souffle offertes par la salle à l'étage tout en savourant de bons plats de viande ou de fruits de mer. Musiciens souvent le samedi soir. Ouv tlj. midi et soir. **$$**

Oficina do Sabor
Rua do Amparo 355
Tél. 81-3429 3331
L'influence réciproque des cuisines régionale et internationale donne ici les meilleurs résultats. Ouv. du mar. au dim. midi et soir. **$$$**

Porto de Galinhas

Beijupirá Restaurante
Rua Beijupirá s/n, Qd. 9
Tél. 81-3552 2354
Ce point de repère à Porto de Galinhas sert d'inoubliables spécialités de fruits de mer, mais également de bons plats de poulet et de riz. Ouv. tlj. midi et soir. **$$$**

Domingos
Rua Beijupirá, Galeria Paraoby
Tél. 81-3552 1489
Son illustre propriétaire et chef a fait ses armes des années durant dans les meilleurs établissements de Rio de Janeiro. Le cadre est très agréable et le menu abordable. Ouv. tlj. le soir tard. **$$**

La Crêperie – Crepes e Saladas
Rua Beijupirá (en face du Banco do Brasil)
Tél. 81-3552 1831
Une bonne adresse où prendre un repas simple. Ouv. tlj. midi et soir. **$$**

Munganga Bistrô
Avenida Beira-Mar 32, Galeria Caminho da Praia
Tél. 81-3552 2480
Une belle carte des vins et une merveilleuse cuisine ont fait la réputation du lieu. Ouv. tlj. midi et soir. **$$**

Petrolina

Maria Bonita
Areia Branca
Tél. 87-3864 0422
Installez-vous dans un cadre accueillant et particulièrement relaxant pour savourer de succulents plats portugais arrosés d'un très bon vin de Rio Sul. **$$**

Gamme des prix

Les prix s'entendent pour un repas (2 plats) pour 2 personnes. Comptez 20 $US environ pour une bouteille de vin.

$	moins de 40 $US
$$	de 40 à 70 $US
$$$	de 70 à 100 $US

À DROITE : des huîtres relevées d'un zeste de citron, une entrée régionale.

FERNANDO DE NORONHA

Domaine exclusif de l'armée durant des années, cette réserve naturelle s'ouvre aujourd'hui au tourisme mais œuvre toujours pour la sauvegarde des tortues et de la vie marine.

L'île est desservie par 2 vols quotidiens au départ de Natal (durée : 1 heure) et 2 autres au départ de Recife (durée : 1 heure 1/2). Contactez Nordeste (tél. 0300 788 7000) ou Trip (www.airtrip.com.br).

CI-DESSOUS : banc de marignans coqs.

Avec ses eaux cristallines et son univers foisonnant de coraux, de dauphins, de homards et de poissons tropicaux, ses plages totalement préservées et virtuellement vierges de toute pollution, **Fernando de Noronha** ㉓ ne peut que fasciner les plongeurs, les surfeurs et tous les amoureux de la nature, tout en rappelant que notre planète peut encore être belle et paisible.

L'île occupe le sommet d'une montagne dont la base se trouve à 4000 m sous le niveau de la mer. Elle fait partie d'un archipel volcanique de 21 îles couvrant une superficie de 26 km². Découverte en 1503 par Amerigo Vespucci, elle est octroyée en 1504 par le roi du Portugal à Fernando de Loronha, dont elle garde le nom, quoique un peu écorché. Ce denier ne lui laissera d'ailleurs rien d'autre, et sa situation stratégique vaut à l'île d'être tour à tour occupée par les Français, les Hollandais, puis à nouveau les Français, avant de revenir dans le giron portugais. En 1938, le Brésil en fait un bagne, et, durant la Seconde Guerre mondiale, les Américains y installent une base. Le seul hôtel de l'île occupe leurs casernes reconverties.

En 1988, Fernando de Noronha est intégrée à un parc national marin couvrant une superficie de 112 km² autour de l'archipel placé sous la protection de l'Ibama, institut brésilien pour l'environnement. L'île principale est la seule habitée. Pour visiter les autres, il est nécessaire de demander un permis à l'Ibama.

Des milliers d'oiseaux migrateurs en chemin vers le sud font escale sur l'île. Du bateau qui vous emmène à l'**Enseada dos Golfinos**, vous verrez des centaines de dauphins folâtrer en mer. La baignade n'est autorisée qu'à l'entrée de la baie pour ne pas les déranger, mais des plongeurs chanceux peuvent rencontrer les dauphins qui entrent ou sortent de la baie tôt le matin ou en fin d'après-midi. Entre janvier et juin, les tortues viennent pondre de nuit leurs œufs dans le sable de la **Praia do Leão**, et, si le Tamar (organisme responsable de leur protection) l'autorise, vous pourrez même aider à surveiller les bébés tortues qui regagnent la mer.

Mais les plus beaux trésors de l'île se trouvent sous l'eau, à portée de main du plongeur, qu'il soit adepte des bouteilles ou du masque. Le ballet des poissons et des coraux multicolores, des éponges et des plantes est une merveille, tout comme les épaves de navires. Les plus aventureux ne manqueront pas la plongée en nocturne, pour aller à la rencontre des requins.

Les randonnées à pied, à cheval ou à VTT permettent de rallier les plages les plus éloignées. Celle de **Baía dos Porcos** présente d'étonnantes roches sculptées, tandis qu'une cascade chante sur **Praia do Sancho** à la saison des pluies, et qu'une fabuleuse piscine naturelle s'étale parmi les rochers de la Praia do Atalaia.

L'histoire mouvementée de l'île a laissé quelques vestiges : l'Igreja Nossa Senhora dos Remédios, construite en 1772 à Vila dos Remédios, le Forte da Nossa Senhora dos Remédios, édifié à proximité en 1737, et une poignée de ruines éparses. Point culminant de l'île à 321 m, le **Morro do Pico** permet d'embrasser du regard tout l'archipel, et de contempler de merveilleux couchers de soleil. Des températures moyennes annuelles de 26 °C complètent ce tableau enchanteur.

Les 2000 habitants de Fernando de Noronha travaillent presque tous dans le tourisme local comme guides, marins, chauffeurs, et dans une centaine de *pousadas*. L'hôtel principal de l'île, Esmeralda do Atlântico (tél. 81-3619 1255) est cher ; l'Hotel Dolphin (tél. 81-3619 1170) est meilleur marché, comme le sont également les *pousadas*. Avant d'aller danser le *forró* au bar Mirante do Boldró, ne manquez pas de prendre l'apéritif au Bar do Cachorro où vous goûterez aux *tubarão*, de délicieux amuse-gueules au requin grillé.

Vous pouvez voyager en individuel, ou réserver via une agence qui vous obtiendra peut-être de meilleurs prix pour l'hébergement. L'île devant importer sa nourriture et son eau du continent, l'Ibama ne vous encourage guère à prolonger votre séjour, notamment en prélevant une taxe proportionnelle à la durée du séjour. ❑

Ayez sur vous des espèces lorsque vous visitez l'île : la carte bancaire y est rarement acceptée et il n'y a pas de distributeurs automatiques de billets. Rendez-vous sur le site www.noronha.pe.gov.br pour avoir des informations pratiques à jour.

CI-DESSOUS : le Morro dois Irmaos, Fernando de Noronha.

LA CÔTE NORD

Villages de pêcheurs, paysages lunaires façonnés par les dunes, et sites fossiles jalonnent l'ensemble des États au nord du Pernambuco.

La côte nord déploie une succession de plages superbes et quasi désertes, du Rio Grande do Norte aux frontières de l'Amazone et aux palmeraies de *babaçu* du Maranhão. Le Rio Grande do Norte et son petit voisin le Paraíba au sud ont connu l'âge d'or de la canne à sucre au début de la colonisation portugaise, pour décliner en même temps que les plantations et leurs *engenhos*.

Les éleveurs de bétail ont colonisé le Ceará et le Piauí à la fin du XVIIe siècle, mais ce sont plutôt ses pêcheurs et ses plages qui ont fait la réputation de la région. D'abord colonisé par les Français, puis les Hollandais, le Maranhão n'intéressa véritablement les Portugais qu'au milieu du XVIIe siècle, lorsqu'ils y développèrent plantations de canne à sucre et de coton. L'économie du Maranhão repose aujourd'hui sur l'exploitation du palmier *babaçu*, dont on tire de l'huile de cuisine et autres produits alimentaires, des adjuvants pour engrais, de la cellulose et du bois de charpente. Tous ces États comptent parmi les plus pauvres du Brésil, mais le tourisme – la région dispose de beautés naturelles sans équivalent – et une industrie balbutiante, surtout au Ceará, annoncent un avenir plus souriant.

Ne manquez pas !
- JOÃO PESSSOA
- NATAL
- CANOA QUEBRADA
- FORTALEZA
- JERICOACOARA
- SÃO LUÍS
- ALCÂNTARA
- P N LENÇOIS MARAHENSES

À GAUCHE : corvée de vaisselle.
CI-DESSOUS : les plages du Natal sont paradisiaques.

Une ville du XVIe siècle

Cent kilomètres au nord de Recife sur la côte atlantique, **João Pessoa** ㉔ (625 000 hab.) occupe le point le plus à l'est des deux Amériques. Toutes les plages de ce littoral partagent deux points communs non dépourvus d'intérêt : des barrières de récifs les protègent des rouleaux, et des haies de cocotiers les abritent du soleil tropical.

Capitale de l'État du **Paraíba**, João Pessoa est la troisième ville du Brésil. Elle a fêté son 400e anniversaire en 1985. Une abondante végétation rafraîchit la ville, entre palmiers, bougainvillées, flamboyants et autres plantes tropicales. Une enceinte majestueuse de palmiers royaux entoure le lac du **Parque Solon de Lucena**.

La remarquable architecture baroque de l'église **São Francisco** et du couvent

Maternité, *Museu de Arte e Cultura Populares, Fortaleza.*

Santo Antônio contraste avec la conception futuriste du Tropical Tambaú Hotel, immense soucoupe volante qui s'avance à demi dans l'océan. Toutes les chambres donnent sur la mer, et les vagues atteignent pratiquement le rebord des fenêtres à marée haute.

Partez avant l'aube rejoindre **Cabo Branco**, à 14 km de la ville, et vous aurez la mémorable satisfaction d'être la première personne en Amérique à voir le soleil se lever. L'une des plus belles plages de la région, **Praia do Poço**, vous attend à 10 km du Tropical Tambaú Hotel. Il faut y aller à marée basse, lorsque le jusant dévoile l'île d'**Areia Vermelha** (Sable rouge). Symboles de cette côte, des cohortes de jangadas proposent de vous emmener jusqu'à l'île, véritable aquarium où scintillent algues et bancs de poissons multicolores. Plus au nord, en direction de la frontière régionale du Rio Grande do Norte, s'étire la **Baía da Traição** dans laquelle vous profiterez au mieux des nombreuses plages désertiques, jalonnées par des villages de pêcheurs disposant de restaurants et de *pousadas* très simples. Sur les plages de Coqueirinho et De Tamba vous pourrez vous procurer des articles artisanaux et des bonbons aux fruits fabriqués par les Potiguaras.

Environs du Cabo Calcanhar

Voisinant avec le Paraíba au nord, le **Rio Grande do Norte** épouse la courbe nord-est du continent. En chemin vers la capitale d'État, Natal, vous traverserez **Pipa** (à 80 km de Natal), une réserve écologique qui s'est très vite transformée en lieu à la mode. Fréquentée au début par des vacanciers venus pendant les week-ends et les vacances profiter des belles plages, elle attira rapidement la jeunesse huppée brésilienne pour ses distractions nocturnes. Vous aurez avec un peu de chance l'occasion de voir évoluer des dauphins sur la Praia de Amor.

Si vous recherchez plus de tranquillité, rendez-vous au village voisin, **Tibau de Sul**, posé sur l'estuaire de la rivière éponyme. Franchissez le fleuve à bord du petit ferry touristique jusqu'à l'autre rive et embrasser la vue sur les dunes qui s'étirent sur plusieurs kilomètres le long de la plage de Guarairas.

CI-DESSOUS :
Bars et voitures se suivent sur le front de mer de Ponta Negra, État de Natal.

Si Tibau de Sul apparaît au premier abord un peu endormi, il s'avère être un rendez-vous pour vivre une réelle expérience gastronomique, grâce au chef Tadeu Lubambo. Journaliste-photographe dans les années 1980, Tadeu part vivre dans la tribu des Xingu. Aujourd'hui, il accueille chaque soir 8 personnes autour de sa table pour leur faire savourer un menu dégustation de 6 plats. Le coup d'envoi est donné avec un *caipirinha* pour s'achever 4 heures plus tard.

À 60 km vers le nord, la ville d'**Eduardo Gomes** voisine avec le centre national de lancement de fusées, Barreira do Inferno. L'une des plus belles plages de la côte sud de l'État, **Praia Cotovelo**, donne sur Barreira.

À 185 km de João Pessoa, sa capitale **Natal** ㉕ (750 000 hab.) est bordée de plages magnifiques, caractérisées par leurs hautes dunes. À 30 km au nord, celles de Genipabu se sillonnent en buggy. Natal en portugais signifie "Noël", jour officiel de la fondation de la ville en 1599. Quant au **Forte dos Reis Magos**, forteresse des Rois mages, il fut ainsi baptisé car sa construction commença le 6 janvier 1600, jour de l'épiphanie. Le **Museu Câmara Cascudo** (Avenida Hermes da Fonseca 1398 ; ouv. du mar. au ven. et le dim. de 8h à 10h30 et de 14h à 16h30 ; entre payante) expose notamment des objets d'Indiens d'Amazonie ou utilisés durant les rites *candomblé*.

Ribeira, sur le fleuve, constitue la plus ancienne partie de la ville. Plusieurs bâtiments y ont été restaurés, dont le Teatro Alberto Maranhão.

Les fidèles touchent la statue de Padre Cicero, Juazeiro do Norte.

Direction Touros

La route qui vous conduit de Natal à Touros au nord épouse sur 100 km une série de plages à peu près désertes, de dunes et de cocotiers. Vous longerez Maxaranguape et Ponta Gorda, site du Cabo de São Roque où les navigateurs arrivèrent le 16 août 1501, un an après la découverte du Brésil. **Praia do Genipabu**, très longue plage de dunes de sables, attire du monde des 4 coins du pays. Le développement du tourisme balnéaire, favorisé en particulier par la généralisation de l'usage du quad, constitue déjà une menace pour les dunes, et la plus connue de la plage de Ponta Negra, Morro do Caneca, a été temporairement clôturée pour la protéger de l'érosion.

Ville de 28 000 habitants, **Touros** ㉖ doit son nom aux taureaux qui vagabondaient jadis librement dans la région. Vous y trouverez une poignée d'auberges, de bars et de restaurants – les gens du coin recommandent Castelo – où l'on déguste la crevette au beurre d'ail ou le homard grillé. En soirée, il faut aller au cap Calcanhar, à 8 km, pour voir le soleil se coucher et le phare de Touros s'allumer. La réserve naturelle de l'île Fernando de Noronha s'étend à 290 km au nord-est du cap (*voir p. 260*).

Ci-dessous : Le Forte dos Reis Magos, en forme d'étoile.

Dans les terres

La plupart des gens longent la côte du Cabo de São Roque à Fortaleza, mais vous pouvez faire une échappée en car vers l'intérieur des terres de Natal à **Juazeiro do Norte** ㉗. Cette ville de pèlerinage attire des milliers de fidèles venus remplir leur *promessa* au Padre Cícero Romão Batista. Celui-ci réalisa un miracle en 1889, qui lui valut l'excommunication en 1894. Padre Cícero consolida alors ses affaires temporelles et constitua en 1911 une armée de *cangaceiros* qui repoussa les troupes fédérales envoyées l'arrêter. Les *romeiros* (pèlerins) se recueillent devant une statue du sévère Padre Cícero, avec chapeau et bâton, haute de 25 m. Ils pénètrent ensuite dans la **Capela Nossa Senhora do Perpétuo Socorro** où repose sa dépouille, puis traversent les églises et la maison des Miracles.

Les pèlerins se rendent toute l'année à Juazeiro, mais leur nombre n'est jamais supérieur qu'au 24 mars, 20 juillet et 1er novembre.

D'autres villes jalonnent la vallée du Cariri, comme **Crato**, réputée pour son université, ses musées et sa vie culturelle, et **Barbalho**, dont les sources thermales proposent des bienfaits plus physiologiques. À l'ouest de Juazeiro, perchée à 700 m au-dessus du niveau de la mer, **Chapada do Araripe** prodigue une fraîcheur quasi miraculeuse entre ses cascades et ses bassins naturels, dans l'enceinte d'un parc national.

À l'est de Juazeiro, de l'autre côté de la frontière du Paraíba, à 5 km de la ville de **Souza** sur la BR-230, le **Vale dos Dinossauros** (ouv. tlj. de 8h à 18h) regroupe le plus important ensemble d'empreintes de dinosaures de la planète. Vous pouvez louer les services d'un guide au centre d'accueil.

La côte du Ceará

L'**Estado do Ceará** déploie 560 km de plages adossées à une haie de palmiers, de dunes et de lagons d'eau douce. Les citadins bénis de la capitale Fortaleza viennent y passer d'éprouvants week-ends à boire de la bière, à ouvrir crabes et homards en regardant les jangadas rentrer de la pêche en franchissant les rouleaux. Dans les villages de la côte, constamment rafraîchis par la brise du large, dentellières et brodeuses maintiennent les traditions. Mais le tourisme et les résidences secondaires transforment rapidement le visage du littoral. Même Jericoacoara, petit village de pêcheurs idyllique caché derrière ses dunes, est maintenant relié à la ville par des 4x4. Déclaré parc national en 2002, le site n'en conserve pas moins toute son aura.

CI-DESSOUS : luge improvisée sur la dune, État de Natal.

Plages au sud du Ceará

Plusieurs plages superbes jalonnent cette partie du littoral, à commencer par **Canoa Quebrada**, à 60 km de la frontière avec le Rio Grande do Norte, et à 10 km de la ville d'Aracati. Dans les années 1970, les dunes lunaires de Canoa Quebrada attirèrent toute une communauté de hippies brésiliens et étrangers. Ils s'installèrent dans les masures des pêcheurs, vivant de jus de fruits naturels, de *forró* et d'amour libre dans un village qui n'avait pratiquement pas bougé en 300 ans. À cet engouement succédèrent le développement et ses effets pervers. Fort heureusement, la vaste plage de Canoa Quebrada, ses dunes et ses falaises de grès rouge ont conservé quelque chose de la magie originelle.

À 70 km au nord d'Aracati et 85 km au sud de Fortaleza, les falaises de grès érodées de **Morro Branco** fournissent leur matériau aux artisans locaux, tandis que des plages plus paisibles permettent d'échapper à l'urbanisation galopante de Fortaleza. À 30 km de celle-ci, la dentelle (demandez à voir les motifs Renaissance) a fait la réputation d'**Iguape**, comme les sables artificiellement colorés de Morro Branco, travaillés en paysages à l'intérieur de leurs bouteilles.

Les bouteilles remplies de sable coloré constituent un moyen de ressources pour la population locale.

Une excursion de 34 km au départ de Fortaleza vous conduit à **Aquiraz**, première capitale du Ceará au XVIIe siècle, qui a conservé les ruines d'une mission jésuite. L'église du XVIIIe siècle renferme une statue de São José do Ribamar, saint patron du Ceará. Parmi les plages les plus proches de la ville, **Prainha** demeure la plus authentique : bars et restaurants de poisson s'étendent jusque sur le sable, et les pêcheurs vous emmèneront faire une sortie sur leur *jangada*. Ne vous étonnez pas de voir leurs voiles arborer une panoplie de publicités digne des formules 1 : ces professionnels participent en juillet à la régate du Dragão do Mar. Quant à la station balnéaire de **Porto das Dunas**, très construite mais élégante, elle ne manque pas de charme, tout comme le Beach Park Hotel, à côté du parc aquatique du même nom.

Un arrière-pays aride

Le contraste n'en apparaît que plus poignant avec l'arrière-pays, chroniquement brûlé par la sécheresse. Lorsque les récoltes sont dévastées et que les propriétaires renvoient leurs *vaqueiros* (gardiens de troupeaux), ces *flagelados* (flagellés) font leurs paquets et prennent la route de villes surpeuplées dans l'espoir d'y trouver un gagne-pain. Ceux qui restent ont préservé une forte culture orale dérivée des troubadours. Les *repentistas*, poètes de villages, se livrent des joutes interminables pour trouver chaque fois une rime plus fleurie que celle de leur adversaire. Les traditions se perpétuent aussi à travers la littérature de *cordel* (ficelle), pamphlets liés par une ficelle, illustrés de gravures sur bois, et dont les rimes humoristiques évoquent la politique, les miracles ou les hauts faits des *cangaceiros*, sortes de cow-boys anarchistes. L'âpreté du *sertão* a favorisé l'éclosion d'une série de mouvements religieux rejetant tout contrôle extérieur, et des milliers de

Ci-dessous : vendeur de jus de fruits frais sur la plage.

pèlerins viennent rendre hommage au Padre Cícero, saint patron non officiel du Nordeste.

La pêche du jour.

Fondation de Fortaleza

La première tentative de colonisation du *sertão* du Ceará date de 1603, lorsque l'Amérindien Pedro Coelho de Souza s'y aventure en quête d'esclaves, à la tête de soldats portugais et de guerriers amérindiens. Il y revient en 1606 mais en est chassé par une terrible sécheresse. Martim Soares Moreno faisait partie de la première expédition, et le gouverneur général du Brésil lui ordonne d'ouvrir la région en se liant avec les Amérindiens. En 1611, promu capitaine du Ceará, il fonde **Fortaleza** ㉘ avec la construction de la première forteresse de São Paulo et d'une chapelle à l'embouchure du Ceará. Le fort sera très utile à Martim Soares Moreno quand les Français attaquent la même année – tout comme les tribus des Tapuia et des Tupinambá, supposées alliées. Combattant totalement nu aux côtés des Amérindiens, le corps recouvert de teinture végétale, Moreno repousse les Français, avant de succomber aux charmes d'Iracema, séduisante princesse amérindienne qui est restée la muse et la sainte patronne de la ville. Les écrivains brésiliens redécouvriront cette histoire à la faveur du mouvement indianiste lancé par le roman *O Guarani*, de J. de Alencar, qui raconte la très romantique histoire d'Iracema. Les Hollandais prennent la ville et jettent en 1649 les fondations du fort Schoonenborch – dans l'actuel centre de Fortaleza et servant toujours de garnison. Quelques années après, en 1654, les Portugais chassent les Hollandais, et rebaptisent le fort Nossa Senhora da Assunção. Fortaleza renforce alors sa position commerciale, vitale pour l'économie de bétail du sertão.

De nombreux *bandeirantes* amérindiens de São Paulo sont restés sur place, fondant les immenses ranchs aujourd'hui encore en activité. Mais, contrairement aux plantations de canne à sucre du Pernambuco voisin, les ranchs du Ceará n'utilisèrent pratiquement aucune main-d'œuvre africaine, aussi la région porte-t-elle principalement l'empreinte de son passé *mestiço* amérindo-portugais.

CI-DESSOUS : les gratte-ciel de Fortaleza ont presque les pieds dans l'eau.

Ville en bord de mer

Il ne reste rien aujourd'hui de la forteresse qui donna son nom à Fortaleza. Avec une population de 2,2 millions d'habitants, la ville semble plutôt tournée vers l'avenir, comme en témoigne sa **Praia do Futuro**. Un bétonnage outrancier et disgracieux vous poussera plutôt à fuir cette zone urbaine tentaculaire pour chercher des plages plus accueillantes, dont la région ne manque pas.

Une petite excursion en ferry vous offrira une vue sur le port au coucher du soleil. Si vous recherchez l'animation, la Praia do Futuro ne vous décevra pas le jeudi soir. Les hôtels du bord de mer occupent l'Avenida President Kennedy, qui longe **Praia do Meireles**, principal point de rendez-vous de la ville. En soirée, les bars bruyants et les larges trottoirs dominés par l'Othon Palace Hotel s'emplissent de promeneurs qu'attire le marché artisanal, avec ses dentelles, céramiques, articles en cuir, bouteilles de sables colorés et autres souvenirs.

L'industrie locale du homard est fortement exportatrice, et les restaurants qui bordent l'océan, comme Cemoara, proposent crabe, crevettes, homard ou *peixada*, une spécialité locale. Les Nordestinos se retrouvent le soir dans des salles de danse bondées et asphyxiantes comme Clube do Vaqueiro (mercredi soir) et Parque do Vaqueiro (vendredi soir), où les couples pratiquent le *forró*, une danse assez torride, au rythme de l'accordéon. Dans les bâtiments restaurés du quartier ancien, autour du **Centro Cultural Dragão do Mar de Arte e Cultura** (www.dragaodomar.org.br), restaurants et bars vibrent volontiers au son de musiques live. Durant la journée, n'hésitez pas à visiter, parmi les "espaces" de ce centre culturel, le Memorial da Cultura Cearense et le Museu de Arte Contemporânea (MAC), le premier pour ses riches collections relatives à l'art, l'artisanat et l'histoire de l'État du Ceará, le second pour ses grandes expositions, nationales ou internationales, d'art contemporain.

La Praia do Meireles part de Mucuripe, près des docks et du phare (1840), pour rejoindre le brise-lames de Volta de Jurema. Une sculpture évoquant Moreno et sa belle princesse indienne marque la section centrale, **Praia de Iracema**,

La plupart des barracas *(kiosques) de plages vendent du* caranguejo *(crabe) cuit dans l'eau ou le lait de coco. On vous le sert en vous donnant un petit maillet qui vous servira à briser la carapace.*

Ci-dessous : la production de sel est intensive.

Le sel de Ceará

Pendant de longues années, l'économie de Ceará reposait sur 3 domaines essentiels : l'agriculture maraîchère, l'élevage de bétail, dans l'intérieur des terres, et la production de sel sur la côte orientale. Les vents forts qui balaient le littoral et la haute salinité de la mer, en font une région idéale pour la production du sel marin.

Outre son utilisation culinaire, le sel était, avant l'invention de la réfrigération, un élément indispensable à la conservation des aliments. L'heureux mariage du sel et du bœuf donna naissance à l'invention de la *carne de sol* (bœuf séché), l'une des succulentes spécialités régionales. Vous pourrez la goûter dans de nombreux restaurants du pays. Le sel continue d'être produit dans la région de Fortaleza, malgré une demande aujourd'hui beaucoup moindre. Comme un peu partout, le tourisme a détrôné le sel de sa position regalienne.

Bel accord de couleurs à São Luís.

malheureusement très polluée (avis aux baigneurs). La nuit, en revanche, les promeneurs apprécient ses bars et restaurants.

Vous trouverez de bons articles artisanaux au 350 de la Rua Senador Pompeu, dans un centre touristique occupant une ancienne prison aménagée avec goût, mais de meilleurs prix parfois au Mercado Central, dont les quelque 1 000 échoppes sont saturées de marchandises. Autre possibilité, le centre Ceart (Avenida Santos Dumont 1589, Aldeota) où vous pourrez voir une excellente sélection d'art et d'artisanat de nombreuses régions de l'État.

Autre lieu intéressant, le Teatro José de Alencar utilise une structure en fonte entièrement importée de Grande-Bretagne en 1910.

À l'ouest de Fortaleza, le **Parque Nacional de Ubajara** ㉙ englobe les collines d'Ibiapaba, dont les grottes renferment de belles formations de stalagmites. Un funiculaire vous emmène au sommet des cascades, parmi une végétation luxuriante.

Plages nord du Ceará

Au nord-ouest de Fortaleza, une nouvelle série de plages commence à **Barra do Ceará** – l'embouchure du fleuve où fut fondée la ville. Mais il faut pousser plus loin, à 33 km, pour découvrir la première plage intéressante, **Cumbuco**, appréciée des amateurs de surf et dont les dunes s'étendent à l'intérieur jusqu'aux nappes noires du lagon d'eaux douces de **Parnamirim**. Devant les bars de plage, des jangadas peuvent vous emmener défier les rouleaux. Aucune route ne longe le littoral nord, mais, à 85 km de Fortaleza, la BR-222 permet de rejoindre la côte et **Paracuru** ㉚. Dotée d'une plage très courue le week-end, cette ville animée organise un carnaval d'une semaine, ainsi que de nombreuses compétitions de surf ou de voile. Quelques kilomètres plus loin, vous trouverez des chambres à louer au village de **Lagoinha**. Sur la route qui conduit de la BR-222 à Paracuru, un embranchement mène à Trairi, puis aux plages de **Freixeiras**, **Guajiru** et **Mundaú**.

À 140 km de Fortaleza, vous rejoindrez **Icaraí** ㉛ via un embranchement de la BR-222 passant par Itapipoca, derrière les dunes de Mundaú, et franchissant le Trairi. Plusieurs plages vous y attendent, dont Pesqueiro, Inferno et Baleia. **Acaraú** ㉜, 90 km plus loin, compte parmi les stations balnéaires les plus appréciées de la côte. À côté, le village de pêcheurs d'Almofala possède une belle plage sauvage. Pendant des années son église du début du XVIIIe siècle est restée enfouie sous les dunes.

Mais aucune plage du Ceará ne peut rivaliser avec **Jericoacoara** ㉝ symbole d'un certain paradis à la brésilienne. Et les connaisseurs autochtones ou étrangers, bravant les distances, manquent rarement d'y faire un pèlerinage. Ici, les silhouettes verticales des cocotiers tranchent sur les lignes horizontales de l'océan, des dunes et du ciel, et le village ne connaît ni l'électricité, ni les voitures. Les espèces rares ou menacées sont protégées, dans les dunes comme dans

Ci-dessous : São Luís, une cité enchanteresse.

les lagons. Les tortues marines viennent pondre leurs œufs sur la plage, et le village semble baigner dans la même aura que Canoa Quebrada il y a quelques décennies, fascinant les voyageurs par son extrême simplicité.

Il n'est pas évident d'atteindre Jericoacoara, située à 320 km de Fortaleza et coupée du monde extérieur par ses dunes. Vous pouvez prendre le bus, puis un 4x4 (tél. 88-669 2000 ou 88-621 0211 ; www.jericoacoara.com).

Histoire et préhistoire du Piauí

Dans l'État du Piauí, l'érosion a laissé son empreinte géologique au fil de millions d'années. Le **Parque Nacional Sete Cidades** en présente d'impressionnants exemples, à 180 km de la capitale **Teresina**.

Au sud-ouest de l'État, le **Parque Nacional da Serra da Capivara** comprend le plus ancien site archéologique des deux Amériques (50 000 ans). Inscrit au patrimoine mondial par l'Unesco en 1991, il a livré non seulement des fossiles de mastodontes et de paresseux géants, mais aussi le plus vaste ensemble d'art pariétal au monde. Le **Museu do Homem Americano** (ouv. sur autorisation uniquement ; tél. 86-582 1567) expose des spécimens de fossiles et d'outils préhistoriques.

Carreaux de faïence publicitaires d'un restaurant de São Luís.

São Luis

En lisière du Nordeste, entre le bassin amazonien et le *sertão*, **São Luis** ❸❹ (890 000 hab.), capitale du Maranhão accrochée du côté abrité de l'île du même nom, est également classée au patrimoine mondial. Elle a été fondée en 1612 par les Français, qui furent les premiers Européens à rencontrer les Tupinambá. Les 2 communautés vécurent en paix jusqu'à l'arrivée des Portugais, 3 ans plus tard. Puis, en 1641, les Hollandais envahirent l'île mais ne tinrent leur position que pendant 3 ans. Ce mélange culturel se ressent dans la musique des *tambor-de-criola* et Bumbá-Meu-Boi. Les célébrations Bumbá-Meu-Boi lors de la São João, le 24 juin, et de São Pedro, le 29 juin, font partie intégrante du festival de Juin, et

Ci-dessous : la Palácio dos Leves, São Luís.

A Diquinha et A Varanda étaient 2 bases très appréciées de l'ancien président brésilien, José Sarney. On raconte même que, pendant son mandat (1985-1990), il exigeait que ses repas préparés par Dona Diquinha lui soient livrés par avion jusqu'à Brasília. Dans son restaurant, la chef affiche fièrement une plaque remise pour services rendus au gouvernement brésilien.

rivalisent avec le carnaval de certaines autres villes. Le vendredi soir, de 16h à 20h30, les musiciens et les danseurs se rassemblent dans le Mercado da Praia Grande pour offrir un spectacle du sensuel *tambor-de-criola* dans la pure tradition ancestrale.

Des maisons à un étage, étincelantes de camaïeux bleus, jaunes ou blancs, bordent les ruelles en pente de São Luis. Ces *azulejos*, à l'époque importés d'Espagne, sont une caractéristique de cette ville émaillée de monuments comme la **Catedral** (1763), la **Praça Remédios** (1860), la **Capela de Santo Antônio** (1624), ou le **Museu Histórico e Artístico do Estado** (ouv. du mar. au ven. de 9h à 19h, le sam. et le dim. de 14h à 19h; entrée payante) qui occupe une villa du début du XIXe siècle. Le centre historique, connu sous le nom de Reviver, abrite de nombreuses boutiques qui vendent de l'artisanat ainsi que des boissons locales, dont 2 sont assez particulières : Le Jesus, une boisson douceâtre de couleur rose, et le Tiquira, un *cachaça* concocté à base de manioc.

Les restaurants de bonne qualité ne manquent pas, mais pour une expérience de la vraie cuisine locale, rendez-vous dans un *base*. Le terme remonte au temps où les ouvriers, faute de restaurants, frappaient à la porte des cuisines des maisons pour demander un repas. De fait, elles prirent le sobriquet de *base*, et certaines existent encore à ce jour, dont les plus connues sont A Diquinha et A Varanda (voir ci-contre). Les meilleurs hôtels de la ville se sont installés sur les plages de Ponta d'Areia, Santo Antonio, Calhau et Caolho, ces 3 dernières formant une étendue ininterrompue de 5 km jalonnée de bars et de restaurants. Attention, il y a un fort courant sous-marin sur chacune de ces plages, alors renseignez-vous avant de vous baigner.

CI-DESSOUS : l'une des dunes de sable immaculées de Lençois Marahenses.

Alcântara

Un séjour à São Luís ne serait complet sans une visite d'**Alcântara** ㉟, à l'origine un village tupinambá fréquenté au XVIIe siècle par la haute société de Maranhão. Ne manquez pas le **Museu Histórico e Artístico Alcântara** (ouv. du mar. au dim.

de 9h à 13h45), l'église Nossa Senhora do Carmo, datant de 1663, et le Pelourinho original (le poteau des condamnés au fouet). Les bateaux pour Alcântara partent de la gare maritime Hidroviario (Avenida Vitorino Freire) vers 9h selon la marée et la traversée pour rallier les 53 km prend environ 1 heure. Si vous souhaitez rester pour profiter de la tranquillité d'Alcântara, le village dispose de quelques *pousadas*.

Dans les années 1950, la sécheresse obligea un groupe de *rendeiras* (dentellières) de Ceará à ouvrir une échoppe dans les villages de pêcheurs de **Raposa** (à 33 km au nord de São Luís). Leurs simples maisons en bois, construites sur *palafiltas* (pilotis) pour éviter les inondations des marais à mangrove tout proche, servent à la fois d'habitations et de commerce. De Raposa, vous pouvez organiser un passage en bateau pour l'île de Curupu.

Petit magasin d'artisanat de Barreirinhas.

Lençois Marahenses

Les 155 000 ha de dunes du **Parque Nacional de Lençois Marahenses** ㊱ forment un véritable paradis écologique. Pendant la période des pluies (de déc. à mai), naissent des milliers de lacs aux eaux cristallines. En septembre et en octobre, les vents accélèrent pour atteindre parfois les 70 km/h, aussi est-il recommandé de porter des lunettes. Juste à la sortie de Lençois Marahenses, la nouvelle route pour Barreirinhas a permis de réduire le temps de trajet de São Luís à 3 heures. **Barreirinhas**, entrée principale du parc, dispose de plusieurs tour operators qui organisent toute une gamme d'excursions, dont des sorties en bateau, des balades en 4x4 et un vol de 30 min au-dessus du parc.

Pour vous faire une idée de la simplicité de la vie locale, prenez un bateau jusqu'au village de pêcheurs de **Cabure** sur le Rio Preguicas, descendez dans une *pousada* et dînez dans l'un des nombreux restaurants. Sachez cependant que l'électricité, fournie par un groupe, est coupée à 22h. Sur le trajet de Cabure, faites une halte à Mandacaru pour avoir une vue panoramique sur le parc du haut du phare. ❑

RESTAURANTS

Fortaleza

Cantinho do Faustino
Rua Delmiro Gouveia 1520
Tél. 85-3267 5348
Cuisine brésilienne innovante. Ouv. du mar. au sam. midi et soir, le dim. midi. **$$**

Cemoara
Rua Joaquim Nabuco 166, Appartements Mercure, Meireles
Tél. 85-3242 8500
Sert un succulent *bolinho de bacalhau*, l'un des meilleurs du pays. Ouv. tlj. midi et soir. **$$$**

Colher de Pau
Rua Frederico Borges, 204 Varjota
Tél. 85-3267 3773
Cette institution prépare une savoureuse cuisine régionale ; le *Carne de sol frita* (viande de bœuf séchée au soleil et frite) est à recommander.
Ouv. tlj. midi et soir. **$**

João Pessoa

Bargaco
Avenida Cabo Branco 5160
Tél. 83-3247 9957
La cuisine bahianaise est ici à l'honneur.
Ouv. tlj. midi et soir. **$$**

Mangai
Avenida General Adson Ramalho 696
Tél. 83-3226 1615
Excellent self-service proposant un vaste choix de plats régionaux.
Ouv. tlj. midi et soir. **$**

Natal

Âncora Caipira
Rua Seridó 745, Petrópolis
Tél. 84-3202 9364
Spécialités locales, dont la viande séchée au soleil.
Ouv. tlj. midi et soir. **$$**

Camaroes
Avenida Engenheiro Roberto Freire 2610, Ponta Negra
Tél. 84-3209 2424
Réputé pour sa cuisine de la mer. Une star : la crevette.
Ouv. tlj. midi et soir. **$$**

São Luís

A Diquinha
Rua João Luís 62, Diamante
Tél. 98-3221 9803
Restaurant simple apprêtant une cuisine maison goûteuse. À 10 min à peine du centre en taxi.
Ouv. tlj. midi et soir. **$**

A Varanda
Rua Genesio Rego 185
Tél. 98-3232 8428
Très bons plats maison servis dans un jardin. À 15 min du centre en taxi. Réservation obligatoire. Ouv. du lun. au sam. midi et soir. **$**

Gamme des prix

Les prix s'entendent pour un repas (2 plats) pour 2 personnes. Comptez 20 $US environ pour une bouteille de vin.

$	moins de 40 $US
$$	de 40 à 70 $US
$$$	de 70 à 100 $US

YAMAHA

Carte p. 278

L'AMAZONIE

L'humanité n'a pas domestiqué le plus grand fleuve du continent. Au départ de Belém et de Manaus, circuits écologiques et croisières vous font découvrir l'Amazone et ses affluents.

Ce n'est peut-être pas le plus long, mais c'est sans aucun doute le plus grand. Au terme d'un périple de 6 570 km qui commence dans les Andes péruviennes, l'immense delta du fleuve déverse dans l'Atlantique un cinquième des eaux douces de la planète, infiltrant l'eau de mer jusqu'à 100 km au large. Vaste serre à ciel ouvert, l'Amazonie héberge un dixième des 10 millions d'espèces vivantes de la planète. Les Brésiliens commencent à peine à découvrir ce trésor naturel, et, s'ils ont beaucoup à y gagner, l'humanité a aussi à y perdre.

Navigateur exceptionnel et fabulateur tout aussi audacieux qui donnera son nom à l'Amérique, Amerigo Vespucci prétend avoir remonté le cours de l'Amazone en 1499. L'Espagnol Vicente Pinzón lui emboîte le pas un an plus tard, mais on attribue à Francisco de Orellana l'exploit d'avoir le premier descendu le fleuve. En 1542, celui-ci part en bateau pour une brève expédition de recherches et de renseignements sur les trésors légendaires d'El Dorado, et se joint à Gonzalo Pizarro, frère cadet de Francisco, conquérant (conquistador) du Pérou. Pendant 6 mois, son bateau descend le fleuve sans encombre à travers l'"excellente terre et royaume des Amazones", tribu matriarcale dont les femmes aux seins nus "combattant mieux que 10 hommes" impressionnent grandement le frère Carvajal. Ces redoutables guerrières seront qualifiées d'Amazones, à l'instar des femmes de la mythologie grecque qui se coupaient le sein droit pour pouvoir mieux tendre leur arc. L'Amazonie ne passionne la communauté scientifique qu'un siècle après sa découverte : en 1641, le jésuite espagnol Cristóbal de Acuña publie *Une nouvelle découverte du grand fleuve des Amazones*, où il note fidèlement les coutumes indiennes, leurs techniques agricoles et médicinales, et s'extasie – moustiques mis à part – sur ce "vaste paradis".

Recherches botaniques

Toute la science actuelle de l'Amazonie repose sur les recherches obstinément

Ne manquez pas !
- BELÉM
- ILHA DE MARAJÓ
- SOURE
- CARAJÁS
- MONTE ALEGRE
- SANTARÉM
- MANAUS
- RORAIMA

PAGES PRÉCÉDENTES : sur un affluent de l'Amazone.
À GAUCHE : maternité.
CI-DESSOUS : retour de pêche à Belém.

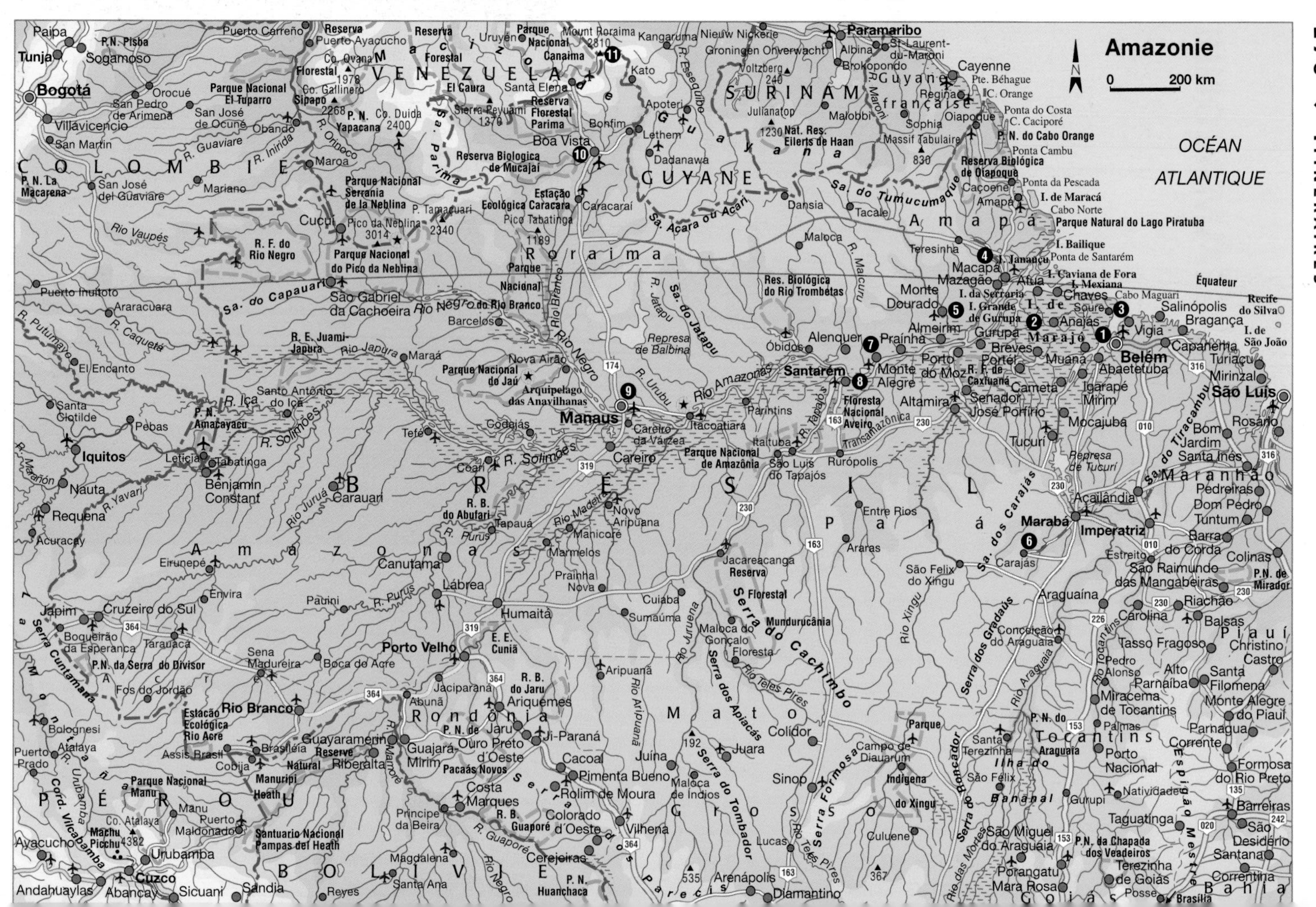
Amazonie
0 200 km
OCÉAN
ATLANTIQUE
Équateur
Parque Natural do Lago Piratuba
Cayenne
Paramaribo
Belém
São Luís
Marajó
Macapá
Santarém
Manaus
Boa Vista
Porto Velho
Rio Branco
Marabá
Imperatriz
Iquitos
Bogotá
Cuzco
Leticia
Tabatinga
Benjamin Constant
Óbidos
Alenquer
Monte Alegre
Altamira
Itaituba
Humaitá
Lábrea
Tefé
Parintins
Rio Negro
Rio Amazonas
R. Solimões
Rio Xingu
Rio Araguaia
R. Madeira
R. Purus
Rio Juruá
Rio Japurá
R. Tapajós
Serra do Cachimbo
Sa. dos Carajás
Serra do Tombador
Serra dos Apiacás
Serra Formosa
Sa. do Tumucumaque
Sa. Parima
Sa. do Jatapu
VENEZUELA
COLOMBIE
PÉROU
BOLIVIE
GUYANE
SURINAM
Guyane française
BRÉSIL
Amazonas
Pará
Amapá
Roraima
Rondônia
Mato Grosso
Tocantins
Maranhão
Piauí
Goiás
Bahia
Parque Nacional do Jaú
Parque Nacional de Amazônia
Parque Nacional do Pico da Neblina
Pico da Neblina 3014
Mount Roraima 2810
Arquipelago das Anavilhanas
Floresta Nacional Aveiro
Res. Biológica do Rio Trombetas
Transamazônica

menées dès 1848 par 3 savants britanniques. À leur tête, un certain Alfred Russell Wallace, dont le travail sur la flore et la faune amazonienne influencera l'*Origine des espèces* de Darwin. En compagnie de Henry Walter Bates et de Richard Spruce, il va découvrir plus de 15 000 espèces inconnues. Une autre Britannique met à profit ses connaissances botaniques pour briser le monopole du Brésil sur le caoutchouc, provoquant la ruine de la région. En 1876, pour un coût de 1 000 £ tout rond, l'aventurier Henry Wickham embarque 70 000 graines d'*Hevea brasiliensis* sur un vapeur, et les fait passer au nez et à la barbe des douanes de Belém, prétendant qu'il s'agit de plantes rares destinées à la reine Victoria. Les graines bourgeonneront sous les serres des Kew Gardens de Londres, et, en 1912, elles prospéreront dans les plantations de Malaisie, à l'abri des maladies.

La Tibouchina, *l'une des nombreuses espèces florales représentées par l'aquarelliste anglaise Margaret Mee.*

L'Eldorado du caoutchouc

Découvertes par la tribu amérindienne des Omagua, les propriétés du caoutchouc fascinent les voyageurs français dès le XVIIIe siècle. L'invention de la vulcanisation par Charles Goodyear en1844, puis celle du pneu par Dunlop en 1888, provoquent une explosion commerciale. Avec la montée des cours, la production passe de 156 t en 1830 à 21 000 t en 1897. Les villes du Nordeste se vident de leur main-d'œuvre, et des milliers d'émigrants se font seringueiros (récoltants de caoutchouc).

Durant la première décennie du XIXe siècle, le Brésil vend 88 % du caoutchouc exporté dans le monde. Pendant 25 ans, au tout début du XXe siècle, cette substance transforme Manaus, port situé sur l'Amazone à 1 600 km de l'Atlantique, en l'une des villes les plus riches de la planète. Un système d'esclavage économique permet de récolter l'or noir à bas prix. Les quelque 100 magnats du caoutchouc qui contrôlent Manaus envoient leur linge sale à Lisbonne, et leurs femmes et enfants à Paris. Mais les plantations asiatiques contrôlées par les Britanniques concurrencent durement le caoutchouc amazonien à l'aube de la Première Guerre mondiale. Dix ans suffiront pour replonger Manaus dans le sommeil et l'oubli. L'industriel américain Henry Ford tente à son tour de concurrencer les Britanniques en fondant

CI-DESSOUS : le joli front de mer Belém.

ses propres plantations en 1927, sans succès. On peut encore voir ces deux sites, Fordlandia et Belterra, près de l'Amazone, à 825 km en amont de Belém.

À Belém, vous trouverez de la belle vannerie.

Belém, la Française

Avec ses grands parcs, ses kiosques en fer forgé, ses bâtiments style Beaux-Arts et ses avenues bordées de manguiers, **Belém** ❶ a mieux conservé que sa rivale Manaus le souvenir doré de l'ère du caoutchouc. À son apogée, les voyageurs français la comparaient à Bordeaux ou à Marseille. Ville de 1,4 million d'habitants bâtie sur la rive sud du fleuve, à un degré au sud de l'équateur et à 140 km de l'Atlantique, Belém ouvre les portes de l'immense Amazonie.

De novembre à avril, il y pleut presque tous les jours, mais une légère brise tend à rendre supportable ce climat humide. Belém est la capitale de l'État du Pará, qui recouvre une superficie deux fois supérieure à celle de la France. Elle a dû attendre 1960 pour être reliée au sud du pays par la route Belém-Brasília. Belém demeure une ville portuaire qui exporte des bois tropicaux, des noix du Brésil, du jute et autres matières premières.

La vieille ville et ses ruelles étroites aux maisons décorées d'azulejos se parcourent aisément à pied, en partant du **Forte do Castelo** Ⓐ. Noyau de la colonie originelle de Santa Maria do Belém do Grão Pará, le site est très délabré. L'église adjacente de **Santo Alexandre** Ⓑ (XVIIIe siècle) a été convertie en **musée d'art sacré** (ouv. du mar. au dim. de 13h à 18h ; entrée payante). Face au fort, la **Catedral Nossa Senhora da Graça** Ⓒ renferme des marbres de Carrare et des œuvres du peintre italien De Angelis. Une rue plus loin, côté sud de la Praça Dom Pedro II, le **Museu do Estado do Pará** (ouv. du mar. au dim. de 9h à 13h ; entrée payante) occupe le **Palácio Lauro Sodré** Ⓓ, ancien siège du gouvernement. Construit au XVIIIe siècle par l'architecte italien Landi, l'édifice a conservé un beau mobilier du XIXe siècle. Sur la même place, l'actuel gouvernement local siège au **Palácio Antônio Lemos** Ⓔ, qui fut construit dans le style impérial portugais à la fin du XIXe siècle, à l'âge d'or du caoutchouc. Un **musée d'art** (ouv. du mar. au

AMAZONE : LES CHIFFRES

- Découvertes en 1953, les sources officielles de l'Amazone se trouvent sur le mont Huagra au Pérou.
- Le fleuve mesure 6 570 km (seul le Nil est plus long) et son delta 330 km de large.
- L'Amazone compte 1 100 affluents, dont 17 mesurent plus de 1 600 km.
- Le fleuve mesure par endroits 110 km de largeur et son cours inférieur atteint 60 m de fond. Les cargos océaniques peuvent remonter son cours sur 3 720 km jusqu'à Iquitos, au Pérou.
- Le bassin amazonien constitue le plus vaste réservoir d'eau douce de la planète. Son débit est de 160 000 à 200 000 m^3, 12 fois celui du Mississippi.
- Le bassin amazonien est le plus étendu du monde. Il renferme la plus importante (mais en décroissance rapide) forêt tropicale de la planète. Il couvre 9 pays, mais le Brésil en abrite l'essentiel.
- L'Amazonie héberge 30 % de toutes les espèces animales et végétales connues, dont 2 500 poissons, 50 000 grandes plantes, et des millions d'insectes.
- Le bassin amazonien est la région la plus humide du monde avec des précipitations annuelles moyennes de 2 000 mm.

CI-DESSOUS : beau mais rare, l'ara hyacinthe.

ven. de 9h à 13h et de 14h à 18h, le sam. et le dim. de 9h à 12h ; entrée payante) y présente peintures et mobilier d'époque.

Vaste marché déployant ses étals sur les quais à l'extrémité nord de l'Avenida Portugal, le **Ver-O-Peso** F (littéralement "voir-le-poids") ouvre une spectaculaire vitrine sur la variété des fruits tropicaux et des poissons d'Amazonie. Les bateaux de pêche y débarquent leurs prises, de véritables monstres de 90 kg parfois. Au bout du marché, la **Feira do Açaí** est le pourvoyeur exclusif de la petite noix de coco açaí, à la base de maintes recettes locales. Il y a peu de souvenirs à glaner à l'intérieur des 2 halles réservées à l'alimentation. À l'extérieur s'étend une bourdonnante ruche d'échoppes couvertes qui vendent les herbes médicinales et les charmes utilisés dans les rituels *umbanda*. Hippocampes, queues de tatou, carapaces de tortue ou petits ananas utilisés comme moyens contraceptifs s'empilent derrière des herbes dont on vous jure qu'elles guérissent les rhumatismes ou les problèmes cardiaques – sans parler des parfums garantis imparables pour conquérir l'âme sœur ou trouver fortune. Les pickpockets ont d'autres méthodes, et mieux vaut éviter les lieux en soirée.

NOTEZ-LE

L'office de tourisme Paratur (tél. 91-212 0669, www.paratur.pa.gov.br ; ouv. lun.-ven. 8h-12h, 13h-18h) se trouve près du port de pêche, sur la Praça Maestro Waldemar Henrique. Son personnel est accueillant.

Partie est

En longeant les quais, vous parvenez à l'**Estação das Docas**. Des entrepôts délabrés y ont été rénovés et transformés en un centre culturel comprenant restaurants, bars et théâtre. À côté des douanes, **Praça Waldemar Henrique** G, l'agence de tourisme d'État **Paratur** anime un centre d'informations et une **Feira do Artesanato** (marché artisanal) bien approvisionnée en souvenirs. À une demi-heure en bus du centre-ville (arrêt à 2 rues du centre d'informations), le centre artisanal d'**Icoaraci** H propose des céramiques modernes inspirées des traditions précolombiennes *maroajara*, dont les motifs auraient été empruntés aux Incas.

En vous éloignant du port par l'Avenida Presidente Vargas, principale rue commerçante, vous arrivez à la **Praça da República** I, puis au **Teatro da Paz** J (ouv. du lun. au ven. de 9h à 18h ; visites guidées). Construit en 1874, ce théâtre

CI-DESSOUS : procession à Belém pour Notre-Dame de Nazareth.

récemment restauré occupe un espace vert, agrémenté d'un kiosque à musique ; vous aurez plaisir à y passer un moment, voire à siroter une Cerpa, la bière locale, au Bar do Parque.

À 15 minutes à pied de la Praça da República par l'Avenida Nazaré, rejoignez la **Basílica Nossa Senhora de Nazaré** Ⓚ, élevée en 1909. Cet édifice généreusement doté en marbres et en vitraux se situe au cœur d'une procession religieuse, le Círio de Nazaré, créée par les Jésuites pour frapper l'imagination des Indiens. La procession attire des millions de fidèles le second dimanche d'octobre, période à laquelle il vous faudra réserver à l'avance votre hôtel. La statue de la Vierge vénérée par les pèlerins fut trouvée dans une forêt près de Belém en 1700.

Si vous souhaitez visiter Belém durant la fête de Círio de Nazaré, laquelle se déroule au mois d'octobre, pensez à réserver votre logement longtemps à l'avance.

En poursuivant, vous rejoignez le **Museu Emílio Goeldi** Ⓛ (Rua Magalhães Barata 376 ; ouv. du mar. au jeu. de 9h à 12h et de 14h à 17h, le ven. de 9h à 12h, le sam. et le dim. de 9h à 17h ; entrée payante), dont le jardin zoologique regorge de plantes tropicales. Fondé en 1886, ce musée possède une superbe collection d'anthropologie et présente d'excellentes expositions temporaires sur la vie amazonienne. Plus loin du centre, le **Bosque Rodrigues Alves** (ouv. du mar. au dim. de 8h à 17h) couvre 16 ha d'une forêt protégée et englobe un petit zoo.

Ilha de Marajó

Plusieurs agences, dont Ceotur, proposent des croisières à la journée, mais celles-ci se contentent généralement de remonter le fleuve jusqu'au confluent du Guajará et de visiter quelques habitations de *caboclos* bien époussetées. Mieux vaut opter pour Acará Lodge, qui vous permet de séjourner durant 2 jours (confort modeste) à 2 heures en amont du fleuve.

Plus vaste que la Suisse, l'**Ilha de Marajó** ❷ couvre 48 000 km² à l'embouchure du fleuve. Ses 250 000 habitants sont très minoritaires par rapport aux troupeaux de buffles qui pataugent dans les marais du nord. Paradis écologique, l'île se distingue par ses belles plages sauvages ainsi que par sa richesse animale et végétale. On y recense au moins 361 espèces d'oiseaux, dont le rare ibis rouge,

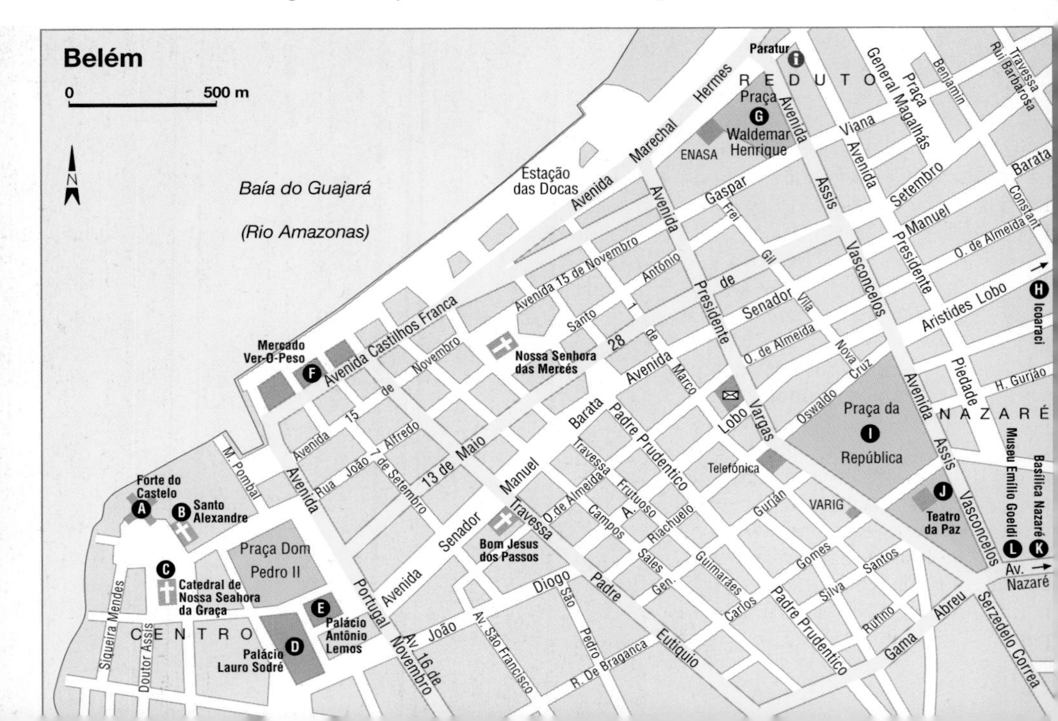

présent un peu partout sur l'île ; des céramiques précolombiennes y ont été également mises au jour.

Un ferry d'État ENASA (tél. 91-242 6103, 91-257 4915 ou 91-257 4972) vous emmène en 5 heures jusqu'à **Soure** ❸, à la pointe est de l'île. Ses avions-taxis font le trajet en 30 minutes environ. L'Hotel Ilha de Marajó est le meilleur de Soure. L'hôtel Marajoara propose des excursions à Praia do Pesqueiro et Praia Araruna, deux plages baignées par une eau mi-douce, mi-salée, ainsi qu'à la fazenda de Santa Catarina. Un ferry traverse le fleuve pour rejoindre Salvaterra. Là, un taxi vétuste vous bringuebalera jusqu'à Joanes, où vous attend la confortable Pousada dos Guarás.

D'abord baptisée Ilha Grande do Joanes, Marajó a été colonisée en 1617 par les Franciscains ; ils y bâtirent une église en pierre en 1665, dont les ruines subsistent près du phare. À proximité, l'église en pierre de **Monserrat** a conservé des statues baroques.

À partir de Soure, vous pourrez partir en excursion dans la **Fazenda de Providência**. Mais les *fazendas* de l'intérieur, accessibles uniquement par bateau, cheval ou tracteur, sont bien plus riches en vie sauvage que la région côtière. Les musées privés des **Fazendas Laranjeira** et **Tapeira** exposent des reliques archéologiques provenant de sites amérindiens.

Ses plages édéniques ainsi que la grande richesse de sa faune et de sa flore font de l'Ilha de Marajó un véritable havre écologique. Il y a au moins 361 espèces d'oiseaux, parmi lesquelles l'ibis rouge, visible à de multiples endroits de l'île. Celle-ci a également délivré des vestiges précolombiens.

Au pays du buffle d'eau

Il y a environ 70 ans était importé sur l'île le buffle d'eau. Il avait pour fonction de servir de bête de somme, et de fournir du lait, de la viande et du cuir aux insulaires. Il s'accommoda parfaitement aux conditions locales assurant une bonne reproduction. Par ailleurs, il s'avère qu'il possède un avantage considérable sur le cheval, celui d'avoir des sabots plus larges et plus résistants qui ne pourrissent pas. Il en a également sur le délicat zébu à bosse, que l'on peut voir en troupeau dans Marajó : sa peau, beaucoup plus épaisse, lui permet de mieux résister aux parasites et à la faune hostile environnante.

Si Marajó abrite des dauphins, des *capibaras*, des singes, des oiseaux et des alligators, elle possède aussi une grande variété de reptiles – du serpent à sonnette au boa – qui pourraient être fatals au buffle d'eau si sa peau n'était pas aussi épaisse. La docilité de cet animal lui a permis de prendre du service dans les forces municipales et les pompiers. Vous aurez peut-être l'occasion de les voir défiler avec la police, tractant un char ou portant sur leur dos un policier armé de sa lance cérémoniale, ou tout simplement en pleine action pour aider un fermier à dégager de la boue du matériel agricole, voire une voiture embourbée. La relation cavalier-buffle semble des meilleures. Le buffle est appelé par son nom et est conduit avec ménagement par des rênes attachées à un anneau nasal. Cette expérience positive a donné des idées à l'armée brésilienne. Elle a donc enrôlé des buffles d'eau pour ses nombreuses bases amazoniennes. Ils permettent d'avitailler facilement en

CI-DESSOUS : l'Ilha de Marajó, l'une des plus grandes îles fluviales au monde.

El Dorado : la cité perdue

La recherche de cités pavées d'or fait partie intégrante des mythes associés à la conquête et à l'exploration de l'Amérique du Sud. El Dorado, "l'homme d'or", est le nom donné par les Espagnols à un légendaire souverain amazonien, dont le royaume fabuleusement riche de Manoa se cacherait au plus profond de la jungle. De ce roi, on murmure qu'il incruste chaque jour son corps de poussière d'or, et le lave dans un lac sacré. Dès la découverte du Brésil, ces légendes se répandent comme une traînée de poudre.

Au début du XXe siècle, l'excentrique explorateur et archéologiste anglais, le colonel Percy Fawcett (1867–1925), dont l'obsession était de prouver l'existence de civilisations amazoniennes disparues, tomba sur des archives qui indiquaient qu'un aventurier disparu au XVIe siècle, Diego Alvarez, avait découvert de nombreuses mines d'or, d'argent et de pierres précieuses.

Ainsi des explorateurs comme Francisco de Orellana, premier Européen à traverser le bassin amazonien, s'intéressent-ils moins à la gloire de leur patrie ou à la conversion des païens qu'à l'or d'El Dorado. Il a gagné du galon en combattant au Pérou aux côtés de Francisco Pizarro : il est nommé commandant en second de l'expédition de Gonzales, frère cadet de Pizarro, envoyée à la découverte de nouveaux territoires, d'or et de cannelle.

Confronté à la famine et à des tribus amérindiennes hostiles, Pizarro doit se résoudre à rentrer en Équateur. Mais Orellana s'est trouvé coupé de son chef, et, à la tête d'un petit groupe, il parvient à s'entendre avec certaines tribus, apercevant même les fameuses Amazones, grandes et blanches, qui, selon un prisonnier indigène mâle, vivent dans des villages exclusivement féminins, invitant une fois par an les hommes des tribus voisines à une fête orgiaque. On raconte à Orellana que leur chef mange avec des ustensiles en or et en argent, et que les villages regorgent d'idoles féminines en or. Mais ce dernier ne mettra jamais la main sur cet or qu'on lui a fait miroiter.

L'explorateur portugais Francisco Raposo a peut-être arpenté les vestiges d'un royaume d'El Dorado, apparemment détruit par un tremblement de terre. En 1754, il décrit les restes d'une grande cité aux rues pavées, aux places et à l'architecture majestueuses, où il y découvre de belles statues, des hiéroglyphes, des fresques colorées, et une poignée de pièces d'or.

Cette cité mystérieuse n'a jamais été retrouvée. Au début du XXe siècle, le colonel Percy Fawcett tombe sur des documents indiquant qu'un aventurier naufragé du XVIe siècle, Diego Alvarez, a découvert des mines d'or, d'argent et de pierres précieuses. Le Britannique (décrit par ses collègues comme un rêveur doublé d'un bandit) écrit en 1925 : "Il est certain que les ruines de villes antiques, incomparablement plus anciennes que celles d'Égypte, se trouvent aux confins du Mato Grosso." Fawcett a recueilli une statuette en pierre noire de 25 cm présumée provenir d'une cité en ruine près de Raposo, et sa passion irrésistible le conduit à s'aventurer plusieurs fois dans les profondeurs du Mato Grosso, où il finit par disparaître, lui, son fils Jack ainsi qu'un ami. Par la suite, de nombreuses expéditions furent organisées, au début pour porter secours aux 3 hommes, après pour tenter de découvrir ce qui avait pu leur arriver. Parmi les hypothèses émises, on a dit que Fawcett avait perdu la mémoire et passé le restant de sa vie à la tête d'une tribu amérindienne.

El Dorado fait toujours rêver. Au début des années 1980, puis en 1996, de l'or a été découvert dans la Serra Pelada, en Amazonie. Ces nouvelles ont provoqué une ruée de prospecteurs, attirés par le même métal qui y entraîna les premiers Européens. ❑

À GAUCHE : les Européens ont fabriqué le mythe du bon sauvage grâce en particulier à des images d'Épinal de ce genre.

vivres et en munitions des régions où il n'y a ni routes ni cours d'eau assez profonds permettant un transport classique. "Les buffles ne requièrent ni essence ni nourriture particulière. Ils mangent n'importe quoi," se réjouit l'armée.

Le monde entier a pu avoir la connaissance des conditions de travail inhumaines endurées par les mineurs de la Serra Pelada grâce aux clichés de Sebastião Salgado (voir p. 123).

À cheval sur l'Équateur

À l'embouchure nord de l'Amazone, **Macapá** ❹ se trouve en plein sur l'équateur, dont vous pouvez enjamber le repère au *marco zero*. Les Portugais y édifièrent en 1782 un grand fort en briques de Lisbonne. La pêche à la crevette et les mines de manganèse assurent la prospérité de la ville. Au départ de Macapá, des avions desservent **Monte Dourado** ❺ et le Jari Project, programme sans lendemain du milliardaire américain Daniel K. Ludwig qui tenta de substituer à la forêt vierge des plantations productrices de pâte à papier et de cellulose. À la fin des années 1960, Ludwig acheta une immense parcelle de terre, puis, 10 ans plus tard, il démarra l'usine et le moulin de pâte à papier. Malheureusement, la mauvaise qualité du sol, des insectes destructeurs et des maladies tropicales concoururent à la fermeture de l'exploitation.

Programme Carajás

Le sud-est de l'Amazone joue un rôle prépondérant dans les éternels rêves de grandeur économique qui hantent les cervelles gouvernementales de Brasília – des rêves mués en cauchemars pour les écologistes. Des projets grandioses ont déjà englouti des milliards de dollars dans la région, sous les auspices du programme Carajás. Conçu autour d'une mine de fer (18 milliards de tonnes) des collines de **Carajás** ❻, à 880 km au sud de Belém, le programme inclut le barrage hydroélectrique de Tucuruí, une voie ferrée de 890 km perçant la forêt, et un immense complexe associant une fonderie d'aluminium et un port en eaux profondes. Ce plan vivement controversé a déjà provoqué des dommages sociaux et écologiques considérables, submergeant 2 400 km² de forêt pluviale amazonienne et chassant 30 000 personnes de leurs maisons.

CI-DESSOUS : la mine de fer de Carajás, objet de polémique.

Pour ceux qu'intéressent l'avenir du Brésil et l'imagination de ses décideurs, un avion au départ de Belém dessert Tucuruí et la mine de Carajás à Serra Norte. Les terrifiantes terrasses de la mine d'or de Serra Pelada firent la une des journaux dans les années 1980. Elles ont aujourd'hui disparu, tout comme leurs *garimpeiros* (prospecteurs), remplacés par la mécanisation.

Le piranha et son fameux sourire carnassier...

En route pour Manaus

En amont du fleuve apparaît d'abord **Monte Alegre** ❼, village rendu célèbre par l'archéologue américaine Anna Roosevelt. Dans les grottes de la région, elle découvrit des pictogrammes et des objets qui remettaient en cause toutes les théories sur la colonisation humaine de l'Amérique du Sud et de l'Amazone.

Quelque 160 km plus en amont, **Santarém** ❽ se situe exactement à mi-chemin entre Belém et Manaus, au confluent de l'Amazone et du Tapajós. Fort construit en 1661, Santarém était au cœur d'une culture amérindienne florissante. À proximité s'étendent les plantations de caoutchouc de **Belterra** et de **Fordlandia**, les 2 tentatives infructueuses lancées dans les années 1930 par la Ford Motor Company.

La ville est dotée d'un hôtel confortable, l'Amazon Park, et animée par toute une flottille de bateaux fluviaux qui débarquent les produits du marché le long des quais. La plupart des bateaux d'excursions remontent le Tapajós jusqu'à **Alter do Chão**, site de la colonie originelle, à 38 km de Santarém. Sa superbe plage de sable blanc dessine une longue langue incurvée qui sépare pratiquement le **Lago Verde** du fleuve. Également accessible en voiture, le village possède un modeste restaurant de poisson, une *pousada* et quelques résidences secondaires habitées par les familles aisées de Santarém.

Le **Centro da Preservação de Arte Indígena** (Centre de préservation de l'Art indigène ; ouv. tlj.) d'Alter do Chão expose des pièces d'art et d'artisanat réalisées par certaines tribus amazoniennes. La plupart des hôtels organisent des excursions dans la **Floresta Nacional do Tapajós**, réserve nationale de forêt vierge bien préservée.

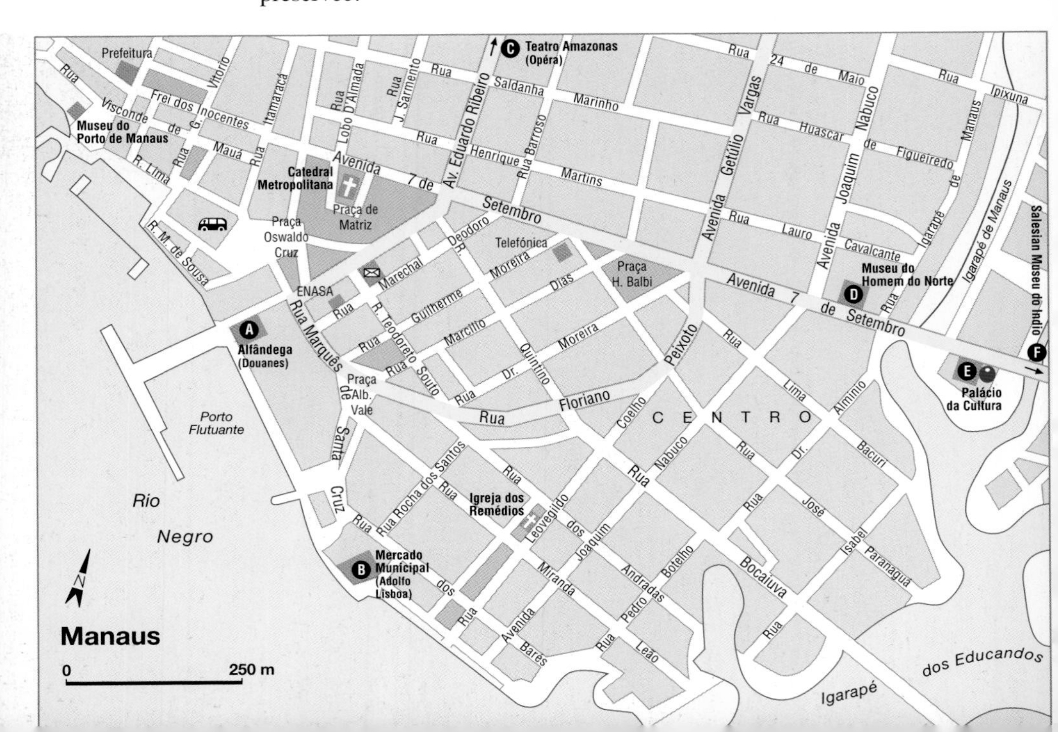

Capitale amazonienne

La ville de **Manaus** ❾ est une incongruité, une absurdité urbaine qui tourne le dos à son riche environnement forestier pour vivre de subventions fédérales, de son passé exotique et, de plus en plus, du tourisme. Manaus a toujours été attirée par l'argent vite gagné, passant d'une image Art nouveau à celle de bazar de l'électronique, due essentiellement à son statut de port franc. Un ambitieux programme de restauration est en train d'y apporter un nouveau souffle architectural et culturel. Sa proximité stratégique avec les plus grands affluents de l'Amazone lui a longtemps permis de concentrer le commerce des produits forestiers régionaux, et la ville sert aujourd'hui de base aux excursions et expéditions touristiques en jungle.

Manaus a conservé quelques témoignages de l'âge d'or du caoutchouc. En 1906 notamment, des ingénieurs britanniques édifièrent l'**Alfândega** Ⓐ (douanes) en briques écossaises et dans le style impérial ; pour s'adapter aux énormes variations d'étiage du fleuve (14 m), ils assemblèrent les sections d'un quai flottant fabriqué à l'étranger. Sur les quais sud, Rua dos Barés, le **Mercado Municipal** Ⓑ (**Adolfo Lisboa** ; ouv. tlj. de 8h à 18h) ne s'endort jamais, approvisionné de tous les produits régionaux, fruits exotiques, herbes magiques ou articles d'artisanat. Il occupe un bâtiment en fonte importé d'Europe en 1882, réplique fidèle des anciennes halles Baltard de Paris.

Chargement de bananes dans le port de Manaus.

Situé dans la partie nord du centre, le **Teatro Amazonas** Ⓒ (Opéra ; visites guidées du lun. au sam. de 9h à 16h) fut construit en 1881, des compagnies européennes s'étant plaintes de l'exiguïté des salles locales. La rumeur faisant état de choléra, le ténor italien Enrico Caruso invité à s'y produire ne posa même pas un orteil sur le quai avant de repartir. Après la représentation inaugurale de *La Gioconda* d'Amilcare Ponchielli, peu d'autres productions furent montées avant la chute du caoutchouc. L'Opéra a été restauré 4 fois depuis sa construction. Les colonnes et les balustrades sont en fonte anglaise, la France a fourni le rideau de scène, les lustres et les miroirs ; les marbres provenant d'Italie, la porcelaine de

Ci-dessous : Pleins feux sur le Teatro Amazonas, Manaus.

Statue triomphante près du Teatro Amazonas, symbole de la richesse passée de Manaus.

Venise. Les décors représentent la rencontre des eaux amazoniennes et des scènes de la littérature indianiste. Le Teatro accueille ballets, opéras et pièces de théâtre en soirée, tandis que le **Teatro da Instalação** (Rua Frei José dos Inocentes, tél. 92-3234 4096 ou 92-622 2840 ; teatroinstalaçao@culturamazonas.am.gov.br), présente des spectacles de danse et de musique gratuits dans un bâtiment historique rénové.

Le **Museu do Homem do Norte** **D** (Avenida Sete de Setembro 1385 ; ouv. le lun. de 8h à 12h, du mar. au ven. de 8h à 12h et de 13h à 17h ; tél. 92-3232 5373) vous donnera un bon aperçu du mode de vie traditionnel de l'"Homme du Nord". Vous pouvez aussi jeter un coup d'œil au **Palácio da Cultura** **E**, pâtisserie géante qui accueille diverses manifestations culturelles.

Centre économique

Même si l'économie du caoutchouc bénéficia d'une reprise durant la guerre, la ville dut attendre 1967 pour renouer avec la prospérité lorsqu'elle fut déclarée port franc. Profitant d'une fiscalité avantageuse, des centaines d'entreprises se sont installées dans la zone industrielle. Une Zona Franca consacrée à la vente de matériel électronique a également vu le jour au centre-ville. Mais les prix pratiqués ne sont guère intéressants.

Nombre de boutiques se pressent dans les ruelles du port, vendant leurs marchandises aux habitants des affluents éloignés. Un commerce particulièrement prospère entre les quelque 1 500 espèces de poissons locales, l'artisanat indigène, la vannerie, les articles du rituel *umbanda* et le *guaraná* – sorte de ginseng très apprécié. Vous verrez toutefois plus de pièces amérindiennes chez les missionnaires salésiens du **Museu do Índio** **F** (Rua Duque de Caxias 296 ; ouv. du lun. au ven. de 9h à 12h et de 13h à 17h, le sam. de 9h à 12h).

Hors du centre-ville

Un trajet d'une vingtaine de minutes par l'Estrada Ponta Negra vous conduit à un excellent zoo (ouv. du mar. au dim. de 9h30 à 16h30 ; entrée payante) géré par le

CI-DESSOUS : la croisière fluviale, un moyen idéal de découvrir l'Amazonie.

CROISIÈRES FLUVIALES

Rien de tel qu'une croisière fluviale pour vous immerger dans l'ambiance équatoriale de la jungle amazonienne. Les compagnies proposent à peu près toutes les mêmes circuits : une excursion matinale dans la forêt, à l'heure où elle est la plus animée, suivie par une croisière de quelques heures, puis, dans l'après-midi, exploration de la forêt pluviale au fil d'affluents à bord de plus petites embarcations ; puis, en soirée, conférence sur la faune et la flore avant d'embarquer sur des canoës pour repérer les caïmans à la lampe-torche. Leurs prestations de services sont également à peu près identiques, offrant des cabines climatisées avec salle de bains. Embarquez sur le *Tucano* (www.naturetours.com) pour une croisière de 8 nuits entre Manaus et Rio Branco sur le Rio Negro, ou sur le *Desavio* (www.amazoncruise.net), plus petit, pour une croisière de 3 ou 4 nuits.

CIGS, l'école militaire de combat en jungle. L'**Instituto Nacional de Pesquisas Amazônicas** (INPA), Institut national de recherche d'Amazonie, mène des études poussées sur l'Amazonie en association avec des savants étrangers. Son département des mammifères aquatiques (ouv. du lun. au ven. de 9h à 12h et de 14h à 16h, le sam. de 14h à 16h), situé à environ 25 min du centre en taxi par l'Estrada do Aleixo, possède des lamantins, des dauphins d'eau douce ainsi que d'autres espèces.

Sur la Praia da Ponta Negra, à 20 km de la ville, le **Tropical Hotel** (tél. 92-2123 5000) affiche une architecture moderne sans discrétion ; cependant, ses jardins, sa piscine circulaire, et surtout sa plage sur le **Rio Negro** en saison de basses eaux en ont fait un lieu privilégié pour les gens de Manaus et sa région. L'hôtel propose quotidiennement une excursion en bateau qui remonte le Rio Negro sur 9 km, jusqu'à **Lago Salvador** et **Guedes Igarapé**. Vous pourrez alors pêcher, nager, ou bien encore parcourir les sentiers forestiers et manger dans un restaurant flottant. Une nuit sur le lac vous permettra de remonter l'*igarapé* (cours d'eau de jungle) en pirogue à moteur et de débusquer les alligators à la lampe-torche.

L'explosion colorée de la Vivid Heliconia.

Excursions sur le fleuve au départ de Manaus

Plusieurs tour operators, notamment Amazon Explorers (tél. 92-3633 3319) et Swallows and Amazons (tél. 92-3622 1246 ; swallows@internext.com.br ; www.swallowsandamazontours.com), proposent des excursions d'une journée qui empruntent toutes le même itinéraire, rejoignant l'écoparc de **Lago de Janauary**, où s'épanouissent les nénuphars géants *Victoria Regia* (surtout entre avril et septembre). Les bateaux se dirigent ensuite vers la "rencontre des eaux" : les eaux claires et chaudes du Rio Negro butent sur les boues du Rio Solimões, qu'elles côtoient sur 20 km dans un grand bouillonnement. Certaines excursions incluent une pause sur l'île **Terra Nova**, où les riverains font des démonstrations de récolte de caoutchouc et vendent des souvenirs.

CI-DESSOUS : la Victoria Regia, nénuphar géant, dans l'écoparc Lago de Janauary.

La fonte d'un rêve

L'Amazonie est ponctuée par les vestiges des rêves de personnages fortunés, pour la plupart étrangers. Deux d'entre eux jalonnent la rivière Tapajós, tous 2 ayant appartenus au magnat Henry Ford (1863-1947), pionnier de l'industrie automobile américaine. Ce fils de fermier irlandais venu s'installer aux États-Unis créa en 1902 la Henry Ford Company, société d'études et de recherches, et, l'année suivante, la Ford Motor Company, qui allait devenir la plus puissante entreprise d'Amérique et la seule qui fût indépendante. Ford avait espéré que ces terres amazoniennes pourraient lui fournir le caoutchouc nécessaire à la fabrication de pneus qui viendraient finir d'équiper ses voitures construites à Detroit. En effet, ses besoins n'étaient pas médiocres puisque, en 1910, son usine produisit 34 500 voitures, chiffre passé, 10 plus tard, à 1 million.

Dans les années 1920, il racheta – le double de leur valeur – 1 million d'hectares le long de la Tapajós à un homme qui les avait obtenus à prix subventionné auprès du gouvernement. Henry Ford nomma ces terres Fordanda, mais malheureusement elles se révélèrent stériles à la culture intensive d'hévéas. Elles furent abandonnées à la nature quelques années plus tard.

Toutefois, le rêve de Ford ne s'était pas tout à fait éteint. Il réitéra l'expérience plus en aval, au confluent de l'Amazone. Belterra, comme il l'avait appelée, devait effacer l'échec de Fordanda.

Il mit un point d'honneur à assurer le bien-être de ses employés, locaux et étrangers. Les directeurs américains habitaient à Vila Americana dans d'élégants logements rappelant les luxueuses demeures des fonctionnaires du British Raj. Quant aux ouvriers, Ford ne les exploita pas – jusqu'à l'esclavagisme – comme le firent les barons du caoutchouc du XIXe siècle. Ford payait de bons salaires, 3 fois plus que ceux pratiqués à Belém, et fit construire des écoles et installer des canalisations d'eau. Mais, comme le souligne Stephen Nugent dans son ouvrage, *Wide Mouth : l'Amazone parle...* Seulement, la production de caoutchouc demeurait toujours trop faible dans les années 1940.

Il ne reste que 1 ou 2 survivants de l'ère fordienne. Assis dans sa petite maison, Sabia, un octogénaire dont le visage buriné trahit les origines indiennes, donne son opinion sur le compte-rendu de Nugent de sa vie personnelle lorsqu'il était contremaître.

"Ils étaient peu nombreux et ne s'étaient pas installés avec leur famille. Par ailleurs, ils n'y connaissaient rien à la plantation ou à la culture des hévéas. Vous pouvez planter un hévéa à un endroit et il poussera bien, et en planter un autre à seulement quelques mètres, et il périra."

Quelque 3,5 millions d'arbres furent plantés, mais leur croissance prenait trop de temps. En fait, il aurait fallu plus de 1 000 ans pour que ces arbres arrivent à maturation afin d'être exploités. Après avoir dépensé plus de 10 millions $US, Ford capitula et le site fut revendu au gouvernement brésilien. Les autorités l'ont conservé comme ressource locale. Dernièrement, les décrets de logements sociaux se doivent de répondre au cahier des charges imposé par Ford. Les vestiges conservent les tracés d'urbanisation : une robuste église, de larges avenues, quelques hévéas portant des entailles, preuve de la récolte du caoutchouc, les bouches d'incendie marquées ostensiblement du nom du lieu de leur fabrication – le Michigan – et un panneau, envahi par la végétation, indiquant la direction de Vila Americana.

À 2 km environ, la petite communauté de Pindobal aurait dû servir de port à Belterra, mais il n'existe que peu de traces de passage. Ses rives appartiennent à présent aux familles qui y accostent en canoës, tandis que les enfants s'amusent autour d'un vieux bulldozer abandonné. ❑

À GAUCHE : récolte traditionnelle du caoutchouc.

Lodges amazoniens

Un minimum de 2 nuits est requis pour descendre dans un lodge. Tous comprennent dans leur forfait les transferts, les excursions, les guides, les repas (sauf les boissons), et proposent une panoplie d'activités allant de la randonnée dans la forêt à la découverte des tribus indigènes, en passant par la pêche au piranha, la promenade en canoë et le repérage de caïmans la nuit venue. Plus vous vous enfoncerez au cœur de la forêt, moins elle sera fréquentée par l'homme, offrant ainsi plus de facilité pour observer la faune. Les lodges varient en confort et en prix.

Vous arriverez au magnifique **Amazon Village** (tél. 92-3633 1444 ; www.amazon-village.com.br), installé sur les rives de la Purqucuara, après 3 heures de navigation au départ de Manaus. Ses bungalows au toit de chaume abritent des chambres avec salle de bains alimentée en eau froide et en électricité restreinte, fournie par un groupe électrogène. Outre le solarium, le restaurant est également *alfresco*.

De Manaus, il vous faudra 5 heures de route et de canoë pour atteindre l'**Amazon Eco-Lodge** (tél. 92-365 6603 ; www.naturesafaris.com), un village flottant complètement isolé sur la rivière Mamori. Les 16 chambres se partagent une salle de bains avec eau froide, et l'électricité est fortement limitée. Une plateforme sur la canopé offre, aux premières lueurs du jour ou au coucher du soleil, une vue fantastique sur la forêt pluviale.

Édifié dans la **Mamiraua Nature Reserve**, la plus grande plaine inondable protégée du Brésil, l'**Uakari Lodge** (tél. 97-3343 4160 ; www.mamiraua.org.br) repose au confluent des rivières Solimões et Japurá. Ce lodge flottant dispose de 10 chambres avec salle de bains, éclairées à l'électricité solaire. Son isolement vous permettra de voir quelques-uns des rares spécimens animaliers de l'Amazonie. Pour vous y rendre depuis Manaus, vous devrez prendre un vol d'une heure pour Tefé, puis embarquer sur un canoë motorisé pour une remontée de 4 à 5 heures jusqu'à destination.

Jeunes moussaillons sur le Rio Negro.

CI-DESSOUS : Armés de leur ordinateur portable, hommes de loi, médecins, enseignants et policiers se déplacent en bateau sur l'Amazone pour servir la cause des communautés vivant dans la forêt.

Voyager par bateau

Le fruit du palmier pupunha est présent sur tous les marchés de la région.

Même si les routes se multiplient, les fleuves demeurent la voie de communication la plus évidente pour la plupart des gens. Les riverains – et quelques touristes aventureux – utilisent les *gaiolas*, bateaux économiques, assez pratiques et très pittoresques qui sillonnent le bassin amazonien. Aucun autre mode de locomotion ne vous fera mieux connaître le bassin amazonien.

Ne vous attendez pas à un grand confort, mais les chapelets de hamacs tendus sur le pont de ces bateaux lents apportent une solution efficace au climat étouffant et humide de la région. Le mouvement du bateau garde les insectes à distance, et aucun centimètre carré de pont ne restant inoccupé, les conversations s'en trouvent grandement facilitées.

La descente de Manaus à Belém vous prendra un peu plus d'une semaine – si la panne vous est évitée. Mais des voyages plus brefs vous imprégneront tout aussi bien de l'ambiance – 1 ou 2 jours suffisent à la majorité des voyageurs –, par exemple de **Santarém** à **Obidos**. Sur une *gaiola*, mieux vaut embarquer ses provisions, son hamac et ses bouteilles d'eau. La cuisine servie à bord est souvent rustique, mal cuite, voire immangeable. Quant aux toilettes, leur odeur peut devenir insupportable au bout de quelques jours. En compensation, fleuve et forêt vous offriront tout ce qu'ils ont de plus magique.

Vous serez obligé de vous adapter au rythme de vie amazonien, entre lenteur et immobilité. De façon générale, mieux vaut remonter le fleuve, car le bateau colle alors les berges au plus près, là où le courant est le moins fort. En sens inverse, vous pouvez vous retrouver à plusieurs centaines de mètres des 2 rives, et ne distinguer la végétation qu'assez vaguement. Sachez aussi qu'il s'agit essentiellement d'un mode de transport, et que vous ne verrez guère de vie sauvage.

Pour les moins intrépides, il existe aussi des navires mieux équipés, avec des cabines et de vraies couchettes. Essentiellement destinés aux touristes, ces bateaux opèrent sous le pavillon d'État ENASA. Comparé aux *gaiolas*, c'est le grand luxe : bar, restaurant et pont-promenade. Des haltes vous permettent même de prendre

INOUBLIABLES ESCALES

Une croisière sur le plus majestueux des fleuves de l'Amérique du Sud, se doit de figurer sur la liste de tout explorateur qui se respecte, ne fût-ce qu'à cause de la taille de son embouchure. Les très nombreux paquebots de croisière vous feront découvrir le fleuve dans des conditions plus confortables que les bateaux locaux. La majorité de ceux-ci ont pour port d'attache la Barbade. Leurs croisières incluent des étapes dans les Caraïbes et une escale à Santarém – où vous verrez le "mariage des eaux", celles noirâtres du Rio Negro et celles crémeuses du Rio Solimões –, avant de faire halte à Parintins et à Alter do Chão, dont les musées relatant l'histoire et la culture de l'Amazonie méritent une visite, puis de poursuivre la remontée du fleuve jusqu'à Manaus. Si vous le pouvez, choisissez une croisière qui inclut une escale à l'île du Diable, au large de la Guyane. La triste réputation du lieu vient de son ancien bagne, où fut emprisonné le célèbre Papillon. Parmi les compagnies maritimes proposant des croisières amazoniennes, notez la Silversea Cruises (tél. 0870 333 7030 ; www.silversea.com) et la SeaBoum Cruise Line (tél. 0845 070 0500 ; www.seabourn.com) qui ont de petits et luxueux navires. Si vous préférez les plus gros paquebots, moins onéreux, essayer Fred Olsen Cruises (tél. 01473 742424 ; www.fredolsencruises.com), Saga Cruises (tél. 0800 505030 ; www.saga.co.uk) ou Princess Cruises (tél. 0845 355 5800 ; www.princesscruises.co.uk).

CI-DESSOUS : dans le port animé de Manaus.

contact avec la réalité amazonienne. Dans les 2 cas, un voyage sur l'Amazone ne s'oublie jamais. Mais si vous voulez vous éviter l'inconfort maximum et des heures – voire des jours d'attente –, mieux vaut réserver et vous offrir un billet sur un navire de l'ENASA, moins spartiate.

Si vous disposez d'un peu plus de temps, vous pouvez remonter le Solimões jusqu'à **Benjamin Constant** et **Letícia** (en Colombie), à la frontière colombo-péruvienne, où il prend alors le nom de Marañon. De Manaus, les *laónchas* (canots rapides) prennent très approximativement 8 jours. De petites fermes jalonnent les berges, où les *caboclos* survivent en cultivant quelques parcelles, en vendant du poisson, des cœurs de palmiers ou des tortues aux bateaux de passage.

Les Yanomami vivent dans d'énormes habitations communautaires, les yanos, *pouvant abriter jusqu'à 400 personnes. Ils les bâtissent autour d'un espace ouvert servant aux diverses cérémonies. Chaque famille, disposant de son propre foyer, dort dans des hamacs installés autour du feu.*

Roraima

Le Rio Branco traverse l'état le plus septentrional du Brésil : le Roraima, dont les épaisses forêts et les frontières indécises séparent les bassins de l'Orénoque et de l'Amazone. Jusqu'à la construction d'une route reliant Manaus à **Boa Vista ⑩** en 1977, qui souleva les tribus amérindiennes et provoqua de nombreux morts, sa capitale était coupée du reste du Brésil.

Selon la légende, le mythique El Dorado se trouverait dans ce dernier fragment d'Amérique latine encore non exploré. Mystérieuse montagne tabulaire, le **mont Roraima ⑪** aurait inspiré *Le Monde perdu* d'Arthur Conan Doyle.

Au nombre de 27 000, les Yanonami constituent le groupe indigène le plus important et le moins acculturé du continent. Ils vivent dans la **Serra de Parima**, région riche en forêts, pics déchiquetés et canyons, se déployant à cheval sur la frontière entre le Brésil et le Venezuela.

Les rares minerais du territoire yanomami ont attiré la convoitise effrénée des spéculateurs et des *garimpeiros*. Dans les années 1990, une ruée vers le Roraima décima environ 20 % de la population, directement ou à la suite de maladies. Le territoire yanomami a été finalement délimité en 1992, mais le Brésil continue de dénier aux tribus la propriété de leurs terres. ❑

Restaurants

Belém

Blue Marlin Sushi & Sashimi
Rua Governador Malcher 252
Tél. 91-242 5946
Restaurant de sushis réputé, très fréquenté et ouvert tard.
Ouv. tlj. midi et soir. **$$**

Circulo Militar
Praça Frei Caetano Brandão
Bafa de Guajará
Tél. 91-223 4374
Une adresse à ne surtout pas manquer : installé à une longue table, vous vous trouvez dans l'imposante salle de garde d'un ancien fort ; vous avez un large choix de bons plats, êtes servi par des serveurs plutôt guillerets et avez vue sur l'Amazone.
Ouv. tlj. midi et soir. **$$**

Lá em Casa/O Outro
Rua Governador José Malcher 247 Nazaré
Tél. 91-223 1212
L'un des meilleurs restaurants, proposant des spécialités d'Amazonie, dont des glaces aux fruits exotiques. Ouv. tlj. midi et soir. **$$**

Manaus

Canto da Peixada
Rua Emilio Moreira 1677
(Praça 14 de Janeiro)
Tél. 92-234 3021
Sert du poisson fraîchement pêché dans l'Amazone et des spécialités régionales.
Ouv. du lun. au sam. midi et soir. **$**

Choppicanha Bar & Grill
Rua Marques de Santa Cruz 25
Tél. 92-3631 1111
Bonne *churrascaria* cuisinant le bœuf, le poulet et le poisson. Ouv. du lun. au sam. midi et soir, le dim. midi. **$$**

Fiorentina
Rua José Parareguá 44
Tél. 92-3232 1295
Spécialités italiennes traditionnelles, préparées et présentées avec soin. Une bonne occasion de varier votre menu si vous êtes lassé du poisson local. Ouv. tlj. midi et soir. **$**

Peixaria Moronguêtá
Rua Jaith Chaves s/n
Tél. 92-615 3362
Coquet petit restaurant dominant Porto Ceasa et apprêtant le poisson local de multiples manières.
Ouv. du lun. au sam. midi et soir. **$**

Gamme des prix

Les prix s'entendent pour un repas (2 plats) pour 2 personnes. Comptez 20 $US environ pour une bouteille de vin.

$	moins de 40 $US
$$	de 40 à 70 $US
$$$	de 70 à 100 $US

Le géant vert

Le plus grand fleuve et la plus vaste forêt humide du globe hébergeraient un dixième de toutes les espèces animales et végétales connues.

L'Amazone et le Brésil sont indissociables. Le fleuve prend sa source dans les neiges des Andes péruviennes, non loin de l'océan Pacifique. Il traverse ensuite tout le cœur de l'Amérique du Sud, parcourant 6 570 km avant d'atteindre l'océan Atlantique à hauteur de l'équateur. Il compte 1 100 affluents, dont quelques grands fleuves comme le Rio Negro, l'Araguaia ou le Madeira. Passé Manaus, la rencontre des "eaux noires" du Rio Negro et des "eaux blanches" du Solimões constitue le spectaculaire *Encontro das Águas*. Le débit considérable de l'Amazone lui permet d'écouler chaque année dans l'océan un cinquième des eaux douces de la planète.

À son embouchure, l'Amazone forme un delta de 300 km de large, dédale de chenaux et d'îles, celle de Marajó couvrant une étendue plus vaste que la Suisse. Le courant amazonien se déverse avec une telle puissance dans l'Atlantique que ses eaux ne sont toujours pas salées à 180 km au large.

On a souvent qualifié d'Enfer vert la jungle épaisse et ténébreuse qui recouvre l'Amazonie. Vous pouvez survoler pendant des heures l'ouest du bassin amazonien et n'apercevoir qu'un tapis de forêt tropicale, à peine tranché çà ou là par un fleuve sinuant entre les arbres. L'Amazonie n'a presque pas changé pendant les derniers 100 millions d'années, car elle n'a pas connu les âges glaciaires qui ont ailleurs modifié les paysages. Des régions sont encore habitées par de rares groupes indigènes qui n'ont jamais eu de contact avec le monde extérieur.

Ci-dessus : l'incontournable safari en pirogue le long d'un *igarapé* (canal), pour s'immerger dans le spectacle, les sons et les parfums de la jungle. Pour connaître les tour operators conseillés, voir encadré p. 289.

À gauche : pour les Amérindiens, les baies d'urucu constituent un précieux trésor. Ils utilisent leur jus pour se peindre le visage et le corps.

Ci-dessus : les feuilles circulaires de ce nénuphar géant, le Victoria Regis, qui peuvent atteindre 2 m de diamètre.

À gauche : les glandes cutanées de la Dendrobate, minuscule grenouille arboricole mesurant entre 1 et 6 cm, produisent une toxine violente dont les Amérindiens enduisent la pointe de leurs flèches. La famille des dendrobatidés compte 220 espèces.

Ci-dessus : le Rio Madeira, ainsi nommé par les Portugais, porte le nom des île au large de l'Afrique. Bien qu'étant un "modeste" affluent de l'Amazone, le Rio Madeira serpente lui-même sur une distance de plus de 1 600 km.

DÉFORESTATION

Environ 16 % de la forêt amazonienne, soit la superficie de la France, ont été abattus en 40 ans. Le massacre s'est concentré dans l'est du bassin, "ouvert" dans les années 1960-1970 lorsque la junte militaire décida l'édification d'un vaste réseau routier. Puis sont arrivées les compagnies d'élevage qui ont déboisé et brûlé la forêt pour y installer leur bétail.

Un programme de 40 milliards de dollars, baptisé Avança Brasil, a été lancé en 2001, prévoyant la construction de 10 000 km de routes, de barrages hydroélectriques et de lignes à haute tension. Environ 30 % de la Transamazonienne et 40 % de la route Cuiabá-Santarém sont achevés, mais le gouvernement a arrêté les travaux pour évaluer la situation.

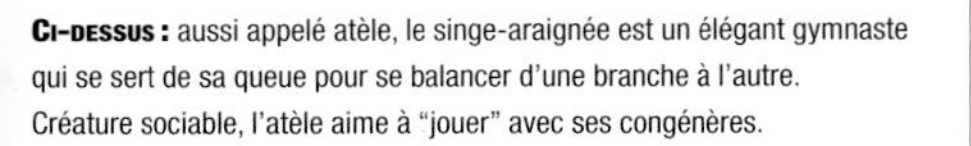

CI-DESSUS : aussi appelé atèle, le singe-araignée est un élégant gymnaste qui se sert de sa queue pour se balancer d'une branche à l'autre. Créature sociable, l'atèle aime à "jouer" avec ses congénères.

À GAUCHE : si vous visitez l'Amazonie, tâchez de descendre dans un lodge au cœur de la jungle, tel que le pittoresque Ariau Amazon Towers, ci-contre, situé sur les rives du Rio Negro (consultez la liste des autres lodges p. 291). Il n'y a pas mieux pour une immersion totale : endormez-vous et réveillez-vous aux sons mystérieux et ensorcelants de la forêt. La plupart des lodges organisent des sorties nocturnes d'observation des caïmans.

À GAUCHE : incision dans l'écorce d'Hevea Brasiliensis pour la récolte du latex. Des milliers de familles, vivant au fond de la jungle, continuent de récolter la sève. Cette substance fit la richesse de la région au XIXe siècle, après la découverte de la vulcanisation et l'invention du pneu.

À DROITE : superbe et sympathique symbole de la forêt amazonienne, il utilise son énorme bec jaune pour broyer les graines dont il se nourrit.

LE CENTRE-OUEST

Ce territoire de plaines immenses entrecoupées de marais à la riche vie sauvage demeure en cours de colonisation.

Hormis le district fédéral, toute cette région constitue le véritable "Far West" du Brésil, et conserve bien des points communs avec l'ancienne terre des pionniers nord-américains. Les *bandeirantes* furent les premiers à pousser vers l'ouest, découvrant de nouveaux territoires dans leur quête de l'or, mais survivant essentiellement en déboisant des milliers d'hectares de jungle pour pouvoir y nourrir du bétail. Le vaste *cerrado* (savane) qui recouvre presque toute la région demeure assez peu peuplé, et de nombreux chasseurs de fortune modernes se font encore payer les terres défrichées, avant de poursuivre plus loin, laissant à d'autres la gestion d'immenses *fazendas* à bétail. Comme surgies d'un western, des villes poussiéreuses parsèment ce territoire où parviennent à vivre quelques Amérindiens.

Depuis 1960, la région accueille la capitale du Brésil, ce qui lui a valu un développement rapide durant les 3 dernières décennies. La culture intensive du soja constitue désormais la principale ressource du Centre-Ouest, juste avant l'élevage du bétail. Sur 14 millions d'habitants, 85 % vivent désormais dans des zones urbaines. Mais le voyageur s'intéresse surtout aux possibilités d'aventures offertes par ce pays sauvage. Les pêcheurs et les amoureux des oiseaux notamment se passionneront pour le Pantanal, gigantesque marais inondé à la saison des pluies et fréquenté par une extraordinaire variété d'oiseaux aquatiques. Mais il y a aussi les gorges et les cascades, spectaculaires ; les randonnées à travers les vastes horizons des *fazendas* ; le survol des hautes plaines en montgolfière ; la fascinante histoire des pionniers, et la découverte bien plus riche encore de la culture des Amérindiens.

Et, bien sûr, il vous sera difficile de manquer Brasília – la première des villes nouvelles, rêve de béton surgi de nulle part, en plein *cerrado* –, symbole incongru d'une unité nationale arbitrairement planté au cœur géographique du pays. Si la capitale devait initier un grand mouvement démographique et économique en irriguant tout l'ouest du pays, Brasília n'entretient en réalité que peu de rapports avec la région sauvage qui l'environne. ❑

PAGES PRÉCÉDENTES : la tête sculptée du président Juscelino Kubitschek devant le Palácio de Justicia, Brasília. **À GAUCHE :** défrichage dans le Mato Grosso.

 Carte p. 312

BRASÍLIA ET LE GOIÁS

Rêve architectural et politique grandiose, Brasília dresse son architecture monumentale à la lisière d'un immense plateau semi-aride parcouru par 3 grands fleuves.

Deux siècles durant, les élites pensantes brésiliennes ont rêvé d'implanter une nouvelle ville dans le cœur désert de leur pays. En 1891, le premier gouvernement républicain du Brésil envoie une équipe scientifique étudier des sites possibles dans le Goiás, où coulent les 3 plus grands fleuves du pays – l'Amazone, le Paraná et le São Francisco. Dans le même but, une commission effectue en 1946 une reconnaissance aérienne de la région. Mais il faudra attendre l'élection à la présidence de Juscelino Kubitschek en 1955 pour voir cette idée se concrétiser.

Kubitschek fait de la création de Brasília l'axe de sa campagne de modernisation du pays. Le projet obéit à des échéances politiques : le président sait que si la ville doit voir le jour, ce sera avant la fin de son mandat de 5 ans. Il choisit alors pour architecte Oscar Niemeyer, communiste et élève de Le Corbusier. Niemeyer se cantonnera à la conception des grands édifices publics. Mais c'est le plan d'urbanisme de Costa, un ami de ce dernier, qui est retenu par un jury international.

Ne manquez pas !
- TORRE DE TELEVISÃO
- MEMORIAL JK
- ESPLANADA DOS MINISTÉRIOS
- CONGRESSO NACIONAL
- CATEDRAL METROPOLITANA
- PALÁCIO DA ALVORADA
- PARQUE CIDADE SARAH KUBITSCHEK
- PARQUE CHAPADA DOS VEADEIROS

À GAUCHE : *Candangos* (*Guerriers*), de Bruno Giorgi. **CI-DESSOUS :** le Congresso Nacional.

Un chantier supersonique

Les travaux démarrent en septembre 1956 sur le plus haut et le plus plane des sites identifiés par l'étude aérienne. Il faut d'abord aménager une piste d'atterrissage, qui permettra d'amener les premiers matériaux de construction et autres équipements lourds. **Brasília ❶** est ainsi la première ville du monde conçue par voie aérienne. Plus tard seulement, une route reliera le chantier à Belo Horizonte, située à 740 km au sud-est. Un barrage est édifié, le lac Paranoá commence à émerger. En avril 1960, la ville, hébergeant déjà 100 000 personnes, se prépare à son inauguration en tant que capitale. Elle sera classée au patrimoine mondial en 1987, et, en 2002, 3 arcs élégants viendront enjamber le lac Paranoá – ceux du pont Juscelino Kubitschek.

Factionnaire devant un bâtiment gouvernemental.

Vous découvrirez sans doute Brasília de la même façon que Kubitschek – par avion. Après avoir survolé le Planalto Central, semi-aride et très peu peuplé, vous verrez émerger soudain une haie de buildings blancs alignés au flanc d'une pente douce qui surplombe le lac artificiel.

Par route, l'approche la plus spectaculaire se fait en arrivant du nord-est. Après des kilomètres et des kilomètres de poussière rouge et de broussailles – le *cerrado* –, une crête plantée d'eucalyptus se profile au-delà de **Planaltina**, la plus ancienne ville de la région. Brasília décrit son arc scintillant dans la vallée en contrebas.

À l'instar du building des Nations unies à New York, la ville actuelle est demeurée enfermée dans une vision du futur marquée par les années 1950. Conçu en fonction de l'automobile, son cœur urbain n'est qu'un vaste nœud routier, environnement hostile aux piétons.

Lors de sa construction, Brasília fascine la planète entière. Mais les regards se tournent rapidement ailleurs, et la ville devient le symbole d'une technocratie en folie. Il n'empêche qu'à ce jour les Brésiliens restent très fiers de leur capitale. Ce fut le seul projet d'après-guerre visant à servir l'intérêt des hommes et non celui de l'industrie ; et ce fut un président démocratiquement élu qui le conçut et le finança. Alors, en dépit de nombreux défauts aujourd'hui évidents, Costa

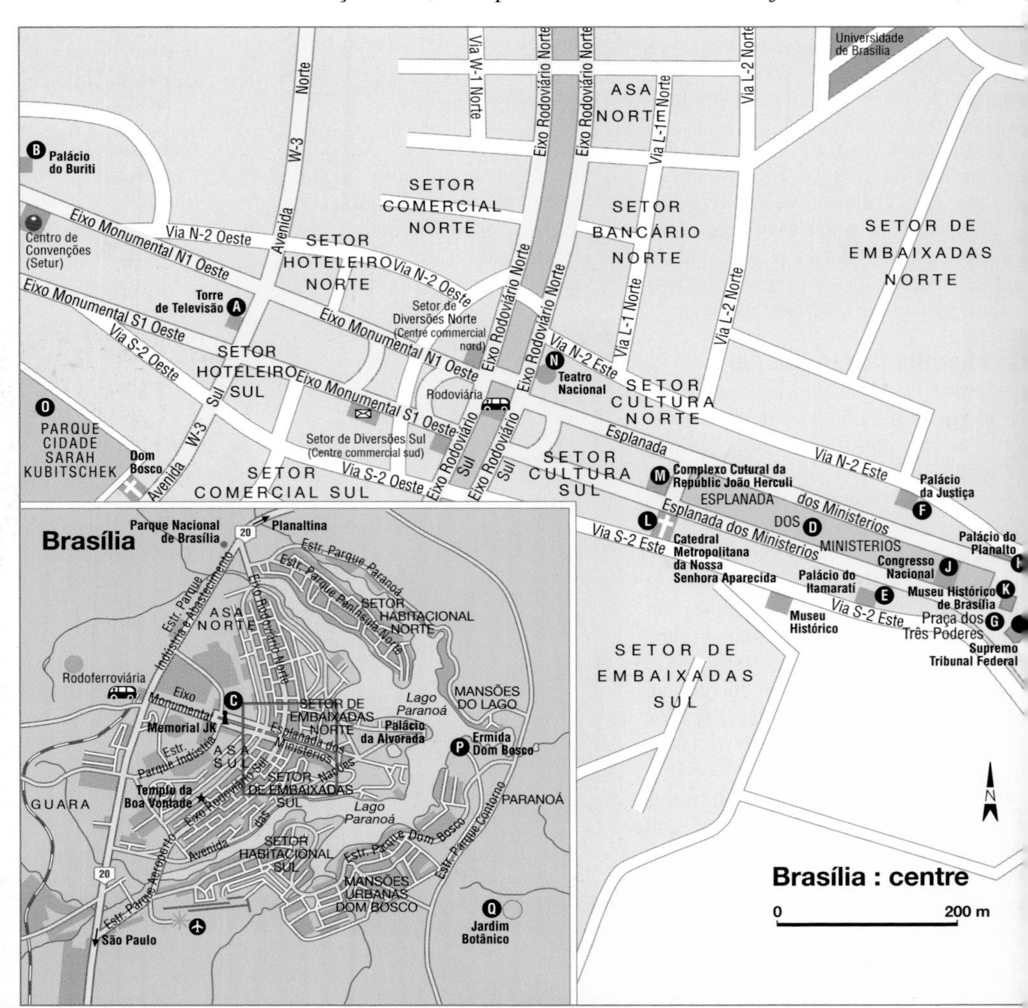

parle au nom de la majorité des Brésiliens lorsqu'il affirme : "La seule chose qui compte pour moi, c'est que Brasília existe."

Visite guidée

Premier édifice à solliciter votre regard, la **Torre de Televisão** Ⓐ (ouv. du mar. au dim. de 8h à 20h, le lun. de 14h à 20h) se dresse au point le plus élevé de l'Eixo Monumental (Axe monumental), artère qui traverse le cœur de la ville. Au pied de la tour, un plan explique l'agencement des rues. Un ascenseur vous hisse au sommet, qui dégage une vue aérienne sur le plan d'urbanisme de Costa : 2 arcs doucement incurvés marquent les secteurs résidentiels de la ville, coupés par l'Eixo Monumental, où s'alignent les bâtiments publics.

Le plan de Costa a tour à tour été décrit comme une croix, un arc et sa flèche, ou un avion. Si Costa accepte toutes ces images, il se défend d'avoir conçu Brasília en fonction d'un symbole prédéterminé. Au contraire, il a choisi sa forme pour s'adapter à la courbure du terrain dominant le lac, tout en mettant en relief les bâtiments publics au centre de la ville. Le plan de Costa fut retenu en raison de sa simplicité et de son adéquation avec le concept de capitale.

La statue de Kubitschek surmonte le Memorial JK, ouvrage étonnant dû à Niemeyer.

Dans le quartier administratif

En quittant le centre par l'Eixo Monumental en direction de l'ouest, vous arrivez devant le siège administratif du district fédéral, le **Palácio do Buriti** Ⓑ, sur la Praça Municipal. Un peu plus à l'ouest s'élève le **Memorial JK** Ⓒ (ouv. du mar. au dim. de 9h à 17h40), dédié à la mémoire de Kubitschek. Ce fut le premier édifice que les militaires permirent à Niemeyer de construire après le putsch de 1964. Coiffant le monument où se tient la statue de Jucelino Kubitschek, une étonnante structure en forme de faucille semble plutôt symboliser le défi lancé par Niemeyer que les valeurs de l'ancien président. Le monument renferme le tombeau de Kubitschek – et sa voiture ! –, ainsi qu'un ensemble de documents sur la construction de Brasília. Une vitrine expose un

CI-DESSOUS : le pont JK au crépuscule.

résumé des projets non retenus – dont 18 énormes tours de plus de 300 m de haut supposées héberger 16 000 personnes.

Partant de la Torre de Televisão dans la direction inverse –vers l'est–, et descendant après la gare routière, l'Eixo Monumental s'ouvre sur l'**Esplanada dos Ministérios** Ⓓ. Une rangée de 16 édifices vert pâle, tous identiques, borde les deux côtés de l'artère. Chacun d'eux abrite un département fédéral distinct, dont le nom apparaît en lettres d'or au fronton. Chaque ministère a depuis longtemps débordé de son cadre originel, et des rejets additionnels ont essaimé à l'arrière, reliés à leur tronc commun par des tubes aériens en ciment. À la fin des années 1960, plusieurs bâtiments ont souffert d'actes de vandalisme, perpétrés, dit-on, par des fonctionnaires furieux d'avoir dû quitter Rio.

Plusieurs agences sont spécialisées dans la visite guidée en 4 heures des principaux édifices de Brasília. Vous pouvez contacter Bluepoint (tél.61-274 0033).

Chefs-d'œuvre de Niemeyer

Deux des plus belles réalisations d'Oscar Niemeyer (*voir p. 124*) flanquent l'Esplanada : le **Palácio do Itamaratí** Ⓔ (ouv. du lun. au ven. de 15h à 17h, le sam., le dim. et durant les vacances de 10h à 15h30), qui flotte et se reflète mystérieusement au milieu de son bassin ; et le **Palácio da Justiça** Ⓕ (ouv. du lun. au ven. de 9h à 11h et de 15h à 17h) dont les 6 rideaux de cascades extérieures semblent répercuter les chutes d'eau naturelles qui environnent Brasília.

Au-delà de l'Eixo Monumental s'ouvre la **Praça dos Três Poderes** Ⓖ (place des Trois-Pouvoirs) – complexe dédale de symboles politiques censés représenter les 3 pouvoirs mis en place par la constitution brésilienne : l'exécutif occupe le **Palácio do Planalto** Ⓗ (ouv. le dim. de 9h30 à 13h30) à gauche, avec les bureaux de la présidence, tandis que le **Supremo Tribunal Federal** Ⓘ (Cour suprême ; ouv. le sam., le dim. et pendant les vacances de 10h à 17h30) représente le judiciaire ; tous deux sont dominés, au moins architecturalement par les hautes tours jumelles et les coupoles annexes du **Congresso Nacional** Ⓙ (ouv. Chambre des députés du lun. au ven. de 9h à 12h et de 14h30 à 16h30, le sam. et le dim. et pendant les vacances de 9h à 13h ; Sénat du lun. au ven. de 9h à 11h30 et de 15h30 à 16h30, le sam., le dim. et pendant les vacances de 10h à 14h) – véritable signature de Brasília. Même l'ancienne monarchie a droit de cité sur la place : les palmiers royaux qui s'alignent derrière le Congresso Nacional ont été transplantés des jardins botaniques de Dom João VI à Rio de Janeiro.

Ci-dessous : courbes et droites caractéristiques de l'architecture de Brasília – ici du Congresso Nacional.

Autour de la Praça dos Três Poderes

Plusieurs sculptures jalonnent la place. La tête en relief basaltique de Kubitschek émerge des murs en marbre du petit **Museu Histórico de Brasília** Ⓚ (ouv. du dim. au ven. de 9h à 18h ; entrée payante), simple série de panneaux évoquant l'histoire de la ville ainsi que les phrases historiques de Kubitschek, dont le goût de l'hyperbole a sans doute trouvé un

Carte p. 302

exutoire dans la construction. Face au Supremo Tribunal se tient une statue de la justice aux yeux bandés, sculptée par Alfredo Ceschiatti. Devant le Palácio do Planalto, Bruno Giorgi a campé ses *Guerriers* en hommage aux milliers d'ouvriers qui bâtirent la capitale. Niemeyer apporte une heureuse note de fantaisie à tout ce décorum avec son **Pombal** (pigeonnier).

Récent apport à la place, le **Panteão Tancredo Neves** (ouv. tlj. de 9h à 18h) rend hommage au père fondateur de la Nouvelle République, mort en 1985 avant d'avoir pu entrer dans ses fonctions de président. La pénombre intérieure abrite l'une des plus étonnantes œuvres d'art de la capitale : une peinture murale de João Camara relatant l'histoire d'une révolte du XVIIIe siècle menée par le révolutionnaire le plus vénéré du Brésil, Tiradentes (Joaquim José da Silva Xavier). Un symbolisme maçonnique complexe charge ces 7 panneaux en noir et blanc (à l'instar du *Guernica* de Picasso).

À l'extrémité occidentale de l'Esplanada dos Ministérios, la **Catedral Metropolitana da Nossa Senhora Aparecida** Ⓛ (ouv. le lun. de 8h à 17h, du mar. au dim. de 8h à 18h) déploie ses extraordinaires arcs-boutants en béton et son dôme en vitraux. Tout près, vous ne pouvez manquer les immeubles se dressant sur l'Esplanada dos Ministérios : la Biblioteca Nacional Leonel de Moura Brizola et le Museu Nacional Honestino Guimarães, lesquels forment ensemble le **Complexo Cultural da República João Herculino** Ⓜ. Ces 2 bâtiments furent achevés en 2006, sur les plans de Niemeyer.

À 300 m, côté nord de l'Eixo Monumental, près de la Rodoviária, la gare routière, la pyramide du **Teatro Nacional** Ⓝ (ouv. tlj. de 9h à 20h) accueille des expositions artistiques et autres.

Détail de la coupole en verre de la Catedral Metropólitana.

Quartiers résidentiels

Pour apprécier le caractère vivant de Brasília, il vous faudra quitter le centre et partir à la découverte des quartiers où les gens habitent réellement – ces *quadras* disposées le long des ailes nord et sud de la ville. Chaque *quadra* se compose de

Ci-dessous : la Catedral Metropólitana, bien gardée.

6 à 8 blocs résidentiels de faible hauteur, groupés autour de pelouses arborées et de cours bien entretenues. Régulièrement espacées, de petites rues commerçantes fournissent aux résidents les produits de première nécessité. Ces *quadras* offrent un mode de vie assez standardisé d'un bout à l'autre de la ville – un soulagement pour des Brésiliens habitués à la jungle urbaine du littoral.

Les quartiers commerciaux animés des conjuntos *du nord et du sud vous vivifieront après une visite du centre, quelque peu artificiel.*

Le plan pilote originel de Costa a donné à Brasília une forme rigide. Une fois construites toutes les *quadras* prévues pour l'aile nord, la ville ne pouvait repousser ses frontières. Elle s'est donc développée, de manière surprenante, en multipliant les villes satellites à l'extérieur de sa ceinture verte. Les ouvriers du bâtiment du Nordeste s'y sont d'abord installés, sitôt les chantiers achevés. Puis cette population s'est augmentée de nouveaux immigrants, de petits fonctionnaires notamment, qui avaient revendu les appartements que leur avait accordés gratuitement le plan pilote.

Aujourd'hui, Brasília proprement dit n'héberge que 22 % de la population du district fédéral. En dépit de l'architecture égalitariste de son plan pilote, les barrières de classe du district fédéral sont encore plus étanches que dans le reste du pays. La population s'est trouvée regroupée par niveau de revenus dans des villes complètement distinctes.

Actifs et oisifs au vert

Si vous avez besoin de vous détendre, rendez-vous dans le **Parque Cidade Sarah Kubitschek** ❶ (ouv. du mar. au dim. de 9h à minuit), parc portant le nom de la femme du président et également appelé Parque de Cidade (de la ville). Ce vaste poumon de 42 ha s'étend dans le centre de Brasília au pied de la Torre de Televisão. La population locale et des visiteurs s'y rendent qui pour se donner de l'exercice, qui pour prendre un bain de soleil, rencontrer ses amis ou simplement se délasser.

Un peu plus loin, au bord du Lago Paranoá, visitez le **Pontão do Lago Sul** pour ses magasins, restaurants, bars, brocantes… Les jeunes apprécieront plus

CI-DESSOUS : l'alignement impeccable des ministères.

DANS VILLE, IL Y A VIE...

Si vous séjournez dans la zone hôtelière du centre, vous aurez sans doute le sentiment que la ville est totalement morte la nuit. En fait, l'animation se déplace dans les bars, restaurants et night-clubs concentrés le long de certaines rues commerçantes des ailes résidentielles : notamment 109/110 Sul, 405/406 Sul et 303/304 Norte. La vie sociale de Brasília se caractérise par une décontraction et une souplesse dues à sa richesse relative et à l'absence d'élite identifiable. De nombreux jeunes diplômés ont en effet quitté d'autres régions du Brésil pour travailler à Brasília. Si les fonctionnaires qui commencèrent leur carrière à Rio de Janeiro étaient réticents à l'idée d'aller vivre à Brasília quand celle-ci devint la capitale, beaucoup de jeunes professionnels originaires d'autres parties du pays sont venus s'installer ici depuis quelques décennies.

particulièrement le **Pier 21** (ouv. tlj. de 11h à 23h), centre commercial où foisonnent restaurants, bars, cinémas, nightclubs et librairies.

Une spiritualité hors normes

La vie spirituelle de Brasília est aussi peu conventionnelle que ses normes sociales. Couronnant l'Eixo Monumental, la cathédrale de Niemeyer symbolise avec force la religion officielle. Mais il est un culte bien plus proche du cœur de la ville : celui de Dom Bosco, prêtre et enseignant italien qui prophétisa en 1883 qu'une nouvelle civilisation naîtrait d'une terre de lait et de miel sur l'emplacement du Brasília actuel. Premier édifice construit sur le site de la ville, une petite pyramide en marbre commémorant la vision de Dom Bosco domine le lac Paranoá. Quant à l'**Ermida Dom Bosco** ⓟ (sanctuaire de Dom Bosco, 702 Sul ; ouv. tlj. de 8h à 18h), cette lumineuse chapelle cubique est enceinte de murs complètement ouverts sur des vitraux bleus et violets. Kubitschek exploita la prophétie de Dom Bosco pour faire adopter par les fidèles sa vision d'une nouvelle capitale.

Disciple de la communauté new age du Vale do Amanhecer.

Brasília endosse également le titre de "capitale du Troisième Millénaire", en vertu des quelque 400 cultes qui s'y épanouissent. Plus au sud, au 915, se dresse le très surprenant **Templo da Boa Vontade** (temple de la Bonne-Volonté ; ouv. tlj. 24h/24). Édifié en 1989, il adopte la forme de 7 (le chiffre supposé de la perfection) pyramides, coiffées par l'un des plus gros cristaux du monde.

Plusieurs communautés "New Age" se sont implantées à la périphérie de Brasília, notamment dans le **Vale do Amanhecer**, au sud de Planaltina. C'est ainsi que, chaque dimanche, plusieurs centaines d'adeptes viennent se faire initier dans cette commune fondée par une femme, routière à la retraite. Le défilé hebdomadaire des initiés, vêtus de capes et de voiles multicolores, autour d'une mare agrémentée de symboles astrologiques, constitue sans aucun doute l'un des spectacles les plus curieux de Brasília (*voir p. 75*).

Au sud-est de la ville, l'agréable **Jardim Botânico** ⓠ (Setor de Mansões D. Bosco, conjunto 12, Lago Sul ; ouv. du mar. au dim. de 9h à 17h) permet

CI-DESSOUS : les routes poudreuses et solitaires du Goiás ne semblent pas appartenir au même État que sa capitale.

d'étudier de plus près la flore du *cerrado*. Au nord de la ville s'étend une réserve naturelle botanique de 30 000 ha, le **Parque Nacional de Brasília** (ouv. tlj. de 8h à 16h). Entre *cerrado* et taillis, des oiseaux, des loups, des singes, des tatous et bien d'autres espèces sauvages y ont trouvé refuge. Un centre d'informations permet de découvrir ses pistes de randonnée et ses piscines naturelles.

Beaucoup d'herbes et de plantes poussant sur la chaîne de Pireneus possèdent des vertus médicinales bien connues de la population locale depuis des générations.

État de Goiás

Cette région de savane et de grands fleuves attire un nombre croissant de passionnés de nature et de pêche. Très boisées, les berges accueillent une vie sauvage foisonnante. Mais les plantations de soja gagnent rapidement sur la savane, aussi l'État a-t-il lancé une campagne de protection du *cerrado*.

Les atouts majeurs du **Goiás** sont : ses villes coloniales, ses parcs nationaux ainsi que ses 2 stations thermales de **Caldas Novas**, à 172 km de Goiânia, et **Rio Quente**, 43 km plus loin. Située dans la chaîne de Pireneus à 137 km de Brasília, **Pirenópolis** ❷ fut fondée au XVIIIe siècle pour héberger les prospecteurs d'or. La ville a conservé un aspect pittoresque avec ses rues pavées et ses belles demeures baroques. Les environs comptent plusieurs réserves naturelles privées, dont certaines sont ouvertes au public.

À environ 265 km au nord de Brasília s'étend le **Parque Nacional da Chapada dos Veadeiros** ❸. Cette réserve comprend de nombreuses et superbes cascades, formations rocheuses et autres piscines naturelles.

À 340 km de Brasília, l'ancienne capitale de l'État **Goiás Velho** ❹ (ou tout simplement Goiás) a conservé une belle architecture coloniale, avec de nombreuses églises et demeures du XVIIIe siècle bien préservées. Un sérieux programme de restauration lui a valu d'être couchée en 2001 sur la liste du patrimoine mondial de l'Unesco.

CI-DESSOUS : agriculteur du Goiás au visage buriné.

Formant la frontière occidentale du Goiás, un fleuve s'écoule que Durval Rosa Borges, auteur d'*Araguaia, Cœur et Âme*, décrivit comme le "jardin d'Éden". Le Rio Araguaia, qui s'étire sur 2 630 km, coupe le Brésil en deux, des marais du Pantanal à Belém et l'Atlantique via le *cerrado* et les plaines centrales. Lorsque ses eaux boueuses baissent en août, révélant d'immenses plages de sable blanc, quelque 200 000 vacanciers brésiliens fondent sur le fleuve à **Aruanã** ❺ (530 km à l'ouest de Brasília) et à **Barra do Garças** ❻, dans l'ouest du Goiás, pour y installer d'énormes et luxueux campings qu'ils équipent de sonos fonctionnant toute la nuit. Des fêtes dont l'ampleur rivalise vainement avec l'immensité du fleuve.

L'Araguaia prend sa source au sud du Goiás dans le **Parque Nacional das Emas** ❼, puis s'écoule vers le nord, constituant une barrière entre le Mato Grosso, le Goiás, le Tocantins et le Pará, et se divisant pour former l'**Ilha do Bananal** ❽, la plus vaste île fluviale de la planète. Au nord de l'île s'étend le **Parque Nacional do Araguaia** ❾. En période de basses eaux, des hôtels flottants naviguent sur ses affluents. ❑

Restaurants

Le libellé des adresses postales à Brasília a de quoi surprendre le visiteur, mais ne vous découragez pas : il suffit de savoir que *bloco* désigne un pâté de maison, *casa* une maison, *conjunto* un ensemble d'immeubles et *loja* un local.

Alice
QI 11, Conjunto 9, Casa 17, Lago Norte
Tél. 61-3368 1099 ou 61-3577 4333 €
Bistrot français, considéré par beaucoup comme le meilleur restaurant de Brasília. Ouv. du mer. au sam. le soir. **$$**

Bargaço
– 405 Sul, Bloco D, Loja 36
Tél. 61-3443 8729
Ouv. du lun. au sam. midi et soir, le dim. à midi.
– Pontão do Lago Sul, QI 10
Tél. 61-3364 6090
Ouv. tlj. midi et soir.
Ce bon restaurant de fruits de mer possède des adresses dans 6 autres villes, toutes recommandables. **$$$**

Carpe Diem
104 Sul, Bloco D, Loja 1
Tél. 61-3325 5300
La carte est variée et les prix raisonnables, mais le Carpe Diem s'est taillé une réputation grâce à sa *feijoada* du samedi… une institution à elle seule à Brasília. Ouv. tlj. midi et soir (jusqu'à 2h). **$$$**

Dom Francisco
Setor de Clubes Esportivos Sul (SCES), Trecho 2, Conjunto 3
Tél. 61-3224 8429, 61-3323 5679 ou 61-3226 2005
Sert des spécialités régionales et des plats exotiques. L'adresse principale – celle-ci – est une excellente cave à vins conservant plus de 15 000 bouteilles. Trois autres adresses en ville. Ouv. du lun. au sam. midi et soir, le dim. à midi (jusqu'à 17h). **$$**

Feitiço Mineiro
306 Norte, Bloco B, Lojas 45/51
Tél. 61-3272 3032
Très bonne cuisine du Minas Gerais, comme son nom l'indique. Ouv. du lun. au sam. midi et soir, le dim. à midi (jusqu'à 17h). **$$**

Piantella
202 Sul, Bloco A, Loja 34
Tél. 61-3224 9408
Attablez-vous dans un cadre plaisant et confortable et côtoyez les politiciens qui aiment à fréquenter l'établissement. Bonne carte des vins. Ouv. du lun. au sam. midi et soir, le dim. à midi. **$$$**

Porcão
Setor de Clubes Esportivos Sul (sces), Trecho 2, Conjunto 35, près de Pier 21
Tél. 61-3223 2002
C'est le restaurant de barbecue le plus connu et le plus grand (900 places) de la ville, installé en bordure du Lago Paranoá. Impressionnant choix de viandes, buffet généreux et plats japonais. Les salades sont à la mesure de votre appétit puisque vous vous servez à volonté, tandis que les brochettes de viande vous sont servies à table, le tout à prix fixe. Bonne sélection de vins également. Le Porcão a plusieurs autres adresses à Rio de Janeiro. Ouv. tlj. midi et soir. **$$$**

Trattoria da Rosario
Fashion Park, Bloco H, Loja 215 Lago Sul
Tél. 61-3248 1672
Rosario Tessier, chef et propriétaire, vous fera peut-être remarquer que son établissement n'est pas un simple restaurant italien, mais un "restaurant italien régional", ce qui signifie qu'il sert des spécialités… de toutes les régions d'Italie. Elles sont toutes très bonnes d'ailleurs. Ouv. du lun. au sam. midi et soir, le dim. à midi (jusqu'à 17h). **$$$**

Vila Borghese
Comércio Local Sul 201 Sul, Bloco A, Loja 33
Tél. 61-3226 5650
Délectable cuisine italienne, en particulier les pâtes maison, accompagnées de sauces savoureuses. Ouv. tlj. midi et soir. **$$$**

Gamme des prix

Les prix s'entendent pour un repas (2 plats) pour 2 personnes. Comptez 20 $US environ pour une bouteille de vin.

$	moins de 40 $US
$$	de 40 à 70 $US
$$$	de 70 à 100 $US

À droite : le plaisir de déjeuner au soleil.

LE PANTANAL

C'est peu de dire que le Pantanal est une région extraordinaire. Un bref séjour suffira à vous le démontrer, tant sont variés sa faune exceptionnelle, ses paysages et sa végétation.

Vaste paradis naturel, le **Pantanal** ⑩ couvre quelque 230 000 km² de terres marécageuses inondées à la saison des pluies. Ce musée écologique en plein air ne connaît pas l'impénétrable couvert végétal qui enveloppe l'Amazonie. Il offre ainsi de bien meilleures conditions d'approche de la vie sauvage tropicale, d'une densité inconnue en dehors de l'Afrique, ainsi que la plus forte concentration au monde de grands échassiers : aigrettes, ibis, l'élégante spatule rosée, et d'imposantes grues comme le *jabiru* ou le *tuiuiú*. Caïmans, loutres, cerfs, émeus, singes et boas constrictors se montrent tout aussi abondants. Un certain nombre d'espèces menacées se concentrent également dans ce vaste refuge.

Les agences de voyages de Cuiabá, Campo Grande et Corumbá proposent des circuits en 4x4 avec hébergement en *fazenda*. En optant pour un forfait de 2 jours, par exemple, vous pourrez observer les nids des tantales dans les arbres, pêcher le *dourado*, ou patienter dans une cache dans l'espoir d'observer la très discrète *onça pintada*, ou jaguar. Le Pantanal offre un sanctuaire aux oies et canards migrateurs entre l'Argentine et l'Amérique centrale. Mais la plupart des 600 oiseaux aquatiques sont des résidents permanents qui suivent les variations de niveau d'eau à l'intérieur de cet immense marais, y chassant les 250 espèces de poissons dont ils s'alimentent.

Ne manquez pas !

- THE PANTANAL
- CUIABÁ
- CHAPADA DOS GUIMARÃES
- CAMPO GRANDE
- BONITO

A GAUCHE : flore luxuriante sur la rive du Rio Aquidauana.
CI-DESSOUS : un *capivara*.

La mission Rondon

En 1890, Cândido Mariano da Silva Rondon lança une expédition militaire pour relier Cuiabá à la côte par télégraphe, une épopée considérable qui devait révolutionner la conscience qu'avait le Brésil de sa forêt et de ses habitants amérindiens. En 1907, Rondon accepta de relier Cuiabá à Porto Velho, capitale du futur Rôndonia au nord, en coupant à travers un territoire amérindien non cartographié, à condition que son équipe puisse également établir un relevé ethnographique, zoologique et botanique complet au cours de cette mission de 8 ans. Criblée de flèches indiennes, la selle de Rondon témoigne de la rudesse de ses premiers contacts avec des tribus hostiles. Mais son idéalisme fit des merveilles, même parmi des Blancs pourtant guère philanthropes. Les Indiens furent chargés du télégraphe, qui devint obsolète à peine construit. Mais les conférences de Rondon sur la forêt et le prestige qu'il allait gagner en accompagnant l'ex-président Theodore Roosevelt dans une expédition amazonienne l'aideront à monter le premier organisme de protection des Indiens en 1910, qu'il marquera de son esprit humanitaire. Rondon sera nommé maréchal en 1955, et l'État de Rondônia prendra le nom de ce petit-fils d'Indiens, l'une des plus passionnantes personnalités de l'histoire du Brésil.

NOTEZ-LE

Le Pantanal peut se visiter en toutes saisons et la plupart de ses lodges restent ouverts toute l'année.

En 1935, l'anthropologue Claude Lévi-Strauss suivit les vestiges de la ligne Rondon, campant dans des petits villages comme Pimenta et Vilhena, où les télégraphistes abandonnés n'avaient pas été approvisionnés depuis 8 ans.

Aujourd'hui, ces deux villes très actives chevauchent la BR-364, colonne vertébrale de la nouvelle frontière. Avant que la route ne soit goudronnée avec l'aide de la Banque mondiale, bus et camions mettaient parfois des mois à parcourir les 1 460 km qui séparent Cuiabá de Porto Velho.

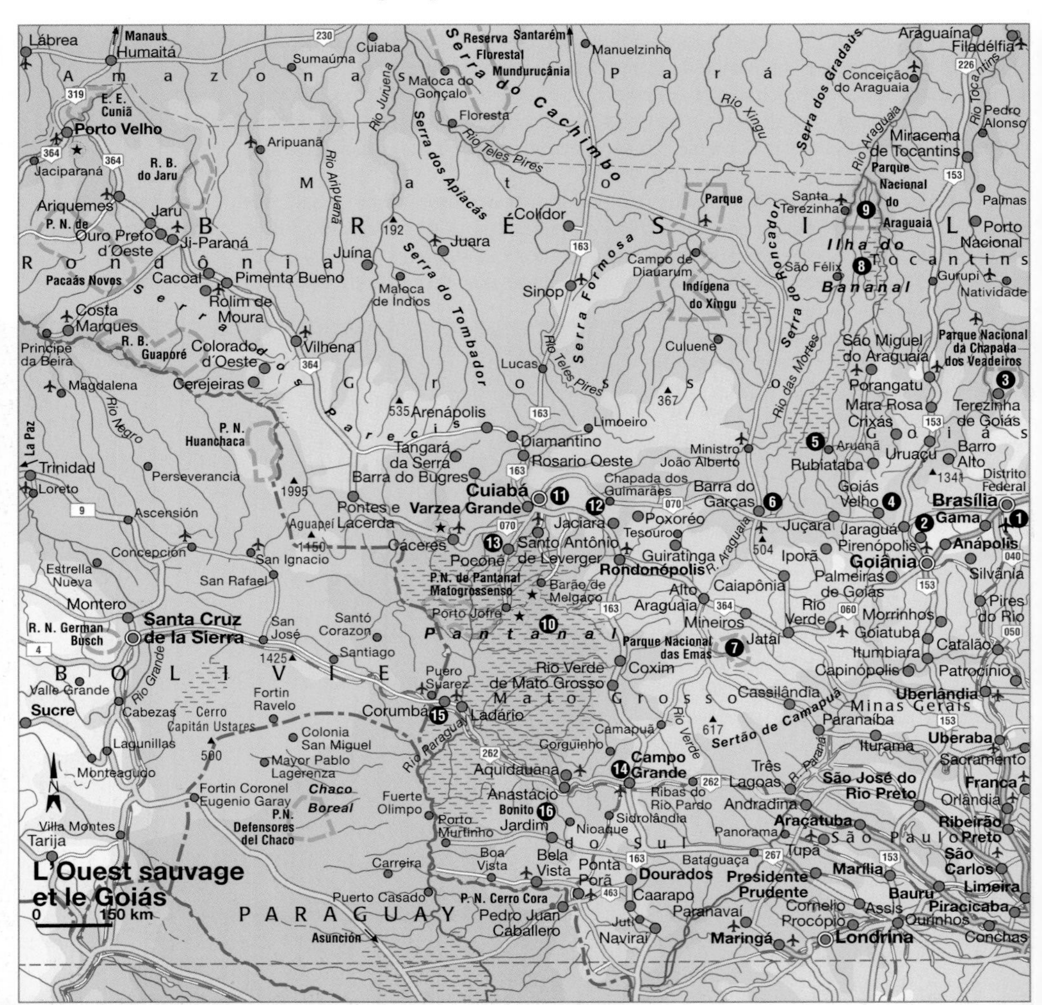

Précipitations saisonnières

Le Pantanal dépend entièrement de son cycle de précipitations : d'octobre à avril (mieux vaut éviter janvier et février), la pluie s'écoule des collines vers le secteur nord du Pantanal, tout en laissant le secteur sud au sec. Les fleuves montent de plus de 3 m, inondant leurs berges et d'immenses *baías* ou lacs fermés, où les poissons se sont développés. L'eau revivifie la végétation terrestre et permet aux arbres à demi immergés de produire des fruits dont les poissons se délectent avant de passer par des chenaux pour rejoindre les rivières où ils frayent. L'altitude variant peu à travers les 600 km d'étendue du Pantanal, les eaux s'écoulent très lentement, fertilisant les terres de façon prodigieuse. Pendant les hautes eaux du secteur nord, les basses eaux du sud attirent les échassiers. Après avril, la situation s'inverse et les oiseaux s'envolent vers le nord pour nidifier entre juin et septembre. Là, les lacs sont coupés à nouveau des fleuves, et leurs poissons captifs s'offrent aux prédateurs.

Vous aurez peut-être la chance d'apercevoir des loutres géantes dans le Pantanal.

Cuiabá

En 1719, un groupe de *bandeirantes* (*voir p. 34*) découvrirent des dépôts d'or et de diamants au cœur du Mato Grasso : ainsi naquit **Cuiabá ⓫**, la plus ancienne ville de l'Ouest. La ruée des prospecteurs fit rapidement de Cuiabá la troisième plus grande ville du Brésil colonial. Puis, au début du XXe siècle, elle se trouva une nouvelle ressource en pourvoyant les modistes de Paris en plumes d'oiseaux exotiques. Aujourd'hui, cette cité torride mais prospère, capitale d'un immense État minier, forestier et agricole, constitue la porte d'accès au Pantanal. Il ne reste malheureusement pas grand-chose du passé colonial de Cuiabá. La cathédrale, Bom Jesus de Lapa, possède un petit musée d'art sacré. Sur la Praça da República, l'agence d'État Sedtur tient un bureau d'information très efficace.

Le remarquable **Museu do Índio Marechal Rondon** (ouv. du lun. au ven. de 7h30 à 11h30 et de 13h30 à 17h30, le sam. et le dim. de 7h30 à 11h30 ; entrée payante), à l'entrée de l'université, à 10 min en bus du centre-ville, expose des objets amérindiens et se consacre au mode de vie des tribus du Xingu. Certains

CI-DESSOUS : l'ivresse des grands espaces.

NOTEZ-LE

Vous trouverez toutes sortes d'informations pratiques au bureau Sedtur, l'office national de tourisme, situé sur la place principale de Cuiabá, la Praça da República.

articles sont en vente dans une boutique d'artisanat gérée par la Funai, bureau fédéral des Affaires indiennes. Autres édifices intéressants, la résidence du gouverneur et la **Fundação Cultural do Mato Grosso** (Praça da República 151 ; ouv. du lun. au ven. de 8h à 17h30 ; entrée payante), qui regroupe 3 musées dans une demeure historique : Antropologia, História Natural et Cultura Popular.

La gastronomie de Cuiabá repose essentiellement sur le poisson. Le piranha n'a rien d'attirant dans son élément, mais, une fois réduit en soupe, il posséderait des vertus aphrodisiaques – goûtez le *caldo de piranha*. Autre spécialité régionale à ne pas manquer, la *peixada* – poisson grillé au charbon de bois.

Après les grandes chaleurs de la plaine, relief et oxygène vous attendent à 70 km de Cuiabá. Immense plateau gréseux dressé à 800 m d'altitude, le **Parque National da Chapada dos Guimarães** domine les plaines du Rio Paraguay et du Pantanal. Dans cette fraîcheur brumeuse, des grottes et des cascades extraordinaires abondent entre monolithes et collines plissées. Sans doute influencés par cette atmosphère, les habitants ont une nette tendance au mysticisme – et à la vision d'Ovni. Le plateau constitue en outre l'un des grands réservoirs des marais du Pantanal.

Aux portes de l'Enfer

Plus loin, la route passe à travers le **Portão de Inferno** (portail de l'Enfer) – muraille verticale qui marque la lisière de l'escarpement gréseux. Au-dessus de votre tête se hérissent des aiguilles rocheuses. En poursuivant, vous pourrez admirer d'en haut le **Véu da Noiva** (Voile de la Mariée), cascade de 86 m, ou descendre (30 min à pied) à travers une gorge boisée pour rejoindre sa base. Un peu plus avant dans la Chapada s'ouvrent la Casa de Pedra, habitation troglodytique naturelle coiffée d'une énorme corniche, et la Caverna Aroe Jari, couverte de peintures rupestres. Il vous faudra un guide pour visiter ces grottes.

Autrefois, l'ancienne ville, **Chapada dos Guimarães** ⓬, ravitaillait les mineurs affamés de Cuiabá. Elle a conservé son église du XVIIIe siècle, et constitue un bon point de départ à excursion dans le parc national du même nom.

CI-DESSOUS : le toucan, friand de fruits.

Au sud de Cuiabá sur la route 060, la Trans-Pantaneira commence à **Poconé** ⓭. La région a été asséchée au profit de l'agriculture et les marais ont mal supporté la prospection d'or, le braconnage et la pêche non régulée. En partant d'ici, vous atteindrez néanmoins quelques-uns des plus beaux secteurs du Pantanal.

Les pêcheurs sortent leur pirogue à la saison humide.

Villes de cowboys

Deux villes ouvrent l'accès au sud du Pantanal, dans le Mato Grosso do Sul : Campo Grande et Corumbá. Capitale du Mato Grosso do Sul, **Campo Grande** ⓮ n'a vu le jour qu'en 1889 ; elle a conservé son côté Far West, assez proche du Chaco paraguayen. Le **Museu Dom Bosco** (Rua Barão do Rio Branco 1843 ; ouv. tlj. de 8h30 à 17h ; entrée payante) présente d'intéressantes expositions sur les Amérindiens et une vaste collection d'entomologie.

Corumbá ⓯, située à la frontière bolivienne face à Puerto Suarez, fut fondée en 1778. Elle permet d'accéder au Pantanal par voie terrestre ou fluviale – ses eaux pénétrant jusque dans la ville, et même une brève excursion en bateau vous en offrira un excellent aperçu. Les plus aventureux peuvent se faire prendre à bord de lentes péniches à ciment, de petits caboteurs, ou de barges à bétail en route vers Porto Cercado et même Barão de Melgaço. Ancienne prison de la ville, la Casa do Artesão propose un choix de céramiques, articles en cuir, et objets artisanaux indiens. Si vous retournez à Campo Grande par la route, sachez que la Trans-Pantaneira traverse de belles portions de marécages.

Bonito

Des rivières aux eaux limpides, des chutes et des grottes animent les paysages de la Serra do Bodoquena. De ce fait, **Bonito** ⓰ est devenue la capitale régionale du tourisme vert. La ville, moderne et accueillante, n'a que peu d'intérêt en dehors de ses restaurants et bars, mais elle fera un bon camp de base pour quelques jours si vous souhaitez découvrir quelques-uns des sites alentour. L'extraordinaire pureté de l'eau s'explique par la forte concentration des carbonates dans les sources qui

CI-DESSOUS : un *tuiuiú*.

SUR LA TRANS-PANTANEIRA

De Poconé, la Trans-Pantaneira parcourt 145 km et enjambe 126 ponts pour rejoindre Porto Jofre, au sud. Ouverte dans les années 1970, la route devait à l'origine relier Cuiabá à Corumbá. Les conflits politiques et la pression des écologistes y ont prématurément mis fin. La route longeant les fleuves, d'immenses étendues d'eau butent contre la levée, permettant d'observer caïmans et oiseaux même sans descendre de sa voiture. Elle est désormais en piteux état, mais facilite la tâche des gardes forestiers tout en offrant une voie de pénétration aux voyageurs. Sinon, les cargos qui remontent sur 185 km la São Lourenço jusqu'à Corumbâ peuvent embarquer des passagers. Ils transportent souvent du bétail, n'ont pas d'horaires fixes et, par ailleurs, il vous faudra négocier votre passage avec le capitaine.

jaillissent du sol calcaire. Ils calcifient les impuretés qui, formant de micros cailloux, restent dans le lit de la rivière, laissant l'eau d'une pureté cristalline.

La majorité des sites se trouvant en périphérie de Bonito sur des propriétés privées appliquant un droit d'entrée, il est conseillé de s'inscrire à un circuit organisé car, par ailleurs, la région est protégée et le nombre de visiteurs par jour limité. En période de vacances, les places sont rares et les tarifs ont tendance à grimper.

À 45 min en voiture de Bonito, découvrez le Rio da Prata, une portion de rivière paisible et peu profonde (1 m). Glissez-vous dans l'eau limpide et laissez-vous porter par le flot pour observer les curieux poissons qui évoluent dans les herbes aquatiques. En ressortant, vous verrez très certainement dans les arbres des singes capucins et des toucans. Si vous ne souhaitez pas vous y rendre seul, optez pour un circuit qui fournira guide et équipement de *snorkling* (combinaison, masque et tuba). L'excursion sur le Rio Sucuri est identique mais plus courte, et vous serez accompagné par un petit bateau. Cette option rassurera ceux qui sont moins à l'aise dans l'eau.

Chercheur d'or filtrant l'eau du fleuve.

Piscines naturelles et lacs souterrains

À 45 min de la ville à moto-taxi se trouve la **Balneiro Municipal**, une piscine naturelle sur le Rio Formoso, aménagée avec des cabines et un café. Le site est impeccablement entretenu.

Une autre option permet d'effectuer un trek sur l'Estancia Mimosa (à 45 min de la ville). Vous traverserez une forêt-galerie –*mata ciliar*–, qui vous révélera au passage des cascades et des piscines naturelles dans lesquelles vous pourrez vous rafraîchir.

Le **Lagoa Azul** repose au fond d'une profonde grotte calcaire. Ses eaux brillent d'un bleu vif lorsque la lumière qui filtre par l'entrée de la grotte est reflétée par le calcaire et le magnésium. N'hésitez pas à la visiter pendant la journée mais prenez garde : la descente peut être glissante après de fortes pluies. ❑

CI-DESSOUS : digne représentant du Refugio Ecologico Caiman.

Les circuits et les lodges

Les portes d'entrée au Pantanal se trouvent à Corumbá, Campo Grande et Cuiabá. Pendant la saison sèche, vous rallierez votre lodge en 4x4 sur des routes partiellement goudronnées ou à l'état de piste, mais pendant la saison humide il vous faudra emprunter un petit avion de tourisme ou un bateau. L'hébergement varie énormément, du simple hamac suspendu sous les toits de *palapa*, au luxueux chalet confortablement équipé. Pour profiter au mieux de la région comptez sur un séjour de 2 à 3 nuits. La plupart des lodges opèrent en pension complète (sans boissons), incluant 3 repas quotidiens, les transferts et les excursions. En règle générale, ils organisent 2 sorties par jour, la première tôt le matin et la seconde en fin d'après-midi lorsque la chaleur est supportable, une période favorable à l'observation de la faune. Ces excursions comprennent un safari 4x4, une croisière, un safari nocturne, une sortie équestre et une randonnée pédestre dans la nature. Les voyageurs indépendants et non fortunés pourront éventuellement opter pour les services d'un guide local. À l'arrivée à l'aéroport ou à la gare routière de Corumbâ, Campo Grande ou Cuiabá, il y a en principe un grand nombre de personnes prêtes à vous offrir leurs services. Toutefois, prenez soin de bien définir et négocier vos expectations : la qualité des prestations peut fortement varier d'un guide à l'autre. Même si vous êtes prêt à passer quelques nuits à la belle étoile dans un hamac, il importe que votre guide soit un fin connaisseur du terrain, sans quoi votre expédition peut virer à la simple balade de santé.

La meilleure solution pour une garantie de bons services est de réserver un séjour tout compris dans un lodge (liste des meilleurs ci-dessous). Le prix plus élevé vous assurera un séjour réussi.

Au départ de Campo Grande La **Pousada Aguape**, une charmante ferme bovine dans la famille depuis plus de 150 ans, offre des chalets simples mais adorables, une piscine, une délicieuses et généreuse cuisine, et un personnel amical anglophone (tél. 67-3686 1036 ; www.aguape. com.br). La réserve **Refugio Ecologico Caiman** (tél. 65-623 7022 ; www.pousadamutum.com.br) abrite sans doute aucun le plus joli et le plus confortable des lodges du Pantanal. Ses chalets sont impeccables, sa cuisine exquise et les excursions sont menées par des guides spécialisés et bilingues. Comme le lodge est installé sur les rives de la rivière Mutum, au confluent de 2 lacs, vous aurez d'amples possibilités d'observer évoluer les otaries d'eau douces. La **Fazenda Rio Negro** (www.fazendarionegro.com.br) est une ancienne ferme en bois des années 1920 peinte en blanc et en vert. Ses chambres simples sont claires et confortables. Les repas se prennent dans un patio à l'arrière. Ce lodge étant difficilement accessible par voie terrestre, vous serez un observateur de la vie sauvage privilégié. Pour s'y rendre, il faut emprunter un petit avion au départ de Campo Grande (1 heure de vol).

Au départ de Cuibá Dans la ville elle-même, vous avez **Anaconda Tours** (Avenida Isaac Póvoas 606 ; tél. 65-3028 5990 ; www.anacondapantanal.com.br), qui organise des excursions (1-3 jours), avec transferts aériens. Il faut environ 2 heures et quart pour gagner l'**Araras Lodge** (tél. 65-682 2800 ; www.araraslodge.com.br), à 132 km de Cuiabá, par voie terrestre (route et piste). Ses 19 belles chambres avec salle de bains sont installées dans un cadre fantastique. Plus classique, l'**Hotel Porto Jofre** (tél. 65-3637 1593 ; www.portojofre.com.br), à 245 km de Cuiabá, a 26 chalets confortables et une piscine. Bateaux à moteur pour périples et parties de pêche.

Au départ de Corumbâ Construit sur pilotis au bord de la rivière Miranda, le vaste lodge **Passo do Lontra** (tél. 67-3231 6569 ; www.passodolontra.com.br) se situe à 120 km de Corumbâ. L'hébergement proposé varie du hamac à la chambre simple en passant par de confortables chalets avec eau chaude. Il y a aussi un grand restaurant intérieur. Le lodge se spécialise dans les excursions fluviales et les sorties pêche. ❑

À DROITE : repos bien mérité entre 2 safaris.

CATARATAS DO IGUAÇU

Parmi les merveilles naturelles du monde, les Cataratas do Iguaçu occupent une place de choix – une place à laquelle vous aurez du mal à vous arracher, hypnotisé par leur écrasante magie.

Des rabatteurs vous attendent à l'aéroport et à la gare routière, mais attention aux circuits proposés, parfois très décevants.

PAGES PRÉCÉDENTES ET CI-DESSOUS : un spectacle sublime qui laisse une impression profonde.

Pauvre Niagara ! se serait exclamé l'épouse du président américain Roosevelt en découvrant les **Cataratas do Iguaçu ❶**, l'un des spectacles les plus grandioses de la planète : 275 chutes au total, dont certaines dépassent les 80 m de haut, basculent dans un gouffre de 3 km, projetant une éternelle muraille d'écume et déversant à leur maximum plus de 6,5 millions de litres d'eau par seconde. Au cœur de ce théâtre surnaturel, la Garganta del Diablo (Gorge du Diable) réunit 14 chutes, dévalant une falaise de 90 m dans une apocalypse couronnée par un arc-en-ciel perpétuel. Inscrites à l'intérieur d'un parc national de type subtropical (classé au Patrimoine mondial), les chutes brisent le Rio Iguaçu à la frontière argentino-brésilienne, et vous pouvez y accéder en venant de l'un ou l'autre pays. Une demi-journée côté brésilien et une journée complète sur la rive argentine sont même recommandées si vous en avez le temps. À l'entrée du **Parque Nacional Foz do Iguaçu** (Brésil), un centre d'accueil moderne regroupe musée, boutique et distributeur de billets. Des navettes en partent pour rejoindre les chutes (voitures interdites à l'intérieur du parc), avec un premier arrêt au **Macuco Safari**. Ne manquez pas ce périple en bateau pneumatique qui vous permet d'approcher la base des chutes et d'expérimenter de plein fouet leur énorme puissance – prévoyez un maillot de bain et un sac plastique pour votre appareil-photo. Le dernier arrêt de la navette vous dépose au début de la **Pista de Cataratas**, chemin d'1,5 km qui vous mène à une passerelle donnant sur la Garganta del Diablo : une symphonie dantesque, orchestrée par le rugissement des flots et le bouillonnement de l'écume blanche qui lèche l'émeraude de la jungle, tandis qu'un arc-en-ciel diapre le brouillard. Juste avant le centre d'accueil, un hélicoptère emmène ses passagers survoler les chutes (au grand dam des écologistes), environ 60 $US les 10 min. En face, le **Parque dos Aves** et ses immenses volières hébergent notamment cinq espèces de toucans indigènes.

Rive argentine

Pour passer côté argentin, vous devez franchir le contrôle frontalier de Ponte Tancredo Neves (passeport obligatoire, mais visa inutile). Vous ferez peut-être la queue quelques minutes, mais les formalités s'expédient sans délai. L'Argentine détient plus de 80 % des chutes, et les infrastructures touristiques de son **Parque Nacional Iguazú** sont nettement plus développées. Toutes les 15 min., des trains vous déposent à l'entrée de deux pistes, chacune vous offrant des points de vue extraordinairement rapprochés des chutes. Du Circuito Inferior, plus abrupt et un peu plus long que le Circuito Superior, un bateau vous embarque jusqu'à **Isla San Martin**, où les marcheurs aguerris découvriront quelques chutes et bassins moins connus. Un deuxième train continue jusqu'à la passerelle de la Garganta del Diablo – avec vue imprenable sur ce diabolique larynx.

Pour voir les chutes à leur maximum d'intensité, préférez janvier ou février, période de hautes eaux. En contrepartie, la chaleur et l'humidité atteignent également un pinacle, tout comme l'affluence touristique. De septembre à octobre, les chutes sont moins impressionnantes, mais vous bénéficiez d'une température agréable et d'une relative tranquillité. Dans tous les cas, n'oubliez pas de prendre un blouson ou un poncho imperméable ; à la saison des pluies, le maillot de bain convient parfaitement.

Le changement climatique n'a pas épargné la région et, en juillet 2006, une sécheresse prolongée a réduit les chutes à leur plus simple expression. Les pluies de septembre ont heureusement rétabli la situation.

Presque tous les hôtels de **Foz do Iguaçu** ❷ peuvent vous arranger excursion et transports aller et retour aux chutes (*voir hôtels p. 350 et Tours operators p. 366*). La construction du barrage d'Itaipú a donné un coup de fouet à cette ville également dopée par une industrie touristique florissante. Foz n'a rien de particulièrement affriolant, mais vous y dénicherez une bonne brochette d'hôtels et restaurants à prix raisonnables. ❑

Vous trouverez des parkings à l'entrée des deux centres d'accueil, après quoi vous n'aurez plus qu'à acheter un billet pour pénétrer dans le parc.

CI-DESSOUS : Foz de Iguaçu, la base idéale pour visiter les chutes.

BARRAGEM DE ITAIPÚ

Fruit d'une étroite collaboration entre le Brésil et le Paraguay, la plus grande centrale hydroélectrique après celle du barrage des Trois-Gorges en Chine (achevé en 2006) du monde a été construite entre 1975 et 1984. Le barrage, installé sur le fleuve Paraná, mesure 8 km de long et produit environ 27 milliards de KW/h par an, fournissant un quart de l'électricité brésilienne et 80 % des besoins du Paraguay. Un bénéfice évident pour les 2 pays, qui peinent pourtant à équilibrer des coûts énormes, et pas seulement en termes financiers : ce chantier de 18 milliards d'US$ a provoqué des dégâts écologiques considérables, détruisant notamment l'habitat ancestral des peuples indigènes de la région, ainsi qu'une myriade d'espèces animales et végétales. Visites guidées gratuites du barrage du mar. au sam. entre 8h et 16h.

LE SUD

Des paysages spectaculaires, une culture européenne bien ancrée et un héritage *gaúcho* des plus enraciné : sont les traits caractéristiques de cette région subtropicale prospère.

Ne manquez pas !
- CURITIBA
- VILA VELHA STATE PARK
- MORRETES
- PARANAGUÁ
- SANTA CATARINA
- FLORIANÓPOLIS
- PONTA DE GAROPABA
- PARQUE NACIONAL APARADOS DA SERRA

Au sud du Brésil, tout est différent. Les palmiers font place aux pins, des vallées paisibles se nichent au creux de montagnes boisées, la nature devient plus théâtrale, les cascades rugissent au fond des gorges, et le climat tempéré s'offre 4 vraies saisons, avec du froid et même de la neige en hiver. Les gens aussi sont différents. Des blonds aux yeux bleus remplacent les visages basanés ou noirs du Nord et du Nordeste, reflétant de profondes racines européennes. Corne d'abondance du Brésil, le Sud ne manque de rien. Les *fazendas* du **Paraná**, du **Santa Catarina** et du **Rio Grande do Sul** sont les premiers fournisseurs céréaliers du pays. Au Paraná, les plantations de café voisinent avec les plus vastes pinèdes du Brésil. De même, les plus importants troupeaux de bétail sillonnent les pampas du Rio Grande do Sul. Ces dernières années, le Sud a tiré partie de sa richesse agricole pour investir dans l'industrie. La région anime aujourd'hui un secteur textile et de la chaussure en plein essor. Les terres fertiles et la puissance industrielle du Sud offrent aux habitants de ses 3 États un niveau de vie que seul dépasse celui de l'État de São Paulo.

À GAUCHE : formations rocheuses de Vila Velha.
CI-DESSOUS : la plage de Florianópolis.

L'État du Paraná et sa capitale

Le Paraná combine l'urbanisme le plus civilisé et les caprices naturels les plus sauvages. À commencer par les Cataratas do Iguaçu (chutes d'Iguaçu), qui comptent parmi les grandes merveilles naturelles de la planète et ont été classées par l'Unesco au patrimoine mondial en 1986 (*voir p. 320*). À 550 km à l'est de Foz do Iguaçu, **Curitiba** ❸ semble sortie d'un rêve d'urbaniste avec ses vastes espaces verts, ses larges boulevards, ses zones piétonnes émaillées de fleurs et son rythme de vie à la fois détendu et confortable.

Fondée par les prospecteurs d'or au XVIIe siècle, la ville s'est métamorphosée en une métropole hyperactive de 1,7 million d'habitants, perchée sur un plateau de 900 m d'altitude. Durant la

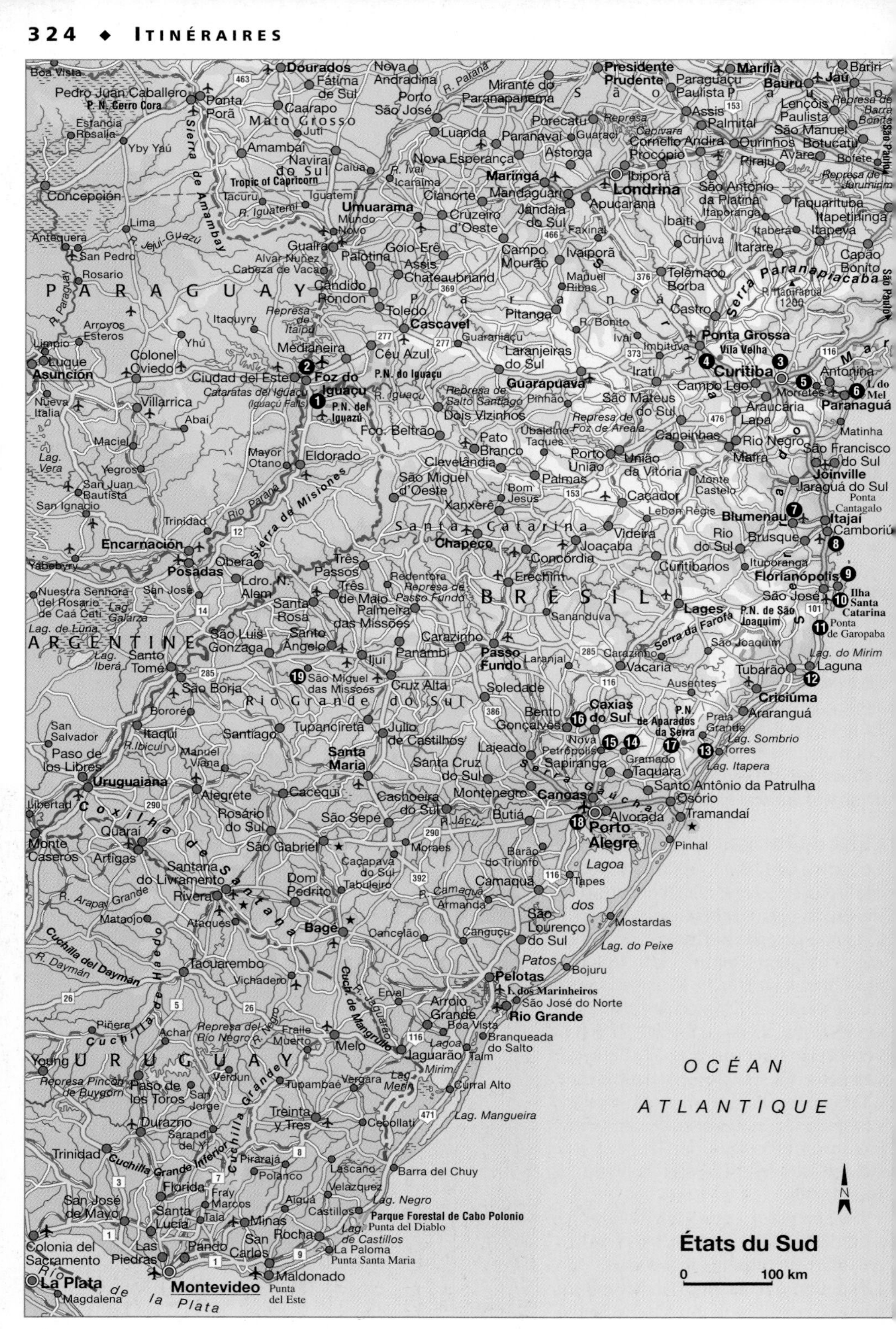
États du Sud
0 100 km
N
OCÉAN
ATLANTIQUE
PARAGUAY
ARGENTINE
URUGUAY
BRÉSIL
Mato Grosso do Sul
São Paulo
Paraná
Santa Catarina
Rio Grande do Sul
Tropic of Capricorn
Asunción
Concepción
Encarnación
Posadas
Ciudad del Este
Foz do Iguaçu
Cataratas del Iguaçu (Iguaçu Falls)
P.N. del Iguazú
P.N. do Iguaçu
Dourados
Presidente Prudente
Marília
Bauru
Londrina
Maringá
Umuarama
Cascavel
Guarapuava
Ponta Grossa
Vila Velha
Curitiba
Paranaguá
Joinville
Blumenau
Itajaí
Florianópolis
Ilha Santa Catarina
Lages
Chapecó
Criciúma
Tubarão
Laguna
Passo Fundo
Caxias do Sul
Porto Alegre
Canoas
Santa Maria
Uruguaiana
Pelotas
Rio Grande
Bagé
Tacuarembó
Montevideo
La Plata
Colonia del Sacramento
Maldonado
Punta del Este
Parque Forestal de Cabo Polonio
Lagoa dos Patos
Lag. Mirim
Lag. Mangueira
Serra Geral
Serra Gaúcha
Serra Paranapiacaba
Serra da Farofa
P.N. de São Joaquim
P.N. de Aparados da Serra
Sierra de Amambay
Sierra de Misiones
Coxilha de Santana
Cuchilla Grande
Cuchilla Grande Inferior
Cuchilla de Haedo
Cuchilla del Daymán
Río de la Plata
R. Paraná
R. Uruguai
R. Iguaçu
R. Ivaí
R. Jacuí
Rio Grande do Sul

deuxième partie du XIXe siècle et au début du XXe, Curitiba et l'État tout entier accueillirent un mélange d'immigrants italiens, polonais, allemands et russes qui européanisèrent rapidement ce petit coin d'Amérique du Sud. La profusion des blonds dans les rues comme son calendrier de fêtes traditionnelles témoignent de l'origine très mélangée des habitants de Curitiba. Le quartier de **Santa Felicidade** notamment, fondé en 1878 par des immigrants italiens, se réserve aujourd'hui les meilleures *cantinas* de la ville.

Réputée comme la ville la plus propre du Brésil, Curitiba réserve également bien des plaisirs au promeneur. En son centre, la grande galerie piétonne de la **Rua das Flores** doit son nom à la multitude des paniers de fleurs qui agrémentent boutiques, cafés, restaurants et pâtisseries.

À proximité, le vieux Curitiba se concentre autour du **Largo da Ordem**, place pavée dominée par l'**Igreja da Ordem Terceira de São Francisco das Chagas** (1737). Plus connue sous le nom d'Igreja da Ordem, c'est la plus ancienne église de la ville. Tous les dimanches, de 9h à 14h, le cœur de la vieille-ville s'anime en accueillant une foire artisanale où vous trouverez toute la production locale, laquelle est de qualité. Un peu plus haut après l'église, le **Garibaldi Mini Shopping** propose une foule d'objets artisanaux en provenance de tout le Brésil – sculptures sur bois, poteries, articles en cuir ou vannerie. En soirée, le Largo et ses terrasses illuminées sont animés par des musiciens.

En redescendant vers la Rua das Flores, vous atteindrez la **Praça Tiradentes**, où se dresse la cathédrale néogothique. La voisine **Praça Generoso Marques** est un passage couvert d'une verrière, où boutiques, bars et cafés demeurent ouverts jour et nuit, ce qui lui a valu le surnom de “Rua 24-horas”.

Le *Linha Turismo* (du mar. au dim. de 9h à 17h30) offre une très bonne et très agréable façon de découvrir Curitiba. Ce bus touristique dessert en effet les 25 sites majeurs de la ville. La première halte se fait Praça Tiradentes et le circuit complet prend 2h30.

Formations rocheuses

À 80 km à l'ouest de Curitiba s'étend la seconde merveille naturelle de la région, le **Parque Estadual de Vila Velha** ❹ (ouv. du mer. au lun. de 8h à 16h). Sculptées depuis plus de 400 millions d'années par la pluie et le vent, d'extraordinaires formes rocheuses émergent majestueusement du plateau. On en dénombre 23, chacune ayant été baptisée selon la forme qu'elle présente, géométrique, anthropomorphe ou zoomorphe. À proximité, 3 furnas (trous d'eau) plongent à 50 m de profondeur (descente possible par ascenseur), tandis que la Lagoa Dourada étincelle au milieu de la forêt.

Un petit train bringuebalant se fraye un chemin entre les formations, mais un bon marcheur ne saurait résister à l'attrait d'une promenade dans ce site étrange, hanté par les ombres et les murmures capricieux du vent.

Un voyage inoubliable

Pour rallier les célèbres plages du Paraná, n'hésitez pas à faire le voyage jusqu'à la côte en train. C'est l'un des trajets les plus époustouflants du Brésil. Achevé en 1885, le tracé de la ligne de chemin de fer s'adosse à la

Ci-dessous : la superbe serre du jardin tropical de Curitiba.

falaise, se jette parfois dans le vide lorsqu'il s'élance sur les viaducs et se fait avaler par les tunnels lors de sa lente et longue descente de 3 heures jusqu'à la plaine côtière. Pour bénéficier des plus belles vues, choisissez une place sur le côté gauche du train. Ce voyage constitue sans nul doute une visite exceptionnelle de la partie de la forêt pluviale atlantique la mieux préservée du Brésil, un impressionnant nœud d'arbres et de végétation, interrompu parfois par une cascade.

Pour déguster le meilleur *barreado* rendez-vous, à Morretes, au Armazem Romanus (Rua Visconde do Rio Branco 141) et, à Paranaguá, à la Casa do Barreado (Rua José Antônio da Cruz 38), ou au Danubio Azul (Rua XV de Novembro 95).

Deux trains font cet inoubliable voyage. Le premier quitte la gare de Curitiba (Avenida Presidente Afonso Camargo 330 ; achat des billets au guichet derrière la gare) tous les jours à 8h15 pour arriver 3 heures plus tard à **Morretes** ❺. Préférez descendre à cette station, car la dernière partie du voyage, entre Morretes et Paranaguá, n'offre pas les mêmes attraits que la partie précédente et ne fonctionne que le dimanche. Le second train, le *litorina* (train touristique), part de Curitiba à 9h15 les week-ends et pendant les vacances seulement. Il est conseillé de réserver, en particulier l'été (Serra Verde Express, tél. 41-3323 4007 ; www.serraverdeexpress.com.br).

Après une telle aventure, vous serez prêt pour un autre type d'exploration : laissez-vous tenter par le *barreado*, une spécialité locale. Il s'agit d'un délicieux ragoût de bœuf, de porc, d'oignons et d'épices, mijoté dans un pot en terre pendant 12 heures, et servi avec du manioc et des rondelles de banane et d'orange (*voir* Notez-le *ci-contre*).

Non loin de là, d'autres caprices naturels ont foré 2 énormes trous dans le sol rocheux jusqu'à une profondeur de 100 m ou presque. Un ascenseur permet de descendre dans l'un de ces puits naturels, à demi remplis d'eau.

CI-DESSOUS : Vila Velha.
À DROITE : la voie ferrée de Paranaguá.

Le chemin de fer de Paranaguá

Ce ne sont pas ses plages qui ont fait la réputation du Paraná, mais les rejoindre est l'occasion d'un voyage exceptionnel. Du mardi au dimanche à 8h, un train quitte la gare de Curitiba pour entreprendre un parcours sinueux jusqu'au pied des

montagnes côtières et atteindre le port de **Paranaguá ❻**, la plus ancienne ville de l'État. Fondée en 1648, Paranaguá est l'un des plus grands ports du pays, mais n'a malheureusement pas conservé grand-chose de son histoire. Ce qu'il en reste se cantonne le long de la **Rua 15 de Novembro**, où le **Musée archéologique** (ouv. du mar.- au ven. de 9h à 12h et de 13h à 18h, les sam. et dim. de 12 à 18h ; entrée payante) occupe un ancien collège jésuite (achevé en 1755), le plus imposant édifice de la ville. Le musée présente des pièces indiennes et de la période coloniale.

En 1 heure de route, vous rejoignez la ville de **Pontal do Sul**, d'où une traversée de 20 minutes en bateau vous conduit à la paradisiaque **Ilha do Mel**. (Vous pouvez opter de prendre un bateau de Paranaguá, mais la traversée prend 2 heures). Réserve naturelle, l'île mêle une profusion de cavernes, de bassins et de plages désertes. Elle abrite également les ruines d'un fort du XVIIIe siècle et un phare du XIXe siècle. Les voitures étant interdites, on se déplace à pied, ou en barque de pêcheur. Les campeurs apprécieront particulièrement cette nature vierge (lampe-torche et lotion antimoustiques vitales). Mais vous pouvez également séjourner dans l'une des *pousadas* de l'île.

Pour retourner à Curitiba, laissez-vous tenter par la **Graciosa**, route sinueuse dont les talus constellés de fleurs sauvages coupent à travers une forêt verdoyante. À certains endroits, on devine l'ancien sentier de mulets qui permit aux premiers colons portugais de gravir les pentes menant à Curitiba. Les aventuriers authentiques peuvent encore risquer l'expérience.

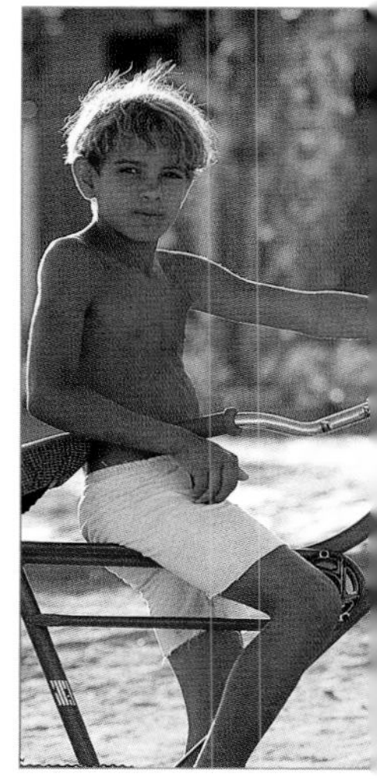

Au soleil de l'enfance…

Plages du Santa Catarina

De Paranaguá, la côte vous mène dans le Santa Catarina. À **Blumenau ❼**, dont l'architecture bavaroise révèle clairement les racines allemandes, la célèbre Oktoberfest déclenche chaque année 3 semaines de folie auxquelles participent plus d'un million de personnes : c'est la plus grande fête du Brésil après le carnaval de Rio. Le reste de l'année, ce sont plutôt ses kilomètres de plages de sable blanc qui vous retiendront au Santa Catarina.

Au nord, la station balnéaire de **Camboriú ❽** déroule une longue plage en croissant, copie conforme de Copacabana.

Florianópolis ❾, où la qualité de vie est réputée la meilleure du pays, est la base de départ pour Ilha Santa Catarina. Avant de prendre la route pour les plages, cette ville mérite une visite d'un jour ou 2 afin de découvrir l'histoire de l'île et ses délices culinaires. Commencez par le **Predio da Alfandega** (Avenida Paulo Fontes ; ouv. du lun. au ven. de 9h à 18h30, le sam. de 8h à 12h30), l'ancien bâtiment des douanes datant de 1875, converti à présent en marché d'artisanat. Le **Mercado Municipal** voisin (ouv. du lun. au ven. de 7h à 19h, le sam. de 7h à 13h30) fait office de lieu de rendez-vous à une foule venue prendre une bonne bière pression et grignoter des *bolinhos de bacalhau* (petits pâtés de morue) au Box 32.

Ci-dessous : divertissement innocent de la Blumenau Oktoberfest.

Découverte de l'île

L'Ilha do Arvoredo, qui fait partie d'une réserve de biosphère, possède quelques-uns des meilleurs coins de pêche du sud du Brésil. Les bateaux partent de la plage de Canasvieiras et gagnent l'île en 2 heures. Deux agences de Canasvieiras proposent périples et parties de plongée : Acquanauta et Sea Divers.

Reliée au continent par le **Ponte Hercílio Luz** – l'un des plus grands ponts suspendus au monde –, **Ilha Santa Catarina** ⓾ déroule ses 42 plages à 1 heure du centre-ville. Le style de vie décontracté de ce village de pêcheurs – un héritage des immigrants açoréens arrivés sur l'île en 1750 –, se résume à des plaisirs simples : baignade, bronzette dans de jolies criques, surf sur les longues plages, et ravigotants dîners de fruits de mer.

Les 17 km qui vous séparent de **Santo Antônio de Lisboa**, le plus vieux et mieux préservé village açoréen de l'île, se franchissent rapidement. Ce site est le meilleur endroit pour regarder le soleil se coucher derrière le photogénique Ponte Hercílio Luz.

Ceux qui recherchent une plage animée dans la journée et une piste pour danser le soir, trouveront leur bonheur sur les plages de la côte nord. Leurs bonnes infrastructures offrent des hôtels de qualité, un large choix de restaurants et des rues commerçantes. Quant aux plages, vous aurez le choix entre Daniela et Lagoinha de Ponta das Canas, familiales et léchées par des eaux paisibles, ainsi que Jurere, Canasvieiras, et Ingleses, très urbaines et fort appréciées des Argentins.

La côte nord a la réputation de posséder la plus belle station balnéaire du pays, le Costão do Santinho, à **Praia do Santinho**. Pour le surf et les célébrités, dirigez-vous à Praia Mole et Joaquina, rendez-vous international annuel de surfeurs.

À quelques minutes de là s'étend la **Lagoa da Conceição**, un joli lac d'eau douce blotti entre la montagne et la mer sur lequel vous pourrez faire de la planche à voie et du jet-ski. Autour de Rua das Rendeiras, les descendantes des Açoréennes perpétuent la dentelle traditionnelle. Il y a également des boutiques à la mode, des bars et des restaurants dont certains exceptionnels, tels que l'**Um Lugar** (Rua Manuel Severino de Oliveira 371) qui, sans être prétentieux, sert une cuisine de très haut niveau.

Les plages de la côte sud de l'île, comme Solidão, Naufragados et Lagoinha do Leste, demeurent les plus vierges et les plus spectaculaires. La plupart sont

CI-DESSOUS : l'élégant Ponte Hercílio Luz.

accessibles par des chemins de terre ou des pistes qui serpentent à travers les dernières parcelles préservées de forêt pluviale atlantique. Pour une excursion à la journée, optez pour les plages de Campeche et de Armação. Les bateaux pour l'île de Campeche partent d'Armacão.

Non loin se dresse le village coloré de **Ribeirão da Ilha**, l'un des premiers lieux de peuplement açoréens. Les pêcheurs du village se spécialisant dans l'ostréoculture, vous ne serez guère surpris de trouver des huîtres au menu des restaurants de fruits de mer, tel **Ostradamus** (Rodovia Baldicero Filomeno 7640) ou son voisin, **Rancho Acoriano**. Après un délicieux repas, promenez-vous dans le village pour apprécier l'architecture açoréenne.

Porto Novo, à l'extrémité sud de Praia do Rosa, est un bon endroit où pêcher la *tainha*, le mulet brésilien.

Plages du Sud

De retour sur le continent, découvrez les principales plages du Sud qui bordent **Ponta de Garopaba ⓫** :Garopaba, sa voisine Praia do Rosa – l'une des plus belles du Brésil – et Laguna. La plus grande concentration des jeunes et beaux Brésiliens fréquentent Garopaba et Praia do Rosa. Le surf rythme la vie locale et l'exceptionnelle beauté de Praia do Rosa sert de décor aux petites auberges telles que **Quinta do Bucaneiro** (Estrada Geral do Rosa s/n ; www.bucanero.com.br), et **Pousada Caminho do Rei** (Caminho do Alto do Morro s/n ; www.caminhodorei.com.br). Capitale officieuse du surf brésilien, Garopaba est devenu le quartier général des fabricants de l'équipement vestimentaire du surf. Vous trouverez dans l'Avenida João Orestes de Araujo la boutique d'usine de Mornaii, l'un des meilleurs en la matière.

De nombreuses plages jalonnent la côte sud de l'État de Santa Catarina, dont **Garopaba**, **Laguna ⓬**, et **Morro dos Conventos**. Vous serez conquis par Laguna, port de pêche et ville coloniale du XVIIe siècle qui a su préserver à la fois son caractère historique et la beauté de ses plages environnantes.

Considérée comme le joyau de la côte sud du Brésil, Laguna attire tout autant les touristes argentins que les gens aisés de São Paulo. À l'instar des grandes villes et

CI-DESSOUS : la baleine, animal tout à fait fascinant.

WHALE-WATCHING

Entre juin et novembre, la région de Garopaba et de Praia do Rosa joue un rôle capital dans la reproduction de centaines de baleines franches australes. Praia do Rosa accueille le siège du projet de préservation de Baleia Franca (Baleines franches ; www.baleiafranca.org.br), fondé pour étudier et protéger cette espèce très spéciale. Vous aurez l'occasion d'observer ces magnifiques mammifères marins accompagnés de leur petit, de la plage ou à bord d'un bateau. Le Vida Sol e Mar Resort à Praia do Rosa propose au programme de leurs prestations des croisières d'observation au départ de la plage de Garopaba. Les sorties en mer sur un bateau de 9 m durent environ 2 heures et un biologiste de l'institut accompagne le groupe. Pour plus de renseignements, consultez le site brésilien du tourisme : www.bitourism.com.

Les vins brésiliens

Bien qu'elle se soit introduite relativement tard dans l'histoire du Brésil, la viticulture, qui ne s'est véritablement développée qu'à la fin du XIXe siècle, a pris une grande importance. Les vignobles se répartissent sur les montagnes côtières du Rio Grande do Sul, qui entre pour 90 % dans la production nationale.

Les cépages y furent introduits par des immigrants italiens dans les années 1880. Leurs descendants ont depuis perpétué cette tradition, tandis que les bourgades et les exploitations de la région ne sont pas sans évoquer l'Italie. Ainsi, fromages et salamis pendent aux voûtes des caves dans des fermes qui produisent souvent leurs propres produits, pâtes et vins compris. Cette association culinaire se retrouve dans les restaurants de la région, où la cuisine italienne est reine (*voir "Restaurants", p. 335*).

Nichée au cœur des montagnes et des vignobles, la ville industrielle de **Caxias do Sul** organise tous les 2 ans un festival de la vigne en février-mars, longue fête dûment arrosée. Principal chai de Caxias, le **Château Lacave** (BR-116, KM 143 ; ouv. du lun. au sam. de 9h30 à 20h30, le dim. de 10h à 17h) siège dans une copie conforme de château-fort avec pont-levis.

Autour des grandes villes, vous trouverez des *cantinas*, établissements vinicoles proposant la visite de l'exploitation (janvier-mars) et la dégustation de leur production. Certaines *cantinas* disposent également d'un restaurant. Zanrosso et Tonet, situées entre Caxias do Sul et Flores, sont 2 *cantinas* à voir absolument.

Les amateurs de dégustations auront tout intérêt à se diriger ensuite vers **Garibaldi** et **Bento Gonçalves** (et alentour), capitales des vignobles. À la sortie de Garibaldi, sur la route principale, se trouve la **Maison Chandon** (visites guidées du lun. au ven. de 8h à 11h30 et de 13h à 1730, le sam. de 9h30 à 15h), qui est actuellement le plus gros producteur d'*espumante*, le vin mousseux brésilien, considéré comme le meilleur produit viticole du pays.

Georges Aubert, Peterlongo et De Lantier figurent parmi les importants producteurs d'*espumante*. Continuez sur la Bento Gonçalves pour visiter la **Cooperativa Vinicola Aurora** (Rua Olavo Bilac 500 ; ouv. du lun. au sam. de 8h15 à 17h, le dim. de 8h30 à 11h30). Bento abrite également d'excellents plus petits producteurs dont **Salton**, **Vinicola Miolo**, et **Casa Valduga**. Tous vous proposent des visites guidées incluant de généreuses dégustations de leurs crus. Certains, comme Casa Valduga (de l'autoroute RS-470 sortir au Km 216 ; www.casavalduga.com.br), ont construit de jolis petits hôtels sur leur domaine pour héberger les amateurs un peu trop enthousiastes.

Les grands vignobles brésiliens ont commencé à améliorer leur qualité dans les années 1970, poussés par la demande locale. À partir de cépages importés, ils ont fait un bond notable en qualité dans la décennie suivante. Mais le processus de modernisation n'est pas encore achevé, car un grand nombre de viticulteurs utilisent encore les vieux fûts en chêne. Seuls quelques-uns se sont équipés de fûts en inox et utilisent les technologies modernes de vinification, ce qui a permis d'améliorer grandement la qualité du vin, notamment les blancs. La bonification est telle que le Brésil exporte aujourd'hui nombre de ses crus, principalement aux États-Unis, et qu'il sera un jour prochain un redoutable concurrent du Chili et de l'Argentine. ❑

À gauche : vendanges dans une exploitation vinicole de Rio Grande do Sul.

des centres touristiques du Sud, tout ici respire la richesse, la propreté et l'efficacité, à cent lieues de la misère et de la déliquescence urbaine qui rongent les villes balnéaires du Nordeste. La plage principale, Mar Grosso, est aménagée, tandis qu'à 18 km, Farol de Santa Marta conserve tout son éclat naturel.

État *gaúcho*

État le plus méridional du Brésil, à la frontière de l'Uruguay et de l'Argentine, le Rio Grande do Sul s'est développé un peu en marge. Les racines portugaises et espagnoles se sont mêlées aux influences italiennes et allemandes pour engendrer un produit unique, cette culture *gaúcha* qui fait la spécificité du Rio Grande do Sul, dont les rudes cow-boys sillonnent les pampas – chapeaux à larges bords, pantalons larges, foulards rouges et bottes en cuir associés au symbole de la terre *gaúcho*, le *chimarrão*, gourde de maté brûlant.

Ici, un homme est un homme : le machisme règne sans compromis dans un tel milieu, au passé particulièrement agité. Plus que tout autre état du Brésil, le Rio Grande do Sul a connu les ravages de la guerre. Aux XVIIIe et XIXe siècles, les armées régulières succédèrent aux révolutionnaires et les aventuriers aux Amérindiens, transformant ses vastes prairies en champs de bataille légendaires et sanglants.

En pleine nature, une carabine peut parfois s'avérer utile.

Tête fière et pleine de vent, le *gaúcho* d'aujourd'hui a heureusement trouvé des exutoires à ses ardeurs guerrières. Le Rio Grande est le premier producteur national de chaussures, et ses vignobles sont les meilleurs du pays. De vastes troupeaux de bétail et de moutons pâturent à travers les anciens champs de bataille, fournissant à l'État et à tout le pays le bœuf indispensable aux succulents *churrascos* – grillades typiques de la région – et la laine des manufactures textiles du Sud.

Les paysages du Rio Grande do Sul ne sont pas plus accommodants que leurs *gaúchos*. L'Atlantique bute violemment contre ses 450 km de littoral, dont les plages les plus fréquentées bordent la ville balnéaire de **Torres** ⓭. L'eau y est la plus froide du Brésil, mais le soleil reste chaud, et les bikinis tout aussi minimalistes qu'à Rio. D'autres grandes stations balnéaires jalonnent la côte, comme **Tramandaí** et **Capão da Canoa**, tandis qu'au sud, entre le continent et l'océan, s'étire la plus grande lagune d'eau douce d'Amérique du Sud, la **Lagoa dos Patos**, dont les berges vous offrent plages et sites de camping, de **Tapes** à **Laranjal**.

La Serra Gaúcha

Quelques kilomètres vers l'intérieur conduisent dans la **Serra Gaúcha**, dont les pins, les vallées verdoyantes, les cascades, les rivières scintillantes et les gorges spectaculaires déroulent un panorama fascinant à mesure que vous plongez plus profondément dans cette chaîne côtière. À la fin du XIXe siècle, ce cadre idyllique attira des milliers d'immigrants italiens et allemands, qui implantèrent leurs fermes au creux des vallées. De nombreux exemples de ces bâtiments en pierre et

CI-DESSOUS : jeunes danseurs revêtus du traditionnel habit du *gaúcho*.

en bois ont été conservés, témoignant du caractère bien trempé de ces *gaúchos* d'importation.

Panneaux indiquant la proximité d'exploitations viticoles dans la Serra Gaúcha.

Les villes jumelles de **Gramado** ⓮ et de **Canela** constituent les perles de la Serra Gaúcha. Leur charme de stations suisses et leur nonchalance attirent les citadins des grandes villes brésiliennes en quête de calme, de shopping haut de gamme, de restaurants de fondues, de chocolat, et de jolis chalets abrités sous des pins. Parmi les nombreuses auberges, optez pour la **Casa da Montanha** (Avenida Borges de Medeiros 3166 ; www.casadadamontanha.com.br) à Gramado, ou la **Pousada Cravo e Canela** (Rua Tenente Manoel Correa 144 ; www.pousadacravo ecanela.com.br), située à Canela.

Chaque année au mois d'août, Gramado organise un prestigieux festival du film brésilien et sud-américain, mais la ville accueille les visiteurs tout au long de l'année, venus découvrir le **Parque Estadual do Caracol** (à 9km de Canela via Estrada do Caracol ; ouv. tlj. de 8h30 à 17h30 ; entrée payante) et ses impressionnantes chutes, hautes de 130 m.

Située à une demi-heure de Gramado et Canela, la petite ville de **Nova Petrópolis** ⓯ a particulièrement bien sauvegardé son héritage allemand. Par son architecture bavaroise d'abord, encore très présente, le nom de ses rues, mais aussi l'ordonnance très stricte de ses parcs et avenues. Le **Parque dos Imigrantes** (Avenida 15 de Novembro ; ouv. tlj. de 8h à 19h ; entrée libre) présente notamment la reproduction d'une colonie allemande du XIXe siècle.

C'est aussi autour du kiosque et du *Biergarten* de ce parc que s'organisent les festivités de janvier, février et juillet. Durant ces périodes de vacances brésiliennes, les petits hôtels et auberges de Nova Petrópolis, tout comme ceux de Gramado, débordent de touristes.

Situé à 48 km au nord, **Bento Gonçalves** ⓰ fut fondée en 1875 par des immigrants italiens. Le **Museu do Imigrante** (Rua Erny Dreher 127 ; ouv. du mar. au ven. de 8h à 11h15 et de 13h30 à 17h15, le sam. de 13h à 17h, le dim. de 9h à 12h ; entrée payante) retrace l'histoire de cette ville de 92 000 habitants,

Ci-dessous : la vigne à perte de vue.

implantée au cœur des vignobles du Rio Grande do Sul. Des circuits et dégustations permettent de découvrir plusieurs *adegas* (chais) de Bento Gonçalves et des alentours. La ville voisine de **Caxias do Sul** organise une fête du vin en février-mars.

Le "Grand Canyon" brésilien

Les abords de Canela donnent sur le Parque Estadual do Caracol, dont la cascade plonge de 130 m de haut. Il faut du courage pour se lancer sur la route défoncée de 120 km qui mène en 3 heures et beaucoup de poussière au **Parque Nacional de Aparados da Serra** ⓱. Mais le jeu en vaut la chandelle, notamment le coup de théâtre qui vous attend lorsque de paisibles pâturages boisés s'ouvrent brusquement sur le **canyon d'Itaimbézinho**, profond de 700 m, long de 7 km et large par endroits de plus de 2 km – il s'agit du plus vaste d'Amérique latine. Des pistes de randonnée à pied ou à cheval parcourent ces paysages grandioses.

Contrairement au Grand Canyon nord-américain qui occupe un milieu aride, l'Itaimbézinho impressionne non seulement par ses dimensions, mais aussi par toutes les nuances de vert qui le traversent, des prairies vert pomme à l'émeraude sombre des falaises couvertes d'arbres, et dévalées par des cascades.

Capitale de l'État, **Porto Alegre** ⓲ est une agglomération moderne dont les 1,4 million d'habitants font la plus grande ville du Sud. Située près de la côte, à l'extrémité nord de la Lagoa dos Patos, elle offre une bonne base d'excursions pour qui veut découvrir Gramado, Canela et les vignobles ou les plages du Rio Grande do Sul, toutes destinations accessibles en une journée aller-retour. Mais il vous faudra compter au moins 2 jours pour la région des missions et la pampa. Nombreux sont ceux qui font également étape à Porto Alegre sur la route de l'Argentine et de l'Uruguay.

Capitale du bœuf, Porto Alegre ne manque évidemment pas d'excellents articles en cuir vendus dans les boutiques du centre-ville, ni de *churrascarias* à damner un végétarien. Quoique très éloignée du mode de vie *gaúcho*, la ville compte plusieurs

Missiotur (www.rotamissoes.com.br), au Turis Hotel (Rua Antônio Manoel 726) de Santo Angelo, propose des visites de 2 jours des missions brésiliennes ainsi que d'autres plus longues des missions paraguayennes et argentines.

Ci-dessous : l'impressionnant canyon d'Itaimbézinho.

lieux nocturnes très animés qui vous donneront un aperçu des musiques et danses traditionnelles.

Les missions

La région des missions, comme on l'appelle, s'étend à l'ouest de la Serra Gaúcha. Au XVIIe siècle, des prêtres jésuites y concentrent des groupes d'Indiens guarani en une série de villages s'égrenant autour de leurs missions. Les Pères jésuites contrôlent ainsi la région pendant près d'un siècle, supervisant la construction de villes amérindiennes qui atteignirent jusqu'à 5000 habitants. Un véritable empire, dont les colons ne veulent pas. En 1756, les missions sont attaquées, les jésuites chassés, et presque tous les Amérindiens exterminés.

Derniers vestiges d'une communauté amérindienne jadis prospère, les ruines de ces missions, notamment **São Miguel das Missoes** ⓳, se dressent aujourd'hui dans leur tragique isolement. Pour les visiter, il vous faut d'abord gagner la ville de **Santo Angelo**, où vous pourrez séjourner. La mission de São Miguel est animée par un spectacle son et lumière qui retrace l'histoire de la région. D'autres ruines ont été conservées, côté argentin de la frontière et plus au nord, près des chutes de l'Iguaçu.

Au pays des *gaúchos*

Pour les *gaúchos*, le cœur de leur territoire c'est la **Campanha**, région frontalière de l'Uruguay et de l'Argentine. À travers ces pampas légendaires, prairies balayées par le vent, le *gaúcho* continue de chevaucher et de guider les troupeaux de bétail ou de moutons qui firent la richesse du Rio Grande do Sul. Les villes de São Gabriel, Rosário do Sul, Bagé, Lavras do Sul, Santana do Livramento et Uruguaiana semblent encore résonner sous la mitraille et les boulets des batailles du passé. Les traditions et la culture des *gaúchos* ont particulièrement bien survécu dans ces villes et dans les *estancias* (ranchs) de la Campanha, où le portugais et l'espagnol se mêlent dans la langue familière de la frontière. ❑

CI-DESSOUS : la viande bovine de la région est réputée pour sa succulence.

Restaurants

Curitiba

Boulevard
Rua Voluntários da Pátria 539, Center
Tél. 41-3224 8244
L'un des meilleurs restaurants de la ville, proposant un choix varié de plats brésiliens et internationaux. Ouv. du lun. au ven. midi et soir, le sam. soir. **$$$**

Capoani Café
Rua Comendador Araujo 906, Batel
Tél. 41-3018 6573
Cuisine brésilienne et internationale, bien préparée et bien présentée. Ouv. du mar. au sam. midi et soir, le dim. midi. **$$**

Durski
Avenida Jaime Reis 254, São Francisco
Tél. 41-3225 7893
Le meilleur de la cuisine ukrainienne, à découvrir absolument. Ouv. du mar. au sam. midi et soir, le dim. midi. **$$**

Famiglia Caliceti Ristorante Bologna
Alameda Dr Carlos de Carvalho 1367, Batel
Tél. 41-3223 7102
L'excellence de ses plats de pâtes a depuis longtemps fait la réputation de ce restaurant installé dans une jolie maison avec cheminée et jardin d'hiver. **$$$**

Madalosso
Avenida Manoel Ribas 5875, Santa Felicidade
Tél. 41-3372 2121
Ce restaurant très apprécié des gens de passage est sans doute le plus grand du Brésil : 4 800 places, 52 chefs ! Le choix lui aussi est vaste : pâtes, salades, poulet, pâté de foie, risotto, polenta... Mais les amoureux en quête d'intimité ne s'y rendront peut-être pas... Ouv. du mar. au sam. midi et soir, le dim. midi. **$**

Scavollo
Rua Emiliano Perneta 924, Batel
Tél. 41-3225 2244
Très bonnes pizzas et autres spécialités italiennes. Très bon rapport qualité/prix. Ouv. tlj. le soir. **$**

Porto Alegre

Al Dente
Rua Mata Bacelar 210, Auxiliadora
Tél. 51-3343 1841
Le meilleur de la cuisine italienne à Porto Alegre, la palme revenant aux pâtes maison, dont il existe une grande variété avec autant de sauces savoureuses.
Ouv. du lun. au sam. le soir. **$$**

Barranco
Avenida Protásio Alves 1578 Petrópolis
Tél. 51-3331 6172
Restaurant de barbecue justement renommé et disposant d'un espace extérieur où vous aurez le plaisir de vous attabler sous les arbres.
Ouv. tlj. midi et soir. **$$**

Le Bateau Ivre
Rua Tito Livio Zambecari 805, Mont Serrat
Tél. 51-3330 7351
Cet établissement classé parmi les 3 meilleurs restaurants de la ville ne cache pas les influences méditerranéennes qui parfument agréablement ses plats. Ouv. du lun. au sam. le soir. **$$**

Pampulhinha
Avenida Benjamin Constant 1641, Floresta
Tél. 51-3342 2503
Si vous aimez le poisson et les fruits de mer, ce restaurant est pour vous. Le *bacalau* y a la vedette. Ouv. du lun. au sam. midi et soir (fermé en février). **$$**

Steinhaus
Rua Coronel Paulino Teixeira 415, Rio Branco
Tél. 51-3330 8661
Beaucoup de descendants d'immigrants germains considèrent que cet établissement est le meilleur restaurant allemand de la ville. Vous ne pourriez exiger meilleur arbitrage ! Sont également à la carte des plats brésiliens régionaux et nationaux. Le personnel est des plus sympathique.
Ouv. du lun. au sam. le soir. **$$**

Gamme des prix

Les prix s'entendent pour un repas (2 plats) pour 2 personnes. Comptez 20 $US environ pour une bouteille de vin.

$	moins de 40 $US
$$	de 40 à 70 $US
$$$	de 70 à 100 $US

À droite : le plaisir de partager un bon plat en plein air.

Sommaire

Connaître le Brésil

Le pays

Superficie Le plus grand pays d'Amérique du Sud occupe 8 511 965 m², soit près de la moitié du continent.
Capitale Brasília.
Point culminant Pico da Neblina, 3 014 m.
Fleuve principal L'Amazone, d'une longueur totale de 6 570 km, prend sa source au Pérou et traverse le Brésil sur sa plus grande partie.
Population 190 millions d'hab.
Langue officielle Portugais.
Religion Avec plus de 90 % de catholiques, c'est le plus grand pays catholique du monde.
Décalage horaire GMT – 3 pour plus de la moitié du pays et la plupart des grandes villes (*voir encadré p. 339*).
Devise *Real* (BRL), *reais* au pluriel, divisible en 100 *centavos*.
1 € = 2,59 BRL environ (*voir "Argent", p. 341*).
Poids et mesures Système métrique en vigueur dans tout le pays ; cependant, d'autres mesures restent utilisées dans les régions reculées. Températures exprimées en degrés Celsius.
Électricité Voltage variable selon les régions : 127 V dans la plupart des villes ; 220 V à Brasília, Florianópolis, Fortaleza, Recife et São Luis ; 110 V à Manaus. Si vous emportez du matériel électrique, renseignez-vous dès la réservation sur le voltage de l'hôtel et sur sa fréquence (exprimée en hertz, Hz). Les prises électriques sont en général de type américain (fiches plates). De nombreux hôtels proposent des transformateurs et certains disposent de réseaux bitension. Certains de vos appareils sont munis d'un commutateur 110-220 V.
Indicatif du pays *55* (*voir "Télécommunications", p. 348*).

Géographie

Dans ce pays grand comme un continent (il équivaut à seize fois la superficie de la France), les Brésiliens n'occupent qu'une très petite partie de leur territoire : un habitant sur quatre vit dans l'une des cinq zones urbaines du sud du pays. Les États du Sud et du Sud-Est abritent 100 millions d'habitants. Le Brésil est le pays des grands espaces vierges, entre la forêt équatoriale amazonienne et le littoral, regroupant des paysages très divers et une grande variété de biosphères.

Climat

N'oubliez pas que les saisons sont inversées par rapport à l'hémisphère nord. La majorité du territoire se situe entre l'équateur et le tropique du Capricorne. Cependant, les températures et les précipitations connaissent des variations significatives entre le nord et le sud du pays, ainsi qu'entre les plaines côtières, les régions basses telles que le bassin de l'Amazone et le Pantanal, et les hauts plateaux.

LE NORD

Dans le bassin amazonien règne un climat équatorial, caractérisé par des températures et un taux d'humidité élevés et de fortes précipitations toute l'année. Le débit des cours d'eau atteint son maximum de décembre à juin.

Si certaines régions ne connaissent pas du tout de saison sèche, la plupart bénéficient d'un bref répit entre juillet et novembre. Les températures moyennes oscillent entre 24 et 27 °C.

LA CÔTE EST

Une grande partie de la côte atlantique, du Rio Grande do Norte à l'État de São Paulo, connaît un climat tropical, moins pluvieux cependant que sous l'équateur, avec une alternance de saison chaude et humide et de saison sèche. Sur la côte nord-est, toute proche de l'équateur, les différences de saisons et de températures sont moins marquées, avec toutefois des pluies plus abondantes d'avril à juin. Sur la côte sud, les précipitations sont plus importantes l'été, de décembre à mars. Températures moyennes de 21 à 24 °C ; mais si la chaleur reste constante au nord-est, on constate des écarts marqués à Rio de Janeiro, avec des maxima dépassant 40 °C l'été et des minima de 18 °C l'hiver (moyenne hivernale 21 °C).

LE CENTRE

L'intérieur du pays connaît dans l'ensemble un climat semi-tropical, avec un été chaud et pluvieux de décembre à mars et un hiver plus frais et plus sec de juin à août. Températures moyennes : 20 à 28 °C. À São Paulo (800 m d'altitude), à Brasília (1 000 m d'altitude sur le plateau central) et dans l'État montagneux du Minas Gerais, le thermomètre peut chuter à 10 °C.

Les régions montagneuses du Sud-Ouest ont un climat tropical d'altitude, proche du climat semi-tropical, mais avec des saisons sèches et pluvieuses plus marquées et des températures plus basses, de 18 à 23 °C en moyenne.

Une partie des terres du Nord-Est est soumise à un climat tropical semi-aride, chaud avec de rares précipitations. La saison des pluies dure de mars à mai, voire moins. Certaines années, il ne pleut pas du tout. Températures moyennes entre 24 et 27 °C.

LE SUD

Dans le sud du Brésil, au-delà du tropique du Capricorne, règne un climat humide subtropical, avec des pluies régulières tout au long de l'année et des températures variant de 0 à 10 °C en hiver – quelques gelées et de rares chutes de neige – et de 21 à 32 °C en été.

Fuseaux horaires

Quatre fuseaux horaires concernent le Brésil :

GMT – 2 L'archipel de Fernando de Noronha, situé à 350 km à l'est de la côte atlantique.

GMT – 3 Une moitié du pays, située à l'est d'une ligne nord-sud suivant approximativement le cours du Rio Xingu, ainsi que l'État d'Amapá au nord-ouest et tout le sud du pays. Rio de Janeiro, São Paulo, Belém et Brasília se trouvent dans ce fuseau.

GMT – 4 L'autre moitié du pays, à l'ouest du cours du Rio Xingu. Ce fuseau englobe ainsi les États de la région du Pantanal et la majeure partie du Nord.

GMT – 5 L'extrême ouest du Brésil, à savoir l'État d'Acre et les régions les plus à l'ouest de l'État d'Amazonas.

Heure d'été

En vigueur depuis quelques années entre octobre et mars (à l'inverse de l'hémisphère nord), et dans certaines régions seulement, ce qui peut entraîner des confusions. Ainsi, l'heure de Rio de Janeiro devient GMT – 2 au lieu de GMT – 3.

Gouvernement

La république fédérale du Brésil compte 26 États et un district fédéral. Chaque État conserve son autonomie législative. Les taxes gouvernementales sont pour l'essentiel collectées par le gouvernement fédéral puis redistribuées aux États et aux villes.

Le président dirige le gouvernement. Il dispose d'un très large pouvoir exécutif – supérieur à celui du président des États-Unis, par exemple. Le pouvoir législatif appartient au Congrès, composé de la Chambre des députés (513 sièges) et du Sénat fédéral (81 sièges).

Le drapeau brésilien, un diamant jaune sur un fond vert avec en son centre une sphère bleue, symbolise les forêts fertiles, la présence de matériau précieux et de l'océan.

Préparatifs

Ambassades du Brésil

Belgique
Avenue Franklin Roosevelt 30
1050 Elsene (Brussel)
Tél. 32 (0)2 640 20 40
Fax 32 (0)2 648 80 40
missao@braseuropa.be

Canada
77 Bloor Street West, 1109 et 1105
Toronto, Ontario M5S 1M2
Tél. 1 416-922 2503
Fax 1 416-922 1832
www.consbrastoronto.org

France
34, cours Albert-Ier
75008 Paris
Tél. 33 (0)1 45 61 63 00
Fax 33 (0)1 42 89 03 45
www.bresil.org

Suisse
Monbijoustraße 68
3007 Bern
Tél. 41 (0)31 371 85 15
Fax 41 (0)31 371 05 25

Formalités

VISAS

Auparavant, les visas touristiques étaient délivrés sans formalités dès l'arrivée. Aujourd'hui, le Brésil pratique une politique de réciprocité : si les Brésiliens doivent obtenir un visa préalable pour se rendre dans un pays, les citoyens de ce pays doivent eux aussi obtenir un visa préalable. Les citoyens de l'Union européenne en sont dispensés, les Canadiens non. En cas de doute, renseignez-vous auprès de votre agence de voyage, de la compagnie aérienne, d'un consulat ou d'une ambassade du Brésil.

Si vous n'avez pas besoin de visa préalable, le visa touristique vous sera accordé à votre arrivée. Il est valable 90 jours consécutifs dans le pays. Si vous avez besoin d'un visa préalable, vous devez vous rendre au Brésil dans les 90 jours suivant sa date d'émission. À l'arrivée, un visa touristique valable 90 jours vous sera délivré.

Si vous traversez plusieurs pays avant d'arriver au Brésil, le visa d'entrée n'a pas besoin d'être émis dans votre pays d'origine. Mais il vaut mieux prévoir un délai suffisant pour éviter tout tracas. Pour obtenir une prolongation, adressez-vous au bureau d'immigration de la police fédérale.

Les visas temporaires accordés aux étrangers qui viennent au Brésil pour travailler ou pour affaires autorisent un séjour plus long que le visa touristique. Si vous êtes étudiant, journaliste, chercheur, employé par une multinationale, contactez le consulat ou l'ambassade du Brésil de votre pays bien avant votre départ. Il est très difficile, voire impossible, de changer de nature de visa une fois sur place. Si vous venez avec un visa touristique, vous devrez quitter le pays pour obtenir un autre type de visa.

DOUANES

Un formulaire de déclaration, à remplir avant l'arrivée, vous sera remis dans l'avion. À l'arrivée, les douaniers se livrent à des contrôles aléatoires. Si vous venez en touriste avec des objets d'usage personnel, vous n'aurez aucun problème. Comme dans beaucoup de pays, les aliments d'origine animale, les plantes, les fruits et les graines peuvent être confisqués.

Vous pouvez faire entrer pour 500 $US de marchandise achetée dans les boutiques hors taxes de l'aéroport à votre arrivée et pour 500 $US de marchandise importée, sauf l'alcool, limité à une bouteille de vin et une bouteille de spiritueux par personne.

Si vous venez pour affaires, vérifiez au préalable avec le consulat les limitations ou obligations auxquelles vous pouvez être soumis.

Le matériel électronique d'une valeur n'excédant pas 500 $US peut pénétrer avec un simple visa touristique. Vous n'êtes pas obligé de le faire sceller et vous pouvez le laisser comme cadeau. Les échantillons entrent librement, sauf si les quantités amènent les inspecteurs des douanes à suspecter qu'ils sont en réalité à vendre.

Les aéroports internationaux ont tous un magasin Duty Free. Les voyageurs arrivant de l'étranger sont limités pour leurs achats à 500 $US. Ces magasins qui appartiennent tous à la même chaîne pratiquent des tarifs plutôt élevés.

Espèces protégées

Le Brésil interdit strictement la chasse aux animaux sauvages, n'achetez aucune peau, y compris d'alligator. Avant de partir, demandez la liste des espèces autorisées ou interdites à l'importation dans votre pays.

Précautions sanitaires

Sans être un pays à risque sur le plan médical, on rencontre au Brésil des maladies inconnues ailleurs. Vous devez donc prendre quelques précautions avant, durant et après votre séjour. Consultez votre généraliste au moins 6 semaines avant le départ pour faire un point complet. Le site du ministère des Affaires étrangères consacré aux voyages : www.diplomatie.gouv.fr/voyageurs/ est une excellente source d'information, il vous permettra d'établir un rétroplanning sanitaire tout en vous donnant les derniers impératifs en matière de prévention. À l'arrivée, votre ambassade vous communiquera une liste d'établissements médicaux recommandés, et les usages en cas de problèmes. N'oubliez pas votre carte de groupe sanguin.

Les médicaments se trouvent partout – souvent sans ordonnance – et vous redécouvrirez peut-être certains produits disparus depuis des années dans votre pays. Prévoyez une petite provision des médicaments qui vous sont régulièrement prescrits, mais ne vous encombrez pas de produits de base comme l'aspirine, les antiacides, les pansements, etc., tous disponibles sur place. Attention aux médicaments contrefaits, achetez plutôt dans les grandes chaînes pharmaceutiques ou dans les villes. Les pharmacies vendent aussi des produits cosmétiques et des protections périodiques (également disponibles en supermarchés).

Certaines assurances médicales couvrent toutes vos dépenses de santé à l'étranger. Faites le point avec votre assureur avant le départ.

Vaccins

La mise à jour de vos vaccins (diphtérie, poliomyélite, tétanos) est conseillée, ainsi que l'hépatite A et la rage, pour les voyages en forêt. Vous pouvez vous renseigner sur l'actualité épidémiologique du Brésil sur le site de l'Institut Pasteur : www.pasteur.fr/sante/cmed/csmedvoy.html et sur celui de l'ambassade du Brésil en France : www.bresil.org

Fièvre jaune

La vaccination contre la fièvre jaune est une nécessité absolue, même si elle ne constitue pas pour tous une obligation administrative : il s'agit d'une maladie mortelle. Un certificat international d'immunisation (*antiamarela*) sera exigé lors de l'établissement de votre visa si vous arrivez de certains pays sud-américains ou africains. La vaccination consiste en une injection au minimum 10 jours avant votre départ ; elle reste valide 10 ans. Elle est déconseillée chez les femmes enceintes et les enfants de moins d'un an. La liste des centres de vaccination habilités à l'effectuer est disponible sur : www.sante.gouv.fr/htm/pointsur/vaccins/index.htm

Malaria

La malaria, ou paludisme, est une maladie grave transmise par les moustiques ; elle sévit dans les régions marécageuses et plus globalement les zones tropicales. Le Brésil est un pays à risque dans les États d'Acre, Amapá, Goiás, Roraima et Tocantins, Rondônia, dans certaines zones du Maranhão (ouest), du Mato Grosso (nord) et du Pará (sauf Belém). La prise régulière d'un traitement préventif avant votre départ est recommandée, il faut consulter votre médecin afin d'en déterminer la posologie suivant votre physiologie, les zones visitées, les modalités du voyage… Les médicaments concernés ne sont vendus que sur ordonnance.

La protection contre les moustiques doit être constante, surtout la nuit où les principales espèces porteuses de la maladie entrent en action. Il faudra ainsi vous couvrir, dormir les fenêtres fermées et allier ces précautions de bon sens à l'utilisation d'insecticides et de répulsifs. En cas de fièvre même légère, nausées, maux de tête, courbatures ou fatigue au cours du séjour ou dans les mois qui suivent, vous devez consulter un médecin.

D'autres infections virales peuvent être transmises par des moustiques : le Brésil a connu une importante épidémie de *dengue* en 2004. Les symptômes de la maladie s'apparentent à la grippe qu'il faut traiter exclusivement avec du paracétamol.

Eau

Ne buvez pas l'eau du robinet. Dans les villes, l'eau est fortement

Trousse à pharmacie

À prévoir :

- répulsif antimoustiques
- produits antipaludéens
- produits antidiarrhéiques (Lopéramide ou équivalent)
- crème apaisante contre les piqûres d'insectes
- comprimés pour purifier l'eau (*Micropur*)
- spray ou lingettes antiseptiques
- seringues
- pansements
- tampons hygiéniques
- préservatifs

chlorée, et les habitants la filtrent chez eux. Tous les hôtels et restaurants proposent des bouteilles d'eau minérale très bon marché, *com gas* (gazeuse) ou *sem gas* (plate). Si vous sortez au soleil en pleine chaleur, forcez-vous à boire beaucoup. Le lait de coco, les jus de fruits et les eaux minérales réhydratent vite et bien.

Protection solaire

Ne sous-estimez pas le soleil des tropiques. Une douce brise de mer souffle souvent, et vous ne vous rendez pas compte que vous êtes en train de cuire... jusqu'à ce qu'il soit trop tard. Utilisez un *filtro solar*, un filtre solaire – il en existe plusieurs marques au Brésil.

Argent

Le taux de change, variable, se situe autour de 1 € = 2,68 *reais*, 1 *real* = 0,37 € (printemps 2008).

Des distributeurs de billets fonctionnent dans tout le pays – aéroports, quartiers commerçants... – et acceptent généralement les cartes Visa et MasterCard/Cirrus. Les 2 principales banques à fournir ce service sont HSBC et Banco do Brasil. Souvent, une seule machine par agence accepte les cartes internationales. Les distributeurs sont le moyen le plus simple d'obtenir de l'argent.

La plupart des hôtels acceptent les Travellers' Cheques ou les principales cartes de crédit, tout comme beaucoup de restaurants et de boutiques. Leur préférence va à American Express, Diners Club, MasterCard et Visa, tous installés au Brésil. Si vous payez en dollars, sachez que les hôtels, restaurants, boutiques, taxis et autres appliquent un taux de change défavorable.

Vous pouvez changer des dollars, des yens, des livres sterling, etc. dans les banques accréditées, les hôtels et les offices de tourisme. Certaines agences de voyage le font aussi, bien qu'il s'agisse, au sens strict, d'une transaction illégale. Les rares hôtels à changer les Travellers' Cheques pratiquent un taux peu intéressant.

Dans les banques, vous ne pouvez pas échanger de Travellers' Cheques contre des dollars ou toute autre devise, ni les *reais* contre des devises étrangères. Une seule exception, Banco do Brasil, présent dans les aéroports internationaux. Quand vous quittez le pays, vous pouvez changer à l'agence de l'aéroport, et au taux officiel, 30 % de la somme changée dans une autre agence d'aéroport à l'arrivée, à condition de produire le reçu de la transaction initiale.

Bon à savoir : en portugais, l'utilisation de la virgule et du point dans l'écriture des sommes va à l'encontre des habitudes anglo-saxonnes. Ainsi, 1 000 *reais* s'écrit 1.000,00 $R.

Jours fériés

Outre les jours fériés nationaux comme Carnaval, Pâques et Noël, le Brésil connaît bien d'autres jours fériés locaux. Ainsi, chaque ville commémore sa fondation et son saint patron. Les dates de certaines fêtes folkloriques régionales peuvent varier, chaque village organisant ses propres festivités, souvent un festival de musique et de danses (parfois en costumes), où l'assistance peut goûter aux plats et aux boissons préparés pour la circonstance. Ces fêtes sont trop nombreuses pour être mentionnées ici. Le calendrier qui suit reprend quelques-unes des principales fêtes locales.

1er janvier Nouvel an.
Février/mars Carnaval. Les dates sont variables, dépendant de celle de Pâques.
Mars/avril Vendredi saint.
21 avril Jour de Tiradentes
1er mai Fête du travail.
Mai/juin Corpus Christi, le 9e jeudi après Pâques.
7 septembre Jour de l'Indépendance.
12 octobre Nossa Senhora de Aparecida, sainte patronne du Brésil.
2 novembre Jour des Morts.
15 novembre Proclamation de la République.
20 novembre Jour de la Conscience noire.
25 décembre Noël

Dans votre valise

Votre garde-robe dépendra des régions visitées et de votre programme : pour un séjour dans un lodge en forêt amazonienne, emportez plutôt des vêtements solides, voire des bottes. Pour un voyage professionnel, mieux vaut l'uniforme classique des bureaux, costume-cravate pour les hommes, tailleurs, jupes ou robes pour les femmes.

À São Paulo, le dernier chic est de mise, tandis que les habitants des petites villes de l'intérieur se montrent plus conservateurs. Dans l'ensemble, les Brésiliens, pourtant friands de mode, apprécient les tenues décontractées.

Quelques rares restaurants, dans les quartiers d'affaires des grandes métropoles, exigent la cravate au déjeuner; les autres se montrent bien moins stricts. Plus vous irez vers le nord, moins vous porterez le costume-cravate, même en voyage d'affaires. À l'inverse, dans le Sud, prévoyez de vous présenter en costume d'été, de préférence en lin, frais et élégant.

Dans les grandes villes, vous aurez peut-être envie de vous habiller pour sortir le soir. Évitez tout luxe ostentatoire, les touristes étrangers peuvent devenir sans le vouloir des cibles de choix pour les pickpockets et les voleurs à l'arraché.

Un homme ou une femme en short ne choque personne, surtout près des plages et dans les stations balnéaires. En ville, mieux vaut s'abstenir : pas de shorts dans la plupart des églises, certains musées et les salles de danse *gafieira* traditionnelles, qui refusent les hommes en short. En revanche, aucun interdit ne frappe les jeans, mais ils tiennent souvent trop chaud.

Carnaval

Si vous venez pour le carnaval, n'oubliez pas qu'il fait très chaud et que vous allez vous retrouver plongé dans la foule, à danser sans arrêt. Osez porter les couleurs vives et les tenues légères : beaucoup d'hommes portent un short (avec ou sans chemise), quelquefois un sarong, tandis que les femmes se contentent souvent d'un bikini et de maquillage, quelquefois de beaucoup moins. Si vous avez l'intention de participer à l'un des multiples bals, les boutiques débordent de déguisements. Peut-être vous contenterez-vous d'un simple ornement de chevelure en plume, d'une *lei* (couronne) fleurie ou d'accessoires pailletés, à moins que vous vous rendiez à un bal costumé, sur un thème comme "Hawaii" ou "Nuits d'Arabie".

N'oubliez pas qu'il peut faire assez frais dans le Sud, dans les montagnes ou l'hiver à São Paulo. Même dans les régions chaudes, un léger *sweater*, une veste ou un sweat-shirt ne sont pas inutiles pour lutter contre l'excès de climatisation dans les hôtels, les restaurants et les bureaux. Prévoyez aussi de quoi vous protéger de la pluie – les Brésiliens préfèrent le parapluie à l'imperméable.

Chaussures

Comme pour tout voyage, une bonne paire de chaussures s'impose – rien de tel que la marche pour découvrir un pays ou une ville. Sandales et tongs (*flip-flops*) sont agréables par grande chaleur, et même si vous n'avez pas l'intention de les porter en ville, elles vous rendront bien service pour marcher sur le sable brûlant – rien de tel pour donner le fou rire aux Brésiliens que le spectacle d'un *gringo* marchant sur la plage en chaussures et chaussettes... D'autre part, les hôtels du bord de mer fournissent parasols et serviettes de plage.

Tenues pour l'été

Pour les vêtements d'été, rien ne remplace le lin et le coton – deux matières que le Brésil produit en abondance. Le cas échéant, n'emportez que le strict minimum et offrez-vous une garde-robe sur place. Les tailles sont indiquées de la manière suivante :

Menor = XS
Pequeno ou P = S
Médio ou M = M
Grande ou G = L
Major = XL

N'oubliez pas que certains tissus naturels rétrécissent au lavage.

Se rendre au Brésil

PAR AVION

De nombreuses compagnies aériennes assurent des liaisons internationales avec le Brésil, selon des itinéraires très variés (*voir "Se déplacer", p. 351*). Les vols directs relient le Brésil avec les principales villes d'Europe, d'Amérique du Sud et du Japon, et plusieurs villes d'Afrique ainsi que les côtes Est et Ouest des États-Unis et du Canada.

Le temps de vol sans escale au départ de Paris est de 11h30. Des États-Unis, il faut compter 9h depuis New York, un peu moins depuis Miami et 12h depuis Los Angeles.

La compagnie Air France propose des vols directs au départ de Paris vers Rio de Janeiro et São Paulo tout comme les compagnies brésiliennes Varig et TAM. Avec Air Portugal, vous rejoignez de nombreuses destinations via Lisbonne. Air Canada (via Toronto) American Airlines (via Miami et New York), la Lufthansa (via Francfort) desservent les grandes villes du Brésil dont Brasília, Belém, Fortaleza, Manaus, Recife et Salvador da Bahia.

Les vols internationaux s'effectuant surtout de nuit, vous arriverez tôt le matin. Tous les aéroports internationaux ont des services bancaires (distributeurs de billets, bureaux de change) et des points d'information pour vous aider à trouver un moyen de transport ou prendre un vol en correspondance.

Il existe nombre de forfaits à petits prix, certains étant vraiment de bonnes affaires. Renseignez-vous auprès de votre agence de voyage. Voir *"Ses plaisirs à petits prix" p. 9* pour en savoir plus sur les airpass au Brésil, à se procurer avant le départ.

Compagnies aériennes

TAM
www.tam.com.br
TAP Portugal
www.flytap.com
Air Canada
www.aircanada.com/fr
Air France
www.airfrance.fr
American Airlines
www.aa.com
Lufthansa
www.lufthansa.fr
Varig
www.varig.com.br

Rejoindre les centres-villes

La grande majorité des vols internationaux atterrissent soit à l'aéroport de Cumbica, Guarulhos, à 30 km de São Paulo, soit à celui de Maestro Antonio Carlos Jobim sur l'Ilha do Governador, à 16 km du centre de Rio. À l'aéroport, réservez un taxi au guichet spécial et prépayez la course selon le tarif affiché ; vous pouvez régler avec une carte de crédit. Cette solution évite

Bikini de rigueur

Que vous ayez ou non emporté votre maillot, laissez-vous tenter par un *tanga*, ce bikini miniature. À vous offrir ou à offrir, vous en trouverez dans toutes les boutiques de vêtements de plage. Les modèles changent en permanence, nouveaux tissus, nouvelles couleurs, nouvelles coupes pour mieux dévoiler le corps. Les strings les plus mini sont appelés *fio dental*, fil dentaire...

En revanche, bronzer seins nus n'a guère connu de succès et risquerait fort d'être considéré comme une provocation. Malgré leur tolérance en matière de sexualité, les Brésiliens restent marqués par la tradition catholique. Cela dit, les femmes décemment habillées n'échappent pas plus aux regards appuyés. Les hommes ne les sifflent pas au passage, mais aspirent fortement entre leurs dents serrées tout en murmurant des commentaires flatteurs – ce qui ne semble guère troubler les Brésiliennes.

les problèmes de communication, les malentendus à propos du prix et des suppléments si le chauffeur vous fait passer par la "route touristique". Si vous prenez un taxi ordinaire, consultez les tarifs des taxis officiels, afin de vous faire une idée du prix normal. Des navettes de bus relient régulièrement l'aéroport au centre-ville, en desservant au passage les principaux hôtels. Renseignez-vous au bureau d'information de l'aéroport.

EN BATEAU

Il n'existe pas de ligne régulière de paquebot depuis l'Europe. La compagnie Costa (*tél. 11-3217 8500*), organisateur de croisières le long de la côte atlantique d'Amérique du Sud pendant l'hiver de l'hémisphère nord, accepte des passagers transatlantiques lors du retour des bateaux. Vous pouvez aller d'Europe au Brésil sur Island Cruises (www.islandcruises.com) : 2 semaines au départ de Majorque via les îles atlantiques, puis 1 autre semaine de cabotage jusqu'à Rio. Plusieurs croisières autour du monde font escale dans des ports brésiliens, avec possibilité de réserver uniquement pour le trajet jusqu'au Brésil. Des croisières spéciales remontent l'Amazone ou se rendent à Rio en période de carnaval. Pour une information détaillée :

La Boutique des croisières
Tél. 0800 800 512 (appel gratuit du lun. au ven. de 9h à 19h)
www.boutique-croisieres.com

EN CAR

Des lignes de bus longue distance relient quelques-unes des métropoles du Brésil à la plupart des grandes villes des pays voisins d'Amérique du Sud, dont Asunción (Paraguay), Buenos Aires (Argentine), Montevideo (Uruguay) et Santiago (Chili). Certes, vous profiterez du paysage, mais les distances sont grandes et vous passerez peut-être plusieurs jours et nuits d'affilée sur votre siège. Cependant, les cars sont très bien équipés, avec sièges couchettes, toilettes et petite restauration à bord.

Tour operators

Généralistes

FRANCE

AAA Bahia Brasil
Tél. 55 71-9938 7611
www.aaabahia.com
AAA Bahia Brésil organise *via* le net des vacances festives au Brésil.

ATC Routes du monde
17, quai d'Austerlitz
75013 Paris
Tél. 33(0)1 56 54 04 34
Fax 33 (0)1 56 54 04 36
www.atc-routesdumonde.com
Voyages thématiques autour de l'art, Brésil baroque par exemple.

Les Ateliers du voyage (Arroyo)
15, rue Chevert
75007 Paris
Tél. 33 (0)1 45 56 58 28
Fax 33 (0)1 45 51 34 70
arro@atlv.net, www.atlv.net
Voyages individuels et sur mesure, établissement rapide d'un devis.

Adeo, les confins du monde
68, boulevard Diderot
75012 Paris
Tél. 33 (0)1 43 72 80 20
Fax 33 (0)1 43 72 79 09
www.adeo-voyages.com

Back Roads
14, place Denfert-Rochereau
75014 Paris
contact@backroads.fr, www.backroads.fr
L'Amérique du Sud par de véritables aventuriers.

Bourse des vols/des voyages
Tél. 0892 888 949 (du lun. au sam. de 9h à 20h)
www.bourse-des-voyages.com

Circuits et compagnie
10, rue Saint-Marc
75002 Paris
Tél. 33 (0)1 42 33 04 00
www.circuitsetcompagnie.com

Clio, voyages culturels
27, rue du Hameau
75015 Paris
Tél. 0826 10 10 82 (de France) ou 33 (0)1 53 68 48 43 (de l'étranger)
Fax 33 (0)1 53 68 82 60
www.clio.fr

Club Aventure
18, rue Séguier
75006 Paris
Tél. 0826 88 20 80 (du lun. au sam. de 9h30 à 18h30)
Fax 33 (0)4 91 09 22 51
www.clubaventure.fr

Compagnies du monde
Tél. 33 (0)1 53 63 15 35 ou 33 (0)1 55 35 33 52
reservation@compagniesdumonde.com
www.compagniesdumonde.com

Les Comptoirs du monde
26, rue Saint-Paul
75004 Paris
Tél. 33 (0)1 44 54 84 54
cdm@comptoirsdumonde.fr
www.comptoirsdumonde.fr

Ebookers
28, rue Pierre-Lescot
75001 Paris
www.ebookers.com/fr
Voyages en promotion sur le net.

Fleuves du Monde
28, boulevard de la Bastille
75012 Paris
Tél. 33 (0)1 44 32 12 80
Fax 33 (0)1 44 32 12 89
www.fleuves-du-monde.com
Voyages organisés avec croisière sur les eaux de l'Amazone.

France Amérique latine
37, boulevard Saint-Jacques
75014 Paris
Tél. 33 (0)1 45 88 20 00
Fax 33 (0)1 45 65 20 87
falvoyages@franceameriquelatine.fr
www.franceameriquelatine.fr

Go Voyages
www.govoyages.com

Ikhar
162, rue Jeanne-d'Arc
75013 Paris
Tél. 33 (0)1 43 06 73 13
Fax 33 (0)1 40 65 00 78
ikhar@ikhar.com, www.ikhar.com

Images du monde Voyages
14, rue Lahire
75013 Paris
Tél. 33 (0)1 44 24 87 88
Fax 33 (0)1 45 86 27 73
images.du.monde@wanadoo.fr

Inkatour
32, rue d'Argout
75002 Paris
Tél. 33 (0)1 40 26 07 54
Fax 33 (0)1 40 26 48 50
inkatour@wanadoo.fr
www.inkatour.fr
Spécialiste de l'Amérique latine.
Marsans International
Tél. 0825 138 500
www.marsans.fr
La Maison des Amériques latines
3, rue Cassette
75006 Paris
Tél. 33 (0)1 53 63 13 40
Fax 33 (0)1 42 84 23 28
www.maisondesameriqueslatines.com
Spécialiste du voyage culturel sur le continent américain, beaucoup de renseignements sur le site.
Nomade-Aventure
– 40, rue de la Montagne-Sainte-Geneviève
75005 Paris
Tél. 0825 701 702
Fax 33 (0)1 43 54 76 12
infos@nomade-aventure.com
– 43, rue Peyrolières
31000 Toulouse
Tél. 0825 701 702
Fax 33 (0)5 62 30 10 80
toulouse@nomade-aventure.com
www.nomade-aventure.com
De nombreux treks.
Nouvelles Frontières
Tél. 0825 000 747
www.nouvelles-frontieres.fr
www.nouvelles-frontieres.fr/agence
Picaflor
5, rue Tiquetonne
75002 Paris
Tél. 33 (0)1 40 28 93 33
Fax 33 (0)1 40 28 93 55
picaflor@club-internet.fr
www.picaflor-voyages.com
En plus d'un tour operator, une boutique et un restaurant de spécialités brésiliennes.
La Route des voyages
www.route-voyages.com
Spécialisé dans l'Amérique du Sud. Agences à Aix en Provence, Annecy, Bordeaux, Lyon et Toulouse.
Tamera
26, rue du Bœuf
69005 Lyon
Tél. 33 (0)4 78 37 88 88
Fax 33 (0)4 78 92 99 70
www.tamera.fr
Parcours d'aventure d'une grande exigence, *Tamera* veut dire aventure en touareg.
Terres d'aventure
Tél. 0825 700 825
infos@terdav.com, www.terdav.com
Le spécialiste du voyage à pied, propose des treks. Agences à Bordeaux, Grenoble, Lille, Lyon, Marseille, Montpellier, Nantes, Nice, Paris, Rouen, Rennes, Toulouse et Strasbourg.
Transunivers
8, cité Nollez
75018 Paris
Tél. 33 (0)1 42 23 77 77
Fax 33 (0)1 42 54 11 43
75@transunivers.fr, www.transunivers.fr
Voyageurs du monde
Tél. 0892 235 656 (Paris)
www.vdm.com
En plus d'un voyagiste très fiable, Vdm propose une excellente librairie, un espace d'exposition et un savoureux restaurant. Idéal pour se documenter. Agences à Bordeaux, Lille, Lyon, Nantes, Paris, Toulouse...
Voyages Kuoni
Tél. 0820 05 15 15
www.kuoni.fr
De très nombreuses formules en agences et sur le net.

BELGIQUE

Connections
35, rue des Pierres
1000 Bruxelles
Tél. 070 23 33 13
Fax 32 (0)2 514 15 15
www.connections.be
Spécialisée dans les vols et voyages étudiants à prix réduits, réservations de dernière minute.
Joker
Handelskaai
1000 Bruxelles
Tél. 32 (0)2 502 19 37
Fax 32 (0)2 502 29 23
brussel@joker.be, www.joker.be
Agences également à Antwerpen, Brugge, Gent, Hasselt, Leuven...
Latino Americana de Turismo
250, avenue Brugmann
1180 Bruxelles
Tél. 32 (0)2 211 33 50
Fax 32 (0)2 223 01 44
info@latinoamericana.be
www.latinoamericana.be
Nouvelles Frontières
Tél. 070 22 24 11 (du lun. au ven. de 9h à 18h, le sam. de 10h à 17h)
www.nouvelles-frontieres.be

CANADA

GAP Adventures
19 Charlotte Street
Toronto
Ontario M5V 2H5
Tél. 1 800-708 7761 (Amérique du Nord) ou 1 416-260 0999 (hors Amérique du Nord)
www.gapadventures.com
Travel Cuts
187 College Street
Toronto
Ontario M5T 1P7
Tél. (1) 416-979 2406
www.travelcuts.com
Spécialisé dans les tarifs étudiants. Agences dans d'autres villes du Canada.

SUISSE

Kuoni Voyages
Rue de la Confédération 8
1204 Genève
Tél. 41 (0)22 318 30 90
Fax 41 (0)22 318 30 99
www.kuoni.ch
Autres agences : rue des Bossons 21 et rue Pierre-Fatio 15.
Nouveaux Mondes
Route de Suisse 7
1295 Mies
Tél. 41 (0)22 950 96 60
Fax 41 (0)22 950 02 66
Nouvelles Frontières
Rue Chantepoulet 25
1201 Genève
Tél. 41 (0)22 716 15 70
Fax 41 (0)22 906 80 90
Autres agences : rue du Rhône 48, place du Petit-Saconnex 3...
Terres d'Aventure-Néos Voyages
Genève
Tél. 41 (0)22 320 66 35
geneve@neos.ch
Lausanne
Tél. 41 (0)21 612 66 00
lausanne@neos.ch
www.neos.ch
Spécialiste de la plongée, organise des croisières le long des côtes brésiliennes.

Voyagistes locaux

Les voyagistes brésiliens proposent à peu près tous les types de voyages, individuels ou en groupe, du forfait tout compris avec transports, repas et hébergements, excursions et animations, aux formules plus simples se limitant au transport aérien et à l'hébergement. Vous préférerez peut-être un circuit thématique comme une croisière fluviale sur l'Amazone, un voyage de pêche ou de découverte de la vie sauvage au Pantanal, ou un séjour à Rio, Salvador ou Recife au moment du carnaval. Si vous n'aimez pas que tout soit organisé, offrez-vous un circuit de découverte de la ville, prenez le bateau pour une île proche, partez en excursion d'une journée vers la montagne ou une station balnéaire, participez à des soirées-spectacles... Attention, si vous demandez à la réception de votre hôtel d'organiser vos sorties, les conseils ne seront pas toujours désintéressés et vous risquez de payer une coquette commission occulte. Sur place, vous n'aurez aucun problème pour participer à des excursions plus longues. Ainsi, de Rio ou de São Paulo, vous pourrez partir pour l'Amazone ou le Pantanal, prendre l'avion pour passer la journée à Brasília ou aux chutes d'Iguaçu, faire le circuit du Nord-Est ou des villes coloniales du Minas Gerais. Cependant, en haute saison, vous vous retrouverez peut-être sur une liste d'attente, car tout est archi-complet. Les croisières côtières étant à réserver très longtemps à l'avance, mieux vaut le faire depuis votre pays.

Voyagistes spécialisés

EXCURSIONS FLUVIALES ET MARITIMES

Les opportunités de promenades en bateau ne manquent pas, au départ des ports maritimes ou fluviaux. Certaines excursions nettement plus longues, comme les croisières sur l'Amazone, durent de 1 ou 2 jours à une semaine et plus. Les bateaux vont du luxueux hôtel flottant à des bâtiments plus rustiques. Vous pouvez aussi naviguer sur le Rio São Francisco, dans le Nord-Est, ou dans les marais du Pantanal, à la découverte d'une faune et d'une avifaune incomparables.

Dans bien des villes, les ferries locaux traversent les baies et les fleuves et desservent les îles. Vous pouvez aussi louer une goélette ou un voilier avec son équipage, pour sortir en mer.

Cuiabá (Pantanal)

Anaconda
Avenida Isaac Póvoas 606
Tél. 55 65-3028 5990
www.anacondapantanal.com.br
Circuits dans le nord du Pantanal.

Iguaçu

Iguassu Falls Tour
Floriano Peixoto 614, Foz do Iguaçu
Tél. 55 45-9104 7001
www.iguassufallstour.com
Découverte des chutes et échappées possibles vers le barrage Itaipú et le Paraguay.

Luz Tur
Avenida Gustavo Dobrandino da Silva 145, Foz do Iguaçu
Tél. 55 45-3522 3535
www.luzhotel.com.br
Logé dans le Luz Hotel, cette agence propose des virées d'une ou deux journées vers les chutes, à bord d'un mini van climatisé.

Lençóis

Luck Adventure
Praça Horácio de Matos
Tél. 55 75-3334 1925
www.luckreceptivo.com.br

Manaus (Amazonie)

CVC Travel Agent
www.cvc.com.br

Swallows and Amazons
Rua Quintino Bocaiuva 189, Suite 13
Tél./Fax 55 92-3622 1246
www.swallowsandamazonstours.com
Compagnie américano-brésilienne proposant des circuits intéressants en Amazonie.

Natal

Manary Ecotours
Rua Francisco Gurgel 9067
Praia de Ponta Negra
Tél. 55 84-3219 2900
www.manary.com.br
Voyages écologiques et culturels dans le Nord-Est et vers Fernando de Noronha. Aventure douce et archéologie.

Recife

Luck Adventure
Rua Jacana 105, Imbiribeir
Tél. 55 81-3302 3880
www.luckreceptivo.com.br

Rio de Janeiro

Just Fly
Tél./fax 55 21-2268 0565
Port. 9985 7540
justfly@justfly.com.br
www. justfly.com.br
Deltaplane au-dessus de Rio, découverte du parc national de Tijuca en 4x4, location de vélos.

Brazilian Incentive & Tourism
Barão de Ipanema 56, 5e étage
Copacabana
Tél. 55 21-2256 5657
www.bitourism.com
Multiples propositions d'excursions dans tout le Brésil.

Salvador

Kontik Operadora
Avenida Tancredo Neves 969
10e étage, Sala 1004-1005
Tél. 55 71-3271 8686
ou 55 71-3251 8690
www.kontik.com.br
Activités à thèmes dans l'État de Bahia, dont escalade, trekking et voile ; circuits découverte de la ville.

Tatar Turismo
Avenida Trancredo Neves 274
Centro Empresarial Iguatemi,
Bloco B, Salas 222-224
Tél. 55 71-3450 7216
Fax 55 71-3450 7215
tatur@tatur.com.br
www.tatur.com.br

São Paulo

Freeway
Rua Cap. Cavalcanti 322
Tél. 55 11-5088 0999
freeway.adventures.com.br
www.freeway.tur.br
Excursions vers Bahia, Fernando de Noronha et l'Amazone. Écotourisme, trek, escalade et plongée.

Sur place

Ambassades & consulats

AU BRÉSIL

Les ambassades se trouvent à Brasília. Quant aux consulats, il y en a à Brasília également ainsi qu'à Rio de Janeiro, São Paulo et dans d'autres grandes villes. Plusieurs pays possèdent aussi des missions diplomatiques dans plusieurs villes. Appelez avant de vous présenter, car les services fonctionnent souvent selon des horaires inhabituels.
Si vous venez au Brésil pour affaires, le département commercial de votre consulat peut vous être très utile.

Bélgica

Brasília
– SES 809 s/n, lt 7
Tél. 61-3443 1133
– SES 811 s/n, it 32
Tél. 61-3443 1219
Rio de Janeiro
Rua Lauro Müller 116, sl 602
Botofago
Tél. 21-2543 8558
São Paulo
– Avenida Paulista 2073, cj 131
ed Horsa I
Tél. 11-3171 1599
– Rua Cel Alfredo Cabral 44
Tél. 11-3068 8813

Canadá

Brasília
SES, Avenida das Nações
Quadra 803, Lote 16, s1. 130
Tél. 61-3424 5400
Fax 61-3424 5490
Rio de Janeiro
Avenida Atlântica 1130, an 5
Copacabana
Tél. 21-3873 4843
São Paulo
Avenida das Nações Unidas
12901
Torre Norte, 16 Andar
Tél. 11-5509 4321

França

Brasília
SES 801 s/n, lt 4
Tél. 61-3312 9100
Rio de Janeiro
Avenida Pres. Antônio Carlos 58,
an 5
Centro
Tél. 21-2262 2464
São Paulo
– Rua Prudente Correia 199
Jardim Europa
Tél. 11- 3031 0543
ou 11-3814 2921
– Rua Marina Cintra 94
Jardim Europa
Tél. 11-3063 3622
– Avenida Paulista 509, cj 1008
Paraíso
Tél. 11-3288 5538
– Avenida Prof Lineu Prestes 2242
Tél. 11-3813 7342

Suiça

Brasília
SES 811 s/n, lt 41
Tél. 61-3443 5511
Rio de Janeiro
Rua Cândido Mendes 157, an 11
Glória
Tél. 21-2221 1867
São Paulo
– Avenida Paulista 1754
Tél. 11-3372 8200
– Rua Cristóvão Pereira 371
Ibirapuera
Tél. 11-5044 5296

Offices de tourisme

Chaque métropole et chaque État dispose de son propre office de tourisme. Pour contacter ceux non répertoriés dans la liste ci-dessous, adressez-vous à Embratur (office brésilien du tourisme), qui vous enverra aussi de la documentation.
Embratur
Rua Uruguaiana 174, 8e étage
20050-092 Rio de Janeiro
Tél. 21-2509 6017
Fax 21-2509 7381
www.embratur.gov.br
Belém
Paratur
Praça Waldemar Henrique
Tél. 91-3212 0575
Fax 91-3223 6198
Belo Horizonte
Belotur
Praça Rio Branco 56
Centro Belo Horizonte M6
Tél. 31-3277 6907
Fax 31-3272 5619
Brasília
Setur
Setor de Divulgação Cultural
Centro de Convenções
Cetur, 3e étage
Tél. 61-3327 0494
Centre d'information : aéroport.
Florianópolis
Mercado Público
Rua Arcipreste Paiva (3e stand)
Tél. 48-224 5822
www.guiafloripa.com.br
Fortaleza
Setur
Centro Adm. Governador Virgílio
Távora
Cambeba, Ed. Seplan
60839-900 CE
Tél. 85-3101 4688
Manaus
Avenida 7 de Setembro 157
Tél. 92-3233 1517
www.visitamazonas.com.br
Bureau d'information : aéroport.
Porto Alegre
Sindetur
Rua Vigário
José Inácio 368, 90020-110 RS
Tél. 51-3224 9228
www.turismo.rs.gov.br
Bureau d'information : aéroport.
Recife
Empetur
Complexo Rodoviário de Salgadinho
s/n, 5311-1970
Tél. 81-3463 3621
www.empetur.pe.gov.br
Bureaux d'information : aéroport, gare routière, Casa da Cultura.
Rio de Janeiro
Rio Convention and Visitors Bureau
Rua Visconde de Pirajá 547
Tél. 21-2259 6165
www.rioconventionbureau.com.br
Bureaux d'information : aéroport international, gare routière, Corcovado, Pain de Sucre, station de métro de Cinelândia, Marina da Glória.

Riotur
Gère un service efficace de renseignements téléphoniques pour Rio appelé **Alô Rio**
Tél. 21-2542 8080
ou 0800-707 1808
Salvador
Centro de Convenções da Bahia, Jardim Armação s/n
Armação
Tél. 71-3370 8494
ou 71-3370 8400
www.bahiatursa.ba.gov.br
Bureaux d'information : aéroport, gare routière, Mercado Modelo et Porto da Barra.
São Paulo
Setur, Praça Antônio Prado 9, 6e étage, 01010-904
Tél. 11-3289 7588
Fax 11-3107 8767
www.spcvb.com.br
Bureaux d'information : Praça de República, Praça da Liberdade, Praça da Sé, Praça Ramos de Azevedo, Avenida Paulista, Rua Augusta...
TurisRio
Rua da Ajuda 5, 6e étage
Centro
Tél. 21-2215 0011
Pour tout ce qui se trouve au-delà des limites de la ville.
Bureaux d'information : aéroport international, gare routière, Corcovado, Pain de Sucre, station de métro Cinelândia et Marina da Glória.

Alliances françaises

Aliança Francesa
www.alianca.francesa.org.br

Brasília

– SEPS EQ 708/907, Lote A
Asa Sul
Tél. 61-3262 7600
– CLSW 301, Bloco A, loja 86
Ed. ESpaço Vip
Sudoeste
Tél. 61-3344 6880
www.afbrasilia.org.br

Rio de Janeiro

www.rio.alianca.francesa.com.br

São Paulo

www.alianca.francesa.com.br

Sécurité

Pickpockets et autres rats d'hôtel sévissent dans certaines régions, surtout les grandes villes. Quelques précautions et un peu de bon sens vous épargneront bien des soucis.

Photocopiez votre passeport et autres documents importants ; si vous voyagez à deux, gardez chacun une copie des documents de l'autre. Déposez au coffre de l'hôtel vos objets de valeur, faites-en établir la liste et veillez à ce qu'ils soient enfermés devant vous. Assurez-vous de pouvoir les récupérer facilement même si vous quittez l'hôtel en dehors des heures ouvrables.

Lors de vos déplacements, dissimulez argent et papiers dans une ceinture-portefeuille placée sous vos vêtements, ne portez ni montre, ni bijoux de valeur. Surveillez en permanence votre appareil photo. Restez vigilant, surtout dans les lieux bondés : stations de métro aux heures de pointe, bus urbains, plages, marchés. Renseignez-vous à votre hôtel sur les secteurs à éviter le soir, ne fréquentez jamais les plages la nuit. Les zones frontalières ainsi que la périphérie des grandes villes (Brasília tout particulièrement) sont également à proscrire en raison du narcotrafic et des nombreuses insurrections politiques. Ne prenez pas de taxis, dans les lieux de transit, sans vous adresser à une compagnie ayant un comptoir de vente. Les voleurs opèrent souvent en bande et sont passés maîtres dans l'art de faire diversion. Méfiez-vous, par exemple, des étrangers qui vous affirment que vous avez marché dans quelque chose de malodorant et se proposent de vous aider... Faites toujours une déclaration de perte ou de vol à la police et demandez un procès-verbal écrit pour faire jouer votre assurance. Dans les villes suivantes, contactez en priorité la police touristique, *Delegacia de proteção ao turista* :
Rio de Janeiro
Tél. 21-2511 5112
Salvador
Tél. 71-3176 4200
Santos
Tél. 0800-173 887
São Paulo
Tél. 11-3107 5642
Aéroport Congonhas
Tél. 11-5090 9032
Aéroport Guarulhos
Tél. 11-6445 2221
ou 11-6445 2214

Il est dangereux de se baigner seul et de pratiquer le surf sur les plages urbaines de Recife à cause de la recrudescence de l'attaque des requins, même en eaux profondes.

Numéros d'urgence

Numéros nationaux gratuits
Ambulance *192*
Police *190*
Pompiers *193*
Défense civile *199*
Rio de Janeiro
Police (pour les femmes)
11-3399 3690
Garde-côte (Salvamar)
21-2253 6572
Police de la route *21-3399 4857*
ou 21-2625 1530
São Paulo
Police (pour les femmes)
11-3976 2908
Police de la route *11-3327 2727*

Heures d'ouverture

Horaires de travail En principe, du lun. au ven. de 9h à 18h, mais le déjeuner peut durer des heures.
Banques Du lun. au ven.de 10h à 16h (de 9h à 17h pour les bureaux de change, *casas de câmbio*).
Magasins Du lun. au ven. de 9h à 18h30 ou 19h, le samedi de 9h à 12h30 ou 13h. Certains ferment plus tard, selon les quartiers.
Centres commerciaux Du lun. au sam. de 10h à 22h (beaucoup ouvrent aussi le dimanche), mais les boutiques ne suivent pas toutes les mêmes horaires.
Grands magasins Du lun. au ven. de 9h à 22h, le samedi de 9h à 18h30. Supermarchés : de 8h à 20h ; certains restent ouverts 24h/24 7j./7.
Stations-service Horaire variable, quelques-unes 24h/24 7j./7.
Bureaux de poste Du lun. au ven. de 9h à 17h, le samedi de 9h à 13h. Dans quelques grandes villes, un bureau reste ouvert 24h/24.

Pharmacies Souvent jusqu'à 22h ; dans les villes principales, drugstores ouverts 24h/24.
Le système des 12 heures et le système des 24 heures sont tous deux d'usage courant.

Savoir-vivre

Dans l'ensemble, la manière de vivre ne surprendra guère les Occidentaux. Mais les Brésiliens peuvent se montrer à la fois terriblement formalistes et très décontractés.

Ils s'appellent par leur prénom plutôt que par leur nom de famille. Les titres de respect – *senhor* pour les hommes et *dona* pour les femmes – marquent non seulement la politesse envers les étrangers, mais aussi les âges ou les catégories sociales. Dans certaines familles, les enfants s'adressent à leurs parents en disant *o senhor* et *a senhora* en guise de vouvoiement.

Si la poignée de main est d'usage lors des présentations, les amis, la famille et quelquefois de parfaits étrangers sont souvent accueillis par des accolades et des embrassades. Mais, en général, les hommes ne s'embrassent pas et se contentent d'une poignée de main accompagnée d'une tape sur l'épaule. S'ils sont plus intimes, ils se serrent dans les bras en se tapant mutuellement dans le dos. Ces usages largement partagés obéissent néanmoins à certaines règles subtiles, comme de savoir qui embrasse qui selon sa position sociale.

Dans l'ensemble, les Brésiliens se montrent gentils et serviables. Si vous demandez votre chemin, quelqu'un se proposera souvent pour vous accompagner. Tout aussi hospitaliers, ils ne laissent jamais vides le verre, l'assiette ou la tasse de café d'un invité. Tous, même les plus modestes, savent se montrer généreux. Au-delà du plaisir qu'ils éprouvent à recevoir, c'est aussi une question d'honneur.

Bien qu'un machisme foncier domine la société, il s'exprime ici de manière plus discrète que dans bien d'autres pays d'Amérique latine.

Attendez-vous à des rythmes de vie plus détendus que ceux dont vous avez l'habitude. Personne ne se formalisera si vous arrivez avec une demi-heure de retard. Même les rendez-vous professionnels sont moins impératifs qu'aux États-Unis ou en Europe, sauf dans les grandes villes. Évitez de les multiplier dans la même journée : de retards en décalages, vous auriez bien du mal à respecter votre emploi du temps.

Télécommunications

TÉLÉPHONE

Depuis les années 1990 et la privatisation du secteur, le réseau brésilien s'est considérablement amélioré. Théoriquement, toutes les zones du pays sont couvertes et tous les numéros sont uniformisés, comptant 8 chiffres.

Les utilisateurs doivent choisir l'opérateur longue distance qu'ils veulent utiliser pour appeler d'une ville à l'autre, en indiquant un code d'accès à 2 chiffres. L'opérateur national Embratel utilise le code d'accès 21 et relie la plupart des villes, mais d'autres opérateurs sont moins chers.

Appels interurbains

Il faut composer le *0* pour sortir de la ville, le numéro de l'opérateur (*21* ou un autre), le code de la ville, puis celui du correspondant.
Code d'accès des autres opérateurs : Intelig *23*, Telemar *31*, Telefônica *15.*

Cependant, certaines entreprises et certains hôtels ont programmé le code opérateur dans leurs standards et vous n'avez à composer, comme avant, que *011* + le numéro du correspondant. Si cela ne vous semble pas clair et si vous devez passer un appel intérieur longue distance, demandez au personnel de l'hôtel ou au détenteur du téléphone de vous indiquer le meilleur – et le meilleur marché – des opérateurs.

Les téléphones payants utilisent des cartes téléphoniques, vendues dans les kiosques à journaux, les bars et les boutiques proches des cabines. Le *cartão de telefone* – carte téléphonique – existe en 30 unités (la plus courante) et en 90 unités.

Le *telefone público* sur les trottoirs est aussi appelé *orelhão* (grande oreille) en raison de la coque protectrice qui remplace la cabine. Les *telefones públicos* sont jaunes pour les appels locaux ou en PCV, bleus pour les appels automatiques et intérieurs longue distance. Vous pouvez aussi appeler d'un *posto telefônico*, station téléphonique d'une compagnie (dans la plupart des gares routières et des aéroports), où vous pouvez utiliser une carte de téléphone, une carte de crédit ou appeler en PCV.

Pour les appels internationaux, la liste des codes figure en couverture des annuaires. Pour les appels intérieurs longue distance, la liste des codes régionaux brésiliens se trouve dans les premières pages des annuaires.

Tarifs réduits : – 75 % pour les appels intérieurs longue distance entre 20h et 6h, – 50 % en semaine de 6h à 8h et de 20h à 23h, le sam. de 14h à 23h et le dim. et les jours fériés de 6h à 23h.

Le Brésil a une couverture nationale pour les téléphones portables dans la plupart des grands centres urbains et dans beaucoup de villes secondaires. Mais tous les opérateurs ne couvrent pas tout le territoire national. Les téléphones portables étrangers peuvent être utilisés temporairement au Brésil s'ils émettent sur 1800 Mhz et sur le système GSM ou TDMA. Votre opérateur vous indiquera la marche à suivre. Sinon, il est bien sûr possible de louer un portable prépayé dans les centres commerciaux ou dans quelques grands supermarchés.

Appeler au Brésil

Faites l'indicatif international, *00*, celui du Brésil, *55*, celui de la ville où vous appelez (Brasília *61*, Rio de Janeiro *21*, Salvador *71*, São Paulo *11*...), puis le n° du correspondant.

Appeler du Brésil

Faites l'indicatif international, *00*, celui du pays d'appel – Belgique *32*, Canada *1*, France *33*, Suisse *41* –, *55*, puis le n° de votre correspondant sans l'éventuel *0* initial.

FAX

Vous pouvez envoyer des fax dans certains bureaux de poste, et la plupart des hôtels proposent ces services à leurs clients. Fax également disponibles dans les agences de voyage, les centres d'affaires et bien d'autres établissements. Tarifs d'expédition et de réception très variables.

INTERNET

Le Brésil a adopté Internet au point de faire du portugais la deuxième langue du web derrière l'anglais. Le marché a pris une telle ampleur que Yahoo et Google ont lancé leur propre moteur de recherche en portugais. Si la plupart des sites brésiliens sont en portugais, les principaux proposent souvent des pages en anglais.

Vingt-cinq millions de Brésiliens sont connectés et les cafés Internet fleurissent dans tout le pays, même si le service se montre lent dans certaines zones côtières. La plupart des grands hôtels mettent à disposition de leurs clients un accès Internet gratuit. Vous n'aurez donc aucun problème pour communiquer par e-mails.

Si vous cherchez un site dont le nom vous semble connu, essayez le suffixe ".com.br" plutôt que ".com".

Sélection de sites

Gouvernement brésilien
www.brazil.gov.br
Embratur
(office brésilien du tourisme)
www.embratur.gov.br
Estado de São Paulo
(presse/liens)
www.estado.com.br
Google
www.google.com.br
O Globo
(presse/liens)
www.oglobo.com.br
Office du tourisme de Rio
www.rio.rj.gov.br/riotur
Office du tourisme de Salvador
www.emtursa.com.br
Office du tourisme de São Paulo
www.spguia.com.br
Veja
(magazine d'information)
www.uol.com.br/veja

Voici également une liste de sites généralistes sur le Brésil consultable en langue française qui regroupent des informations utiles et divertissantes.

www.diplomatie.gouv.fr/voyageurs
Site du ministère des Affaires étrangères.
www.bresil.org
Site de l'ambassade du Brésil en France. Un véritable portail.
www.ambafrance.org.br
Site de l'ambassade de France à Brasília.
www.missioneco.org/bresil
Pour ancrer une activité, des informations pointues et récentes.
www.abc-latina.com/bresil
Une petite encyclopédie très claire, avec cartes et photos.
www.infosbresil.org
Le mensuel de l'actualité brésilienne.

Services postaux

Les bureaux de poste ouvrent en général du lundi au vendredi de 9h à 17h, le samedi de 9h à 13h, et ferment les dimanches et jours fériés. Dans les grandes villes, certains restent ouverts très tard. Celui de l'aéroport international de Rio de Janeiro ouvre tous les jours de 7h à 20h. Les bureaux se reconnaissent à l'enseigne *Correios*, parfois *ECT* (*Empresa de Correios e Telégrafos*, compagnie de la Poste et du Télégraphe).

Une lettre par avion au départ ou à destination de l'Europe met au moins 2 semaines à arriver. Dans les régions les plus peuplées, la distribution du courrier local se fait le lendemain ou le surlendemain du jour de dépôt. Il existe des services rapides nationaux et internationaux, d'envois recommandés et des services de paquets (les bureaux proposent des emballages spéciaux). Les bureaux vendent également des timbres de collection.

Vous pouvez recevoir votre courrier à votre hôtel. Peu de consulats acceptent encore de conserver le courrier de leurs nationaux.

Médias

JOURNAUX ET MAGAZINES

Le *Miami Herald*, édition latino-américaine de l'*International Herald Tribune*, et le *Wall Street Journal* sont disponibles dans les kiosques des grandes villes, ainsi que *Time* et *Newsweek*. Les maisons de la presse et les libraires des aérogares proposent d'autres quotidiens étrangers et un choix de publications internationales, dont des magazines allemands, français et anglais. Pour savoir ce qui se passe sur place, achetez le journal local. Outre les spectacles musicaux, de nombreux films étrangers passent en V.O. sous-titrée en portugais. Les spectacles sont répertoriés dans les rubriques *cinema, show, dança, música, teatro, televisão, exposicões*, etc. *Crianças* signifie enfants. Si vous connaissez

Pourboires

Hôtels et restaurants Les plus chic ajoutent 10 % de service à la note, mais cet argent ne revient pas forcément à ceux qui vous ont bien servi. Soyez large, le personnel, très mal payé, compte beaucoup sur la générosité des touristes.
Taxi Pourboire facultatif, en général les Brésiliens ne donnent rien. Si le chauffeur s'est montré serviable, ne l'oubliez pas.
Porteurs À l'aéroport, donnez votre pourboire au dernier porteur à vous avoir aidé, l'argent va dans une cagnotte.
Coiffeur / Barbier 10 à 20 %.
Cireurs / Pompiste Entre 30 et 50 % de ce que vous donneriez dans votre pays.

Si vous séjournez chez des Brésiliens, pensez à récompenser chaque employé de maison qui vous a rendu service (en cuisinant pour vous, en faisant votre lessive...). Pour savoir combien leur donner, interrogez vos hôtes. Un pourboire en dollars sera très apprécié, un petit cadeau venu de chez vous le sera peut-être encore plus.

assez de portugais pour lire les journaux brésiliens, voici les titres qui font autorité : à São Paulo, *Folha de São Paulo, Estado de São Paulo* et *Gazeta Mercantil*, à Rio *Jornal do Brasil* et *O Globo*. Il n'existe aucun quotidien national, mais ces journaux très largement diffusés atteignent une grande partie du pays. L'hebdomadaire *Epoca*, haut en couleur, ainsi que *Veja* et *Isto É*, sont également de bonnes sources d'information.

TÉLÉVISION ET RADIO

La télévision brésilienne programme surtout des variétés, des jeux, des comédies et des séries. Avec 170 millions de téléspectateurs, le marché est énorme et le Brésil exporte des programmes dans le monde entier.

Il existe 6 chaînes nationales et plusieurs centaines de chaînes locales, couvrant la quasi-totalité du territoire. Le gouvernement ne contrôle qu'une chaîne éducative. Le géant brésilien *TV Globo* fait partie des 4 principales chaînes commerciales du monde. Avec plus de 40 stations dans un pays où le taux d'analphabétisme reste élevé, elle diffuse la seule information à laquelle beaucoup ont accès, exerçant une influence considérable (*voir "Télévision", p. 115*).

Près d'un tiers des programmes de télévision (séries étrangères, émissions spéciales, reportages sportifs et films) sont importés, surtout des États-Unis, et systématiquement doublés en portugais, sauf quelques films et émissions de variétés nocturnes.

La plupart des hôtels et des logements occupés par les classes supérieures et moyennes sont desservis par le câble, qui propose près de 100 chaînes dont CNN, BBC World, ESPN, et même la télévision américaine du matin. Actuellement, la télévision par câble est l'industrie médiatique qui connaît la plus forte croissance du pays.

Le pays compte plusieurs milliers de stations de radio, qui diffusent des programmes de variétés internationales ou brésiliennes, selon les goûts des auditeurs. Vous y entendrez beaucoup de musique américaine et anglaise ; les programmes de musique classique sont aussi très écoutés dans certaines régions, notamment les opéras du samedi après-midi.

La station du ministère de la Culture propose souvent de bons programmes musicaux. Toutes les radios émettent en portugais.

Photos

Aucun problème pour trouver des pellicules Kodacolor et Fujicolor ou des films diapos Ektachrome, Kodachrome et Fujichrome, vendus dans certains grands hôtels comme dans les magasins de photo, qui proposent aussi un grand choix de matériel et d'accessoires et assurent développement et tirage. Les laboratoires travaillent vite et bien, Kodak, Fuji, Multicolor et Fotoptika comptant parmi les plus fiables. Dans les villes principales, vous pourrez obtenir vos photos en 24h, voire souvent en 1h.

Revelar Développer
Revelação Développement
Filme Pellicule

Si vous préférez faire développer vos photos au retour, ne multipliez pas trop les étapes : l'exposition à la chaleur et les contrôles aux rayons X dans les aéroports peuvent endommager vos pellicules.

En milieu de journée, l'intensité du soleil tropical tend à délaver les couleurs. Cette lumière très blanche peut se corriger par un filtre approprié, mais mieux vaut photographier entre 9h et 11h, ou attendre que le soleil commence à décliner en fin d'après-midi.

Un appareil photo pendu au cou ou à l'épaule devient une proie facile pour un voleur à l'arraché. Portez-le discrètement, ne le laissez jamais sans surveillance sur la plage. Et pensez à l'assurer, surtout s'il vaut cher.

Urgences médicales

En cas de problème de santé, demandez à votre hôtel de vous indiquer un médecin compétent et parlant les langues étrangères. Les grands hôtels disposent souvent d'un médecin de garde. Vous pouvez aussi demander à votre consulat une liste de praticiens parlant français (*voir "Numéros d'urgence", p. 347*).

Religions

Si le catholicisme, religion officielle du Brésil, domine, plusieurs religions venues d'Afrique restent très pratiquées. Le *candomblé* demeure la forme la plus pure, avec des divinités (les *orixás*), des rituels, des musiques, des danses et même une langue encore très proches de leurs racines africaines. L'*umbanda*, dans lequel chaque *orixá* correspond à un saint, représente un syncrétisme avec le catholicisme. Le spiritisme, très pratiqué, mêle des influences africaines et européennes. De nombreux Brésiliens qui se disent catholiques assistent aussi bien à des rites afro-brésiliens et/ou spirites que chrétiens. Le *candomblé* se cantonne à Bahia, tandis que l'*umbanda* et le spiritisme semblent attirer plus de fidèles. À Salvador, vous pouvez passer par votre hôtel, un tour operator ou une agence locale de tourisme pour assister à une cérémonie – les visiteurs sont bienvenus tant qu'ils respectent les croyances des autres. Demandez toujours l'autorisation avant de photographier. Si vous souhaitez suivre votre religion au Brésil, vous rencontrerez de nombreuses communautés religieuses dans les grandes villes. Outre les églises catholiques, omniprésentes, il existe de nombreux temples protestants dans le pays, et les églises évangéliques ont connu une expansion spectaculaire ces dernières années. La plus grande diversité d'églises et de temples se rencontre à Brasília, en raison de la présence de personnel diplomatique. À Rio de Janeiro et São Paulo se trouvent plusieurs synagogues et des églises où le culte a lieu en langues étrangères, dont l'anglais.

Votre hôtel ou le consulat de votre pays vous aideront à trouver un lieu de culte qui vous convienne.

Se déplacer

En avion

Un réseau très dense de lignes aériennes intérieures dessert l'immense Brésil. Les principales compagnies nationales – TAM, Gol, et Varig – desservent avec BRA, Ocean Air et Pantanal l'ensemble du pays et disposent d'un solide réseau de vente avec des guichets dans les aéroports et des agences dans la plupart des villes. Cependant, dans certains petits aérodromes reculés, le bureau n'ouvre que peu avant le départ des vols.

Vous pouvez aussi acheter votre billet dans les agences de voyage ou dans les grands hôtels, ou le réserver par téléphone ou sur Internet – la plupart des sites sont bilingues portugais-anglais. Longtemps gratuites, les réservations téléphoniques passent de plus en plus par des numéros surtaxés.

Votre itinéraire vous obligera peut-être à voyager dans un sens précis. Ainsi, la plupart des vols intérieurs Varig, surtout les dessertes de l'Amazonie, circulent dans le sens des aiguilles d'une montre. Voyager en sens inverse implique des trajets très indirects ou des correspondances très malcommodes.

La dérégulation a rendu l'avion moins cher que le bus sur certaines liaisons, et vous obtiendrez facilement jusqu'à 60 % de réduction sur la plupart des vols intérieurs – consultez les agences de voyage brésiliennes.

Les grandes compagnies assurent aussi des navettes aériennes entre Rio et São Paulo (toutes les demi-heures), Rio et Brasília (toutes les heures) et Rio et Belo Horizonte (environ 10 vols par jour). Aucun airpass ne donne accès aux navettes Rio-São Paulo, qui relient les aéroports Santos-Dumont (Rio) et Congonhas (São Paulo).

Sur les vols intérieurs, les bagages enregistrés sont limités à 20 kg, les bagages à main doivent respecter les dimensions définies par les normes internationales.

COMPAGNIES BRÉSILIENNES

Deux grandes compagnies – TAM et Varig – assurent à la fois les vols internationaux et intérieurs. Elles figurent dans la liste suivante avec leurs filiales et certains discounters.

BRA
Tél. 11-5090 9313
ou 11-3017 5454

Gol
Tél. 0800-701 213
www.voegol.com.br

Nordeste
Tél. 0800-992 004
www.nordeste.com

Ocean Air
Tél. 11-5090 9236
www.oceanair.com.br

Pantanal Linhas Aéreas
Tél. 11-5044 9070
www.voepantanal.com.br

Rio-Sul
Tél. 11-3272 2590
www.rio-sul.com

TAM
Tél. 11-4002 5700
www.tam.com.br

Trip
Tél. 0300-789 8747
www.voetrip.com

Varig
Tél. 11-4003 7000
www.varig.com.br

COMPAGNIES INTERNATIONALES

Les principales compagnies internationales sont présentes à São Paulo aux adresses suivantes :

Aerolíneas Argentinas
Alameda Santos 2441,
14e étage
Tél. 11-6445 3806
www.aerolineas.com.ar

Aeroperu
Rua da Consolação 293
1er étage, Centro
Tél. 11-257 4866

Air Canada
Avenida Paulista 949
13e étage
Tél. 11-3254 6630

Air France
Avenida Chedid Jafet 222, Bloco B,
2e étage
Tél. 11-3049 0900, 11-6445 2211
ou 0800-880 3131
Aeroporto de Guarulhos
Tél. 11-6445 2211

Alitália
Avenida Paulista 777,
2e étage
Tél. 11-2171 7610, 11-3191 8706
ou 0800-770 2344
Aeroporto de Guarulhos
Tél. 11-6445 3791
www.alitalia.com.it

American Airlines
Rua Araújo 216
9e-10e étage
Tél. 11-4502 4000, 11-6445 3568
ou 11-6445 3508
www.avianca.com

Avianca
Avenida Washington Luis 7059
Tél. 11-2176 1111, 11-2240 4413
ou 0800-724 4472
Aeroporto de Guarulhos
Tél. 11-6445 3798
www.aerolineas.com.ar

British Airways
Alameda Santos 745,
7e étage
Tél. 11-3145 9700 ou
0800-176 144
www.britishairways.com

Canadian
Avenida Araújo 216,
2e étage
Tél. 11-259 9066
Aeroporto de Guarulhos
Tél. 11-6445 2462

Continental Airlines
Rua da Consolação 247
13e étage
Tél. 0800-554 777
Aeroporto de Guarulhos
Tél. 11-2122 7500

Delta Airlines
Rua Marquês de Itu 61
12e étage
Tél. 11-3225 9120
ou 0800-221 121

Aeroporto de Guarulhos
Tél. 11-4003 21221
ou 11-6445 3926
Ibéria
Rua Araújo 216,
3e étage
Tél. 11-3218 7130
ou 11-3218 7140
Aeroporto de Guarulhos
Tél. 11-6445 2060
Japan Airlines
Avenida Paulista 542
3e étage, Paraíso
Tél. 11-2288 6121
Aeroporto de Guarulhos
Tél. 11-6445 2340
ou 11-3175 2270
KLM
Avenida Chedid Jafet 222,
Bloco B
Tél. 11-309 0000
ou 0800-880 1818
Aeroporto de Guarulhos
Tél. 11-6445 2011
Korean Airlines
Avenida Paulista 1842,
5e étage, Cj. 58, Ed. Cetenco
Plaza Torre Norte
Tél. 11-283 2399
Aeroporto de Guarulhos
Tél. 011-6445 2840
Lan Chile
Rua da Consolação 247,
12e étage
Tél. 11-2121 9020
Aeroporto de Guarulhos
Tél. 011-6445 2824
Lloyd Aéreo Boliviano
Avenida São Luís 72
Centro
Tél. 11-258 8111
Aeroporto de Guarulhos
Tél. 11-6445 2425
Lufthansa
Rua Gomes de Carvalho 1356
2e étage, Itaim Bibi
Tél. 11-3048 5800
Aeroporto de Guarulhos
Tél. 11-6445 3906
South African Airlines
Alameda Itú 852, 1er étage
Tél. 11-3065 5115
ou 0800-118 383
Tap
Praça José Gaspar 134
Tél. 11-2131 1200
ou 0800-707 7787
Aeroporto de Guarulhos
Tél. 11-6445 2150

Confirmation du vol

Vous devez toujours confirmer un vol intérieur ou international au moins 48h à l'avance, par téléphone ou auprès d'une agence de la compagnie. Dans le cas contraire, vous risquez d'être "rejeté" sur un vol ultérieur.

Si vous voyagez sur une grande compagnie internationale, vous pouvez vous en dispenser, mais attention aux surréservations en haute saison: présentez-vous bien à l'avance à l'aéroport.

United Airlines
Avenida Paulista 777
9e-10e étage
Tél. 11-3145 4200
ou 0800 162 323
Aeroporto de Guarulhos
Tél. 11-6445 3283

En train

À part les banlieusards qui s'entassent dans des rames bondées, les Brésiliens voyagent peu en train et les liaisons ferroviaires sont devenues rares. Cependant, certains trajets présentent un intérêt touristique majeur, qu'il s'agisse de traverser des paysages exceptionnels ou de circuler à bord de trains d'autrefois tractés par des locomotives à vapeur.

Dans le Paraná, la célèbre ligne Curitiba-Paranaguá, longue de 110 km, au tracé vertigineux, serpente dans les montagnes. La première partie du voyage, jusqu'à Morretes, est la plus jolie. Aller-retour possible dans la journée. Évitez les jours où les nuages bas masquent le paysage.

Dans le Minas Gerais, d'antiques machines à vapeur assurent des trains de voyageurs sur 12 km entre São João del Rei et Tiradentes les vendredis, les week-ends et pendant les vacances.

En car

Des cars confortables et ponctuels relient les villes principales entre elles et à certains pays d'Amérique du Sud. Les trajets durent parfois plusieurs jours, alors faites étape en chemin pour couper le voyage.

Il existe 3 catégories de cars: ordinaire avec sièges rembourrés; classe affaires, plus confortables; et *leito*, couchettes, équipés de larges sièges inclinables avec repose-pieds et rafraîchissements à bord.

Certaines relations comme Rio-Bélem (52h de voyage) se limitent à un car par jour, voire à 1 ou 2 par semaine. Si possible, achetez votre billet à l'avance auprès d'une agence de voyage ou à la gare routière.

Des cars locaux desservent les petites villes et les localités isolées. Le service n'a rien à voir avec les grandes lignes, et vous réalisez vite que le pays reste en voie de développement. En général bondés et surchargés, les véhicules cahotent sur les pistes défoncées, ramassant au passage tous ceux qui attendent au bord de la route avec d'énormes ballots de marchandises destinées au marché. Ceux qui voyagent debout – souvent pendant 3 ou 4h – paient le même prix que ceux qui ont réservé un siège numéroté. Pour vous, l'expérience restera unique, mais pour nombre de Brésiliens ce transport précaire demeure leur seul moyen de déplacement, et ils font preuve d'une endurance et d'une patience admirables.

Un nouveau service de car vient de naître: *South American Experience*. Il permet aux touristes d'organiser leurs voyages en car à l'avance ou dans le cadre d'un forfait avion + auto. Ce pass très souple autorise la montée et la descente à n'importe quel arrêt dans l'État de Rio. L'équipe, anglophone, s'occupe des hébergements et fait fonction de guide pendant les trajets. Il existe 2 itinéraires principaux: "Costa Verde" qui dessert les îles d'Angra dos Reis et la ville historique de Parati avant de se diriger vers l'intérieur; "Rodoria Sol", même trajet avec arrêts supplémentaires à Buzios et au spot de surf de Saquarema.

South American Experience
Rua Raimundo Correa 36A
Copacabana
Tél. 21-2548 8813
www.southamericaexperience.com

En voiture

LOCATIONS

Vous pourrez louer une voiture dans toutes les grandes villes. Outre **Hertz** et **Avis**, bien implantés, et les 2 grands loueurs nationaux, **Localiza** et **Nobre**, il existe plusieurs compagnies locales sérieuses. Les tarifs varient selon le véhicule et le loueur. Certains établissent un forfait journalier, d'autres facturent au km. Quelques-uns comptent un supplément si vous rendez le véhicule dans une ville autre que celle de départ. Tous acceptent les principales cartes de crédit internationales. Vous pouvez louer une voiture dès votre arrivée à l'aéroport, par votre hôtel ou dans les agences de la compagnie. Si vous n'avez pas de permis de conduire international (recommandé), votre permis national suffira. Sachez aussi que la différence de prix entre une location sans chauffeur et avec reste assez modeste.

Avis
Tél. 11-325 6868
www.avis.com
Hertz
Tél. 11-325 89229
www.hertz.com
Localiza
Tél. 31-3247 762 ou 0800-979 2000
www.localiza.com.br
Nobre
www.nobretentacar.com.br
Unidas
Tél. 0800-121 121
www.unidas.com.br

CONDUITE

Les Brésiliens, en temps normal gentils et courtois, changent du tout au tout dès qu'ils prennent le volant. Pour les non-initiés, la circulation brésilienne semble affolante. À Rio, les conducteurs sont célèbres pour leurs changements de file imprévisibles, leurs excès de vitesse en ville et leur mépris des piétons. Ouvrez l'œil en traversant les rues et n'hésitez pas à courir. La plupart des conducteurs estiment que c'est aux piétons de faire attention et de leur céder le passage. Pourtant, la police se montre sévère. Attention, les limitations de vitesse sont souvent mal indiquées. D'autre part, des caméras vidéo surveillent de nombreuses routes.

Le stationnement dans le centre des grandes villes devient difficile. À Rio, il est préférable de laisser votre voiture à la station de Botafogo et vous rendre en ville en métro.

N'oubliez pas de verrouiller toujours votre véhicule et de ne laisser aucun objet visible.

En ville, vous aurez à peine fini de vous garer que va surgir un soi-disant "garde-voiture", qui vous proposera de la surveiller contre un pourboire, ou même exigera d'être payé d'avance pour sa vigilance (douteuse) ; en général, quelques pièces lui suffisent. Mieux vaut donner, sous peine de retrouver votre voiture plus ou moins détériorée. Des gardes officiels ont fait leur apparition à Rio et à São Paulo ; ils délivrent un reçu correspondant au temps de stationnement.

Plutôt en bon état, les routes, surtout les liaisons inter-États, sont encombrées par beaucoup de camions qui bloquent la circulation dans les interminables côtes sinueuses. Au volant, les règles de politesse diffèrent de ce que vous connaissez : ainsi, la courtoisie consiste à klaxonner en doublant, tandis que l'appel de phare constitue un avertissement.

Si vous devez faire de longs trajets, procurez-vous l'excellent guide *Quatro Rodas* (atlas routier et une sélection d'hôtels et de restaurants), vendu en kiosques à journaux.

Transports urbains

BUS

Seule une minorité de Brésiliens pouvant s'offrir une voiture, les transports publics se taillent la part du lion. Dans les grandes villes, des bus spéciaux climatisés relient les zones résidentielles aux quartiers d'affaires du centre et font la navette avec les aéroports, desservant au passage les principaux hôtels. Installez-vous à bord, le receveur viendra vous délivrer votre billet, dont le prix vous semblera très modeste en comparaison des tarifs européens et américains. Votre hôtel vous renseignera sur les lignes de bus, mais vous déconseillera sûrement de vous déplacer autrement qu'en bus spécial. Si vous prenez quand même les bus urbains (très bon marché), rien de plus simple. À l'arrêt, montez, et après avoir payé au *cobrador* qui vous rendra la monnaie, franchissez le tourniquet. Pour gagner du temps, préparez la somme exacte. Comme les voyageurs passent le tourniquet un par un avant de s'asseoir, les pickpockets affectionnent ce goulot d'étranglement. Ils disparaissent dès que le bus démarre en bondissant par les portes arrière. Ouvrez l'œil !

Si vous voyagez debout, cramponnez-vous. Certains chauffeurs de bus, surtout à Rio, semblent oublier qu'ils transportent des passagers... Demandez l'arrêt en tirant sur la corde – certains bus sont à présent munis de boutons.

MÉTRO

Rio de Janeiro et São Paulo disposent d'excellents réseaux de métro, aux rames propres, bien éclairées et climatisées. Dans les stations et les voitures, des plans vous aident à trouver votre chemin sans devoir le demander en portugais. Ces 2 réseaux, encore peu étendus, fonctionnent selon les mêmes principes : les lignes rayonnent depuis le centre-ville et se prolongent au-delà des terminus par des lignes de bus dites *integração*. Il existe des tickets combinés métro-bus.

São Paulo compte 4 lignes. Les 2 principales se croisent à Praça da Sé, au cœur de la ville. La ligne 1, bleue et orientée nord-sud, relie Tucuruvi à Jabaquara. La Ligne 2, verte, relie Vila

Madalena à Imigrantes. La ligne 3, rouge et orientée est-ouest, va de Barra Funda à Itaquera. La Ligne 4, jaune, va d'Estação da Luz à Vila Sônia. Elles sont en service de 4h40 à minuit. Correspondances avec les arrêts des cars interurbains et des bus pour l'aéroport de Guarulhos.

Les 2 lignes de Rio partent du centre-ville. L'une se termine, au sud à Siqueira Campos. L'autre se dirige vers le nord et Irajá, *via* le Sambódromo et le stade de football de Maracanã. Le métro de Rio circule du lun. au sam. de 5h à minuit, le dim. de 7h à 23h

TAXIS

Les taxis vous rendront les plus grands services, mais mieux vaut connaître certaines règles. Si vous hélez un taxi jaune dans la rue, le chauffeur sera peut-être tenté d'ajouter un supplément indu ou de vous "balader" dans une ville inconnue. Si possible, faites appeler le taxi par votre hôtel et demandez au personnel d'indiquer votre destination au chauffeur. Renseignez-vous sur le tarif normal pour les destinations courantes, sachant que la plupart des courses ne coûtent que quelques euros. Les taxis-radio, plus chers, se montrent plus sûrs et plus confortables. Les taxis d'aéroports pratiquent des tarifs élevés aux yeux des Brésiliens, mais vous paraîtront sans doute bon marché.

Le prix de la course s'affiche au compteur, mais certains suppléments peuvent se rajouter. Ainsi, les taxis-radio ajoutent environ 50 % à la somme affichée. Si vous hélez un taxi, vérifiez que le tarif qui apparaît sur l'écran électronique quand le chauffeur déclenche le compteur soit bien le n° 1. Le tarif n° 2, supérieur de 20 %, s'applique le soir après 20h, les dim. et jours fériés toute la journée, au-delà de certaines limites urbaines précises et dans les rues en forte pente. Les chauffeurs ont aussi droit au tarif n° 2 en décembre, au titre du "13e mois" que les travailleurs brésiliens reçoivent chaque année comme cadeau de Noël.

Se loger

Hébergement

Le Brésil ne manque pas de très bons hôtels, surtout dans les grandes villes et les régions les plus touristiques, où les établissements, aux normes internationales, engagent du personnel polyglotte et disposent souvent de leur propre agence de voyage. Dans toutes les catégories, les chambres sont en général propres et l'accueil courtois. Mais par principe visitez la chambre avant de l'accepter. Le prix comprend presque toujours un petit-déjeuner continental.

Réservez longtemps à l'avance, surtout en période de carnaval ou aux grandes vacances, où les hôtels sont pris d'assaut à la fois par les touristes et les Brésiliens. En effet, les voyageurs en provenance de pays tempérés profitent souvent de leur hiver pour venir ici, tandis que les Brésiliens se déplacent en masse pendant leurs vacances scolaires (janvier et février l'été, juillet l'hiver).

À ces périodes, tous les hébergements peuvent être complets même dans des régions a priori peu touristiques. N'oubliez pas non plus qu'une fête locale peut remplir les hôtels à n'importe quel moment de l'année. Le *Quatro Rodas*, vendu en kiosques à journaux, est le meilleur guide des hôtels du Brésil.

HÔTELS DE CHARME

Un petit nombre d'hôtels et de *pousadas* de grand luxe, souvent installés dans des demeures historiques, se sont associés sous le label Roteiros de Charme. Équivalent de nos 5-étoiles, aussi séduisants par leur confort raffiné que par leur cuisine, ils vous laisseront des souvenirs impérissables. Informations complémentaires :
Tél. 21-2287 1592
www.roteirosdecharme.com.br

POUSADAS

Les *pousadas* sont les équivalents de nos chambres d'hôte, d'un excellent rapport qualité-prix.

AUBERGES DE JEUNESSE

Casa do Estudante do Brasil
Praça Ana Amélia 9, 8e étage, Castelo, Rio de Janeiro
Tél. 21-2220 7223
Auberges dans 10 États répertoriées à la Fédération internationale des auberges de jeunesse. Pas de limitation d'âge.
Federação Brasileira dos Albergues da Juventude
Rua da Assembléia 10, sala 1617
Centro, Rio de Janeiro
Tél. 21-2531 1085
info@hostel.org.br
www.hostel.org.br
Répertorie 80 auberges dans tout le pays.

CAMPINGS

Si vous avez l'intention de camper, contactez le siège du
Camping Clube do Brasil
Rua Senador Dantas 75,
29e étage
Rio de Janeiro
Tél. 21-3479 4200
ou 0800-227 050
www.campingclube.com.br

Liste des hôtels

Cette sélection ne retient que quelques-uns des meilleurs établissements des principales régions touristiques. Ils sont classés par États, lesquels sont présentés dans l'ordre alphabétique. Par rapport aux ordres de prix indiqués, les tarifs pratiqués peuvent largement varier selon la demande. *Voir lodges d'Amazonie p. 291.*

ALAGOAS

Maceió

Hotel Praia Bonita
Avenida Dr Antônio Gouveia 943
Pajucara
Tél. 82-2121 3700
Bien situé au-dessus de la plage de Pajucara et non loin des restaurants ainsi que du marché d'artisanat. Demandez une chambre sur la façade principale, celle qui regarde la mer. **$$**

Ritz Praia Hotel
Rua Eng. Mario de Gusmao 1300
Ponta Verde
Tél. 82-2121 4600
Chambres agréables et climatisées, avec TV et wi-fi. À 50 m de la plage. **$**

Porto de Pedras

Porto das Pedras
Rua Dr Fernandes Lima 28
Centro
Tél. 82-3298 1176
Superbe *pousada* de style colonial agrémentée de jardins bien entretenus. Grandes chambres équipées d'un lecteur DVD. Personnel affable. Petits-déjeuners maison. **$**

AMAPÁ

Macapá

Macapá
Avenida Eng. Azarias Neto 17, Centro
Tél. 96-217 1350
Fax 96-217 1351
Piscine et autres équipements ; au bord du fleuve. **$$$**

Pousada Ekinox
Rua Jovino Dinoá 1693
Tél. 96-223 0086
www.ekinox.com.br
Très réputé, accueil sympathique, bon restaurant. Au centre-ville. **$$$**

AMAZONAS

Manaus

Ana Cássia Palace
Rua dos Andradas 14
Centro
Tél. 92-3622 3637
Fax 92-3234-4163
hcassia@internext.com.br
Un peu défraîchi mais charmant tout de même. Piscine, sauna. **$$$**

Best Western Lord Manaus
Rua Marcílio Dias 217
Centro
Tél. 92-3622 7700
Réservations : tél. 0800-761 5001
Fax 92-3622 2576
www.bestwestern.com.br
Situation idéale, au cœur de la ville. **$$$**

Manaós
Avenida Eduardo Ribeiro 881
Centro
Tél. 92-3633 5744
Fax 92-3232 4443
Tout proche du Teatro Amazonas ; 39 chambres climatisées. **$$**

Holiday Inn Taj Mahal
Avenida Getúlio Vargas 741
Centro
Tél. 92-3633 1010
Fax 92-3233 0068
tajmahal@internext.com.br
Sans doute le meilleur hôtel de la ville. **$$$$**

Tropical
Avenida Coronel Teixeira 1320
Praia da Ponta Negra
Tél. 92-2123 5000
Fax 92-3658 3034
www.tropicalhotel.com.br
À 12 km du centre-ville, dans un parc, sur les berges de l'Amazone. Piscine, courts de tennis. **$$$$**

Gamme des prix

Les prix s'entendent pour une chambre double. Le petit-déjeuner est le plus souvent inclus.

$	moins de US$100
$$	de 100 à US$200
$$$	de 200 à US$300
$$$$	plus de US$300

BAHIA

Arraial d'Ajuda Ecoresort

Hotel Pousada dos Coqueiros
Alameda dos Flamboyants 55
Tél. 73-3575 1229
ou 73-3575 1373
www.pousadacoqueiros.com.br
Très agréable et confortable. **$$$**

Ponta do Apaga Fogo
Arraial d'Ajuda
Tél. 73-3575 8500
Fax 73-3575 1016
www.arraialresort.com.br
Pas donné certes, mais les prestations sont largement à la hauteur de la dépense. **$$$$**

Pousada Etnia
Trancoso
Tél. 73-3668 1137
Fax 73-3668 1549
www.etniabrasil.com.br
Petite *pousada* huppée installée dans le cadre enchanteur des environs boisés de Trancoso. **$$$$**

Ilhéus

Cana Brava Resort
Rodovia Ilhéus-Canavieiras, Km 24
Praia de Canabrava
Tél./fax 73-3269 8000
www.canabravaresort.com.br
Plage privée, multiples équipements sportifs : piscine, sauna, kayak sur le lac... **$$$**

Transamérica
Ilha de Comandatuba
Estrada Pontal Canavieiras, Km 77
Una
Tél. 73-3686 1122
Fax 73-3686 1457
www.transamerica.com.br
Complexe balnéaire de grand luxe offrant tous les équipements possibles – golf, spa L'Occitane... –, dans un site exceptionnel. **$$$$**

Lençóis

Hotel Canto das Águas
Avenida Senhor dos Passos 01
Tél. 75-3334 1154
Fax 75-3334 1279
www.lencois.com.br
Hôtel absolument délicieux, confortable et entouré de superbes jardins. Proche du centre ancien. **$$$**

Hotel de Lençóis
Rua Altina Alves 747
Tél. 71-3369 5000
www.hoteldelencois.com.br
Hôtel dominant la ville et agrémenté d'un jardin plaisant et d'une piscine. Idéal pour les familles. **$$**

Pousada Vila Serrano
Rua Alto do Bomfin 8
Tél. 75-3334 1486
Fax 75-3334 1487

www.vilaserrano.com.br
Petite et charmante *pousada* tenue par des Suisses et située à proximité du centre. Accueillant et efficace. **$$**

Porto Seguro

Porto Seguro Praia
BR-367, Km 65
Praia de Curuipe
Tél. 73-3288 9393
Fax 73-3288 2069
www.portoseguropraiahotel.com.br
À 3,5 km de Porto Seguro, très bien équipé. **$$$**

Poty Praia Hotel
Rua dos Ibiscos 140
Praia de Taperapuan
Tél. 73-2105 1500
Fax 73-2105 1515
www.poty.com.br
L'une des meilleures adresses bon marché de Porto Seguro. **$$**

Salvador

Bahia Othon Palace
Avenida Oceânica 2456
Ondina
Tél. 71-203 2000
Fax 71-245 4877
www.othon.com.br
Toutes les chambres ont vue sur l'océan. **$$$$**

Catherina Paraguaçu
Rua João Gomes 128
Rio Vermelho
Tél. 71-3334 0089
Hôtel familial implanté dans une zone en plein essor. **$$**

Club Med Itaparica
Rodovia Bom Despacho
Nazaré, Km 13
Ilha de Itaparica, Vera Cruz
Tél. 71-3881 7141
Réservations : tél. 0800-707 3782
www.clubmed.com.br
Sur l'île enchanteresse d'Itaparica. Tous les équipements. **$$$$**

Convento do Carmo
Rua do Carmo 1
Pelourinho
Tél. 71-3327 8400
Fax 71-3327 8401
Hôtel luxueux installé dans un ancien couvent du XVIe siècle. **$$$$**

Pestana Bahia
Rua Fonte do Boi 216
Rio Vermelho
Tél. 71-2103 8000
Fax 71-2103 8130
www.pestana.com
Hôtel confortable de bord de mer offrant des vues panoramiques. **$$$**

Pousada Redfish
Ladeira do Boqueirão 1
Santo Antônio
Tél./fax 71-3243 8473
ou 71-3241 0639
Fax 71-3326 2544
www.hotelredfish.com
Demeure historique divinement reconvertie en hôtel très *cosy*, tenu par des Anglais. **$$$**

Solar dos Deuses-Suítes de Charme
Largo do Cruzeiro
do São Francisco 12
Tél. 71-3320 3251
www.solardosdeuses.com.br
Plaisante *pousada* du vieux centre. **$$**

Tropical da Bahia
Avenida 7 de Setembro 1537
Campo Grande
Tél. 71-2105 2000
Fax 71-2105 2005
www.tropicalhotel.com.br
Près du centre, emplacement idéal au moment du carnaval. **$$$$**

Vila Galé Salvador
Rua Morro do Escravo Miguel 320
Praia de Ondina
Tél. 71-3263 8888
Fax 71-3263 8800
www.vilagale.com.br
Hotel de bord de plage plaisant avec vue sur la mer. **$$$**

Villa Bahia
Largo do Cruzeiro
do São Francisco 16
Tél. 71-3322 4271
www.lavillabahia.com
Petit hôtel pimpant niché dans le vieux centre. **$$$$**

CEARÁ

Fortaleza

Praiano Palace
Avenida Beira Mar
Meirelles
Tél. 85-4008 2200
Fax 85-4006 2223
www.praiano.com.br
Établissement 4 étoiles moderne proposant chambres, suites et appartements. Attablez-vous au restaurant Thames et choisissez entre la cuisine brésilienne et internationale. **$$$**

Seara Praia Hotel
Avenida Beira Mar
Meirelles
Tél. 85-4011 2200
www.hotelseara.com.br
Excellent 5 étoiles dont les chambres ont toutes la vue sur la mer. Son restaurant Azul de Prata prépare une cuisine d'influence française. Accès à une piscine olympique. **$$$**

DISTRITO FEDERAL

Brasília

Academia de Tenis Resort
Setor de Clubes Esportivo Sul
Trecho 04, Conjunto 05,
Lote 1B
Tél. 61-3316 6245
ou 61-3316 6252
Fax 61-3316 6264
www.academiaresort.com.br
Proche du lac. Très bonnes installations : piscine, cinéma, 21 courts de tennis. **$$$**

Blue Tree Park Brasília
Setor Hoteleiro Norte
Trecho 01, Conjunto 1B, Bloco C
Tél. 61-3424 7000
Fax 61-3424 7001
www.bluetree.com.br
L'un des meilleurs hôtels de la ville : moderne, bien équipé, près du lac. **$$$$**

Blue Tree Towers Brasília
Setor Hoteleiro Norte
Trecho 01, Lote 1B, Bloco AB
Tél. 61-3429 8000
Fax 61-3429 8104
www.bluetree.com.br
Occupe une partie du Blue Tree Park Brasília, mais ne regarde pas le lac. Partage les équipements avec ce dernier, dont la marina et le spa. Les 2 hôtels forment le complexe Blue Tree Alvorada. **$$$$**

Carlton
Setor Hoteleiro Sul
Quadra 5, Bloco G
Tél. 61-224 8819
Fax 61-226 8109
www.carltonhotelbrasilia.com.br
Bon hôtel, bien équipé pour les hommes d'affaires. **$$$$**

Kubitschek Plaza
Setor Hoteleiro Norte
Quadra 2, Bloco E,
Asa Norte
Tél. 61-3329 3333
ou 61-3329 3655
Fax 61-3329 3582
www.kubitschek.com.br
Grand confort, très bonne situation. **$$$$**

Meliá Brasília
Setor Hoteleiro Sul
Quadra 6, Bloco D
Tél. 61-3218 4700
Fax 61-3218 4703
ou 61-3218 4705
www.solmelia.com
Hôtel moderne et central. **$$$$**

Nacional
Setor Hoteleiro Sul
Quadra 1, Bloco A
Tél. 61-321 7575
Réservations : tél. 0800-644 7070
Fax 61-223 9213
www.hotelnacional.com.br
Un tantinet désuet mais toujours aussi confortable. Tarifs préférentiels le week-end. **$$$$**

Quality Suítes Lakeside
Setor Hoteleiro Norte
Trecho 01, Lote II
Tél. 61-3035 1445
Fax 61-3035 2144
www.atlantica-hotels.com
Emplacement charmant en bordure du lac. Location d'embarcations et de jet-skis dans sa marina. Hôtel bien équipé et d'un bon rapport qualité/prix. **$$$**

MARANHÃO

São Luis

Pousada Portas da Amazonia
Rua do Giz 129
Praia Grande
Tél. 98-3222 9937
www.portasdaamazonia.com.br
Agréable *pousada* bien située et aménagée dans un beau bâtiment colonial (XIXe siècle) du vieux centre. **$**

Rio Poty hotel
Avenida dos Holandeses s/n
Ponta d'Areia
Tél. 98-2151 500
Fax 98-235 9800
www.riopotysaoluis.com.br
Grand hôtel moderne planté sur la plage. Salon de beauté, hydromassage, sauna. Deux restaurants, 3 bars. **$$**

MATO GROSSO PANTANAL

Corumbá

Pousada do Cachimbo
Rua Alan Kardec 4
Bairo Dom Bosco
Tél. 67-3231 4833
cachimboresort@yahoo.com.br
www.pousadadocachimbo.com.br
Joli cadre au bord du fleuve. À 5 min de voiture de la ville. Ancienne ferme traditionnelle proposant 14 appartements confortables. Piscine. Personnel souriant et attentionné. **$$**

Santa Rita
Rua Dom Aquino Correia 860
Tél. 67-3231 5453
hsrita@terra.com.br
Simple, propre et central. Climatisation, belles salles de bains, bons petits-déjeuners. **$**

Cuiabá

Hotel Mato Grosso
Rua Commandante Costa 2522
Tél. 65-3614 7777
Simple, propre et central. Hôtel moderne et bien tenu aux chambres confortables. **$**

Hotel Mato Grosso Palace
Rua Joaquím Murtinho 170
Tél. 65-3614 7000
www.hoteismatogrosso.com.br
Établissement tout ce qu'il y a de central, proposant chambre et suites tout confort. Les petits-déjeuners sont de vrais festins. **$$**

MATO GROSSO DO SUL

Bonito

Muito Bonito
Rua Cel. Pilad Rebua 1448
Tél./fax 67-255 1645
reserves@muitobonito.com.br
Auberge attrayante joliment située en bordure de la rue principale. Chambres confortables. Possibilité de réserver des visites par son tour operator. **$**

Zagaia Eco-Resort
Tél. 67-255 5601
vendas@zagaia.com.br
www.zagaia.com.br
Un peu à l'écart de la ville, cet établissement haut de gamme apprécié des touristes brésiliens propose des appartements avec tout le confort moderne. Grande piscine et restaurant de qualité. **$$**

Gamme des prix

Les prix s'entendent pour une chambre double. Le petit-déjeuner est le plus souvent inclus.

$	moins de US$100
$$	de 100 à US$200
$$$	de 200 à US$300
$$$$	plus de US$300

Campo Grande

Bristol Exceler Plaza
Avenida Afonso Pena 444
Tél. 67-3312 2800
exceler@bristolhoteis.com.br
www.bristolhoteis.com.br
Coquet, confortable, accueillant. Piscine, court de tennis, bons petits-déjeuners, personnel affable. Situé dans la périphérie, il est facilement accessible de l'aéroport. **$**

Hotel Advanced
Avenida Calógeras 1909
Tél. 67-3321 5000
hoteladv@terra.com.br
www.hoteladvanced.com.br
Si son aspect extérieur est plutôt rébarbatif, il est central et bon marché, ses chambres sont confortables et dotées d'une belle salle de bains. Petits-déjeuners copieux. **$**

MINAS GERAIS

Belo Horizonte

Belo Horizonte Othon Palace
Avenida Afonso Pena 1050
Centro
Tél. 31-3273 3844
Fax 31-3212 2318
Hôtel luxueux, grand et impersonnel, mais avec chambres spacieuses et confortables, et situé en plein centre-ville. **$$$$**

Comodoro Tourist
Rua dos Carijós 508
Centro
Tél. 31-3201 5522
Fax 31-3201 5843
Très simple, central et offrant un bon rapport qualité/prix. **$$**

Ouro Minas Palace
Avenida Cristiano Machado 4001
Tél. 31-3429 4001
Fax 31-3429 4002
www.ourominas.com.br
Le meilleur hôtel de la ville, doté d'un centre d'affaires ultramoderne et d'un centre de remise en forme. À 10 min de l'aéroport et 30 min du centre-ville. **$$$$**

Diamantina

Diamante Palace
Avenida Sílvio Félicio dos Santos 1050
Tél./fax 038-3531 1561
www.diamantinanet.com.br
Très confortable, avec restaurant et bar. **$**

Pousada do Garimpo
Avenida da Saudade 265
Consolação
Tél./fax 038-3531 2523
Piscine, sauna... la *pousada* la mieux équipée de la région. **$$**

Ouro Preto

Estalagem das Minas Gerais
Rodovia dos Inconfidentes, Km 87
Tél. 31-3551 2122
Fax 31-3551 2709
Dans un grand parc au milieu de paysages superbes ; bien équipée. **$$$**

Grande Hotel de Ouro Preto
Rua das Flores 164
Tél. 31-3551 1488
Fax 31-3551 5028
www.hotelouropreto.com.br
Immeuble moderne, au cœur de la ville coloniale ; service efficace. **$$**

Luxor Pousada
Rua Dr Alfredo Baeta 16
Tél. 0800-165 322
Réservations, tél. 0800-282 2070
Dans une ancienne demeure coloniale du XVIIIe siècle. **$$$$**

Pousada do Mondego
Largo de Coimbra 38
Tél./fax 31-3551 2040
ou 31-3551 3094
www.mondego.com.br
Bâtiment attrayant du vieux centre colonial aménagé en chambres bien équipées. **$$**

PARÁ

Belém

Beira-Rio
Avenida Bernardo Sayão 4804
Guamá
Tél. 91-408 9000
Fax 91-249 7808
www.beirariohotel.com.br
En dehors du centre-ville ; piscine, climatisation. **$$$**

Hilton International Belém
Avenida Presidente Vargas 882
Praça da República
Tél. 91-4006 7000
Fax 91-3241 0844
www.hilton.com
Un peu défraîchi, mais toujours l'un des meilleurs de la ville. **$$$$**

Regente
Avenida Governador
José Malcher 485
Nazaré
Tél. 91-3241 1222
reserves@hregente.com.br
Modeste mais confortable. **$$**

Zoghbi Apart Hotel
Rua Ferreira Cantão 100
Tél. 91-3230 3555
Fax 91-3230 2000
www.zoghbi.com.br
Hôtel moderne, accueillant et propre. Restaurant, petite piscine. Bon rapport qualité/prix. **$$**

Santarém

Santarém Palace
Avenida Rui Barbosa 726
Tél. 91-523 2820
Fax 91-522 1779
Bien situé près du centre-ville ; prix très corrects. Organise des excursions fluviales. **$**

Gamme des prix

Les prix s'entendent pour une chambre double. Le petit-déjeuner est le plus souvent inclus.

$	moins de US$100
$$	de 100 à US$200
$$$	de 200 à US$300
$$$$	plus de US$300

PARAÍBA

João Pessoa

Caiçara
Avenida Olinda 235
Tambaú
Tél. 83-2106 1000
www.hotcaicara.com.br
Fait partie de la chaîne Best Western. Service efficace. À 10 min du centre et une rue de la plage. **$$**

Littoral
Avenida Cabo Branco 2172
Praia de Cabo Branco
Tél. 83-2106 1100
Fax 91-3241 0844
www.hotellittoral.com.br
Chambres avec vue sur la mer. Petite piscine. Le restaurant Malagueta concocte de la cuisine brésilienne et internationale. **$**

Tropical Tambaú
Avenida Almirante Tamandaré 229
Praia de Tambaú
Tél. 0800-701 2670
www.tropicalhotel.com.br
Cet établissement faisant partie d'une petite chaîne propose un logement parfaitement confortable et à des tarifs très concurrentiels. **$**

PARANÁ

Curitiba

Bourbon Curitiba Hotel & Tower
Rua Cândido Lopes 102
Tél. 41-322 4001
Réservations : 0800-701 8181
Cet hôtel traditionnel en impose par sa masse et son luxe. **$$$$**

Four Points by Sheraton Curitiba
Avenida Sete de Setembro 4211
Batel
Tél. 41-3340 4000
Réservations : tél. 0800-555 855
www.starwood.com
Hôtel fonctionnel de qualité. **$$$**

Grand Hotel Rayon
Rua Visconde de Nacar 1424
Centro
Tél. 41-2108 1100
Réservations : 0800-418 899
www.rayon.com.br
Le meilleur hôtel de la ville, situé tout près du "Rua 24-Horas". **$$$**

Foz do Iguaçu

Bourbon Igaussu Golf Resort
Avenida das Cataratas 6845,
Km 8,5
Réservations : tél. 0800-701 8181
www.bourbon.com.br
Bungalows modernes et golf de 18 trous. **$$$$**

Hotel Tropical das Cataratas
Rodovia das Cataratas,
Km 25
Tél. 45-3521 7000
Fax 45-3574 1688
www.tropicalhotel.com.br
Tout le charme suranné d'un bâtiment de style colonial au cœur d'un parc magnifique. L'unique hôtel du Parque Nacional do Iguaçu. **$$$**

Internacional Foz
Rua Almirante Barroso 2006
Tél. 45-3521 4100
Fax 45-3521 4101
www.internacionalfoz.com.br
Tout confort, bien situé au centre-ville. **$$$$**

Nadai
Avenida da República Argentina
1332
Tél./fax 45-3521 5090
Réservations : tél. 0800-645 5090
www.hotelnadai.com.br
Dans la ville ; climatisation, piscine, sauna. **$$**

Nuevo Luz
Avenida Dobrandino da Silva 145
Tél./fax 45-522 3535
luzhotel@luzhotel.com.br
Grand hôtel assez impersonnel aux grandes chambres confortables. Bon rapport qualité/prix. Proche de la gare routière. Abrite Luz Tours, tour operator géré par Antônio, excellent guide des chutes. **$$**

Park Plaza
Tél. 45-523 1213
www.challengerhoteis.com.br
Moderne, chambres spacieuses, service prévenant. Jolie piscine, sauna. **$$**

PERNAMBUCO

Olinda

Pousada do Amparo
Rua do Amparo 199
Tél. 81-3439 1749
Fax 81-3429 6889
www.pousadadoamparo.com.br
Somptueuse demeure du XVIIIe siècle dans des jardins fleuris. Le meilleur hôtel d'Olinda. **$$$$**

Pousada dos Quatro Cantos
Rua Prudente de Moraes 441
Carmo
Tél. 81-3429 0220
Fax 81-3429 1845
www.pousada4cantos.com.br
Agréable petit établissement installé dans une belle demeure du XIXe siècle du centre ancien. **$$**

Sete Colinas
Rua São Francisco 307
Tél./fax 81-3439 6055
www.hotel7colinas.com.br
Sis dans le vieux centre et agrémenté de délicieux jardins ainsi que d'une piscine. **$$$**

Porto do Galinhas

Hotel Armação
Lot. Merepe II, Quadra G1
Lote 1A
Tél. 81-3552 1146
Fax 81-3552 5200
www.hotelarmacao.com.br
Hôtel familial doté de 3 piscines et d'un terrain de tennis. Animations. Excellent rapport qualité/prix. **$$$**

Nannai Beach Resort
Accès au Km 2 sur la PE-009
Praia de Muro Alto
Tél. 81-3552 0100
www.nannai.com.br
Station haut de gamme avec bungalows équipés d'une piscine privée. **$$$$**

Pousada Tabapitanga
Accès au Km 3 sur la PE-009
Praia do Cupe
Tél. 81-3552 1037
Fax 81-3552 1726
www.tabapitanga.com.br
Bungalows confortables. **$$$**

Summerville Beach Resort
Gleba 6a
Praia de Muo Alto
Tél. 81-3302 5555
www.summervilleresort.com.br
Grand domaine avec piscine, parfait pour les familles. **$$$$**

Recife

Hotel Atlante Plaza
Avenida Boa Viagem 5426
Boa Viagem
Tél./fax 81-3302 3333
www.atlanteplaza.com.br
L'un des meilleurs hôtels de Recife, se dressant sur le front de mer. **$$$$**

Best Western Manibu Recife
Avenida Conselheiro
Aguiar 919
Boa Viagem
Tél. 81-3084 2811
Fax 81-3084 2810
www.hotelmanibu.com.br
Hôtel bien tenu et d'un très bon rapport qualité/prix. **$$$**

Mar Hotel Recife
Rua Barão de Souza Leão 451
Boa Viagem
Tél. 81-3302 4444
Fax 81-3302 4445
www.marhotel.com.br
Chambres avec balcons. Superbe piscine. **$$$**

Marolinda Residence Hotel
Avenida Conselheiro Aguiar 755
Tél. 81-3325 5200
www.marolinda.com.br
Hôtel abritant une galerie d'art. La culture locale donne le ton à l'ensemble. **$$$**

RIO GRANDE DO NORTE

Natal

Manary Praia Hotel
Rua Francisco Gurgel 9067
Praia de Ponta Negra
Tél./fax 84-3204 2900
www.manary.com.br
Luxueux hôtel sur le front de mer ; chambres climatisées et avec l'accès Internet. Piscine. **$$$**

Ocean Palace
Via Costeira,
Km 11
Tél. 84-3220 4144
ou 0800-844 144 (appel gratuit)
Le meilleur hôtel, 5 étoiles, de la ville, ouvrant sur l'océan. Accès wi-fi Internet dans les chambres. **$$**

Praia Azul Mar
Rua Francisco Gurgel 92
Praia de Ponta Negra
Tél. 84-4005 3555
www.praia-azul.com.br
Hôtel sur le front de mer, à proximité des restaurants. Chambres avec coffre-fort, TV câblée, accès Internet. **$$**

Tibau de Sul
Marinas Tibau Sul
Avenida Gov. Alusio Alves 301
Tél. 84-3207 0078
www.hotelmarinas.com.br
Chalets luxueux avec vue sur le fleuve et les dunes sablonneuses. Équipements pour la pêche et l'équitation. **$$**

RIO GRANDE DO SUL

Canela

Pousada Quinta dos Marques
Rua Gravatai 200
Santa Teresinha
Tél. 54-3282 9812
www.quintadosmarques.com.br
L'endroit où passer des vacances rêvées. Laissez-vous masser au milieu des bois et profitez des autres agréments qui vont sont proposés. **$$$**

Gramado

La Hacienda Estalagem e Restaurante
Estrada da Serra Grande 4200
Accès par la RS 115, Km 37
(dir. Taquara)
Tél. 54-3286 8186
ou 54-3286 8027
Réservations : tél. 51-3388 4678
www.lahacienda.com.br
Réplique luxueuse des fermes que les colons européens bâtirent au XIXe siècle. **$$$**

Varanda das Bromelias Boutique Hotel
Rua Alarisch Schulz 158-198
Planalto
Tél. 54-3286 0547
ou 54-3286 6653
www.varandadasbromelias.com.br
Endroit charmant perché au sommet de Gramado. **$$$$**

Nova Petrópolis

Recanto Suiço
Avenida 15 de Novembro 2195
Tél./fax 054-281 1229
Quinze chambres climatisées ; bar, restaurant, piscine. **$$**

Porto Alegre

Deville Porto Alegre
Avenida dos Estados 1909
Anchieta
Tél. 51-3373 5000
Réservations :
tél. 0800-703 1866
www.deville.com.br
Hôtel haut de gamme bien situé non loin de l'aéroport. **$$$$**

Embaixador
Rua Jerônimo Coelho 354,
Centro
Tél. 51-3215 6600
Réservations :
tél. 0800-7016 610
www.embaixador.com.br
Très confortable. **$$$**

Lido Hotel
Rua General Andrade Neves 150
Tél. 51-3228 9111
www.lidohotel.com.br
Bonne situation, confort, prix modérés. **$**

Plaza São Rafael
Avenida Alberto Bins 514
Centro
Tél. 051-3220 7000
Réservations :
tél. 0800-512 244
www.plazahoteis.com.br
Le meilleur hôtel de la ville, excellent centre de congrès. Certaines chambres donnent sur le fleuve. **$$$$**

RIO DE JANEIRO

Angra dos Reis

Ces hôtels, superbement placés, disposent d'équipements sportifs :

Club Med Village Rio das Pedras
BR-101 Norte, Km 445
Tél. 21-2688 9191
Réservations :
tél. 0800-2213 782
Fax 21-2688 3333
www.clubmed.com
Prestations très haut de gamme pour ce village du Club Med installé dans un cadre splendide au bord d'une plage privée. **$$$**

Hotel do Frade Golf Resort
BR-101 Sul, Km 123
Tél. 024-3369 2244
Fax 024-3369 2254
www.frade.com
Avec golf 18 trous, qui accueille des tournois internationaux en juin et en novembre. **$$$$**

Portogalo Suite
BR-101 Norte, Km 71
Tél. 24-3361 1434
Fax 24-3361 1461
www.redeprotel.com.br
Confortable, activités nautiques. **$$$**

Búzios

Casas Brancas Hotel Boutique & Spa
Praia de Armação
Tél. 22-2623 1458
www.casasbrancas.com.br
Charmang établissement haut de gamme niché dans les montagnes dominant la baie de Búzios. Le spa attend les visiteurs fatigués. **$$$$**

Pousada Hibiscus Beach
Rua 1, 22, Quadra C
Praia de João Fernandes
Tél. 24-2623 6221
www.hibiscusbeach.com.br
Chambres agréables, joliment décorées. Très reposant. Géré par des Anglais. **$$$**

Pousada La Chimère
Praça Eugênio Honold 36
Praia dos Ossos
Tél. 24-2623 1460
Fax 24-2623 1108
www.lachimere.com.br
Bar plaisant et agréable piscine privée. **$$$**

Cabo Frio

La Plage
Rua dos Badejos 40
Peró
Tél./fax 22-2647 1746
www.redebela.com.br
Le plus sélect du front de mer de Cabo Frio. **$$$**

Pousada Porta do Sol
Rua Francisco Paranhos 76
Algodoal
Tél. 22-2643 0069
www.portaldosolpousada.com.br
Pas trop onéreux et bien situé – tout près du théâtre municipal et à 200 m de la Praia do Forte. **$$**

Pousada Porto Peró
Avenida dos Pescadores 2002
Tél./fax 22-2644 5568
www.portopero.com.br
Sans prétention. **$$**

Pousada Portoveleiro
Avenida dos Espardartes 129
Caminho Verde
Ogiva
Tél./fax 22-2647 3081

Confortable et bien équipé, avec piscine et sauna. **$$$**

Ilha Grande

Pousada O Pescador
Vila do Abraão
Tél. 24-3361 5114
Petit établissement simple installé en plein sur la plage et absolument charmant. Possède l'un des meilleurs restaurants de la région. Petit-déjeuner inclus. **$**

Itacuruça

Hotel do Pierre
Ilha de Itacuruçá
Tél. 21-2253 4102
www.hotelpierre.com.br
À 20 min en bateau de la côte : restaurant, bar et équipements sportifs. **$$$**

Nova Friburgo

Bucsky
Estrada Niterói-Nova Friburgo, Km 76,5
Mury
Tél. 24-2522 5052
Fax 24-2522 9769
www.hotelbucsky.com
Hôtel 4 étoiles situé à 5 km de la ville. Repas compris. **$$$**

Fazenda Garlipp
Estrada Niterói-Nova Friburgo Km 71,5
Mury
Tél./fax 24-2542 1330
Les prix s'entendent en pension complète. Jolis chalets ; direction allemande. **$$$**

Pousada Vale das Flores
Rua Jacy Linhares Ramos 224
Braunes
Tél. 22-2526 35 03
www.valedasflores.com
Auberge très plaisante et pratiquant des tarifs tout à fait raisonnables. Sauna, piscine. Très belles vues. **$$**

Parati

Casa do Rio
Rua Antônio Vidal 120
Tél. 24-3371 2223
Auberge de jeunesse dans une belle maison ; la cour avec hamacs donne sur le fleuve ; un vrai chez-soi ! Excursions en bateau et en 4x4. **$**

Pousada do Corsário
Rua João do Prado 26
Tél. 24-3371 1866
www.pousadacorsario.com.br
Véritable havre de paix dans un agréable jardin au bord de la rivière ; piscine. **$$**

Pousada do Ouro
Rua Dr Pereira 145
Tél. 24-3371 1378
www.pousadaouro.com.br
Chic et sobre en plein centre-ville. **$$$**

Pousada Pardieiro
Rua do Comércio 74
Tél. 24-3371 1370
Fax 24-3371 1139
www.pousadapardieiro.com.br
Auberge traditionnelle attrayante et confortable installée dans le vieux centre de Parati. Piscine et magnifiques jardins tropicaux. **$$$**

Pousada do Sandi
Largo do Rosario 1
Tél. 24-3371 2100
Réservations :
tél. 0800-232 100
Fax 24-3371 2038
www.pousadadosandi.com.br
Considérée comme la plus séduisante des *pousadas* de Parati ; bon restaurant. **$$**

Gamme des prix

Les prix s'entendent pour une chambre double. Le petit-déjeuner est le plus souvent inclus.

$	moins de US$100
$$	de 100 à US$200
$$$	de 200 à US$300
$$$$	plus de US$300

Parc national d'Itatiaia

Hotel do Ypê
Parque Nacional, Km 14
Tél./fax 24-3352 1453
www.hoteldoype.com.br
Sur la route dans le parc ; bons repas inclus. **$$$**

Hotel Simon
Parque Nacional, Km 13
Tél. 24-3352 2214
Fax 24-3352 1230
www.hotelsimon.com.br
Cadre superbe, en bordure d'un jardin d'orchidées ; bons conseils pour découvrir le parc. **$$$**

Petrópolis

Casa do Sol
Avenida Ayrton Senna 115
Tél./fax 24-2243 5062
www.casadosol.com.br
Confortable et très bien équipé. **$$**

Locanda Della Mimosa
Alameda das Mimosas 30
Vale Florido
Tél./fax 24-2233 5405
www.locanda.com.br
Sur la route de Teresópolis, luxueuse *pousada* abritant aussi l'un des meilleurs restaurants de la région. **$$$$**

Pousada da Alcobaça
Rua Agostinho Goulão 298
Tél. 24-2221 1240
Fax 24-2222 3162
Vaste demeure ancienne plantée dans des jardins fleuris ; piscine, sauna, tennis. Excellente adresse. **$$$**

Rio de Janeiro

Arpoador Inn
Rua Francisco Otaviano 177
Ipanema
Tél. 21-2523 0060
Fax 21-2511 5094
www.ipanema.com/hotel/arpoador_inn.htm
Petit hôtel simple mais d'un bon rapport qualité-prix et en bord de mer dans l'un des plus beaux sites de Rio. Insistez pour avoir une chambre côté plage, beaucoup plus calme. **$$**

Caesar Park
Avenida Vieira Souto 460
Ipanema
Tél. 21-2525 2525
Fax 21-2521 6000
www.caesar-park.com
Sur la baie d'Ipanema et surplombant la mer, cet hôtel aux normes internationales est considéré comme l'un des 5 meilleurs de Rio. Excellent restaurant ; business center. **$$$$**

Cama e Café
Rua Pascoal Carlos Mango 5
Glória
Tél. 21-2224 5689
Fax 21-2221 7635
www.camaecafe.com.br

Cama e Café n'est pas à proprement parler un hôtel mais une société proposant l'option bed & breakfast dans un certain nombre de plaisants édifices, en particulier à Santa Teresa et ses environs. Consultez le site pour connaître en détail l'offre de logement. **$-$$$**

Copacabana Palace
Avenida Atlântica 1702
Copacabana
Tél. 21-2548 7070
Fax 21-2235 7330
www.copacabanapalace.com.br
Une oasis de calme, un restaurant remarquable, une piscine superbe et le meilleur salon de thé du Brésil : le luxe traditionnel au cœur de la plage de Copacabana. Business center très bien équipé. **$$$$**

Excelsior Copacabana
Avenida Atlântica 1800
Copacabana
Tél. 21-2195 5800
Fax 21-2257 1850
www.windsorhoteis.com.br
Installé de longue date sur le front de mer, l'endroit a été entièrement réaménagé pour accueillir les hommes d'affaires. Excellent rapport qualité-prix. **$$$$**

Glória
Rua do Russel 6325
Glória
Tél. 21-2555 7272
Fax 21-2555 7282
www.hotelgloriario.com.br
Bel édifice ancien au centre-ville, très bien situé pour les rendez-vous d'affaires. Salons pour séminaires et conventions. **$$$**

Ipanema Inn
Rua Maria Quitéria 27
Ipanema
Tél. 21-2523 6092
Fax 21-2511 5092
Bon marché, convenable et idéalement situé à proximité des curiosités touristiques et de la plage. Chambres petites mais confortables. **$$**

Ipanema Plaza
Rua Farme de Amoedo 34
Ipanema
Tél. 21-3687 2000
Fax 21-3687 2001
www.ipanemaplaza.com.br
Ceux qui se rendent régulièrement à Rio y descendent car ils apprécient son emplacement au cœur d'Ipanema, juste à un pâté de maisons de la plage. Élégant et moderne. **$$$$**

Inter-Continental Rio
Rua Prefeito Mendes de Morais 222
São Conrado
Tél. 21-3323 2200
Fax 21-3322 5500
Bel établissement de la chaîne Inter-Continental, doté de tous les équipements balnéaires.
Le grand hôtel de Rio le plus proche de Barra. **$$$$**

Leme Othon Palace
Avenida Atlântica 656
Leme
Tél. 21-2122 5900
Fax 21-2522 1697
www.othonhotels.com.br
Hôtel au luxe classique, en bord de mer sur la plage de Copacabana côté Leme. Pratique pour se rendre au centre-ville. **$$$**

Luxor Regente
Avenida Atlântica 3716
Copacabana
Tél. 21-2525 2070
Fax 21-2267 7693
www.luxor-hotels.com
Hôtel agréable, bien situé en bordure de plage. **$$$**

Marina All Suites
Avenida Delfim Moreira 696
Leblon
Tél. 21-2172 1100
Fax 21-2172 1010
www.marinaallsuites.com
Bien placé, sur la plage Leblon tout près des restaurants. **$$$$**

Le Meridien
Avenida Atlântica 1020
Leme
Tél. 21-3873 8888
Fax 21-3873 8777
www.rio.lemeridien.com
Un des palaces de Rio. Délicieuse cuisine française au restaurant Saint-Honoré et vue superbe. **$$$$**

Portinari Design Hotel
Rua Francisco Sa 17
Copacabana
Tél. 21-3288 8800
www.hotelportinari.com.br
Chacun des 11 niveaux a une décoration personnalisée. Endroit très agréable où séjourner. Au dernier étage, le restaurant offre de splendides vues. Pas de piscine. À un pâté de maisons de la plage. **$$$**

Praia Ipanema
Avenida Vieira Souto 706
Ipanema
Tél. 21-2540 4949
Fax 21-2239 6889
www.praiaipanema.com
Une bonne adresse, à la rencontre des plages d'Ipanema et Leblon. **$$$$**

Rio Hostel Ipanema
Rua Barão da Torre 175
Casa 14
Tél. 21-2247 7269
Fax 21-2268 0565
www.geocities.com/hostelipanema
Hébergement en dortoirs, à 2 rues de la plage. Personnel accueillant. Excursions proposées. **$**

Rio International
Avenida Atlântica 1500
Tél. 21-2546 8000
Fax 21-2542 5443
www.riointernacional.com.br
Hôtel moderne installé sur le front de mer de Copacabana et fréquenté par les touristes ainsi que les hommes d'affaires. Toutes les chambres ont un balcon et la vue sur la mer. De la piscine sur le toit le panorama est vraiment fantastique. **$$$$**

Sheraton Barra
Avenida Lucio Costa 3150
Barra de Tijuca
Tél. 21-3139 8000
Fax 21-3139 8085
www.sheraton.com/barra
Reflétant l'importance croissante de Barra de Tijuca, le Sheraton est le premier hôtel à avoir ouvert ici ces dernières années. Toutes les chambres possèdent un balcon et ont vue sur la mer. **$$$$**

Sheraton Rio Hotel & Towers
Avenida Niemeyer 121
Tél. 21-2274 1122
Fax 21-2239 5643
www.sheraton-rio.com
Hôtel chic proche des plages d'Ipanema et Leblon. Chambres et équipements haut de gamme. **$$$$**

Sofitel Rio Palace
Avenida Atlântica 4240
Copacabana
Tél. 21-2525 1232
Fax 21-2525 1200
www.accorhotelsbrasil.com.br

Accueille congrès et réunions d'affaires. Beau panorama. **$$$$**

Teresópolis

Hotel Village Le Canton
Estrada Teresópolis-Friburgo, Km 12
Tél. 21-2741 4200
ou 0800-285 4200 (appel gratuit)
www.lecanton.com.br
Nichée dans une verte vallée, cette adresse traditionnelle et bien équipée est l'une des meilleures de sa catégorie dans les montagnes de Rio de Janeiro. La cuisine est à la hauteur, le service très accueillant, les chambres et le spa superbes. **$$$$**

Rosa dos Ventos
Estrada Teresópolis-Nova Friburgo, Km 22,6
Tél. 21-2644 9900
www.hotelrosadosventos.com.br
Bâtiment étonnant qui marie les styles chalet suisse et *fazenda*... Plutôt réussi, mais vous viendrez surtout pour profiter de l'immense parc, du lac et des équipements sportifs. **$$$$**

SANTA CATARINA

Blumenau

Garden Terrace
Rua Padre Jacobs 45
Tél. 47-326 3544
Grand hôtel avec restaurant, bar, agence de voyage. **$$**

Grande Hotel Blumenau
Alameda Rio Branco 21
Tél. 47-326 0145
Fax 47-326 1280
www.hoteisbrasil.com/garden
Avec restaurant, bar et piscine. **$$$**

Plaza Blumenau
Rua 7 de Setembro 818
Tél. 47-231 7000
Réservations : tél. 0800-471 213
www.plazahoteis.com.br
Le meilleur et le plus luxueux de la ville ; centre d'affaires. **$$$**

Florianópolis

Blue Tree Towers Florianópolis
Rua Bocaiuva 2304
Centro
Tél. 48-3251 5555
Réservations : tél. 0800-150 500

Gamme des prix

Les prix s'entendent pour une chambre double. Le petit-déjeuner est le plus souvent inclus.

$	moins de US$100
$$	de 100 à US$200
$$$	de 200 à US$300
$$$$	plus de US$300

www.bluetree.com.br
Hôtel de bord de mer offrant de splendides vues. Bars, restaurants et centres commerciaux dans les environs immédiats. **$$$**

Costão do Santinho Resort & Spa
Rodovia Vereador Onildo Lemos 2505
Praia do Santinho
Tél. 48-261 1000
Fax 48-261 1200
www.costao.com.br
La station balnéaire la plus étendue et la plus luxueuse du sud du Brésil. Équipements sportifs pour le tennis, le canoë, la natation et le football. **$$$$**

Intercity Hotel
Avenida Paulo Fontes 1210
Centro
Tél. 48-3027 2200
Réservations : tél. 0800-703 7336
www.intercityhotel.com.br
Touche le marché ancien de Florianópolis et offre de jolies vues sur la baie. **$$$**

Jurerê Beach Village
Alameda César Nascimento 646
Praia de Jurerê
Tél. 48-3261 5100
Réservations : tél. 0800-480 110
www.jurere.com.br
Possiblité de louer des chalets de 2 pièces. Bons équipements pour les sports nautiques. **$$$$**

Pousada da Vigia
Rua Con. Walmor Castro 191
Praia da Lagoinha de Ponta das Canas
Tél. 48-3284 1789
www.pousadavigia.com.br
Construite au sommet d'une falaise, cette *pousada* offre des vues imprenables. Excellent petit-déjeuner servi jusqu'à 11h. **$$$**

Pousada Penareia
Rua Hermes Guedes da Fonseca 207
Praia da Armação
Tél. 48-338 1616
www.pousadapenareia.com.br
Certaines chambres sont climatisées et ont une véranda. *Pousada* idéale pour les couples rêvant de vacances 100 % détente. **$$$**

Garopaba/Praia do Rosa

Pousada Caminho do Rei
Caminho do Alto do Morro s/n
Tél. 48-3355 6062
ou 48-3355 6071
www.caminhodorei.com.br
Établissement particulièrement charmant, construit dans les années 1980 par un jeune couple idéaliste. Chambres coquettes et confortables. Vues magnifiques. **$$**

Quinta do Bucaneiro
Estrada Geral do Rosa s/n
(en dehors de la BR-1-1)
Tél. 48-3355 6056
www.bucaneiro.com.br
Pousada charmante et relaxante, proche de la plage et à 70 km de Florianópolis. Balcons en bois, petite piscine. Le cadre est superbe. **$$**

Laguna

Laguna Tourist
Praia do Gi, Km 4
Tél. 48-647 0022
Fax 48-647 0123
www.lagunatourist.com.br
Grand hôtel moderne, bien situé en bordure de plage. Équipements d'excellente qualité. Superbes vues. **$$$**

Taperoá
BR-101 Norte Praia de Itapirubá
Tél. 48-356 0222
Fax 48-646 0294
Pmlanté sur la plage. Équipements sportifs. **$$**

SÃO PAULO

Atibaia

Estancia Atibainha
Via Dom Pedro I, Km 55
Tél. 11-4597 3400
Fax 11-4597 1155
Réservations : tél. 11-3331 3114
www.hotelestanciaatibainha.com.br
Hôtel bien équipé. **$$$**

Village Eldorado
Rod. Dom Pedro I, Km 75,5
Tél. 11-4411 0533
Fax 11-4411 0300
www.hoteiseldorado.com.br
Hôtel bien équipé. **$$$$**

Campos do Jordão

Hotel Frontenac
Avenida Dr Paulo Ribas 295
Capivari
Tél. 12-3669 1000
Réservations : 11-5505 9550
www.frontenac.com.br
Hôtel européen classique mêlant modernité technologique et service personnalisé. **$$$$**
Grande Hotel Campos do Jordão
Avenida Frei Orestes Girardi 3549
Capivari
Tél. 12-3668 6000
Réservations : tél. 0800-770 0790
www.sp.senac.br/hoteis
Luxe et environnement époustouflant. **$$$$**
Toriba
Avenida Ernesto Diederichsen 2962
Tél. 12-3668 5000
www.toriba.com.br
Hôtel de charme ouvrant sur les montagnes. **$$$$**

Caraguatatuba

Pousada da Tabatinga
Estrada Caraguatatuba-Ubatuba
Praia Tabatinga
Tél. 12-3884 6010
www.pousadadaportaldatabinga.com.br
Proche de la plage, avec restaurant et piscine. **$$$$**

Guarujá

Casa Grande Hotel Resort & Spa
Avenida Miguel Stefano 1001
Praia da Enseada
Tél./fax 13-3389 4000
www.casagrandehotel.com.br
Luxueux hôtel de style colonial sur l'une des plus belles plages de Guarujá ; excellent restaurant ; soins thermaux. **$$$$**
Delphin Hotel
Avenida Miguel Stefano 1295
Praia da Enseada
Tél. 13-3386 2112
www.delphinhotel.com.br
Sur la même plage que le Casa Grande, mais plus simple. **$$$**

Ilhabela

Maison Joly
Rua Antônio Lisboa Alves 278
Tél. 12-3896 1201
www.maisonjoly.com.br
L'un des hôtels les plus sophistiqués de la côte, élu par les VIP. **$$$$**
Pousada Canto da Praia
Avenida Forca Expedicionaria Brasileira 793
Praia de Santa Teresa
Tél. 12-3896 1194
www.cantodapraiailhabela.com.br
Confort et rusticité dans l'ancienne maison d'un pêcheur réaménagée. **$$$$**

Gamme des prix

Les prix s'entendent pour une chambre double. Le petit-déjeuner est le plus souvent inclus.

$	moins de US$100
$$	de 100 à US$200
$$$	de 200 à US$300
$$$$	plus de US$300

Santos

Avenida Palace
Avenida Presidente Wilson 10
Gonzaga
Tél. 13-3289 3555
Fax 13-3289 5961
www.avenidapalace.com.br
Hôtel simple mais agréable, planté sur le front de mer. **$$**
Mendes Plaza
Avenida Floriano, Peixoto 42, Gonzaga
Tél. 13-3289 4243
Fax 13-3284 8253
Luxueux, excellents équipements sportifs. Salon de thé. **$$$**

São Paulo

Blue Tree Towers Berrini
Rua Quintana 1012, Brooklin Novo
Tél. 11-5508 5000
www.bluetree.com.br
Proche de l'aéroport de Congonhas. Parfait pour les courts séjours d'affaires. **$$$**
Caesar Park São Paulo Faria Lima
Rua das Olimpiadas 205
Vila Olimpia
Tél. 11-3848 6767
www.caesarpark.com.
Luxueux hôtel classe affaires. **$$$$**
Estanza Paulista Boutique Hotels
Alameda Jau 497
Cerqueira Cesar
Tél. 11-3016 0000
Réservations : 0800-726 1500
www.estanplaza.com.br
Service irréprochable, ambiance décontractée. Près de l'avenue Paulista. **$$$**
Fasano
Rua Vitorio Fasano 88
Cerqueira Cesar
Tél. 11-3896 4000
www.fasano.com.br
Élégance et sophistication dans l'un des plus beaux quartiers. **$$$$**
Hospedaria Mantovani
Rua Eliseu Guilherme 269
Paraiso
Tél. 11-3889 8624
hospedariamantovani@terra.com.br
Établissement peu cher recommandé et situé dans un bon quartier. **$**
L'Hotel
Alameda Campinas 266
Jardim Paulista
Tél. 11-2183 0500
Réservations : tél. 0800-130 080
Fait partie de la chaîne "The Leading Small Hotels of the World" (www.lhw.com). **$$$$**
Inter-Continental São Paulo
Avenida Santos 1123
Cerqueira Cesar
Tél. 11-3179 2600
Réservations : tél. 0800-118 003
www.intercontinental.com/saopaulo
L'un des hôtels les plus huppés de la ville ; cadre élégant, service parfait, mais très cher. **$$$$**
Pergamon
Rua Frei Caneca 80
Consolação
Tél. 11-3123 2021
Réservations : tél. 0800-551 056
www.pergamon.com.br
L'art et le design n'y excluent pas le confort. Bon rapport qualité/prix. **$$$**
Pousada Dona Zilah
Alameda Franca 1621/1633
Jardim Paulista
Tél. 11-3062 1444
www.zilah.com
Hôtel accueillant et très abordable situé dans une zone privilégiée. **$$**
Radisson Faria Lima
Avenida Cidade Jardim 625
Itaim Bibi

Tél. 11-2133 5960
www.atlanticahotels.com
L'étage est réservé aux femmes qui pourront se draper dans un peignoir duveteux. **$$$**

Renaissance
Alameda Santos 2233
Tél. 11-3069 2233
www.marriottbrasil.com/saobr
Grand hôtel pour hommes d'affaires, bien situé, très bien équipé. **$$$$**

Tryp Higienópolis
Rua Maranhão 371
Higienópolis
Tél. 11-3665 8200
ou 11-3665 8201
www.tryphigienopolis.solmelia.com
Hôtel situé dans un quartier chic et offrant un bon rapport qualité/prix aux hommes d'affaires comme aux touristes. **$$$**

Ubatuba

Hotel Cassino Sol e Vida
Rua Domingo Della Monica
Barbosa 93
Praia da Enseada
Tél. 12-3842 0188
Fax 12-3842 0488
www.solevida.com.br
Sur la plage, avec équipement de sports nautiques. **$$$**

Solar das Águas Cantantes
Estrada do Saco da Ribeira s/n
Praia do Lázaro
Tél. 12-3842 0178
www.solardasaguascantantes.com.br
Les pieds dans l'océan, avec piscine et restaurant. **$$$**

SERGIPE

Aracaju

Pousada Mar e Sol
Avenida Santos Dumont 314
Atalaia
Tél. 79-243 3051
Hôtel simple et bon marché voisin de la plage. **$**

San Manuel Praia
Rua Niceu Dantas 75
Atalaia
Tél. 79-3243 3404
www.sanmanuelpraiahotel.com.br
Agréable hôtel à 2 pas de la plage. Wi-fi dans les chambres. Piscine. **$$**

Shopping

Le Brésil interdit la chasse aux animaux sauvages. Ne rapportez surtout aucune peau, y compris celle des alligators. Dans les centres commerciaux et les boutiques des quartiers résidentiels, vous êtes certains d'acheter des produits de bonne qualité. Évitez les vendeurs de rue et les échoppes précaires pour investir dans des pierres précieuses et des bijoux, surtout si le prix est très attractif ! Dans tous les cas, demandez à voir la patente du vendeur. Sur la plage et sur les marchés, vous pourrez en revanche marchander à votre guise.

À rapporter

Pierres précieuses

Le Brésil offre un choix incomparable de pierres fines et pierres précieuses. Diamants, émeraudes, rubis et saphirs, améthystes, aigues-marines, opales, topazes, tourmalines... Environ 65 % des pierres de couleur extraites dans le monde proviennent de ce pays, également grand producteur d'or. La fabrication des bijoux se fait donc entièrement sur place, de l'extraction à la taille des pierres et de la création à la réalisation des montures. Le Brésil, qui figure parmi les premiers producteurs mondiaux de joaillerie, maintient des prix très attractifs.

La valeur d'une pierre dépend plus de sa couleur et de sa pureté que de sa grosseur. Examinez attentivement la nuance, la taille, l'éclat et le prix. Plus la couleur est intense, plus la pierre a de valeur. Il est très important, quand vous scrutez une pierre à l'œil nu, d'avoir une source lumineuse naturelle, autre que la lumière électrique qui, pour des non-connaisseurs, aplatit les contrastes. À moins d'être expert, adressez-vous à un bijoutier réputé, qui pratique les vrais prix et saura vous conseiller. Les deux principales chaînes de joaillerie du Brésil, **H. Stern** et **Amsterdam Sauer**, disposent d'un réseau de vente national. Il existe d'autres chaînes moins notoires mais tout aussi sérieuses. Vous trouverez les principales enseignes dans les aéroports, les centres commerciaux et la plupart des hôtels.

À Rio, vous trouverez également un certain nombre de bons créateurs, les meilleurs étant **Flavio Guidi** (*tél. 21-2220 7285*) et **Pepe Torras** (*tél. 21-2274 5046*).

Articles de cuir

N'hésitez pas à vous offrir sandales, chaussures, sacs, portefeuilles et ceintures, particulièrement intéressants. Vous en trouverez un peu partout, les plus beaux proviennent souvent du Sud. Tous ces articles se trouvent en abondance sur les marchés, parfois sous l'égide de l'office de tourisme local.

Objets en bois

Les boutiques de souvenirs proposent des articles genre saladiers ou plateaux, les marchés d'artisanat regorgent de bois sculptés. Hélas, les étranges figures de proue, les *carrancas*, typiques des bateaux fluviaux de São Francisco, rentrent difficilement dans les bagages... Dans ce pays où abondent les bois précieux, de nombreux objets utilisent des essences tropicales menacées. Leur exportation reste autorisée, mais cette industrie contribue à la déforestation de l'Amazonie.

Instruments de musique et CD

Vous cherchez des souvenirs originaux ? Pensez aux curieux instruments à percussion des groupes de samba, vendus sur les marchés. Le rustique *berimbau* de Bahia, constitué d'un arc tendu d'une seule corde, fixé sur une gourde servant de résonateur, délivre un son très particulier, mais se montre difficile à jouer.

Si vous aimez la musique brésilienne, rapportez des cassettes ou des CD.

Vêtements

Pour explorer un maximum de boutiques dans un minimum de temps, rendez-vous dans les quartiers commerçants ou les centres commerciaux. Si vous recherchez des articles typiquement brésiliens, pensez aux dentelles et aux broderies du Nordeste, sans oublier les bikinis et les paréos. Le Brésil semble être la patrie du T-shirt. De bonne qualité, tous valent le coup d'œil, du plus chic et cher au plus simple, décoré de sérigraphies éclatantes.

Peintures

Très appréciées, les peintures brésiliennes primitives ou "naïves" exposées dans les galeries se vendent aussi sur les marchés d'artisanat (*voir aussi p. 117*).

Porte-bonheur

Les plus typiques et les plus populaires viennent de Salvador : la *figa* – sculpture en forme de poing fermé, le pouce dépassant entre l'index et le majeur –, le ruban *Senhor do Bonfim*, à enrouler autour du poignet ou de la cheville et à fixer par trois nœuds, et les grappes de fruits d'argent, que les Brésiliens suspendent chez eux afin de ne jamais manquer de nourriture.

Café

Tous les supermarchés et brûleries proposent du café fraîchement torréfié. L'emballage sous vide assure une bonne conservation. Vous trouverez à l'aéroport du café conditionné dans un cartonnage très pratique.

Où acheter

Boutiques et marchés foisonnent au Brésil. Les grandes villes du Nordeste et d'Amazonie tiennent des marchés artisanaux.

RIO DE JANEIRO

Pé de Boi
Rua Ipiranga 55
Botafogo
Tél./fax 21-2255 4395
Eskada
Av. General San Martín 1219, Leblon
Gaia Jóias
Rua Fernando Mendes 28c
Copacabana
Tél. 21-2255 9646
Feirarte
Praça General Osório
Ipanema
Surnommé la Feira Hippy, ce marché animé et touristique, attire des artisans de tout le Brésil. Le dim.

Artisanat régional

Nordeste À ne pas manquer, les belles poteries utilitaires et bon marché, bols, cruches et autres ustensiles, ainsi que les figurines naïves en terre, représentant des héros de légendes, des scènes de fêtes ou de la vie quotidienne. Autres spécialités locales, les superbes dentelles et les vêtements brodés à la main de l'État de Ceará, les objets en paille et fibres végétales (feuilles de bananier, fibre de coco) tressées – paniers, chapeaux, sacs, nattes... – et les hamacs en coton. Ici comme dans le Nord, ils remplacent les lits et sont mieux finis – certains sont ornés de dentelle au crochet – que ceux vendus dans le reste du pays.
Minas Gerais Toutes les boutiques de souvenirs regorgent d'objets décoratifs ou utilitaires en stéatite (quelquefois en quartz ou en agate), vases, articles de toilette, cendriers ou serre-livres. Tout aussi typiques de la région, les tissus et les tapisseries faits main.
Amazonie À partir de bois, de fibres, d'épines, de dents, de griffes, de plumes de couleur, de coquillages et de graines, les Indiens fabriquent des ornements (colliers, boucles d'oreilles), des ustensiles (tamis, paniers), des armes (arcs, flèches, javelots) et des instruments à percussion, comme les "bâtons de pluie" qui imitent le bruit de l'averse. Les céramiques *marajoara*, décorées de motifs géométriques, proviennent de l'île de Marajó, à l'embouchure de l'Amazone.

SÃO PAULO

Magasins, galeries

Amoa Konoya Arte Indígena
Rua João Moura 1002
Tél. 11-3061 0639
Superbe sélection d'objets indiens venus d'Amazonie et d'autres régions. Vannerie, arcs et flèches, objets en plume, en bois ou en terre, CD de musique indienne.
Arte Nativa Aplicada
Rua Dr Melo Alves 184
Tél. 11-3088 1811
Tissus, sets de table et lampes ornés d'intéressants motifs tribaux.
Cariri
Rua Francisco Leitão 277
Pinheiros
Tél. 11-3064 6586
Une foule d'objets : vannerie, figurines d'argile peinte, statuettes en bois, hamacs...
Casa do Amazonas
Alameda dos Jurupis 460
Moema
Tél. 11-5051 3098
Bon choix d'art et d'artisanat indien.
Jacques Ardies Gallery
Rua do Livramento 221
Tél. 11-3884 2916
Art primitif et naïf.

Marchés artisanaux

Embu
Art, artisanat, nourriture, plantes. Le dim. dans une petite ville située au sud-ouest de São Paulo.
Liberdade
Artisanat, nourriture, vêtements, plantes... Dans le quartier japonais.
MASP
Antiquités. Sous le musée d'art MASP. Le dim.
Praça Benedito Calixto
Foire hippie proposant vêtements indiens, artisanat, poterie et bijouterie. Le sam.
Praça de Republica
Tableaux, vêtements, bijoux, pierres précieuses... Le sam.

Sports & loisirs

Écotourisme

Trop souvent appliqué à toute activité vaguement teintée d'aventure, le terme ne garantit pas que les organisateurs se préoccupent un tant soit peu d'environnement et sert d'alibi à tout et n'importe quoi, de la capture des caïmans dans l'Amazone à la pêche aux piranhas dans le Pantanal, aussi condamnables l'une que l'autre.

Sports à pratiquer

CYCLISME

Depuis le sommet de Rio sur l'environnement en 1992, les cyclistes de la ville bénéficient d'aménagements remarquables, dont une piste qui longe les plages de Copacabana, Leblon, São Conrado et Barra avant de rejoindre le centre.

ESCALADE ET SPÉLÉO

Si vous aimez l'escalade ou la varappe, le Brésil vous réserve bien des défis. À Rio même, vous pouvez faire l'ascension des symboles de la ville, le Pain de Sucre et le Corcovado. Certains clubs organisent des sorties vers les montagnes voisines et les secteurs propices à la pratique de la spéléo. Pour en savoir plus :

Centro Excursionista Brasileiro
Avenida Almirante Barroso 2
8e étage
Centro
Rio de Janeiro
Tél. 21-2252 9844
ou 021-2262 6360
www.ceb.org.br

Sociedade Brasileira de Espeleologia
Caixa Postal 7031
Campinas S.P., Cep 13076
Tél. 19-3296 5421
www.sbe.com.br

GOLF

Peu répandu au Brésil, le golf ne se pratique guère qu'à Rio, São Paulo et Búzios. Le pays ne compte que 2 parcours publics et les clubs privés sont assez fermés, mais peuvent vous accepter comme joueur visiteur. Renseignez-vous auprès de votre hôtel.

JOGGING

Un des plus beaux endroits du monde pour pratiquer le jogging se trouve à Rio : tout au long des plages de la ville, les larges trottoirs indiquent la distance en kilomètres. À São Paulo, les joggeurs se retrouvent au parc d'Ibirapuera.

Deux courses célèbres se déroulent au Brésil, le marathon de Rio en juin (www.maratonadorio.com.br) et celui de São Paulo en avril ou mai (www.maratonadesaopaulo.com.br).

RANDONNÉE ÉQUESTRE

Entre le Pantanal, terre des cow-boys brésiliens riche en vie sauvage, les anciennes pistes de l'or dans les montagnes des États du Sud et le plaisir de galoper le long des plages interminables... le Brésil a tout pour plaire aux amateurs de randonnées équestres.

SPORTS AQUATIQUES

Dans un pays aussi riche en côtes maritimes et en fleuves majeurs, au climat toujours clément, les sports aquatiques connaissent un développement considérable. Dans les villes côtières et les hôtels balnéaires, vous pourrez louer surf et planches à voile, jet-skis, matériel de pêche et de plongée. Quant aux bateaux – vedettes, voiliers ou *saveiros*, goélette brésilienne –, avec équipage. À Rio, adressez-vous à la Marina da Gloria. Les clubs organisent des descentes en canoë-kayak et des sorties en bateau à voile. À Rio, votre hôtel peu vous organiser une descente de rapides en raft.

Plongée

Parmi les sites les plus spectaculaires figurent l'île Fernando de Noronha, à 345 km au large de la côte nord-est, et l'archipel corallien d'Abrolhos, au large de la côte sud de Bahia. Plus accessibles sont la Costa do Sol, à l'est de Rio de Janeiro (Cabo Frio, Búzios) et la Costa Verde, entre Rio et São Paulo (Angra dos Reis, Parati). Location de matériel et cours sur place.

Surf

Les spots abondent tout au long des 8 000 km de côtes brésiliennes. Saquarema, dans l'État de Rio de Janeiro, accueille régulièrement des championnats internationaux

Natation

Quel délice de nager dans l'océan, surtout dans le Nord et le Nord-Est, où l'eau reste tiède toute l'année ! Hélas, les plages urbaines, en particulier à Rio, sont souvent très polluées. En revanche, beaucoup d'hôtels et de clubs disposent de piscines privées.

Pêche

La diversité des espèces fait du Brésil un paradis de la pêche, dans l'océan comme en eaux douces, y compris dans les marais du Pantanal. Vous pouvez louer un bateau tout équipé avec les services d'un guide, ou participer à des sorties de pêche organisées. Dans le Nordeste, les pêcheurs embarquent parfois un ou deux passagers sur leurs *jangadas*. Renseignements : www.brasilfishing.com.br

TENNIS

Depuis que "Guga", Gustavo Kuerten, a rejoint les meilleurs mondiaux en remportant l'Open de France, le Brésil s'intéresse de plus en plus au tennis. Vous trouverez peu de courts publics car les joueurs fréquentent surtout les clubs, mais certains hôtels possèdent des courts privés.

TREKKING

Ici, vous avez le choix entre les pistes de la forêt luxuriante, l'exploration des parcs nationaux ou la randonnée dans les montagnes. Dans tous les cas, mieux vaut partir avec un guide.

VOL À VOILE

Le vol à voile est en vogue, surtout à Rio où de modernes Dédale se jettent du haut des pics et s'élèvent dans le ciel avant de se poser sur la plage. Les novices peuvent voler en tandem avec un moniteur. Vous pouvez aussi pratiquer le parapente dans certaines régions. Contactez Riotur (*tél. 21-3322 2286*) ou Rio Gliding (konrad@globo.com, www.riogliding.com).

VOLLEY

Sur les plages, surtout à Rio, vous pouvez passer des heures à admirer le talent des volleyeurs – le Brésil a été à la fois champion du monde et champion olympique. Malgré le niveau de jeu élevé, l'ambiance reste détendue, et vous serez peut-être invité à jouer.

Sports à voir

CAPOEIRA

Typiquement brésilienne, la *capoeira* remonte au temps des esclaves, qui ne pouvaient combattre, et surtout s'entraîner au combat, que de façon clandestine. Art martial camouflé en danse agile et gracieuse, où les coups sont portés avec les pieds, la *capoeira* s'accompagne de chants rythmés par des percussions. La tradition reste vivante surtout à Salvador et à Rio, où des académies enseignent la *capoeira* – certaines vous autorisent à assister gratuitement à leurs cours, d'autres organisent des démonstrations payantes. D'autre part, des groupes de capoeiristes se produisent souvent sur les plages.

COURSE AUTOMOBILE

Le Brésil offre la particularité de figurer à la fois au calendrier de la F1 et à celui du ChampCar. Le Grand Prix de F1 se déroule en mars sur le circuit d'Interlagos à São Paulo, tandis que Rio accueille la course de ChampCar et le Grand Prix moto. Toutes catégories confondues, les pilotes brésiliens comptent parmi les meilleurs du monde.

COURSES HIPPIQUES

Les Brésiliens aiment les courses et les hippodromes sont nombreux. Le prix le plus prestigieux, le Grande Prêmio do Brasil, se déroule à Rio de Janeiro (hippodrome *tél. 21-2512 9988*) dans la première quinzaine d'août. À São Paulo, vous pouvez contacter le Jockey Club (*tél. 11-2161 8300*).

FOOTBALL

Sport national brésilien, le *futebol* réunit tous les âges et toutes les catégories sociales dans une même passion. Pendant la Coupe du Monde, le pays est hypnotisé par les matchs retransmis à la télévision.

Si vous êtes fan de football, assistez au moins une fois à un match professionnel. Les supporters turbulents valent autant le déplacement que le jeu lui-même.

L'ambiance des rencontres entre deux grandes équipes rivales atteint des sommets dans le stade géant de Maracanã, où s'entassent plus de 95 000 personnes, ou au stade de Pacaembu à São Paulo. Si la violence est rare, mieux vaut un siège réservé plutôt que les gradins (partie découverte du stade), toujours surpeuplés. Demandez à votre hôtel de vous organiser votre soirée de football, en réservant votre billet et le transport – une option intéressante pour éviter la bousculade.

Les week-ends, l'après-midi ou en début de soirée, vous assisterez aussi à des matchs amateurs rapides et forcenés entre équipes voisines, qui se retrouvent sur les plages ou dans les parcs.

Culture

Musées

Les musées historiques brésiliens attirent peu de visiteurs. Les plus intéressants sont décrits dans la section *Itinéraires* de ce guide. Pour les expositions temporaires, consultez la rubrique "Exposições" des principaux quotidiens brésiliens.

L'art en ligne

Guide des musées de Rio
www.artes.com/museus.htm
Musée virtuel d'art brésilien
www.museuvirtual.com.br
Musée d'art contemporain de Rio
www.mamrio.com.br
Musée d'Art moderne de São Paulo
www.mam.org.br
Musée d'Art contemporain de l'université de São Paulo
www.mac.usp.br

Galeries d'art

De nombreuses galeries exposent les œuvres d'artistes contemporains, surtout à Rio de Janeiro et São Paulo. Les musées d'art organisent également des expositions temporaires, signalées par la presse sous la rubrique "Exposições". La plus grande exposition d'art contemporain d'Amérique latine, la Bienal (biennale) de São Paulo, se tient chaque année paire (2010, 2012...), de mars à juin. Pour en savoir plus : www1.uol.com.br/bienal www.bienalsaopaulo.globo.com

Musique & danse

Sans la musique, le Brésil n'existerait pas. Chaque région a donné naissance à des formes musicales originales, souvent accompagnées de leurs danses, qui demeurent inconnues à l'extérieur du Brésil : la rare musique brésilienne à avoir fait le tour du monde ne représente que la partie émergée de l'iceberg. Pourtant, l'influence brésilienne, en particulier dans le jazz, est indéniable. Le sympathique site Internet de Louis Briand raconte cette histoire et informe sur l'actualité discographique. www3.sympatico.ca/louis.briand/accueil.html

Si vous souhaitez vous rendre à un concert, consultez les programmes du week-end dans la presse locale (rubrique *Lazer*), ou demandez à votre hôtel de vous recommander un club avec orchestre brésilien : entre la *bossa nova*, la *samba*, le *choro* et la *serenata*, si appréciés à Rio et à São Paulo, vous n'aurez que l'embarras du choix. Si vous venez pour le carnaval, vous vivrez dans un tourbillon de musique et de danse en pleine rue, entre la *samba* de Rio et le *frevo* du Nordeste. La saison de musique et de danse classiques se déroule du carnaval à mi-décembre. Outre les vedettes locales, les villes principales, surtout Rio, São Paulo et Brasília, accueillent des artistes d'envergure internationale. Un des plus importants festivals de musique classique d'Amérique du Sud se déroule chaque année en juillet à Campos de Jordão, dans l'État de São Paulo.

Théâtre

Si vous comprenez le portugais, ne manquez pas les saisons théâtrales très réputées de Rio et de São Paulo, entre le carnaval et novembre.

Billets sur Internet

Ticketmaster Spectacles, concerts et événements sportifs à Rio, São Paulo et Belo Horizonte. www.ticketmaster.com.br

Ingresso Fácil Spectacles, concerts et événements sportifs – dont matches de football – à Rio, São Paulo et Belo Horizonte. www.ingressofacil.com.br

Ingresso.com Places de cinéma dans tout le pays, spectacles et quelques parcs à thème. www3.ingresso.com.br

Sortir

Bars & nightclubs

Pour en savoir plus sur la vie nocturne dans les grandes villes, consultez les chapitres de la section *Itinéraires*. Mais attention ! Un lieu peut être tendance un jour et ne plus l'être le lendemain.

L'âge légal pour boire de l'alcool est 18 ans, et certains clubs et bars requièrent une pièce d'identité, quel que soit votre âge.Emportez une photocopie de votre passeport plutôt que l'original. Vous risquez fort d'être refoulé si vous venez en short. Les prostituées, nombreuses, opèrent surtout dans les nightclubs fréquentés par les touristes.

Les grands centre-villes comme Rio de Janeiro et São Paulo ne sont pas avares de propositions pour la soirée, restaurants, bars et nightclubs restant souvent ouverts jusqu'aux premières heures matinales. Les Brésiliens aimant la fête, vous trouverez même dans les petites villes un nightclub ouvert très tard le week-end. Cela dit, on se couche plus tôt en dehors des zones touristiques, surtout en semaine.

Certains bars où se produisent des musiciens demandent un droit d'entrée de 5-10 $US pour un spectacle de qualité, tandis que pour d'autres, l'entrée libre s'accompagne d'une *consumação mínima* (consommation obligatoire). Cette dernière disposition est en principe illégale et provoque la colère des associations de consommateurs.

La plupart du temps, les artistes passant dans les bars jouent de la musique brésilienne : samba, *choro*, *frevo*, *pagode*, *sertanejo* (musique country) et l'omniprésente MPB – musique populaire brésilienne faite de rock'n'roll "tropicalisé".

Langue

Si vous parlez l'espagnol, le portugais brésilien vous semblera relativement facile à comprendre car il comporte des mots communs aux deux langues. En revanche, vous aurez peut-être du mal, selon les accents, à les comprendre ! La prononciation se révèle quelquefois déroutante. Par exemple, "R" se prononce comme un "h" inspiré, ainsi "Rio" sonne un peu comme "Hi-o". Hormis les grands hôtels et quelques rares personnes, l'anglais et le français ne sont que très rarement parlés. Toutefois, il est toujours plus satisfaisant de faire l'effort d'apprendre quelques rudiments de brésilien, cela vous vaudra une réelle sympathie. Voici quelques bases pour vous entraîner, et si vous envisagez de voyager seul, investissez dans un dictionnaire !

Étiquette

Il existe 3 formes pronominales à la deuxième personne au Brésil. Tenez-vous-en à *você*, équivalent de "vous", et tout ira bien. *O Senhor* (pour les hommes) ou *A Senhora* (pour les femmes) sont utilisés pour marquer le respect ou la déférence. Étant étranger, vous ne vexerez personne si vous vous trompez. Pour en savoir plus, étudiez la manière dont les autres s'adressent à vous. Dans certaines régions, en particulier le Nordeste et le Sud, le *tu* s'emploie énormément. À l'origine, au Portugal, *tu* était réservé aux amis intimes ou aux proches parents, mais au Brésil il équivaut à *você*.

Si vous avez l'intention d'apprendre la langue, il existe des cours de portugais pour étrangers. Voici quelques mots et phrases essentiels.

Mots & expressions

Oui *Sim*
Non *Não*
Où ? *Onde ?*
Quand ? *Quando ?*
Comment ? *Como ?*
Combien ? (prix) *Quanto ?*
Combien ? (quantité) *Quantos ?*
Beaucoup / Plusieurs *Muito / Muitos*
Un peu / Peu *Um pouco / Poucos*
Parlez-vous français ? *Você fala franc ?*
Comprenez-vous ? *Você entende ?*
Je ne comprends pas *Não entendo*
Je n'ai pas compris *Não entendi*
Répétez lentement *Repete mais devagar*
Comment s'appelle ceci / … cela ? *Como se chama isto / … aquilo ?*
Comment dit-on… ? *Como se diz… ?*

Politesse

Tudo bem, littéralement "tout va bien" est l'expression de salutation la plus usitée. Si l'on vous demande *"Tudo bem ?"*, ou *"Tudo bom ?"*, répondez *"Tudo bem"*, ou *"Tudo bom"*. L'expression s'emploie également pour dire *"OK"*, *"bien"*, *"il n'y a pas de mal"*. Quant à *"Ta legal"*, très utilisée, cela signifie "OK" ou "Tout va bien".

Bonjour (matin) *Bom dia*
Bonjour (soirée) *Boa tarde*
Bonsoir / Bonne nuit *Boa noite*
Comment allez-vous ? *Como vai você ?*
Bien, merci *Bem, obrigado*
Salut ! *Oi ! / Ciao !*
Au revoir *Até logo*
Adieu *Adeus*
Je m'appelle… *Meu nome é…/ Eu sou…*
Comment vous appelez-vous ? *Qual é seu nome ?*
Enchanté ! *Um prazer ! / Prazer !*
S'il vous plaît *Por favor*
Merci (beaucoup) *(Muito) Obrigado(a)*
De rien *De nada*
Excusez-moi ! *Desculpe ! / Com licença !*
Bien ! / Super ! *Que bom !*
Santé ! *Saúde*

Argent

Espèces *Dinheiro*
Acceptez-vous les cartes de crédit ? *Aceita cartão de crédito ?*
Pouvez-vous encaisser un Travellers' Cheque ? *Pode trocar um Travelers' Cheque ?*
Je voudrais changer de l'argent *Quero trocar dinheiro*
Quel est le taux de change ? *Qual é o câmbio ?*

Transports

L'aéroport *O aeroporto*
L'avion *O avião*
La taxe d'aéroport *A taxa de embarque*
La gare *A estacão de trem*

Chiffres

1	*um*
2	*dois*
3	*três*
4	*quatro*
5	*cinco*
6	*seis*
7	*sete*
8	*oito*
9	*nove*
10	*dez*
11	*onze*
12	*doze*
13	*treze*
14	*quatorze*
15	*quinze*
16	*dezesseis*
17	*dezessete*
18	*dezoito*
19	*dezenove*
20	*vinte*
21	*vinte um*
30	*trinta*
40	*quarenta*
50	*cinqüenta*
60	*sessenta*
70	*setenta*
80	*oitenta*
90	*noventa*
100	*cem*
101	*cento e um*
200	*duzentos*
300	*trezentos*
400	*quatrocentos*
500	*quinhentos*
600	*seiscentos*
700	*setecentos*
800	*oitocentos*
900	*novecentos*
1 000	*mil*
2 000	*dois mil*
10 000	*dez mil*
100 000	*cem mil*
1 000 000	*um milhão*
une demi-douzaine	*meia-duzia*

Le train *O trem*
La gare routière *A rodovíaria*
L'arrêt de bus *O ponto de ônibus*
Le bus *O ônibus*
Où va ce bus ? *Este ônibus vai para onde ?*
Passe-t-il par… ? *Passa em… ?*
Je voudrais enregistrer mes bagages *Quero despachar minha bagagem*
Je voudrais mettre mes bagages à la consigne *Quero guardar minha bagagem*
Le bateau *O barco*
La voiture *O carro*
Je voudrais louer une voiture *Quero alugar um carro*
Le permis de conduire *A carteira de motorista*
Une station de taxi *Um ponto de táxi*
Appelez-moi un taxi *Chame um taxi para mim*
Je voudrais aller à… *Quero ir para…*
Amenez-moi à… *Me leve para…*
Stop ! *Pare !*
S'il vous plaît, arrêtez-vous ici ! *Por favor, pare aqui !*
S'il vous plaît, attendez-moi ! *Por favor, espere !*
Une station de métro *Uma estação de metrô*
À quelle heure est… ? *A que horas é… ?*
À quelle heure part… ? *A que horas sai… ?*
Dans une heure *Daqui a uma hora*
Combien de temps cela prend-il ? *Leva quanto tempo ?*
Un billet / un ticket pour… *Uma passagem para…*
Comment puis-je aller à… ? *Como posso ir para… ?*
Combien de temps faut-il pour y arriver ? *Leva quanto tempo para chegar lá ?*
Où sommes-nous ? *Onde estamos ?*

Trouver

À gauche *A esquerda*
À droite *A direita*
Tout droit *Em frente*
Où se trouve… *Onde é…*
… la plage ? *… a praia ?*
… la salle de bains ? *… o banheiro ?*
… la gare routière ? *… a rodoviária ?*
… l'aéroport ? *… o aeroporto ?*
… la gare ferroviaire? *… a estação de trem ?*
… la poste ? *… o correio ?*

... le commissariat de police ?
... a delegacia de polícia ?
... la billetterie ? *... a bilheteria ?*
... le marché couvert ?
... o mercado ?
... la foire ? *... a feira ?*
... l'ambassade ?
... a embaixada ?
... le consulat ? *... o consulado ?*
Où y a-t-il... *Onde é que tem...*
... un bureau de change ?
... uma casa de câmbio ?
... une banque ? *... um banco ?*
... une pharmacie ?
... uma farmácia ?
... un hôpital ? *... um hospital ?*
... un (bon) hôtel ?
... um (bom) hotel ?
... un (bon) restaurant ?
... um (bom) restaurante ?
... un snack-bar ?
... uma lanchonete ?
... une station d'essence ?
... um posto de gasolina ?
... un garage ?
... uma oficina mecânica ?
... un kiosque à journaux ?
... um jornaleiro ?
... un téléphone public ?
... um telefone público ?
... un coiffeur ? *... um cabeleireiro ?*
... un barbier ? *... um barbeiro ?*
... une laverie ? *... uma lavanderia ?*

Questions de temps

Heure *Hora*
Quelle heure est-il ? *Que horas são ?*
Un instant, s'il vous plaît
Um momento, por favor
Jour *Dia*
Quel jour ? *Que dia ?*
Lundi *Segunda-feira*
Mardi *Terca-feira*
Mercredi *Quarta-feira*
Jeudi *Quinta-feira*
Vendredi *Sexta-feira*
Samedi *Sábado*
Dimanche *Domingo*
Hier *Ontem*
Aujourd'hui *Hoje*
Demain *Amanhã*
Semaine *Semana*
Cette semaine *Esta semana*
La semaine dernière
A semana passada
La semaine prochaine
A semana que vem
Le week-end *O fim de semana*
Mois *Mês*

À l'hôtel

L'hôtel *O hotel*
L'auberge *A pousada*
J'ai une réservation
Tenho uma reserva
Je veux faire une réservation
Quero fazer uma reserva
Je voudrais une chambre
Quero um quarto
... simple *... de solteiro*
... double *... de casal*
... climatisée
... com ar condicionado
... avec douche *... com chuveiro*
... avec salle de bains
... com banheiro
... avec toilettes
... com os banheiros
Je voudrais voir la chambre
Quero ver o quarto
Une valise *Uma mala*
Un sac *Uma bolsa*
Room-service *Serviço de quarto*
La clé *A chave*
Le directeur *O gerente*

Au restaurant

Garçon *Garçom*
Maître d'hôtel *Maître*
Le petit-déjeuner *O café da manhã*
Le déjeuner *O almoço*
Le dîner *O jantar*
Le menu *O cardápio*
La spécialité de la maison
A especialidade da casa
La carte des vins
A carta dos vinhos
Eau minérale gazeuse
Água mineral com gás
Eau minérale plate
Água mineral sem gás
Café (noir) *Cafezinho*
Café au lait *Café com leite*
Thé *Chá*
Bière *Cerveja*
Bière pression *Chope*
Vin blanc *Vinho branco*
Vin rouge *Vinho tinto*
Un soda *Um refrigerante*
Un jus de fruits *Um suco de frutas*
Une boisson alcoolisée *Um drink*
Glaçon *Gelo*
Glace *Sorvete*
Sel *Sal*
Piment *Pimenta*
Sucre *Açúcar*
Une assiette *Um prato*
Un verre *Um copo*
Une tasse *Uma xícara*
Une serviette *Um guardanapo*
Bien cuit *Bem passado*
Saignant *Ao ponto*
Bleu *Mal passado*
Je suis végétarien(ne)
Eu sou vegetariano(a)
Je ne mange pas de viande / poisson
Eu não como carne / peixe
L'addition, s'il vous plaît
A conta, por favor
Le service est-il compris ?
Está incluído o serviço ?
Je voudrais ma monnaie
Eu quero meu troco
Je voudrais un reçu
Eu quero um recibo

Shopping

Faire des achats *Fazer compras*
Le magasin *A loja*
La librairie *A livraria*
Le supermarché *O supermercado*
Un grand magasin
Uma loja de departamentos
Une boutique *uma boutique*
Un bijoutier *Um joalheiro*
Avez-vous... ? *Você tem... ?*
Je voudrais..., s'il vous plaît
Eu quero..., por favor
Je ne veux pas... *Eu não quero...*
Je voudrais acheter...
Eu quero comprar...
Où puis-je acheter...
Onde posso comprar...
... des cigarettes *... cigarros ?*
... une pellicule *... um filme ?*
... un billet pour...
... uma entrada para... ?
... un autre pareil
... um outro igual ?
... un autre différent
... um outro diferente ?
... ceci / cela *... isto / aquilo ?*
... quelque chose de moins cher
... algo mais barato ?
... cartes postales
... cartões postais ?

Socorro !

J'ai besoin d'... *Eu preciso de...*
... un médecin *... um médico*
... un mécanicien *... um mecânico*
... une aspirine *... uma aspirina*
... aide *... ajuda*
Pharmacie *Fármacia*
Hôpital *Hospital*

... du papier / enveloppes
... papel / envelopes ?
... un stylo / un crayon
... uma caneta / um lápis ?
... savon / shampooing
... sabonete / xampu ?
... crème solaire *filtro solar ?*
... aspirine *aspirina ?*
Combien cela coûte-t-il ?
Quanto custa ? / Quanto é ?
C'est très cher *É muito caro*

Pronoms

Qui	*Quem ?*
Je / nous	*Eu / Nós*
Vous (singulier)	*Você*
Vous (pluriel)	*Vocês*
Il(s) / Elle(s)	*Ele(s) / Ela(s)*
Mon / Mien	*Meu*
Ma / Mienne	*Minha*
Son / Sa / Ses	*Dele / Dela / Deles*
Notre / Nos	*Nosso / Nossa*
Votre / Vos	*Seu / Sua*
Leur, leurs	*Delas*

Toponynie

Alameda (Al.)	**Venelle / Chemin**
Avenida (Av.)	**Avenue**
Centro / a cidade	**Quartier d'affaires**
Conjunto (Cj.)	**Suite / Îlot**
Estrada (Estr.)	**Route / Voie express**
Largo (Lgo.)	**Place / Square**
Praça (Pça.)	**Place / Square**
Rodovia (Rod.)	**Autoroute**
Rua (R.)	**Rue**

BR suivi d'un numéro désigne une route inter-États : la *BR-101* qui longe la côte atlantique.

Aldeia	**Village**
Andar	**Étage / Niveau**
Baía	**Baie**
Barrio	**Quartier**
Bosque	**Bois**
Cabo	**Cap**
Casa	**Maison**
Cidade	**Ville**
Chafariz	**Fontaine**
Escadas	**Escaliers**
Fazenda	**ranch / lodge**
Igreja	**Église**
Lote	**Lotissement**
Mirante	**Belvédère**
Morro	**Colline**
Passeio	**Promenade**
Praia	**Plage**
Rio	**rivière, fleuve**
Sala	**Pièce**
Serra	**Chaîne / Montagne**
Vale	**Vallée**

À lire

Généralités

Aparecida de Mello, Nelli, et Théry, Hervé, *Atlas du Brésil*, Insee, Paris, 2004.
Carelli, Mario, *Brésil, épopée métisse*, Découvertes Gallimard, Paris, 1991.
Maréchal, Gilles, *Le Brésil et les Brésiliens*, L'Harmattan, Paris, 1995. Guide découverte sous forme de fiches thématiques.
Rio-Brésil, Gallimard, Encyclopédie du voyage, Paris, 2005.
Silva, Juremir Machado da, *Le Brésil pays du présent*, Desclée de Brouwer, Paris, 1999. Une approche sociologique.

Architecture

Fernandez, Dominique, *L'Or des Tropiques, promenades dans le Portugal et le Brésil baroques*, Grasset, Paris, 1993.
Niemeyer, Oscar, *Mémoires*, Gallimard, Paris, 1999.
Paré, Zaven, *Brasília : l'urbanisme, l'architecte, le jardinier*, Harpo, Paris, 1999.
Pires, Fernando, *Fazendas, les grandes demeures du Brésil*, Abbeville, Paris, 1999.

Histoire

Arinos, Afonso, *L'Indien brésilien et la Révolution française*, La Table Ronde, Paris, 2005.
Bastide, Roger, *Le Candomblé de Bahia*, Plon, Paris, 2001. L'exploitation sucrière par les esclaves béninois.
Bennessar, Bartolomé et Martin, Richard, *Histoire du Brésil, 1500-2000*, Fayard, Paris, 2000.
Mauro, Frédéric, *Histoire du Brésil*, Chandeigne, Paris, 1994.
Théry, Hervé, *Le Brésil*, Armand Colin, Paris, 2000.

Littérature brésilienne

Anthologie de la nouvelle poésie brésilienne, L'Harmattan, Paris, 1988.
Amado, Jorge, *Les Terres du bout du monde* et *La Terre aux fruits d'or*, Gallimard, Paris, 1991 et 1995. Ces deux livres retracent l'histoire des terres du cacao du sud de Bahia relatée par le célèbre romancier brésilien, véritable gloire nationale.
Bahia de tous les saints, Gallimard, Paris, coll. "Folio", 1981. Roman picaresque déroulant dans le cadre du Nordeste les rêves et la misère du peuple noir.
Assis, Joachim Machado de, *L'Aliéniste*, Gallimard, Paris, 1992. *Dom Casmurro*, LGF, Paris, 1997. *Le philosophe ou le chien : Quincas Borba*, Métaillé, Paris, 1997.
Buarque, Chico, *Embrouilles*, Gallimard, Paris, 1996. Un portrait onirique de Rio. Adapté au cinéma par Ruy Guerra, figure emblématique de l'avant-garde.
Dictionnaire de la littérature brésilienne, PUF, Paris, 2000.
Callado, Antonio Carlos, *Mon pays en croix*, Seuil, Paris, 1971.
Cunha, Euclides da, *Hautes Terres : la guerre de Canudis*, Métailié, Paris, 1997.
França Junior, Oswaldo, *L'Or de l'Amazonie*, Aces Sud, Paris, 1994.
Hilst, Hilda, *Contes sarcastiques*, Gallimard, Paris, 1994.
Ramos, Graciliano, *Angoisse*, Gallimard, Paris, 1991. *Mémoires de prison*, Gallimard, Paris, 1988. *Sécheresse*, Gallimard, Paris, 1964.
Ribiero, João Ubaldo, *Vive le peuple brésilien*, Serpent à Plumes, 1999. *Ô luxure*, Serpent à Plumes, 2001.
Veríssimo, Érico, *Le Temps et le vent : Le Continent (vol. 1)*, Albin Michel, Paris, 1996. *Le Temps et le vent : Le Portrait de Rodrigo Cambara (vol. 2)*, Albin Michel, Paris, 1998.

Romans

Hatoum, Milton, *Deux frères*, Le Seuil, Paris, 2003. À Manaus en plein âge d'or du caoutchouc, l'histoire de deux jumeaux nés dans une riche famille d'origine libanaise.

Fleming, Peter, *Un aventurier au Brésil*, Phébus, Paris, 1990. Le récit d'une expédition en 1925.
Ruffin, Jean-Christophe, *Rouge Brésil*, Gallimard, Paris, 2001. Prix Goncourt 2001. Un épisode peu connu de la Renaissance française : l'histoire de 2 enfants embarqués pour servir d'interprètes auprès des Indiens d'Amazonie.
Souza, Marcio, *L'Empereur d'Amazonie*, Métaillé, Paris, 1998.
Updike, John, *Brésil*, Le Seuil, Paris, 1997. Une histoire d'amour, calquée sur Tristan et Iseult, à travers le Brésil des années soixante.

Société

Amazone, la foire d'empoigne, Autrement, Paris, 1990.
Bastide, Roger, *Brésil : terre des contrastes*, L'Harmattan, Paris, 1999.
Fabre, Daniel, *Carnaval ou la Fête à l'envers*, Découvertes Gallimard, Paris, 1992.
Freyre, Gilberto, *Maîtres et esclaves : la formation de la société brésilienne*, Gallimard, Paris, 1978.
Furtado, Celso, *La Formation économique du Brésil*, Publisud, Paris, 1998.
Greffray, Christian, *Chroniques de la servitude en Amazonie brésilienne*, Karthala, Paris, 1996.
Gret, Marion, et Sintomer, Yves, *Porto Alegre : l'espoir d'une autre démocratie*, La Découverte, Paris, 2002. L'expérience du budget participatif mis en place par la municipalité de Porto Alegre. Comment tirer parti de cette nouvelle démocratie locale ?
Léry, Jean de, *Les Indiens du Brésil*, Mille et une nuits, Paris, 2002.
Lévi-Strauss, Claude, *Tristes Tropiques*, Pocket, Paris, 2002. Un classique de l'anthropologie structurale.
Lispector, Clarice, *La Découverte du monde*, Des Femmes, Paris, 1998. Recueil de chroniques parues dans le *Jornal do Brasil*.
Mendes, Francisco Chico, *Mon combat pour la forêt : le dernier témoignage du leader brésilien assassiné*, Seuil, Paris, 1990.
Rio de Janeiro, la beauté du diable, Autrement, Paris, 1990.
Silva, Juramir Machado da, *Le Brésil, pays du présent*, Desclée de Brouwer, Paris, 1999.
Veloso, Caetano, *Pop tropicale et révolution*, Le Serpent à Plumes, Paris, 2003. Le "John Lennon" du Brésil, fondateur du *tropicalismo*, raconte comment cette contre-culture a révolutionné jusqu'à la vie politique du pays.

Beaux livres

Brésil Baroque, entre ciel et terre, musée du Petit-Palais, Paris, 2000. Catalogue d'exposition, 350 pièces venues de toutes les régions du Brésil.
Banier, François-Marie, *Banier Brésil*, Gallimard, Paris, 2001. Des photographies sensuelles, le corps du pays, la beauté à l'état pur.
Giard, Luc, *Brésil, la folie grandeur nature*, Anako, Paris, 1991. Le tournage d'un documentaire amène Luc Giard à privilégier une approche très humaine du Brésil, couleurs chatoyantes et demi-teintes…
Ramade, Frédéric et Cafi, *Brésil*, Arthaud, Paris, 2001. Le regard croisé d'un photographe et d'un écrivain. Très original.

Récits de voyages

Blake, Peter, *La Dernière Aventure de Sir Peter Blake, Journal de bord, Expéditions en Antarctique et en Amazonie*, Gallimard, Paris, 2004. Le 6 décembre 2001, 10h du matin, Peter Blake trouve la mort dans le delta de l'Amazone, victime de pirates qui attaquent son voilier, le *Seamaster*. Ce beau livre rend hommage à cet aventurier n'ayant eu cesse d'alerter les hommes sur les dangers encourus par notre planète.
Debret, Jean-Baptiste, *Rio de Janeiro : la ville métisse*, Chandeigne, Paris, 2001.
Freyre, Gilberto, *Terre de sucre : Nordeste*, Quai Voltaire, Paris, 1992.
Léry, Jean de, *Voyage au Brésil*, Payot, Lausanne, 1984.
Lévi-Strauss, Claude, *Saudades do Brasil*, Plon, Paris, 1994.
Zweig, Stefan, *Le Brésil, terre d'avenir*, Paris, LGF, 2002.

À voir

La réputation du cinéma brésilien n'est plus à faire – ces 4 dernières années, le pays a reçu 3 nominations aux Academy Awards pour le meilleur film étranger. *Central do Brasil* a connu un grand succès mondial. Plus récemment, *La Cité de Dieu* – un film à la manière de Tarantino sur les *favelas* de Rio – a été proclamée par les critiques meilleur film 2003. Le Festival do Rio, le plus important festival international de cinéma d'Amérique latine, se tient en septembre à Rio de Janeiro. São Paulo accueille une autre manifestation en octobre.

Sauf si vous parlez portugais, attendez plutôt d'être rentré pour découvrir le cinéma brésilien. Sinon, sur place, consultez la presse locale : la majorité des films viennent de l'étranger, surtout des États-Unis, et sont toujours projetés en V.O. sous-titrée.

Voici quelques films, ayant le Brésil pour cadre, qui seront une façon agréable de préparer votre voyage, ou d'en être nostalgique :

Filmographie

Broca, Philippe de, *L'Homme de Rio*, 1964. Une course folle et désinvolte de Jean-Paul Belmondo à la recherche de sa fiancée enlevée par des Brésiliens. Une réussite du comique d'aventure qui en dit beaucoup sur notre vision de l'autre.
Camus, Marcel, *Orfeo Negro*, 1958. La transposition du mythe d'Orphée durant la préparation du carnaval de Rio. Basé sur le livre de Vinicius de Moraes, musique de Tom Jobim.
Hitchcock, Alfred, *Notorious (Les Enchaînés)*, 1946. Le plus long baiser du cinéma entre Cary Grant et Ingrid Bergman avec le Pão de Açúcar en toile de fond.
Joffré, Roland, *The Mission (Mission)*, 1986.

Couverture

© Véronique Durruty/Hoa-Qui
Plume d'ara, Pantanal

Intérieur

Luiz Alberto/Getty Images 30bg
APA Photo Agency 130-131
AM Corporation/Alamy 186
Arco Images/Alamy 208
Arnaud Chicurel/Hemis 261
The Art Archive/Museu Nacional de Belas Geoff Arrow/Jon Arnold 268h
Artes Rio de Janeiro Brazil/Dagli Orti 119
Daniel Augusto Jr. 42
Ricardo Azoury 118, 207, 306
Ricardo Azoury/Corbis 313
Robert E. Barber/Alamy 7cg
Caetano Barreira/Corbis 329
Caetano Barreira/Latinphoto 333
Ricardo Beliel/Alamy 91, 103, 366
Steve J. Benbow/Axiom 128-129
Nair Benedicto 10-11, 65d
Bertrand Gardel/Hemis 251
Jamil Bittar/Corbis 31bd, 53
The Bridgeman Art Library 28h, cg & cd, 29h & cg
The Bridgeman Art Library/Getty Images 37
Cristiano Burmester/Alamy 132
Jan Butchofsky-Houser 247
Camera Tres Fotographic 288h
Sandro Campardo/Corbis 111g
Campos & Davis/APA 80-81, 83, 85, 89, 92g, 143, 149&h, 154h, 156, 158h, 160, 163&h, 164&h, 194, 339, 345, 353, 356, 357
Campos-Davis/SCP 18, 72g
Pedro Carrara/Alamy 230
Anthony Cassidy/Corbis 125
Angelo Cavalli/Getty Images 6h
Cephas Picture Library/Alamy 332, 332h
Courtesy of Michael Clifford 247h, 248h
Corbis 321
Vanor Correia/Latinphoto 62
Pedro Luz Cunha/Alamy 303h
Sue Cunningham 5bd, 43, 44, 57, 64, 71, 96c, bg & bd, 97hd, bg, bc & bd, 109, 167, 169h, 177, 182, 192&h, 195h, 198h, 200h, 210h, 211, 219h, 223h, 237, 277, 280&h, 283, 286h, 292h, 298, 300, 315, 326d, 327
Sue Cunningham/Alamy 17hg, 201, 257
Patrick Cunningham/SCP 301
Salomon Cytrynowicz 67
Danita Delimont/Alamy 231
Dbimages/Alamy 3bd
Mark Downey/Lucid Images 76
Bruno Ehrs/Corbis 195
eMotionQuest/Alamy 235
Empics 98, 99
Douglas Engle/Corbis 111d
Douglas Engle/Latinphoto 82, 258
The Estate of Margaret Mee 279h
Mary Evans Picture Library 32, 34
FAN travelstock/Alamy 227
Eric Carl Font/APA 9h, 9cg, 59, 94, 95, 100, 133bg, 137bg, 141, 142&h, 143h, 145, 147&h, 148g, d&h, 150&h, 153h, 154g&d, 155, 156h, 157&h, 161, 162, 170h, 171, 172h, 173h, 174, 175, 176, 178h, 179, 259, 342, 354, 355, 361, 362, 367
Stéphane Frances/Hemis
Robert Fried 1, 19, 21, 74, 287h, 310, 316, 334
Robert Fried/Alamy
Patrick Frilet/Rex Features 248
Johan Furusjo/Alamy 267
Galeria Jacques Ardies 116, 117, 121
GardenWorld Images/G. Harper 214
Getty Images 151
Getty Images/SambaPhoto 199, 254, 328
Philippe Giraud/Corbis 4-5, 272, 276
Laurent Giraudou/Hemis 205
Mike Goldwater/Alamy 78
Larry Dale Gordon/Getty Images 187
Günter Gräfenhain/SIME-4Corners Images 7hd, 140, 225
The Ronald Grant Archive 112, 113, 114
Robert Harding Picture Library/Alamy 273d
Hemis/Alamy 96-97hc, 215
Mike Hewitt/Getty Images 31cg
Marie Hippenmeyer/Getty Images 115
Peter Horree/Alamy 221, 241
Richard House 23, 66, 299bg
Dave Houser 96hg, 97c
Houserstock 224
Alan Howden/Alamy 56
Imagebroker/Alamy 54
ImageState/Alamy 191
Volkmar Janicke 20, 189h, 245d, 254h, 292, 323
Jornal do Brasil 40, 41
Wolfgang Kaehler/Corbis 255
Laif, Camera Press London 8b, 268, 270, 271, 274-275, 279, 287, 288, 291h, 303, 304, 365
Mario Lalau/Latinphoto 193
Mauricio Lima/Getty Images 55, 183
Robin Little/Redferns 105
Jon Lusk/Redferns 110
Alex Maddox/Alamy 88, 93, 238
John H. Maier Jr. 17cd, 58, 60, 69, 72d, 77, 84, 87, 92d, 107, 133hd, 136, 159h, 166, 170, 172, 173, 178, 216-217, 245g, 250, 266, 289, 296-297, 299hd, 302h
John H. Maier Jr./Time Life Pictures/Getty Images 30bd
Ricardo Malta 86, 185h
Luiz C. Marigo/Bruce Coleman 22
Delfim Martins 24
Juca Martins 322, 326g, 331
Stephanie Maze/Corbis 90
Eamonn McCabe/Redferns 108
Doug McKinley/Axiom 104
Vanja Milliet 33, 35, 38, 120, 200
Tony Morrison/South American Pictures 52, 61
David Muenker/Alamy 226
Gianni Muratore/Alamy 188, 189, 239h, 340

Cartographie Bernstson & Berndtson Productions
© 2007 Apa Publications GmbH & Co. Verlag (Singapour)
Édition : Zoe Goodwin
Iconographie Hilary Genin, Jenny Krautz

Vautier de Nanxe 16, 25, 47, 48, 51, 68, 102, 204, 208h, 209, 210, 220, 227h, 239, 253h, 264h, 265h, 269, 307, 316h, 331
Nature Picture Library 194h
Gregg Newton/Corbis 101
Robert Nickelsberg/Getty Images 30cd
Kadu Niemeyer/Corbis 305h
Richard Nowitz 12-13, 137hd, 144, 146, 335
Ana Maria Pacheco 122
Beren Patterson/Alamy 8h
Photolibrary 14-15
Andrea Pistolesi/Getty Images 2-3, 325
Sergio Pitamitz/Corbis 263, 264
Ingolf Pompe 152
Carol Quintanilla 190
Reuters/Corbis 106
Rolf Richardson/Alamy 6b, 233
Rickey Rogers/Corbis 45
Sebastiao Salgado/nbpictures 123
Vittorio Sciosia/Alamy 256
Antonio Scorza/Getty Images 30hg, 31hd
Andre Seale/Alamy 260
Sean Sexton/Getty Images 29cd
Mauricio Simonetti 49, 315
Ricardo Siqueira/Alamy 265
David South/Alamy 222
Cardinale Stephane/Corbis Sygma 79
Stock Connection/Alamy 285
Tony Stone 318-319
Superstudio/Getty Images 197h
Dermot Tatlow/Panos Pictures 291
Time Life Pictures/Getty Images 39
Topham Picturepoint 36, 196h
Courtesy of Pepe Torras 7B
Matteo Torri/StockFood UK 309
Mireille Vautier 26-27, 73, 75, 211h, 212&h, 225h, 233h, 235h, 244, 245h, 246, 252h, 256h, 258h, 267h, 270h, 271T, 284, 307h, 308, 327h
Luis Veiga 330
Uwe Waltz GDT/Bruce Coleman Ltd. 311
Alan Weintraub/Arcaid 124
Martin Wendler/NHPA 313h
Paulo Whitaker/Corbis 50, 180-181, 185, 281
Courtesy of Wikimedia 213
Joby Williams 236g, 289h, 314, 320
Peter M. Wilson/Alamy 70, 236d
Steve Winter/Getty Images 63
Worldwide Picture Library/Alamy 46
Konrad Wothe/Bruce Coleman Ltd. 290

Zoom sur…

Pages 202-203 Jan Butchofsky-Houser 202-203hc ; Sue Cunningham 203hd&bg ; Dave Houser 202bg ; Volkmar Janicke 203cd ; Mireille Vautier 202hg&bg, 203bd
Pages 242-243 Sue Cunningham 242-243, 242hg, bg, c&bd, 243cd&bd ; Dave Houser/Jan Butchofsky-Houser 243hd ; Mireille Vautier 243cg
Pages 294-295 Campos-Davis/SCP 295bd ; Sue Cunningham 294-295, 294hc&c, 295bg ; Patrick Cunningham/SCP 295cd ; Volkmar Janicke 294bd ; NHPA/James Carmichael Jr 294bg ; NHPA/Haroldo Palo 295cg ; NHPA/Martin Wendler 295hr

Les numéros de page en gras répertoriés dans l'index renvoient à une illustration ou à une photo.

A

B

D

E

F

G

H

I

J

Q

R

S

T

U